NOVO GUIA À TERRA DAKINI

Outros livros de Venerável Geshe Kelsang Gyatso Rinpoche

Contemplações Significativas
Clara-Luz de Êxtase
Compaixão Universal
Caminho Alegre da Boa Fortuna
O Voto Bodhisattva
Joia-Coração
Grande Tesouro de Mérito
Introdução ao Budismo
Solos e Caminhos Tântricos
Oceano de Néctar
Essência do Vajrayana
Viver Significativamente, Morrer com Alegria
Oito Passos para a Felicidade
Transforme sua Vida
Novo Manual de Meditação
Como Solucionar Nossos Problemas Humanos
Mahamudra-Tantra
Budismo Moderno
Novo Coração de Sabedoria
Como Entender a Mente
As Instruções Orais do Mahamudra

O lucro recebido pela Editora Tharpa com
a venda deste livro será direcionado ao
Fundo Projeto Internacional de Templos da NTK-UBKI,
de acordo com as diretrizes que constam
em *O Manual do Dinheiro*
[Reg. Charity number 1015054 (England)]
Uma instituição beneficente budista,
construindo pela Paz Mundial.
www.kadampatemples.org

VENERÁVEL GESHE
KELSANG GYATSO RINPOCHE

Novo Guia à Terra Dakini

A PRÁTICA DO TANTRA IOGA SUPREMO
DE BUDA VAJRAYOGINI

THARPA BRASIL

São Paulo, 2015

Primeira edição em língua inglesa em 1991 como *Guide to Dakini Land.*
Publicado em língua inglesa em 2012, com revisões feitas pelo autor, como *The New Guide to Dakini Land.*

Primeira edição em língua portuguesa em 2001 como *Guia à Terra Dakini.*
Primeira edição em língua portuguesa em 2015 como *Novo Guia à Terra Dakini.*

Título original:
The New Guide to Dakini Land

Tradução do original autorizada pelo autor.

Tradução, Revisão e Diagramação Tharpa Brasil

Dados Internacionais de Catalogação na Publicação (CIP)

Kelsang, Gyatso (Geshe), 1932-
Novo guia à terra dakini / Geshe Kelsang Gyatso; tradução Tharpa Brasil - 1. ed. - São Paulo: Tharpa Brasil, 2015.
684p.

Título original em inglês: The new guide to dakini land

ISBN 978-85-8487-001-1
1. Budismo 2. Carma 3. Meditação I. Título.
05-9278 CDD-294.3

Índices para catálogo sistemático:
1. Budismo: Religião 294.3

2015

EDITORA THARPA BRASIL
Rua Artur de Azevedo 1360, Pinheiros
05404-003 - São Paulo, SP
Fone: 11 3476-2330
www.tharpa.com.br

Sumário

Ilustrações

Nota do Tradutor

As palavras de origem sânscrita e tibetana, como *Bodhichitta*, *Bodhisattva*, *Dharma*, *Geshe*, *Sangha* etc., foram grafadas como aparecem na edição original deste livro, em língua inglesa, em respeito ao trabalho de transliteração previamente realizado e por evocarem a pureza das línguas originais das quais procedem.

Em alguns casos, contudo, optou-se por aportuguesar as palavras já assimiladas à língua portuguesa (Buda, Budeidade, Budismo, carma) em vez de escrevê-las de acordo com a sua transliteração (*Buddha*, *karma*).

As palavras estrangeiras foram grafadas em itálico somente na primeira vez que aparecem no texto.

Nas páginas 103, 105, 119 e 176, a palavra inglesa *thatness* (pronome demonstrativo *that* + sufixo *–ness*, que indica o estado, condição, qualidade ou instância de algo) foi traduzida como "talidade", neologismo derivado do pronome demonstrativo *tal*, em português. No livro *Ocean of Nectar*, de Geshe Kelsang Gyatso, o termo talidade é utilizado como sinônimo de vacuidade. Assim, podemos ler: "Nas escrituras, a vacuidade é, com frequência, denominada talidade [*thatness*] porque ela é a natureza última dos fenômenos" (página 142); "verdade, natureza última, talidade [*thatness*] e vacuidade são sinônimos" (página 208); e "ausência de produção inerentemente existente é talidade [*thatness*]" (página 410). A escolha dessa palavra seguiu Éditions Tharpa France – Canada (*l'ainsité*), Editorial Tharpa España (*talidad*) e Tharpa-Verlag (*Dasheits*).

Na página 231 do comentário e na sadhana *Oferenda Ardente de Vajrayogini* são citados dois tipos de gramínea: "couch grass" e "kusha grass", em inglês. "Couch grass" (nome científico *Elymus repens*, sinonímia *Agropyron repens*) foi traduzido como "grama-de-ponta". "Kusha grass" (nome científico *Desmostachya bipinnata*) foi parcialmente traduzido como grama *kusha*, uma vez que não foram encontrados relatos de sua ocorrência no Brasil.

As palavras ou frases entre chaves "{ }" foram inseridas pelo tradutor para auxiliar a melhor compreensão do texto em português, do mesmo modo que o texto original em inglês utiliza-se de colchetes "[ ]" para o mesmo fim.

Venerável Vajrayogini

Introdução

Preparei este livro, *Novo Guia à Terra Dakini*, para clarificar muitos significados profundos e para tornar fácil a compreensão e a prática deste precioso Dharma sagrado. Por favor, desfrute!

É importante compreender que os seres vivos têm muitas capacidades diferentes para a compreensão e a prática espirituais. Foi por essa razão que, motivado por compaixão, Buda, o Abençoado, deu muitos níveis de ensinamentos, agindo do mesmo modo que um médico habilidoso, que administra uma variedade de medicamentos para tratar diferentes tipos de doentes.

Para aqueles que têm o mero desejo de obter felicidade humana, Buda deu ensinamentos que revelam as ações e seus efeitos - ou carma - e ensinou-lhes disciplina moral como a prática principal à qual deveriam se dedicar. Para os que desejam experienciar a paz interior permanente da libertação - ou nirvana - para si próprios, Buda deu ensinamentos sobre as desvantagens do samsara, o ciclo de renascimento contaminado, e ensinou-lhes os três treinos superiores como prática principal à qual deveriam se dedicar: o treino em disciplina moral superior, o treino em concentração superior e o treino em sabedoria superior. Para aqueles que têm o desejo de alcançar o objetivo último da plena iluminação, Buda deu ensinamentos sobre aprender a apreciar os outros, grande compaixão e o supremo bom coração - a bodhichitta - e ensinou-lhes as seis perfeições como prática principal à qual deveriam se dedicar: as perfeições de dar, disciplina moral, paciência, esforço, concentração e sabedoria. Todos esses ensinamentos são abertos

– ou seja, irrestritos – para qualquer pessoa que deseje estudá-los e praticá-los. As experiências obtidas pela prática desses ensinamentos são denominadas "os caminhos espirituais comuns".

Além desses ensinamentos, Buda deu também ensinamentos sobre o Tantra. Esses ensinamentos podem ser praticados unicamente por aqueles que tenham recebido iniciações tântricas. As experiências obtidas pela prática desses ensinamentos são denominadas "os caminhos espirituais incomuns".

Nos ensinamentos tântricos, Buda revelou quatro classes de Tantra. As práticas explicadas neste livro, *Novo Guia à Terra Dakini*, estão incluídas na mais elevada dessas quatro classes – o Tantra Ioga Supremo. As práticas do Tantra Ioga Supremo são a verdadeira essência dos ensinamentos de Buda. Elas incluem *métodos* para impedir a aparência comum e a concepção comum; *métodos especiais* para impedir a morte comum, o estado intermediário comum e o renascimento comum; e *métodos incomuns* para transformar todas as experiências diárias em caminhos espirituais superiores. Por transformar a experiência comum dessa maneira, podemos evitar todos os problemas que vivenciamos em nossa vida diária e alcançar, rapidamente, a felicidade última da plena iluminação. Neste contexto, "Dakini" refere-se a Vajrayogini, e sua Terra Pura de Keajra é denominada "Terra Dakini" ou "Paraíso Dakini".

A fonte de todos os significados essenciais contidos em *Novo Guia à Terra Dakini* é o texto *Iluminando Todos os Significados Ocultos* (*Be don kun sel*, em tibetano), escrito por Je Tsongkhapa, um precioso comentário à pratica de Heruka e Vajrayogini. Pela bondade de meu Guru-raiz, Dorjechang Trijang Rinpoche, tive a oportunidade de estudar e de praticar as instruções de Heruka e Vajrayogini. Agora, escrevi este livro como uma oferenda especial, dirigida principalmente aos praticantes do mundo moderno.

Para praticar as instruções explicadas neste livro, precisamos de condições interiores especiais. Primeiro, devemos treinar nos caminhos espirituais comuns – a prática do Lamrim Kadam. Depois, devemos receber as iniciações de Heruka e Vajrayogini. Tendo recebido estas iniciações, devemos nos empenhar para manter puramente nossos votos e compromissos.

Se tivermos motivação pura e lermos cuidadosamente o livro inteiro, concentrando-nos profundamente em seu significado, sem pressa de terminar sua leitura, obteremos profundas realizações do *Budadharma*.

Geshe Kelsang Gyatso
2012

Mandala de Vajrayogini

Explicação Preliminar

O comentário à prática do Tantra Ioga Supremo da Venerável Vajrayogini consiste em: a explicação preliminar; o comentário principal aos estágios de geração e de conclusão; e a dedicatória. O primeiro desses três tópicos - a explicação preliminar - tem sete partes:

1. Gerar uma motivação correta;
2. A origem e a linhagem destas instruções;
3. Os benefícios destas instruções;
4. Biografias de praticantes budistas do passado que obtiveram realizações pela prática destas instruções;
5. As qualificações necessárias para praticar estas instruções;
6. As quatro causas especiais de aquisições rápidas;
7. O que são as Terras Dakinis exterior e interior?

GERAR UMA MOTIVAÇÃO CORRETA

Estas instruções dizem respeito ao extraordinário caminho espiritual do Tantra, ou Mantra Secreto - o método mais rápido e profundo para alcançar a grande iluminação. Devemos nos regozijar com esta preciosa oportunidade de estudar estas instruções que, se colocadas em prática, podem conduzir à plena iluminação dentro de uma breve vida humana. No entanto, estudar estas instruções será verdadeiramente significativo somente se nossa motivação for pura. Se lermos este livro meramente por curiosidade intelectual, não iremos experienciar seu real significado. Para receber o máximo benefício destas instruções, devemos começar gerando uma motivação pura, altruísta, toda vez que as estudarmos ou praticarmos. Podemos gerar essa motivação recitando três vezes a seguinte prece, enquanto nos concentramos em seu significado:

> Eu e todos os seres sencientes, os migrantes tão extensos quanto o espaço, doravante, até alcançarmos a essência da iluminação,
> Buscamos refúgio nos gloriosos, sagrados Gurus,
> Buscamos refúgio nos perfeitos Budas, os Abençoados,
> Buscamos refúgio nos Dharmas sagrados,
> Buscamos refúgio nas Sanghas superiores.

Depois, devemos recitar três vezes:

> Uma vez que eu tenha alcançado o estado de um perfeito Buda, libertarei todos os seres sencientes do oceano de sofrimento do *samsara* e os levarei ao êxtase da plena iluminação. Com esse propósito, vou praticar as etapas do caminho de Vajrayogini.

A ORIGEM E A LINHAGEM DESTAS INSTRUÇÕES

Os dois estágios da prática de Vajrayogini foram originalmente ensinados por Buda Vajradhara. Para expor o *Tantra-Raiz de Heruka*, Vajradhara se manifestou sob a forma de Heruka, e foi nesse Tantra que ele explicou a prática de Vajrayogini. Todas as diversas linhagens de instruções sobre Vajrayogini podem ser reportadas a essa revelação inicial. Dessas linhagens, há três que são mais comumente praticadas: a linhagem Narokhachö, que foi transmitida de Vajrayogini para Naropa; a linhagem Maitrikhachö, transmitida de Vajrayogini para Maitripa; e a linhagem Indrakhachö, transmitida de Vajrayogini para Indrabodhi. Este comentário aos estágios de geração e de conclusão da prática do Tantra Ioga Supremo de Vajrayogini está fundamentado nas instruções da linhagem Narokhachö.

A ORIGEM DO TANTRA DE HERUKA

Antigamente, em certa época, este universo era controlado pela deidade mundana Ishvara. Seus *mandalas* e *lingams* existiam em muitos lugares deste mundo, sendo que os mais importantes estavam nos 24 lugares sagrados. Os seguidores de Ishvara sacrificavam inumeráveis animais como oferendas a ele. Isso fazia com que Ishvara ficasse imensamente satisfeito e, como retribuição, ele ajudava seus seguidores a obterem riqueza e sucesso mundanos; porém, Ishvara obstruía qualquer um que tentasse alcançar a libertação ou a iluminação. Sob a influência de Ishvara, as pessoas deste mundo abatiam milhares de animais todos os dias, pensando que estavam fazendo ações virtuosas. Em realidade, no entanto, elas estavam acumulando pesado carma negativo e privando-se, elas próprias, da oportunidade de alcançar a libertação.

Os Heróis e Heroínas das Cinco Famílias Búdicas consideraram intolerável essa situação, e pediram a Buda Vajradhara para intervir. Buda Vajradhara se manifestou sob a forma de Heruka e, pelo poder de suas bênçãos, subjugou Ishvara e transformou os mandalas, ou mundos, de Ishvara em mandalas de Heruka. As demais Deidades do mandala de Heruka subjugaram o séquito de Ishvara, convertendo seu séquito em seguidores de Heruka.

Heruka não reabsorveu os mandalas – seus mundos puros – que havia emanado nos 24 lugares deste mundo humano, mas deixou-os intactos e, até os dias de hoje, seres com carma especialmente puro são capazes de ver esses mandalas e os Heróis e Heroínas que residem neles. Para praticantes de Heruka e Vajrayogini, esses lugares abençoados são locais particularmente poderosos para meditação.

Após subjugar Ishvara e seu séquito, Heruka expôs os *Tantras-Raiz de Heruka* – o condensado, o mediano e o extenso. Desses, somente o *Tantra-Raiz Condensado de Heruka* foi traduzido do sânscrito para o tibetano. Buda Vajradhara também expôs muitos Tantras explicativos, que são comentários aos Tantras-Raiz, e diversos desses Tantras foram traduzidos para o tibetano. É nesse Tantra-Raiz e nos Tantras explicativos – especialmente nos capítulos 47º e 48º do *Tantra-Raiz Condensado de Heruka*, que é composto de 51 capítulos – que Buda Vajradhara deu instruções claras sobre a prática de Vajrayogini.

A LINHAGEM DESTAS INSTRUÇÕES

O primeiro Guru da linhagem destas instruções é Buda Vajradharma, e o segundo é Buda Vajrayogini. Vajrayogini transmitiu estas instruções diretamente para Naropa, que, de modo diligente, colocou-as em prática e obteve grandes realizações como resultado. Embora Naropa tivesse muitos discípulos, ele manteve secreta sua prática de Vajrayogini, transmitindo-a apenas para dois irmãos da cidade nepalesa de Pamting, atualmente denominada Pharping. Ele observou que os irmãos Pamtingpa – Jigme Dragpa e seu irmão mais jovem, Ngawang Dragpa – tinham uma conexão cármica particularmente forte com estas instruções. Sakya Pândita Kunga Gyaltsen e outros famosos professores também notaram o fato de que até mesmo o mais famoso dos discípulos de Naropa – o grande mestre tibetano Marpa – não havia recebido estas instruções.

Os irmãos Pamtingpa transmitiram estas instruções para os tradutores tibetanos Lokya Sherab Tseg e, então, para Malgyur Lotsawa. Foi Malgyur Lotsawa quem traduziu o *Tantra-Raiz Condensado de Heruka* do sânscrito para o tibetano. Devido a sua bondade, muitos tibetanos no passado tornaram-se grandes iogues e ioguines, e hoje muitas pessoas têm a oportunidade de estudar e praticar os Tantras de Heruka e Vajrayogini. O próprio Malgyur Lotsawa alcançou a suprema União-de-Vajradhara e conquistou a Terra Dakini naquela mesma vida.

De Malgyur Lotsawa, estas instruções foram transmitidas numa sucessão ininterrupta até Je Phabongkhapa e, depois, para o muitíssimo Venerável Dorjechang Trijang Rinpoche, detentor da linhagem. Foi desse grande mestre que eu, o autor, recebi estas instruções.

De Buda Vajradharma a Dorjechang Trijang Rinpoche, houve 37 Gurus-linhagem. A linhagem destas instruções é ininterrupta, e as bênçãos transmitidas por Buda Vajradharma estão intactas. Cada Guru-linhagem obteve uma experiência completa destas instruções, assegurando, por meio disso, que o poder das bênçãos não diminuísse. Estas instruções são totalmente autênticas e estão claramente apresentadas. Se as colocarmos em prática com convicção profunda e esforço alegre, é totalmente certo que obteremos realizações. Devemos compreender que Buda Vajradharma, Buda Vajradhara e Buda Shakyamuni são a mesma pessoa, mas com aspectos diferentes. Vajradhara é a manifestação das mentes de todos os Budas, Vajradharma é a manifestação da fala de todos os Budas, e Buda Shakyamuni é a manifestação dos corpos de todos os Budas.

OS BENEFÍCIOS DESTAS INSTRUÇÕES

No *Tantra-Raiz Condensado de Heruka* está dito que os benefícios a serem obtidos por nos empenharmos na prática de Vajrayogini são ilimitados, e que um coro de mil vozes jamais conseguiria enumerá-los plenamente. Consideraremos, aqui, dez benefícios principais.

POR PRATICAR ESTAS INSTRUÇÕES, RECEBEMOS RAPIDAMENTE VASTAS E PODEROSAS BÊNÇÃOS

Quando praticamos estas instruções, rapidamente recebemos, de todos os Budas, vastas e profundas bênçãos. Essas bênçãos nos ajudam temporariamente e, por fim, nos capacitam a alcançar a meta última, suprema – a plena iluminação.

ESTAS INSTRUÇÕES SÃO A SÍNTESE DE TODAS AS INSTRUÇÕES ESSENCIAIS

As instruções sobre a prática de Vajrayogini são a síntese de todas as instruções essenciais contidas nos Tantras de Heruka, Yamantaka e Guhyasamaja. Todos os pontos essenciais das etapas do Mantra Secreto estão incluídos na prática de Vajrayogini.

ESTAS INSTRUÇÕES SÃO FÁCEIS DE PRATICAR

As instruções sobre a prática de Vajrayogini contêm meditações apresentadas de maneira clara e concisa, relativamente fáceis de praticar. O mantra é curto e fácil de recitar, e as visualizações do mandala, da Deidade e do mandala de corpo são simples quando comparadas com as de outras Deidades do Tantra Ioga Supremo. Até mesmo praticantes com habilidades limitadas e pequena sabedoria podem se empenhar nessas práticas.

POR PRATICAR ESTAS INSTRUÇÕES, PODEMOS OBTER AQUISIÇÕES RAPIDAMENTE

Muitos elevados professores, como Dorjechang Trijang Rinpoche, disseram que aqueles que têm apenas mérito – ou boa fortuna – mediano podem alcançar a Terra Dakini nesta mesma vida por meio da prática de Vajrayogini. Aqueles com maior mérito poderão alcançar a Terra Dakini com mais facilidade, e mesmo aqueles com menor mérito podem alcançar a Terra Dakini no estado intermediário – entre a morte e o renascimento. Se recitarmos continuamente o mantra de Vajrayogini, iremos nos lembrar do mantra quando estivermos morrendo e, então, como em um sonho, ouviremos Vajrayogini e seu séquito de Dakinis chamando-nos e convidando-nos para sua Terra Pura. Desse modo, Vajrayogini irá nos guiar pela morte e estado intermediário e irá nos conduzir à Terra Pura das Dakinis.

É dito que mesmo aqueles com pouquíssimo mérito, que não alcançarão a Terra Dakini no estado intermediário, serão conduzidos por Vajrayogini para a sua Terra Pura dentro de um período de sete vidas. Mesmo que esses praticantes estejam no mais profundo inferno, Vajrayogini abençoará suas mentes, fazendo com que suas ações virtuosas previamente acumuladas amadureçam.

Desse modo, eles serão libertados do inferno e conduzidos diretamente à Terra Pura das Dakinis.

Assim, por mantermos nossos compromissos puramente e praticarmos de modo sincero estas instruções, podemos alcançar a Terra Dakini nesta mesma vida, ou no estado intermediário, ou dentro de sete vidas, em definitivo. "Terra Dakini" refere-se ao mundo puro de Heruka e Vajrayogini, comumente conhecido como "Terra Pura de Keajra" ou "Paraíso de Keajra". Uma explicação detalhada da Terra Pura de Keajra pode ser encontrada na Parte Dois de *Budismo Moderno*. Como nosso principal compromisso, devemos enfatizar a prática dos dezenove compromissos das Cinco Famílias Búdicas - uma explicação sobre esses compromissos pode ser encontrada no *Ioga Condensado em Seis Sessões*, no Apêndice II.

ESTAS INSTRUÇÕES INCLUEM UMA PRÁTICA ESPECIAL DE MANDALA DE CORPO

Mandalas de corpo não estão incluídos nas práticas de todas as Deidades. Uma prática que contém um mandala de corpo é mais profunda que uma prática que não o contém; e o mais profundo de todos os mandalas de corpo é o de Vajrayogini.

ESTAS INSTRUÇÕES INCLUEM UM IOGA INCOMUM DA INCONCEPTIBILIDADE

O ioga incomum da inconceptibilidade é um método especial, exclusivo da prática de Vajrayogini, por meio do qual podemos alcançar a Terra Dakini nesta mesma vida, sem que abandonemos nosso corpo atual. A *sadhana*, ou prece ritual para alcançar a Terra Pura de Keajra, intitulada *O Ioga Incomum da Inconceptibilidade*, pode ser encontrada no Apêndice II.

PODEMOS PRATICAR O ESTÁGIO DE GERAÇÃO E O ESTÁGIO DE CONCLUSÃO SIMULTANEAMENTE

Em práticas como as de Yamantaka e Guhyasamaja, os praticantes podem meditar no estágio de conclusão somente após terem obtido experiência do estágio de geração; mas, na prática de Vajrayogini, podemos treinar as meditações do estágio de conclusão e, até mesmo, obter certas realizações próprias desse estágio enquanto ainda estamos treinando o estágio de geração.

ESTAS INSTRUÇÕES SÃO ESPECIALMENTE ADEQUADAS PARA AQUELES COM FORTE APEGO DESEJOSO

Em geral, é difícil para aqueles com forte apego desejoso praticar o Dharma, mas essa dificuldade não ocorre com a prática de Vajrayogini. Por todo este mundo, existem incontáveis emanações de Heruka e de Vajrayogini, manifestadas como homens e mulheres comuns. Essas emanações ajudam os puros praticantes de Vajrayogini a transformarem seu apego desejoso em caminho espiritual. Se esses praticantes mantiverem conscienciosamente seus compromissos e praticarem com muita fé e fidelidade os onze iogas, por fim irão encontrar uma emanação de Vajrayogini manifestada como um homem ou mulher atraentes. Ao fazer surgir apego desejoso no praticante (ou *na* praticante), essa emanação irá abençoar seus canais, gotas e ventos. Depois, por entrar em união com a emanação, o praticante (ou *a* praticante) será capaz de transformar seu desejo em grande êxtase espontâneo. Com essa mente plena de êxtase, o praticante irá meditar na vacuidade e, por fim, irá erradicar todas as delusões – ou aflições mentais – incluindo o apego desejoso. Desse modo, ele (ou ela) irá alcançar rapidamente a plena iluminação. Assim como o fogo produzido em um pedaço de madeira acaba por consumir a madeira em que foi produzido, o êxtase tântrico, que é desenvolvido a partir do apego desejoso, por fim consome o apego desejoso que o fez surgir. Esse método habilidoso de transformar apego em caminho espiritual foi adotado por mestres como Ghantapa e Tilopa.

A essência da prática do Tantra Ioga Supremo é gerar a mente de grande êxtase espontâneo e usar essa mente plena de êxtase para meditar na vacuidade. Obtemos a mente de grande êxtase espontâneo ao reunirmos os ventos interiores no canal central por meio da meditação no estágio de conclusão. Para que a meditação no estágio de conclusão seja bem-sucedida, os canais, gotas e ventos do nosso corpo precisam ser abençoados pelas Deidades. Podemos obter isso por meio da prática do estágio de geração.

ESTAS INSTRUÇÕES SÃO PARTICULARMENTE APROPRIADAS PARA ESTA ERA DEGENERADA

A prática de Vajrayogini faz com que recebamos bênçãos de maneira muito rápida, em especial durante esta era espiritualmente degenerada. Está dito que, à medida que o nível geral da espiritualidade diminui, fica cada vez mais difícil para os praticantes receberem as bênçãos de outras Deidades; mas, no que diz respeito a Heruka e Vajrayogini, o que acontece é o oposto: quanto mais os tempos são degenerados, mais facilmente os praticantes conseguem receber suas bênçãos.

Sempre que Vajradhara expunha um Tantra, ele emanava o mandala associado a esse Tantra, mas, após concluir o discurso, ele costumava reabsorver o mandala. Por exemplo, quando expôs o *Tantra-Raiz de Kalachakra*, Vajradhara emanou o mandala de Kalachakra e, ao término da exposição, ele o reabsorveu. No entanto, Vajradhara não reabsorveu os mandalas de Heruka ou Vajrayogini. Esses mandalas ainda existem em vários lugares deste mundo, como nos 24 lugares sagrados. Devido a isso, os seres humanos neste mundo têm uma relação especial com Heruka e Vajrayogini e podem rapidamente receber suas bênçãos. Além disso, no *Tantra-Raiz de Heruka*, Vajradhara prometeu que, no futuro, quando os tempos se tornarem espiritualmente degenerados, Heruka e Vajrayogini irão conceder suas bênçãos a todos aqueles que têm forte apego.

Em geral, à medida que o número de Gurus-linhagem da prática de uma Deidade aumenta, as bênçãos dessa Deidade levam mais tempo para alcançar os praticantes; porém, quanto maior o número de Gurus-linhagem de Heruka e Vajrayogini, mais rapidamente os praticantes recebem suas bênçãos.

O MANTRA DE VAJRAYOGINI POSSUI MUITAS QUALIDADES ESPECIAIS

No *Tantra-Raiz de Heruka*, Vajradhara diz que podemos obter aquisições por, meramente, recitarmos o mantra de Vajrayogini, mesmo que o façamos com uma concentração pobre, fraca. Nos dias de hoje, isso não é possível quando recitamos os mantras de outras Deidades. Entretanto, precisamos ter fé muito forte em Vajrayogini e em seu mantra se quisermos obter realizações unicamente por meio da recitação do mantra.

Se refletirmos profundamente sobre os benefícios e qualidades especiais destas instruções, compreenderemos que temos agora uma oportunidade muito preciosa para estudá-las e praticá-las. Iremos gerar um sentimento de grande alegria, sentimento esse que tanto irá nos dar grande confiança nas instruções quanto, também, nos incentivar a colocá-las em prática.

BIOGRAFIAS DE PRATICANTES BUDISTAS DO PASSADO QUE ALCANÇARAM REALIZAÇÕES PELA PRÁTICA DESTAS INSTRUÇÕES

Muitas pessoas alcançaram as mais elevadas aquisições por meio da prática de Vajrayogini. Dentre os Oitenta e Quatro Mahasiddhas da Índia antiga, muitos obtiveram suas aquisições mediante as práticas de Heruka e Vajrayogini e, desde o tempo em que esses Tantras foram introduzidos no Tibete, muitos tibetanos também obtiveram realizações semelhantes. Ainda é possível emular esses praticantes e alcançar as mesmas aquisições.

Seguem-se, agora, breves biografias de cinco grandes praticantes que receberam cuidados e orientação especiais de Vajrayogini e que, como resultado, alcançaram a Terra Dakini.

LUYIPA

Luyipa foi um grande Mahasiddha indiano que confiou profundamente em Heruka e Vajrayogini. Certa vez, no décimo dia do mês, Luyipa foi a um solo sepulcral para meditar. Quando lá chegou, viu um grupo de homens e mulheres fazendo um piquenique. Uma das mulheres deu um pedaço de carne a Luyipa; ele comeu a carne e, como resultado, sua mente foi abençoada e instantaneamente purificada da aparência comum. Luyipa teve uma visão de Heruka e Vajrayogini e compreendeu que os homens e mulheres que ali estavam eram, em realidade, Heróis e Heroínas. Sua pura prática de Vajrayogini havia feito com que ela se manifestasse como a mulher que lhe ofereceu o pedaço de carne. Desse modo, Vajrayogini ajudou Luyipa a alcançar tanto a Terra Dakini exterior quanto a Terra Dakini interior.

GHANTAPA

O Mahasiddha Ghantapa vivia recôndito numa floresta, em Odivisha (a atual Orissa), na Índia, onde se empenhava em intensa meditação em Heruka e Vajrayogini. Por viver em um lugar tão isolado, sua dieta era pobre e o seu corpo ficou emagrecido ao extremo. Um dia, o rei de Odivisha estava caçando na floresta quando se deparou com Ghantapa. Vendo quão magro e fraco ele se encontrava, o rei perguntou a Ghantapa porque vivia na floresta com uma dieta tão pobre, e encorajou-o a retornar com ele à cidade, onde poderia proporcionar-lhe comida e abrigo. Ghantapa respondeu que, assim como um grande elefante não pode ser conduzido para fora de uma floresta por um fino fio de barbante, ele também não poderia ser tentado a deixar a floresta pelas riquezas de um rei. Enraivecido pela recusa de Ghantapa, o rei retornou ao seu palácio ameaçando vingança.

Tamanha era a raiva do rei que ele convocou várias mulheres da cidade e lhes falou sobre o arrogante monge na floresta. O rei ofereceu grandes riquezas para qualquer uma delas que conseguisse seduzir o monge, forçando-o a quebrar seus votos de celibato. Uma das mulheres, uma vendedora de vinho, vangloriou-se de que conseguiria fazer isso e partiu para a floresta à procura de Ghantapa. Quando finalmente ela o encontrou, perguntou-lhe se poderia se tornar sua empregada. Ghantapa não precisava de uma empregada, mas compreendeu que ambos tinham uma forte relação oriunda de vidas anteriores e, por isso, permitiu que ela ficasse. Ghantapa deu-lhe instruções espirituais e iniciações, e tanto ele quanto a mulher empenharam-se sinceramente em meditação. Após doze anos, ambos alcançaram a União-do-Não-Mais-Aprender, a plena iluminação.

Um dia, Ghantapa e a antiga vendedora de vinho decidiram encorajar as pessoas da cidade a desenvolverem maior interesse pelo Dharma. Assim, a mulher retornou ao rei e relatou que ela havia seduzido o monge. A princípio, o rei duvidou da veracidade da história, mas quando a mulher explicou que Ghantapa e ela tinham agora duas crianças, um filho e uma filha, o rei se deliciou com a notícia e disse-lhe para trazer Ghantapa à cidade, num determinado dia. Ele, então, emitiu uma proclamação desmerecendo Ghantapa e ordenou aos seus súditos que se reunissem no dia marcado para insultar e humilhar o monge.

Quando esse dia chegou, Ghantapa e a mulher deixaram a floresta com as crianças, o filho à direita de Ghantapa e a filha a sua esquerda. Assim que entraram na cidade, Ghantapa começou a andar como se estivesse bêbado, segurando uma vasilha dentro da qual a mulher despejava vinho. Todas as pessoas que estavam reunidas riam e zombavam dele, lançando-lhe ofensas e insultos: "Há muito tempo", provocavam, "nosso rei te convidou para vires à cidade, mas tu recusaste o convite, arrogantemente. Agora, chegas bêbado e com uma vendedora de vinho. Que mau exemplo de um budista e de um monge!". Quando terminaram, Ghantapa pareceu ficar zangado e lançou sua vasilha no chão. A vasilha afundou na terra, partindo o chão e fazendo aparecer uma nascente de água. Ghantapa se transformou imediatamente em Heruka, e a mulher, em Vajrayogini. O menino se transformou em um *vajra*, que Ghantapa segurou na mão direita, e a menina, em um sino, que ele segurou na mão esquerda. Então, Ghantapa e sua consorte se uniram em abraço e voaram para o céu.

As pessoas ficaram assombradas e imediatamente desenvolveram um profundo arrependimento pelo desrespeito que tiveram. Elas se prostraram a Ghantapa, implorando para que ele e a emanação de Vajrayogini retornassem. Ghantapa e sua consorte recusaram, mas disseram às pessoas que, se o arrependimento delas fosse sincero, elas deveriam fazer uma confissão a Mahakaruna, a corporificação da grande compaixão de Buda. Devido ao profundo remorso do povo de Odivisha e à força de suas preces, uma estátua de Mahakaruna surgiu da nascente de água. As pessoas de Odivisha se tornaram praticantes de Dharma extremamente devotadas, e muitas obtiveram realizações. A estátua de Mahakaruna pode ser vista ainda nos dias de hoje.

Devido à pura prática de Heruka e Vajrayogini que Ghantapa executava na floresta, Vajrayogini compreendeu que aquele era o momento certo para que ele recebesse suas bênçãos e, por isso, ela se manifestou como a vendedora de vinho. Por viver com ela, Ghantapa alcançou o estado da plena iluminação.

DARIKAPA

O Rei Darikapa foi outro dos Oitenta e Quatro Mahasiddhas. Ele recebeu iniciações e instruções sobre Heruka e Vajrayogini diretamente de Luyipa. Luyipa predisse que, se Darikapa abandonasse seu reino e aplicasse grande esforço na prática de Vajrayogini e Heruka, ele alcançaria rapidamente a iluminação. Darikapa imediatamente deixou seu palácio e vagou de lugar em lugar como um mendicante, praticando meditação em todas as oportunidades. Em uma cidade no sul da Índia, ele conheceu uma rica cortesã, que era uma emanação de Vajrayogini. A mulher possuía uma enorme mansão e tomou Darikapa como seu empregado; nessa mansão, ele trabalhou por doze anos. Durante o dia, ele executava todas as tarefas domésticas rotineiras, dentro e fora da mansão; à noite, praticava as instruções de Luyipa. Após doze anos, Darikapa alcançou a quinta etapa do estágio de conclusão, a união-que-precisa-aprender. É dito que Darikapa e todo o séquito da cortesã, composto de quatorze mil pessoas, alcançaram a Terra Pura de Keajra com seus corpos humanos. Foi dessa maneira que Darikapa recebeu orientação de Vajrayogini.

KUSALI

Um monge noviço, chamado Kusali, também ficou sob os cuidados de Vajrayogini. Um dia, enquanto viajava ao longo das margens do Rio Ganges, Kusali encontrou uma mulher leprosa idosa, que sentia grandes dores e que desejava atravessar o rio. Kusali foi dominado por compaixão pela mulher. Com a parte superior de suas roupas, amarrou-a às suas costas e começou a atravessar o rio, no local menos profundo; mas, quando estavam na metade da travessia, a mulher leprosa se transformou em Vajrayogini e conduziu Kusali à Terra Dakini.

PURANG LOTSAWA

Purang Lotsawa foi um grande professor que viveu próximo ao Monastério Shiri, no Tibete Ocidental, e tinha alunos espiritualmente muito avançados. Quando Purang Lotsawa ficou ciente, por meio de diversos sinais, de que estava pronto para alcançar a Terra Pura de Keajra, escavou uma pequena gruta na encosta de uma colina, onde planejou viver em retiro solitário. Assim que entrou na gruta para dar início ao seu retiro, Purang Lotsawa proclamou que, se deixasse o retiro antes de alcançar a Terra Pura, que sua garganta fosse cortada pelos Protetores do Dharma. Ele pediu a seu assistente para lacrar a entrada da gruta, deixando apenas uma pequena abertura pela qual comida e bebida pudessem ser passadas.

Algum tempo depois, um iogue tântrico acompanhado por oito mulheres chegou e pediu para ver Purang. O assistente despediu-os, mas, naquela noite, quando ele contou a Purang sobre os visitantes, Purang disse-lhe para não despedir ninguém que solicitasse vê-lo. Os visitantes retornaram no dia seguinte e o assistente mostrou-lhes a gruta. Suspeitando que não fossem pessoas comuns, o assistente procurou um lugar para se ocultar, de maneira que pudesse ver o que iria acontecer; mas, no momento em que encontrou um lugar adequado, os visitantes haviam entrado inexplicavelmente na gruta. O assistente rastejou até a pequena abertura do lado da gruta e olhou para dentro. A gruta estava repleta de uma luz radiante. As oito mulheres estavam sentadas em fila, sendo que o iogue estava em uma extremidade e Purang, na outra. O iogue enrolava letras de ouro, que passava para as mulheres. Elas, por sua vez, passavam as letras para Purang, que parecia estar comendo as letras. Purang percebeu que seu assistente estava olhando pela abertura e gritou a ele para que fosse embora. O assistente saiu imediatamente. Mais tarde, quando retornou com o jantar de Purang, encontrou-o sentado sozinho, sem sinal algum da presença do iogue ou das oito mulheres. Naquela noite, Purang foi para a Terra Dakini, a Terra Pura de Vajrayogini.

Na manhã seguinte, o assistente levou o café da manhã para Purang, mas encontrou a gruta vazia. Embora estivesse convencido de que Purang havia alcançado a Terra Dakini, temeu que alguém pudesse pensar que ele havia sido a causa do desaparecimento de Purang. Para dissipar suspeitas como essa, o assistente chamou diversas pessoas e mostrou a elas que o lacre da gruta de Purang não havia sido violado. Embora algumas pessoas estivessem convencidas e acreditassem que Purang havia alcançado a Terra Dakini, outras ainda suspeitavam que o assistente o havia assassinado.

Para solucionar o problema, um tradutor tibetano foi enviado ao Nepal para consultar um famoso praticante de Vajrayogini que tinha grandes poderes de clarividência. Após o tradutor ter explicado o que havia acontecido a Purang, o praticante nepalês respondeu que, no dia do desaparecimento, ele havia visto por meio de sua clarividência, enquanto meditava, que Purang havia sido convidado por um Herói e oito Heroínas para ir à Terra Dakini. O Herói era Heruka, e as oito Heroínas eram as Oito Deusas dos portais do mandala de Heruka. Como resultado da prática pura de Purang, Heruka e Vajrayogini foram a sua gruta e o levaram à Terra Dakini.

Muitos grandes praticantes da Tradição Gelug – como Takbu Tenpai Gyaltsen, Drubchen Cho Dorje e Changkya Rolpai Dorje, assim como muitos de seus discípulos – alcançaram a Terra Dakini. Isso também acontece nos dias atuais. Por exemplo, em anos recentes, houve um tibetano leigo chamado Gonche, que viveu no Tibete Oriental, em um lugar chamado Chatring. Para todas as aparências, ele era um homem malvado, sempre brigando e roubando e, geralmente, envolvendo-se em muitas ações negativas. A invasão chinesa do Tibete forçou-o, por fim, a fugir de sua terra natal. Um dia, em sua viagem ao exílio, viu um barco com cerca de trinta soldados chineses cruzando o braço de um rio. Ele atirou contra o barco, abrindo grandes buracos que o fizeram afundar, e todos os soldados se afogaram. Quando finalmente alcançou a fronteira nepalesa, Gonche juntou-se à resistência tibetana.

Alguns anos depois, quando já era um homem idoso, Gonche viajou para Dharamsala, na Índia, onde visitou Dorjechang Trijang Rinpoche, que o aconselhou a abandonar todas as ações negativas e a devotar-se à prática espiritual. A partir desse dia, a mente de Gonche mudou. Ele desenvolveu forte arrependimento por todas as suas ações prejudiciais passadas e prometeu praticar sinceramente o Dharma. Algum tempo depois, Trijang Rinpoche concedeu a iniciação de Vajrayogini para um grande grupo de seus discípulos, e Gonche estava entre eles.

Trijang Rinpoche aconselhou Gonche a ir ao Nepal para fazer um longo retiro de Vajrayogini. Recebendo ajuda material de sua família e conselhos espirituais de alguns geshes locais, Gonche entrou em retiro; mas, durante seu retiro, veio a falecer. No momento de sua morte, muitas pessoas viram um arco-íris acima de sua cabana de retiro. Três dias após, ele foi cremado e, no momento de sua cremação, um arco-íris também apareceu sobre a pira funerária. Esses arco-íris foram vistos pela população local, assim como pelos monges que haviam se reunido para rezar por ele. Elevados lamas disseram, posteriormente, que os arco-íris eram sinais de que Vajrayogini havia conduzido Gonche a sua Terra Pura enquanto ele estava no estado intermediário.

Muitas praticantes de Vajrayogini também alcançaram a iluminação por meio dessa prática. Esses relatos sobre as aquisições de praticantes do passado demonstram o grande valor da prática de Vajrayogini e são uma fonte de inspiração para a nossa própria prática.

AS QUALIFICAÇÕES NECESSÁRIAS PARA PRATICAR ESTAS INSTRUÇÕES

Antes de podermos praticar os dois estágios do Tantra de Vajrayogini, precisamos ter determinadas qualificações. Devemos ter obtido, ao menos, alguma experiência dos três principais aspectos do caminho (renúncia, bodhichitta e visão correta da vacuidade) mediante o estudo e a prática das etapas do caminho: o *Lamrim*. Algumas vezes, esses três principais aspectos são conhecidos como "os caminhos comuns ao Sutra e ao Tantra". Uma vez que tenhamos construído o fundamento da experiência nos caminhos comuns, estaremos qualificados para ingressar no caminho especial do Tantra. A porta de ingresso à prática tântrica é uma iniciação, ou transmissão de bênçãos especiais. Antes que possamos nos empenhar na prática de Vajrayogini, precisamos receber, de um Guia Espiritual tântrico qualificado, a iniciação de Heruka e a iniciação de Vajrayogini no mandala sindhura de Vajrayogini. Essas iniciações plantam potenciais virtuosos especiais em nossa consciência; esses potenciais, quando nutridos por práticas espirituais subsequentes, por fim amadurecem como realizações do estágio de geração e do estágio de conclusão. Durante as iniciações, tomamos determinados votos e compromissos, que precisamos observar escrupulosamente. Sobre essa base, se praticarmos contínua e sinceramente as instruções de Vajrayogini, receberemos todos os benefícios mencionados acima.

AS QUATRO CAUSAS ESPECIAIS DE AQUISIÇÕES RÁPIDAS

Para obter rapidamente as realizações associadas à prática de Vajrayogini, precisamos de quatro causas especiais. Essas causas são:

1. Ter fé convicta e imperturbável;
2. Ter sabedoria que supera dúvidas e hesitações com relação à prática;
3. Integrar todo o nosso treino espiritual na prática de um único Yidam, ou Deidade iluminada;
4. Praticar em segredo.

TER FÉ CONVICTA E IMPERTURBÁVEL

Não devemos ficar desencorajados se, após alguns poucos dias ou meses de intenso esforço, não obtivermos resultado especial algum. Devemos treinar de modo consistente, com convicção inabalável nos benefícios de nossa prática. Nossa prática deve ser como um amplo rio, que flui de maneira firme e contínua.

TER SABEDORIA QUE SUPERA DÚVIDAS E HESITAÇÕES COM RELAÇÃO À PRÁTICA

Devemos ter uma compreensão clara sobre os onze iogas do estágio de geração e sobre as meditações do estágio de conclusão. Em geral, sempre que praticamos o Dharma, devemos primeiramente superar todas as dúvidas sobre as instruções que recebemos e alcançar conclusões claras sobre elas. Por ouvir e estudar instruções completas e corretas, desenvolvemos a sabedoria que surge de ouvir, e por refletir sobre o significado das instruções, desenvolvemos a sabedoria que surge de contemplar. Somente após essas duas etapas é que podemos dar prosseguimento à meditação estritamente focada nas conclusões que obtivemos.

É muito importante, enquanto estivermos empenhados na prática de Dharma, que nossa concentração seja estritamente focada.

Se praticarmos com uma mente distraída e não obtivermos realizações, isso não será uma falha do Dharma, de Buda ou de nossos Gurus. Mesmo quando não estamos em meditação formal, precisamos ser capazes de fazer com que a nossa mente fique focada, de modo claro, em qualquer objeto virtuoso que possamos escolher. Se nossa mente se desviar continuamente para a enorme variedade de objetos exteriores, irrelevantes, nosso progresso será obstruído. Assim que começarmos a controlar nossa mente e a obter a habilidade de direcioná-la de acordo com nossa vontade, experienciaremos resultados de nossa meditação e faremos rápidos progressos ao longo do caminho espiritual. Nossa mente deve ser como um excelente cavalo, bem treinado e vigoroso, mas fácil de ser controlado e conduzido. Um cavalo como esse levará o cavaleiro onde quer que ele (ou ela) deseje ir, ao passo que um cavalo indisciplinado seguirá apenas seus próprios desejos e irá desconsiderar os desejos de seu cavaleiro.

Quando conseguirmos direcionar nossa mente para um objeto específico e mantê-la focada nesse objeto, teremos uma mente bem controlada e nossa vida não será desperdiçada por pensamentos distrativos. Mesmo em atividades mundanas, o sucesso vem apenas como resultado de uma concentração estritamente focada; por essa razão, quão mais importante é uma forte concentração para uma prática de Dharma bem-sucedida! No Dharma, obtemos realizações somente se praticarmos com concentração estritamente focada, e isso é possível unicamente se tivermos compreendido as instruções por completo.

INTEGRAR TODO O NOSSO TREINO ESPIRITUAL NA PRÁTICA DE UM ÚNICO YIDAM, OU DEIDADE ILUMINADA

Je Tsongkhapa mostrou de que maneira todas as práticas essenciais de Tantra podem ser incluídas na prática de um único Yidam. Seguindo as instruções de Je Tsongkhapa, professores posteriores escreveram a sadhana de Vajrayogini, a prece ritual que agora praticamos. Quando praticamos essa sadhana, estamos praticando o significado essencial de todos os Tantras.

Nosso progresso em direção à obtenção de realizações tântricas será seriamente obstruído se dúvidas e insatisfação nos fizerem mudar continuamente de uma Deidade para outra. Precisamos ser como uma pessoa cega e sábia que confia totalmente em um único guia, em vez de procurar seguir várias pessoas simultaneamente. Há uma analogia tibetana tradicional que ilustra esse ponto. Fazendeiros tibetanos têm o costume de permitir que suas vacas andem livremente durante o dia, misturando-se com as vacas de outros fazendeiros; porém, ao entardecer, todas as vacas retornam para a fazenda correta. Se uma pessoa cega tiver o desejo de ir a uma fazenda específica, tudo o que ela deve fazer é segurar o rabo de uma vaca que pertence àquela fazenda. Se fizer isso, com absoluta certeza essa pessoa chegará à fazenda correta; mas, se ficar mudando de uma vaca para outra, logo estará completamente perdida. De modo semelhante, por seguir sinceramente a prática de uma única Deidade específica, alcançaremos definitivamente a iluminação; no entanto, se ficarmos mudando de uma Deidade para outra, nunca alcançaremos nossa meta, não importa quanto esforço apliquemos.

Durante sua permanência no Tibete, o mestre budista indiano Atisha conheceu o renomado tradutor Lama Rinchen Sangpo, e ficou imensamente impressionado com seu conhecimento de Dharma. Um dia, Rinchen Sangpo convidou Atisha para visitá-lo e conversarem sobre Dharma. Atisha percebeu que Rinchen Sangpo era um estudioso muito erudito e disse a ele: "Tu és um professor tão maravilhoso que, a mim, parece desnecessário que eu permaneça no Tibete". Então, Rinchen Sangpo mostrou a Atisha suas quatro almofadas de meditação e seus quatro diferentes mandalas tântricos. Atisha perguntou por que ele tinha quatro almofadas e quatro mandalas, e Rinchen Sangpo respondeu que todos os dias ele praticava em quatro sessões. A primeira sessão, sobre a primeira almofada, era para realizar o mandala de uma Deidade do Tantra Ação; a segunda sessão, sobre a segunda almofada, era para realizar o mandala de uma Deidade do Tantra

Performance; a terceira sessão, sobre a terceira almofada, era para realizar o mandala de uma Deidade do Tantra Ioga; e a última sessão, sobre a quarta almofada, era para realizar o mandala de uma Deidade do Tantra Ioga Supremo. Atisha perguntou por que ele não incorporava todas as práticas dessas Deidades em uma única sadhana, realizando, assim, os mandalas de todas essas Deidades no mandala de uma única Deidade. Quando Rinchen Sangpo perguntou como poderia fazer isso, Atisha exclamou: "De fato, eu preciso permanecer no Tibete!".

Atisha aconselhou Rinchen Sangpo que, quando estivesse visualizando o mandala de sua Deidade pessoal, deveria convidar todas as demais Deidades, juntamente com seus mandalas, para se dissolverem na Deidade pessoal e no mandala dela. Por manter o reconhecimento de que a Deidade pessoal é a síntese de todas as Deidades das quatro classes de Tantra, Atisha disse a Rinchen Sangpo que, desse modo, ele poderia concluir as práticas de todas as demais Deidades por meio de concluir a prática de sua Deidade pessoal. Atisha costumava dizer: "Alguns de vós, tibetanos, têm tentado realizar uma centena de Deidades, mas têm falhado em obter uma única e simples aquisição, ao passo que alguns budistas indianos têm obtido as aquisições de uma centena de Deidades por meio de realizar a prática de apenas uma única Deidade".

Embora devamos nos concentrar na prática de uma única Deidade específica, não devemos negligenciar a prática de outras Deidades se tivermos o compromisso de fazê-lo. Há praticantes que consideram a prática de Vajrayogini como sua prática principal e que, por essa razão, se esforçam para obter realizações do estágio de geração e do estágio de conclusão por meio da prática de Vajrayogini. Para esses praticantes, há um método especial para manter os compromissos de outras Deidades. Esse método implica compreender que todas as Deidades tântricas têm a mesma natureza, diferindo apenas na aparência. Por exemplo, suponha que um praticante como esse tenha, além de sua prática diária de Vajrayogini, o compromisso de também recitar, todos os dias, as sadhanas extensas de Heruka, Yamantaka e Guhyasamaja. Se esse praticante recitar, todos os dias, as palavras de todas essas sadhanas, ele terá pouca oportunidade de fazer qualquer meditação séria. Sua prática tântrica será basicamente uma prática verbal e, embora possa plantar muitas marcas virtuosas em seu fluxo {ou continuum} mental, ele nunca irá obter uma experiência genuína de meditação e, assim, o real propósito da prática da Deidade será perdido. Por essa razão, grandes mestres como Atisha, Je Phabongkhapa e Dorjechang Trijang Rinpoche aconselharam os sérios praticantes de Vajrayogini a integrarem todas as suas práticas tântricas na prática da sadhana de Vajrayogini, integração essa fundamentada na compreensão de que todas as Deidades tântricas têm a mesma natureza e que diferem apenas em aparência.

O significado essencial das práticas de todas as Deidades do Tantra Ioga Supremo é o mesmo – transformar a morte comum, o estado intermediário comum e o renascimento comum nos três corpos de um Buda. Essa transformação é realizada primeiramente na imaginação, utilizando-se das meditações e visualizações do estágio de geração; depois, ela realmente acontece pelo controle dos ventos e gotas sutis e da mente sutil, alcançado pela meditação no estágio de conclusão. Todos os métodos necessários para fazer isso estão contidos na prática de Vajrayogini. Com essa compreensão, praticantes comprometidos com a prática de Vajrayogini devem aplicar-se sinceramente nos estágios de geração e de conclusão de Vajrayogini, compreendendo que, ao fazerem isso, estarão cumprindo o verdadeiro propósito de todos os seus compromissos com outras Deidades, mesmo que negligenciem a recitação das palavras das sadhanas dessas Deidades.

Esse conselho não deve ser utilizado como desculpa para a preguiça. Seu propósito é proporcionar, aos praticantes dedicados, mais tempo para se concentrarem na prática de sua Deidade pessoal e, assim, obterem as realizações essenciais de todas as práticas da Deidade. Para aqueles que ainda não são capazes de se devotarem sinceramente à prática de uma Deidade tântrica específica, é melhor que continuem a recitar as palavras de todas as sadhanas com as quais tenham se comprometido.

PRATICAR EM SEGREDO

Se não ocultarmos nossa prática dos outros, as bênçãos que recebemos durante as iniciações serão dissipadas. Falar abertamente sobre nossas experiências meditativas é uma falha. Isso poderá fazer com que desenvolvamos apego por sermos respeitados e louvados pelos outros. Tal apego por reputação é um *mara* - uma interferência demoníaca, que é um sério obstáculo à prática pura do Dharma e às aquisições espirituais. Uma boa reputação pode nos ajudar a obter riqueza e posses exteriores, mas essas coisas esgotam nosso mérito e são obstáculos que nos impedem de obter a riqueza interior das puras realizações de Dharma. A aquisição da bodhichitta, a aquisição das seis perfeições e as realizações do estágio de geração e do estágio de conclusão são a nossa real riqueza; não devemos desperdiçar nosso mérito com posses exteriores. Como diz Shantideva, em *Guia do Estilo de Vida do Bodhisattva*:

> Eu, que busco libertação, não tenho necessidade de riqueza
> ou boa reputação,
> Pois elas me mantêm, unicamente, preso ao samsara.

É útil relembrar essas palavras com frequência. Devemos permanecer indiferentes a nossa reputação enquanto agimos de acordo com o Dharma. O equilíbrio de nossa mente não deve ser perturbado por louvor nem por repreensão e críticas, ganho ou perda. Se estivermos apegados a essas coisas, seremos constantemente distraídos de nossa prática espiritual. Desperdiçaremos energia tentando adquirir posses e boa reputação e, quando falharmos nesse esforço, iremos ficar excessivamente desanimados e abatidos. Por essas razões, era costume, tanto dos antigos professores kadampa quanto de Je Tsongkhapa, louvarem as outras pessoas, mas, com relação a si próprios, declararem suas próprias falhas e limitações.

Falar descuidadamente ou negligentemente sobre nossas experiências ou práticas meditativas atrai impedimentos e obstáculos, do mesmo modo que, ao falarmos abertamente sobre nossa riqueza, acaba por atrair ladrões. Embora devamos nos empenhar assiduamente em nossa prática de Tantra, não devemos revelar nossa prática para os outros. Há apenas duas exceções a essa regra: devemos confiar em nossos Gurus e podemos debater sobre aspectos de nossa prática com amigos comprometidos em práticas semelhantes, desde que nos asseguremos de que tenham fé e mantenham puramente seus compromissos.

Se criarmos essas quatro causas especiais e cumprirmos todas as condições para uma prática bem-sucedida – tal como foram explicadas – com absoluta certeza obteremos rapidamente realizações por meio de praticar as instruções de Vajrayogini.

O QUE SÃO AS TERRAS DAKINIS EXTERIOR E INTERIOR?

Em geral, "Dakini" refere-se a uma Deidade tântrica feminina e, neste contexto, é sinônimo de "ioguine" e "Heroína". A Terra Dakini exterior está além do mundo da experiência comum. É a Terra Pura de Buda Vajrayogini e Buda Heruka, conhecida como "Terra Pura de Keajra". Uma Terra Pura é um mundo que é livre dos verdadeiros sofrimentos. Lugar algum do samsara é livre dos verdadeiros sofrimentos, pois o ambiente samsárico, ele próprio, atua como condição para experienciarmos sofrimento. Seres comuns nascem no samsara sem escolha alguma e têm de vivenciar continuamente insatisfação e sofrimento. No entanto, se purificarmos nossa mente, purificaremos nossa experiência que temos do mundo e, por meio disso, alcançaremos uma Terra Pura, que é livre de todo sofrimento.

Há diferentes Terras Puras, associadas a diferentes Budas. A Terra Dakini é semelhante à Terra Pura de Tushita e à Terra Pura de Sukhavati, exceto que a Terra Pura de Heruka e Vajrayogini é a única na qual os seres podem receber ensinamentos sobre o Tantra Ioga Supremo e colocá-los em prática.

Quando aqueles que estão muito idosos, fracos e enfermos alcançam a Terra Dakini seguindo a orientação de Vajrayogini, eles não mais experienciam os sofrimentos da velhice e da doença. Todos os sinais da velhice desaparecem e eles são transformados em jovens de dezesseis anos de idade, de grande beleza e vitalidade, desfrutando um tempo de vida ilimitado. Todos os prazeres que desejam aparecem espontaneamente. Eles nunca mais irão renascer no samsara, a menos que escolham fazê-lo por razões compassivas. Todos os que alcançam essa Terra Pura recebem ensinamentos sobre o Tantra Ioga Supremo diretamente de Heruka e Vajrayogini e, por essa razão, conquistam rapidamente a iluminação.

A Terra Dakini exterior também pode ser explicada em termos da experiência pessoal de um praticante individual. Desse ponto de vista, a Terra Dakini exterior é alcançada por meio de concluirmos as práticas do estágio de geração de Vajrayogini. Durante nosso treino na meditação do estágio de geração, visualizamos nosso corpo como o corpo puro de Buda Vajrayogini, nosso ambiente e imediações como o mandala de Vajrayogini, e nosso mundo como a Terra Dakini. Se nos empenharmos continuamente na prática do estágio de geração, as aparências impuras, ou comuns, para a nossa mente irão diminuir de modo gradual e, por fim, cessar por completo. Uma vez que tenhamos obtido uma realização estável do estágio de geração, experienciaremos unicamente aparências puras, e nosso mundo será transformado na Terra Dakini. O grande professor Tenpa Rabgye disse que a Terra Dakini não é algum lugar distante, longínquo, e tampouco é necessário desaparecer deste mundo para alcançá-la.

Aparências puras são experienciadas unicamente por praticantes realizados. É geralmente aceito, tanto no Sutra quanto no Tantra, que a razão pela qual o mundo aparece para nossa mente como falho, imperfeito e insatisfatório é porque a nossa mente está impura - isto é, poluída pelas delusões e suas marcas. Em *Ornamento da Clara Realização*, Venerável Maitreya afirma que, quando a mente dos seres sencientes se tornar totalmente pura, seus ambientes irão se tornar uma Terra Pura de Buda.

Uma Terra Pura só pode ser alcançada pela purificação da mente. Mesmo que tenhamos alcançado a Terra Dakini exterior por meio de uma realização estável do estágio de geração, ainda assim, do ponto de vista dos outros, continuaremos a aparecer como um ser impuro, comum. Pessoas comuns não conseguem identificar se outra pessoa está em uma Terra Pura; a razão disso é que elas não conseguem perceber a Terra Pura dessa pessoa e não conseguem compartilhar da experiência dela. Certa vez, alguém perguntou a Milarepa em qual Terra Pura ele havia alcançado a iluminação, e Milarepa apontou para a sua caverna. A pessoa que fez a pergunta conseguia ver apenas uma caverna vazia e fria, mas, para Milarepa, aquela caverna era uma Terra Pura.

A mente dos seres comuns é impura e, por essa razão, o que quer que apareça a eles é visto ou percebido como comum. Porque somos seres comuns, não conseguimos experienciar, com aparência comum, algo que seja totalmente puro e perfeito. Até mesmo uma emanação de Buda nos aparece como tendo falhas. É porque temos aparências comuns que vemos ou percebemos nós mesmos e os outros como imperfeitos – sujeitos a falhas e defeitos, como doenças e envelhecimento.

De acordo com os ensinamentos de Sutra, a raiz do samsara é o agarramento ao em-si e as delusões, ou aflições mentais, que surgem dele. No entanto, de acordo com os ensinamentos do Mantra Secreto, a raiz do samsara são as aparências comuns e as concepções comuns. O agarramento ao em-si identificado pelos praticantes de Sutra é, apenas, uma concepção comum densa.

Neste contexto, qualquer ser que não seja um Buda é um ser comum, e qualquer ambiente, prazer, corpo ou mente que não sejam os de um Buda são um ambiente comum, prazeres comuns e assim por diante. As percepções desses objetos como comuns – devido às mentes impuras – são aparências comuns; e as mentes que concebem os objetos dessa maneira são concepções comuns. De acordo com os ensinamentos do Mantra Secreto, aparências comuns são obstruções à onisciência, e concepções comuns são obstruções à libertação. Tanto as aparências comuns quanto as concepções comuns têm muitos níveis de sutilidade.

Um dos principais propósitos de praticar a meditação do estágio de geração é superar aparências comuns e concepções comuns. Podemos superar aparências comuns por meio de desenvolver clara aparência de ser Vajrayogini, e podemos superar concepções comuns por meio de desenvolver orgulho divino de ser Vajrayogini.

Devido as nossas aparências comuns e concepções comuns, vivenciamos um ciclo sem-fim de morte comum, estado intermediário comum e renascimento comum. Esse ciclo sem-fim, conhecido como "samsara", precisa ser interrompido. Por meio da prática dos estágios de geração e de conclusão, podemos purificar esses três estados comuns (morte, estado intermediário e renascimento) e alcançar, assim, os três corpos de um Buda.

Quando obtivermos a plena realização do estágio de geração de Vajrayogini, experienciaremos nosso ambiente e imediações como a Terra Dakini, e quando alcançarmos o corpo-ilusório no aspecto de Vajrayogini, nosso corpo irá se tornar o corpo efetivo, propriamente dito, da Deidade. Quando alcançarmos a plena iluminação sob a forma de Vajrayogini, iremos nos tornar Buda Vajrayogini recém-surgida; nosso local onde residimos irá se tornar o mandala de Vajrayogini recém-surgido; e nosso mundo irá se tornar uma Terra Dakini recém-surgida.

Com uma realização superficial da meditação do estágio de geração, alcançaremos apenas uma similitude de Terra Dakini. Por intensificarmos gradualmente o poder da nossa meditação do estágio de geração, essa similitude será fortalecida e estabilizada, e ficaremos mais próximos de alcançar a Terra Dakini propriamente dita. Por praticar as meditações do estágio de geração e do estágio de conclusão de modo contínuo e entusiástico, concluiremos o caminho espiritual por meio de confiarmos em Vajrayogini.

No início, talvez duvidemos da existência da Terra Dakini ou duvidemos de que seja possível alcançá-la. Para superar dúvidas como essas, podemos refletir sobre os sonhos. Praticantes sinceros, familiarizados com a prática de Vajrayogini, podem sonhar que alcançaram uma Terra Pura. Em seus sonhos, eles veem ou percebem todos os lugares como puros, e veem ou percebem a si próprios como Vajrayogini. Nesse momento, eles não pensam que estão sonhando – eles acreditam que estão em uma Terra Pura e, por essa razão, experienciam grande alegria e felicidade. Se eles permanecerem nesse estado feliz, sem nunca mais acordarem, é válido dizer que, do ponto de vista da experiência deles, eles estão na Terra Dakini.

Por estudar a visão correta da vacuidade, podemos compreender que tudo é meramente uma aparência para a mente e, como em um sonho, tudo é meramente imputado por pensamento conceitual. Essa compreensão é extremamente útil para desenvolvermos convicção na existência de Terras Puras. Uma compreensão clara e profunda da natureza da Terra Dakini exterior irá nos ajudar a obter uma fé firme, inabalável, no Budadharma. Por meio dessa compreensão, praticaremos com mais vigor e entusiasmo.

A Terra Dakini interior é a clara-luz-significativa. Somente é possível alcançá-la por meio de meditarmos no estágio de conclusão. Pela meditação do estágio de conclusão, desenvolvemos grande êxtase espontâneo, e quando essa mente de grande êxtase espontâneo medita na vacuidade e obtém uma realização direta, essa mente passa a ser denominada "clara-luz-significativa". Essa é a quarta das cinco etapas do estágio de conclusão. Quando alcançamos a Terra Dakini interior pela prática de Vajrayogini, alcançamos também a Terra Dakini exterior. Isso será explicado com mais detalhes adiante, neste livro.

A maneira de treinar os dois estágios do Tantra de Vajrayogini é explicada nas instruções que se seguem. Primeiramente, há uma explicação sobre como treinar o estágio de geração e, depois, há uma explicação sobre como treinar o estágio de conclusão.

As instruções sobre o estágio de geração têm duas partes: uma explicação sobre como praticar os onze iogas do estágio de geração, e uma explicação sobre como alcançar a Terra Dakini exterior pela prática do estágio de geração. Os onze iogas do estágio de geração são:

1. O ioga de dormir;
2. O ioga de acordar;
3. O ioga de experimentar néctar;
4. O ioga das incomensuráveis;
5. O ioga do Guru;
6. O ioga da autogeração;
7. O ioga de purificar os migrantes;
8. O ioga de ser abençoado por Heróis e Heroínas;
9. O ioga da recitação verbal e mental;
10. O ioga da inconceptibilidade;
11. O ioga das ações diárias.

As instruções que se seguem explicam como praticar cada um desses onze iogas. Em primeiro lugar, precisamos estudar essas instruções cuidadosamente, de modo a assegurar que compreendemos claramente cada um desses iogas. Depois, quando nos sentirmos prontos para colocar essas instruções em prática, devemos começar com o ioga de dormir e prosseguir até o 11º ioga – o ioga das ações diárias. Se repetirmos esse ciclo de práticas todos os dias, todas as nossas ações estarão incluídas nos onze iogas.

Os Iogas de Dormir, de Acordar e de Experimentar Néctar

Dentre os onze iogas, os três primeiros (o ioga de dormir, o ioga de acordar e o ioga de experimentar néctar) são métodos para purificar nosso corpo, fala e mente. Eles são conhecidos, de forma conjunta, como "os iogas das três alegrias" ou "os iogas das três purificações". Esta última denominação é a mais correta, pois é a denominação apresentada nas sadhanas de Heruka. Os iogas de dormir e de acordar purificam nossa mente e nosso corpo, transformando-os na mente e no corpo de Vajrayogini, e o ioga de experimentar néctar purifica nossa fala, transformando-a na fala de Vajrayogini.

O IOGA DE DORMIR

Em geral, o ioga de dormir está incluído no 11º ioga – o ioga das ações diárias – juntamente com o ioga de comer e o das demais atividades diárias. No entanto, há boas razões pelas quais a prática de Vajrayogini tem início à noite, com o ioga de dormir sendo considerado uma prática separada. Uma das razões é que, durante a noite, as Dakinis dos 24 lugares visitam os praticantes sinceros de Vajrayogini e lhes concedem suas bênçãos. No *Tantra de Vajradaka*, está dito:

Buda Vajradharma

As Senhoras desses lugares
Concedem aquisições aos praticantes.
Elas sempre vêm à noite,
Elas sempre partem à noite.

Neste contexto, o verso "As Senhoras desses lugares" refere-se às Dakinis dos 24 lugares sagrados de Heruka e Vajrayogini, listados na sadhana extensa do mandala de corpo de Heruka. É possível, nos dias de hoje, visitar esses lugares.

Se não somos meditadores realizados, não conseguimos manter contínua-lembrança e vigilância durante o sono. Isso deixa nossa mente desprotegida e exposta a influências invisíveis. Por exemplo, podemos adormecer com uma mente positiva, mas, ao acordar, sentimo-nos mal porque, durante a noite, fomos perturbados por espíritos maléficos, que se aproveitaram de nosso estado indefeso. No entanto, o oposto pode ocorrer com praticantes sinceros de Vajrayogini. Pode acontecer que, ao irem dormir, estejam com a mente preocupada com os problemas daquele dia, mas, ao acordar, sentem-se revigorados, com uma mente clara e positiva. Embora a situação exterior seja, talvez, a mesma do dia anterior, eles agora são capazes de enfrentá-la com uma mente tranquila. Praticantes sinceros também podem descobrir que os obstáculos à sua prática de Dharma desapareceram de modo inexplicável durante a noite. Esses são sinais de que esses praticantes foram visitados pelas Dakinis dos 24 lugares sagrados, que, durante a noite, abençoaram a mente e o corpo sutil deles. Quando, por meio de uma prática pura das instruções de Vajrayogini, um praticante estabelece conexão com as Dakinis, elas são capazes então de ajudá-lo da maneira descrita.

Outra razão para começar a prática de Vajrayogini à noite é que, durante o sono, a mente de clara-luz do sono manifesta-se naturalmente e, com treino, essa mente pode ser utilizada para progredirmos pelo caminho espiritual em direção às realizações da clara-luz-exemplo e da clara-luz-significativa. Uma das principais razões para praticar o Tantra de Vajrayogini é a de obtermos essas realizações. Durante o dia, percebemos muitas coisas diferentes, mas, na escuridão da noite, todas as aparências desaparecem. O dia, portanto, simboliza a verdade convencional, e a noite simboliza a vacuidade, ou verdade última. Começar nossa prática à noite nos recorda de que o principal propósito de treinar estas instruções é desenvolver a mente de clara-luz que realiza a vacuidade diretamente. Relembrando isso, começamos nossa prática dos onze iogas de Vajrayogini com o ioga de dormir. Outros textos apresentam razões diferentes, mas as que estão apresentadas aqui são as mais exatas.

Visto que gastamos uma grande parte do nosso tempo dormindo, é importante que tenhamos um método para transformar o sono em caminho espiritual. O processo de dormir, sonhar e acordar é semelhante ao processo de morrer, ingressar no estado intermediário e renascer. Pelo treino contínuo nos iogas de dormir e de acordar, obteremos a habilidade de purificar e transformar nossa morte, estado intermediário e renascimento em caminho espiritual. Esse é o principal propósito da meditação do estágio de geração.

Resumidamente, há sete benefícios principais a serem obtidos com a prática do ioga de dormir:

1. Acumulamos grande mérito;
2. Todos os nossos impedimentos e obstáculos são eliminados;
3. Receberemos cuidados e orientações diretamente de Vajrayogini em todas as nossas vidas futuras;
4. Seremos abençoados pelas Heroínas dos 24 lugares sagrados de Heruka;
5. Nossa prática da meditação do estágio de geração será fortalecida e estabilizada;
6. Alcançaremos a Terra Dakini exterior e a Terra Dakini interior;
7. Alcançaremos rapidamente a iluminação.

Há duas maneiras de praticar o ioga de dormir: de acordo com o estágio de geração e de acordo com o estágio de conclusão. Podemos escolher um desses dois métodos.

O IOGA DE DORMIR DE ACORDO COM O ESTÁGIO DE GERAÇÃO

Dormir de acordo com o estágio de geração cria grande mérito e é uma causa para obter o Corpo-Forma de Vajrayogini. Uma prática bem-sucedida do ioga de dormir depende de obtermos habilidade, ou proficiência, com o sexto ioga – o ioga da autogeração.

Quando o horário de dormir se aproximar, devemos considerar o nosso ambiente e áreas vizinhas como a Terra Pura das Dakinis e o nosso quarto como o mandala fonte-fenômenos de Vajrayogini. A fonte-fenômenos é da natureza da sabedoria de Vajrayogini. Ela é feita de luz vermelha, tem o formato de um duplo tetraedro e deve ser visualizada tão grande quanto possível. Dentro da fonte-fenômenos, visualizamos um trono precioso adornado com joias, sustentado por oito leões-das-neves. Cobrindo a superfície do trono, há um lótus de oito pétalas e, sobre o lótus, uma almofada de sol (uma almofada circular de luz amarela) ou uma almofada de lua (uma almofada circular de luz branca). Quando deitarmos para dormir, visualizamo-nos claramente como Vajrayogini, mas sem os ornamentos e os implementos manuais que Vajrayogini normalmente usa.

Se desejamos ter um sono leve e acordar rapidamente, ou se desejamos dormir com forte concentração, devemos visualizar que estamos deitados sobre uma fresca almofada de lua. Se sentimos frio ou se temos o desejo de dormir profundamente por um longo período, devemos nos visualizar deitados sobre uma cálida almofada de sol. Habitualmente, no entanto, precisamos de um sono equilibrado. Se tivermos um sono muito leve, poderemos acordar rápido demais; porém, se dormirmos profundamente, seremos incapazes de manter contínua-lembrança durante nossos sonhos. Para obtermos um sono equilibrado, será útil visualizarmo-nos deitados sobre uma almofada de sol, mas sem imaginá-la quente.

Devemos deitar voltados para o oeste, com nossa cabeça apontando para o norte. Voltar-se para o oeste é auspicioso porque, assim, convidamos as Dakinis a virem da Terra de Odiyana (que fica no oeste) para nos visitar. As solas dos pés devem apontar para o sul. Isso é auspicioso para termos uma vida longa, pois simboliza nosso desejo de subjugar Yama, o Senhor da Morte, sobre o qual é dito que vive no sul. Nossa prática será aprimorada por meio de dormirmos nessa posição, mas, se isso não for prático devido à disposição do nosso quarto ou à maneira como nossa cama está posicionada, podemos simplesmente imaginar que estamos fazendo isso. Direções são meras imputações, designações.

Na pétala norte da flor de lótus, visualizamos nosso Guru-raiz no aspecto de Buda Vajradharma. Visualizar nosso Guru sob o aspecto de um Buda é uma prática exclusiva do Mantra Secreto. De acordo com o Vinaya, o Guru deve ser considerado *semelhante* a um Buda, mas, de acordo com o Mantra Secreto, o Guru deve ser considerado propriamente *como* um Buda.

Embora alguns textos afirmem que devemos visualizar nosso Guru sob o aspecto de Herói Vajradharma, em verdade há três maneiras pelas quais podemos visualizá-lo: sob seu aspecto exterior, como Herói Vajradharma; sob seu aspecto interior, como Buda Vajradharma; ou sob seu aspecto secreto, como Buda Vajradharma com consorte. Em essência, não há diferença entre esses três aspectos do Guru; a razão disso é que Herói Vajradharma, Buda Vajradharma sem consorte e Buda Vajradharma com consorte são exatamente a mesma natureza. Sob quaisquer aspectos que escolhamos para visualizá-lo, devemos considerá-lo como nosso Guru-raiz, a síntese de todos os Budas.

Herói Vajradharma é vermelho. Sua mão esquerda segura, na altura do coração, uma cuia de crânio repleta de néctar; sua mão direita está levantada, segurando um *damaru*; e seu ombro esquerdo sustenta um *khatanga*. Buda Vajradharma se parece exatamente como Buda Vajradhara, exceto que Buda Vajradharma é vermelho e está adornado com seis ornamentos de osso, ao passo que Buda Vajradhara é azul e veste ornamentos feitos de joias.

Buda Vajradharma é semelhante a Buda Amitabha, pois Vajradharma é uma manifestação da fala de todos os Budas. Recebemos as bênçãos da fala de Buda por meio de receber, principalmente, ensinamentos vindos de nosso Guru; portanto, para nós, nosso Guru atua como a manifestação da fala de Buda. Para nos ajudar a desenvolver esse reconhecimento, visualizamos nosso Guru como Buda Vajradharma.

Quando praticamos o ioga de dormir de acordo com o estágio de geração, o mais importante a se fazer é manter forte orgulho divino de que: somos Vajrayogini, o nosso quarto é a fonte-fenômenos, e a nossa cama é uma almofada de sol ou uma almofada de lua. Assim que deitarmos em nossa cama, imaginamos que estamos a repousar nossa cabeça no colo de Guru Vajradharma e, com forte fé em nosso Guru, esperamos adormecer. Assim que dormirmos, devemos impedir todas as aparências comuns e manter somente aparências puras.

Quando acordarmos, devemos relembrar imediatamente que somos Vajrayogini, que nosso quarto é o mandala fonte-fenômenos e que nosso Guru-raiz, sob o aspecto de Buda Vajradharma, está na pétala norte do lótus.

O IOGA DE DORMIR DE ACORDO COM O ESTÁGIO DE CONCLUSÃO

No ioga de dormir do estágio de conclusão, imaginamos, antes de dormir, que o universo inteiro e todos os seus habitantes se convertem em luz, e que essa luz se dissolve em nosso corpo. Nosso corpo então se converte gradualmente em luz e diminui de tamanho, até se dissolver na letra BAM em nosso coração. Nessa etapa, somente a letra BAM aparece para a nossa mente – não percebemos nada mais além dela. Depois, a letra BAM se dissolve gradualmente na "cabeça do BAM" (ou seja, na linha horizontal superior do BA – uma representação da letra BAM pode ser encontrada no Apêndice III, página 613); a cabeça do BAM se dissolve na lua crescente; a lua crescente se dissolve na gota; e a gota se dissolve no *nada* (a linha de três curvas, acima da letra). Depois, o *nada* diminui gradualmente de tamanho até, por fim, se dissolver na clara-luz-vacuidade.

Agora, somente a vacuidade aparece. É importante sentir que nossa mente de clara-luz tornou-se *una* com a vacuidade, como água misturada com água. Essa união inseparável de nossa mente muito sutil com a vacuidade é denominada "clara-luz-vacuidade". Identificamos essa união como sendo o *Dharmakaya* (ou Corpo-Verdade) de Vajrayogini e, então, dormimos mantendo esse reconhecimento durante todo o nosso sono. Na manhã seguinte, ao acordar, devemos nos recordar da vacuidade imediatamente. Essa prática aumenta nossa sabedoria, fazendo-nos adquirir experiência da clara-luz e que alcancemos, por fim, o Corpo-Verdade de um Buda.

A mente de clara-luz manifesta-se automaticamente durante o sono e durante a morte, mas somente aqueles que dominam a meditação do estágio de conclusão são capazes de manter contínua-lembrança durante esses períodos. A maioria das pessoas é incapaz de identificar a clara-luz do sono ou a clara-luz da morte. Além do sono e da morte, o único outro momento em que a clara-luz se manifesta é quando todos os ventos são deliberadamente reunidos e dissolvidos no canal central por força da meditação do estágio de conclusão. Iogues e ioguines que conseguem fazer com que a mente de clara-luz se manifeste desse modo são capazes de utilizar essa mente para meditar na vacuidade. Quando dormem, esses iogues e ioguines permanecem conscientes durante todo o sono e utilizam a clara-luz do sono para aprofundar sua experiência da vacuidade. Durante o sono profundo, os ventos reúnem-se e dissolvem-se de modo natural e vigoroso no canal central, e a clara-luz que se manifesta nesse momento é mais pura do que a clara-luz que um meditador iniciante do estágio de conclusão consegue induzir apenas por meio de meditação. Por essa razão, o sono torna-se extremamente valioso para esses iogues. Suas experiências mais intensas e profundas da vacuidade ocorrem durante o sono profundo.

Meditadores familiarizados com a prática de transformar a clara-luz do sono em caminho espiritual também serão capazes de transformar a clara-luz da morte. Eles permanecerão conscientes durante todo o processo da morte e, quando a clara-luz da morte se manifestar, eles serão capazes de transformá-la na mente da clara-luz-exemplo última. Essa realização impede diretamente a morte comum. Por essa razão, transformar o sono *em um caminho* é uma das práticas principais do Mantra Secreto e um dos métodos mais importantes para alcançar a iluminação.

O IOGA DE ACORDAR

Há duas maneiras de praticar o ioga de acordar, que dependem de como praticamos o ioga de dormir. Se dormimos de acordo com o estágio de geração, devemos praticar o ioga de acordar de acordo com o estágio de geração; e se dormimos de acordo com o estágio de conclusão, devemos praticar o ioga de acordar de acordo com o estágio de conclusão.

O IOGA DE ACORDAR DE ACORDO COM O ESTÁGIO DE GERAÇÃO

Imediatamente ao acordar, devemos relembrar a visualização que fizemos na noite anterior e tentar impedir as aparências comuns. Devemos desenvolver três reconhecimentos: (1) o mundo é a Terra Pura das Dakinis e o nosso quarto é o mandala fonte-fenômenos; (2) somos Vajrayogini; e (3) todos os seres são Heróis e Heroínas. Imaginamos que, no espaço ao nosso redor, Dakas e Dakinis estão recitando o mantra de Vajrayogini. Isso nos faz levantar com uma motivação alegre para beneficiar os outros. Durante o dia inteiro, devemos considerar qualquer som que ouvirmos como o som desse mantra.

Enquanto nos vestimos, imaginamos que, em vez de estarmos colocando roupas comuns, estamos oferecendo os cinco ornamentos – tais como a coroa e os brincos – para nós mesmos gerados como Vajrayogini. Depois, nos prostramos três vezes ao nosso Guru-raiz, que está na pétala norte do lótus, o que faz com que ele gere um desejo alegre de ingressar em nosso corpo e mente. Imaginamos que nosso Guru-raiz se converte em luz e diminui até ficar do tamanho de um pequeno ovo. Nosso Guru-raiz, então, ingressa por nossa coroa e se dissolve na letra BAM em nosso coração.

Durante o dia, devemos recordar que nosso Guru, sob o aspecto de uma letra BAM, está em nosso coração. Devemos também manter orgulho divino de: nosso corpo e mente como sendo o corpo e a mente de Vajrayogini; nosso quarto como o mandala fonte-fenômenos e o mundo como a Terra Pura de Vajrayogini; e de todos os seres como Heróis e Heroínas. Se notarmos que estamos prestes a desenvolver estados mentais negativos, devemos imediatamente relembrar esses reconhecimentos. Se conseguirmos manter essa aparência pura, não haverá base para que as delusões, ou aflições mentais, surjam. Devemos tentar manter esses três reconhecimentos até o momento de irmos dormir, quando então, mais uma vez, daremos início à prática do ioga de dormir.

O ioga de acordar é praticado de modo contínuo durante o dia todo, e o ioga de dormir é praticado de modo contínuo durante a noite inteira. Se praticarmos esses dois iogas com empenho e zelo, todas as nossas ações diárias irão se tornar um caminho rápido à iluminação e, definitivamente, alcançaremos a Budeidade em pouco tempo.

O IOGA DE ACORDAR DE ACORDO COM O ESTÁGIO DE CONCLUSÃO

Se dormimos na noite anterior de acordo com o ioga do estágio de conclusão, absortos na clara-luz da vacuidade, ao acordar imaginamos então que, do estado de vacuidade, surgimos instantaneamente sob a forma de Vajrayogini, do mesmo modo que nuvens aparecem repentinamente no céu claro. Como fizemos na prática do estágio de geração, devemos também desenvolver aqui os três reconhecimentos: somos Vajrayogini; o mundo é a Terra Pura de Keajra e o nosso quarto é o mandala fonte-fenômenos; e todos os seres são Heróis (Deidades tântricas masculinas) e Heroínas (Deidades tântricas femininas). Na noite anterior, dissolvemos todos os fenômenos na vacuidade, nossa mente de clara-luz misturou-se de modo inseparável com essa vacuidade e identificamos essa união como sendo o Dharmakaya. Dessa união de êxtase e vacuidade, um novo mundo aparece agora, surgindo da substância de nossa mente plena de êxtase, e esse novo mundo tem a mesma natureza de nossa mente. Se pensarmos desse modo, será fácil gerar aparência pura e desenvolver os três reconhecimentos.

Devemos manter fortemente esses três reconhecimentos durante o dia todo, recordando-os muitas e muitas vezes, até o momento de irmos dormir. Para sustentar essa prática, precisamos de contínua-lembrança e vigilância. Na dependência de contínua-lembrança, devemos manter a motivação e os três reconhecimentos que geramos ao acordar. De tempos em tempos, devemos aplicar vigilância para nos certificarmos de que ainda estamos mantendo esses três reconhecimentos. Se falharmos em aplicar vigilância, nossa prática de manter os três reconhecimentos irá degenerar rapidamente. Perderemos a aparência pura e voltaremos a ver ou perceber, a nós próprios, como comuns. Isso acontece porque estamos muito acostumados, familiarizados, às aparências comuns. Sempre que sentirmos que esquecemos nossa motivação inicial ou os três reconhecimentos, devemos nos recordar deles imediatamente. Para manter aparência pura, não precisamos recitar palavras ou sentar em uma almofada de meditação. Se executarmos nossas ações diárias com contínua-lembrança dos três reconhecimentos, essas ações irão se transformar em um método para obtermos rapidamente a iluminação.

Quando formos capazes de manter esses três reconhecimentos o tempo todo, tudo o que virmos ou percebermos irá nos ajudar a desenvolver grande êxtase. Nada irá nos aparecer como feio, irritante e tampouco irá gerar aversão; pelo contrário, tudo que for experienciado por nossas sensações irá parecer atraente e irá estimular prazeres puros. Nessa etapa, porque estaremos muito familiarizados em meditar na união de êxtase e vacuidade, até mesmo os prazeres que surgem de nossos sentidos irão nos relembrar da vacuidade. Desse modo, por manter os três reconhecimentos, todas as nossas experiências diárias podem ser transformadas na sabedoria de grande êxtase e vacuidade. A prática dos três reconhecimentos é a disciplina moral suprema do Vajrayana. Se compreendermos e realmente acreditarmos que nosso *self*, nosso mundo e todos os demais fenômenos que normalmente percebemos não existem, como está explicado em detalhes no livro *Budismo Moderno*, não encontraremos dificuldade em manter esses três reconhecimentos dia e noite.

O IOGA DE EXPERIMENTAR NÉCTAR

O principal propósito de praticar o ioga de experimentar néctar é transformar prazeres em caminho espiritual. Porque somos seres do reino do desejo, sempre extraímos prazer quando vemos formas atraentes, ouvimos belos sons, cheiramos perfumes fragrantes, saboreamos comidas deliciosas e tocamos objetos macios e agradáveis ao tato. Esses cinco objetos de prazer são conhecidos como "os cinco objetos de desejo". Normalmente, desfrutamos desses objetos com uma mente de apego e, por essa razão, a maioria de nossas ações relacionadas a eles são ações não virtuosas e nos levam a experienciar sofrimento no futuro.

É somente por meio da prática de Dharma – particularmente, a prática do Mantra Secreto – que nossa experiência desses cinco objetos de desejo pode ser transformada em caminho espiritual. De acordo com os ensinamentos de Sutra, impedimos o apego pelos cinco objetos de desejo por meio de reconhecer suas falhas e evitando contato com eles. Na prática do Mantra Secreto, no entanto, transformamos em caminho espiritual o prazer que temos com objetos agradáveis. Essa transformação é um dos atributos especiais do Mantra Secreto.

A prática de transformar prazeres é muito extensa porque ela se aplica a qualquer objeto de desejo. Um dos métodos é considerar todas as formas visuais como sendo, em essência, Deusas Rupavajra; todos os sons como Deusas Shaptavajra; todos os odores como Deusas Gändhavajra; todos os sabores como Deusas Rasavajra; e todos os objetos táteis como Deusas Parshavajra. Quando desfrutarmos de uma refeição deliciosa, por exemplo, devemos superar nossa aparência comum que temos da comida dissolvendo-a na vacuidade e, então, em seu lugar, visualizar Deusas Rasavajra, que nos oferecem puro néctar que induz grande êxtase espontâneo. Podemos transformar os prazeres dos outros sentidos de modo semelhante.

Outra maneira de transformar em caminho espiritual a nossa experiência de objetos prazerosos é considerá-los como sendo, por natureza, grande êxtase espontâneo e vacuidade indivisíveis. Devemos considerar qualquer forma visual, som, odor, sabor e objeto tátil como tendo essa natureza.

Dentre os muitos métodos tântricos para transformar experiências agradáveis em caminho espiritual, o ioga de experimentar néctar é um método para transformar nosso prazer de comer e beber e, desse modo, aprimorar nossa prática do Mantra Secreto. Há três maneiras de praticar o ioga de experimentar néctar. A primeira é provar e engolir uma pílula de néctar que tenha sido feita de modo tradicional; a segunda maneira é provar néctar que tenha sido feito a partir da dissolução de uma pílula de néctar na oferenda interior; e a terceira é considerar nosso alimento e bebida diários como néctar.

Devemos tentar obter uma pílula de néctar genuína que tenha sido abençoada por nosso Guia Espiritual. Existem vários tipos de pílula de néctar, produzidos de acordo com as diferentes tradições do Budismo Mahayana. Em todas as tradições, os ingredientes são, primeiramente, abençoados por meio de concentração meditativa e recitação de mantra; depois, as pílulas são produzidas a partir desses ingredientes abençoados. Uma meditação semelhante à meditação que é feita para abençoar a oferenda interior é então realizada para consagrar as pílulas, e o mantra OM AH HUM é recitado muitas vezes, com forte concentração, até que sinais específicos de conclusão do processo ocorram.

No início da consagração, os ingredientes das pílulas são visualizados como cinco "carnes" e cinco "néctares". As cinco carnes visualizadas são os cadáveres de uma vaca, de um cachorro, de um elefante, de um cavalo e de um ser humano; e os cinco néctares visualizados são: excremento, miolos, esperma, sangue e urina. Esses ingredientes-base são, então, transformados em precioso néctar.

Um meditador altamente realizado consegue transformar, de fato, as cinco carnes e os cinco néctares na substância de preciosas pílulas de néctar. Quando o primeiro Panchen Lama, Losang Chogyan, fazia pílulas de néctar, havia sinais claros dessa transformação. Pelo poder de sua concentração, o fogo ardia sob o recipiente e os ingredientes ferviam. No entanto, somente os meditadores com realizações excepcionais podem transformar substâncias impuras – como urina e excremento – em preciosas pílulas de néctar; para uma pessoa não treinada, com poucas realizações, é impossível fazer isso. É conhecido o fato de alguns praticantes produzirem pílulas a partir de carnes e néctares reais e as distribuírem, mesmo não tendo recebido sinal algum de que os ingredientes haviam sido transformados. Somos advertidos, em vários textos tântricos, a não aceitar pílulas como essas; caso contrário, poderemos estar ingerindo excrementos! Em vez disso, devemos tentar obter, de um mestre tântrico qualificado e conhecido por suas realizações e integridade, pílulas produzidas por ele a partir de ervas medicinais. Poderemos, então, ter confiança de que as pílulas que nos foram dadas são íntegras e genuínas.

Se possível, devemos tentar obter pílulas abençoadas que procedam das pílulas produzidas pelo primeiro Panchen Lama. Essas pílulas são conhecidas como "pílulas de néctar abençoadas pelo fogo". Nos dias atuais, é difícil encontrar pílulas que tenham sido inteiramente produzidas pelo primeiro Panchen Lama. No entanto, é possível obter pílulas feitas posteriormente por meditadores realizados, que misturaram a fração de uma pílula produzida pelo Panchen Lama a substâncias frescas e, a partir disso, continuaram a repetir esse processo com todas as pílulas subsequentes, de modo que cada pílula contém a fração de uma pílula abençoada pelo Panchen Lama. Se obtivermos uma dessas pílulas, poderemos utilizá-la como base para a nossa prática do ioga de experimentar néctar e, também, para fazer mais pílulas.

Se formos incapazes de produzir novas pílulas de néctar, devemos colocar álcool ou chá em uma cuia de crânio – ou qualquer outro recipiente pequeno e limpo – e dissolver nisso uma pílula abençoada por um mestre qualificado. Toda manhã, devemos abençoar esse néctar como uma oferenda interior (do modo como está explicado nas páginas 69-76) e, então, prová-lo. Para fazer isso, molhamos o nosso dedo anular esquerdo no néctar-oferenda interior e desenhamos um triângulo na palma de nossa mão direita, no sentido anti-horário, com um dos vértices apontando para o nosso pulso. Em seguida, molhamos novamente o mesmo dedo na oferenda interior e colocamos uma gota no centro do triângulo – fazemos isso três vezes, de modo que essas três gotas se aglutinem para formar uma única gota. Abençoamos esse néctar recitando três vezes o mantra OM AH HUM. Imaginamos que o néctar abençoado possui, agora, três qualidades: é um néctar-medicinal que previne doenças; é um néctar-vital que supera a morte; e é um néctar-sabedoria que purifica todas as delusões. Depois, provamos o néctar, considerando-o como uma oferenda a nós mesmos – a Deidade Vajrayogini. À medida que provamos o néctar, imaginamos que estamos experienciando grande êxtase espontâneo e, com essa mente, meditamos na vacuidade ou, ao menos, relembramos da vacuidade brevemente.

Se não tivermos uma pílula de néctar nem uma oferenda interior disponíveis – como, por exemplo, no caso de estarmos viajando – podemos usar o primeiro líquido que ingerirmos no dia como a oferenda de néctar. Erguemos o copo com nossa mão esquerda e abençoamos seu conteúdo recitando três vezes o mantra OM AH HUM. Imaginamos que a bebida transforma-se em néctar, com as três qualidades mencionadas, e oferecemos esse néctar a nós mesmos gerados como Vajrayogini. À medida que bebemos, imaginamos que estamos experienciando grande êxtase e, então, meditamos na vacuidade ou relembramos dela, de acordo com nossa própria compreensão.

Devemos praticar o ioga de experimentar néctar primeiramente pela manhã e, depois, ao longo do dia, sempre que comermos ou bebermos. Desse modo, todas as nossas ações diárias de comer e beber irão se tornar o ioga de experimentar néctar. Quando praticam esse ioga, os praticantes do mandala de corpo de Vajrayogini devem recordar-se das 37 Heroínas em seu coração e oferecer o néctar a elas.

Há muitos benefícios que vêm de praticarmos esse ioga. Por exemplo, mesmo que sejamos idosos, manteremos uma vitalidade juvenil porque, toda vez que comermos ou bebermos, estaremos acumulando grande mérito e criando a causa para desfrutar de uma vida longa e feliz. Além disso, a prática do ioga de experimentar néctar é uma causa para obtermos realizações tântricas, como o grande êxtase espontâneo. Provar pílulas de néctar e a oferenda interior nos faz lembrar de que todo ato de comer ou beber pode ser transformado no ioga de experimentar néctar. Se meditarmos em êxtase e vacuidade toda vez que comermos ou bebermos, nossa experiência do ponto essencial do Mantra Secreto – a união de grande êxtase espontâneo e vacuidade – irá aumentar rapidamente.

Uma explicação sobre como praticar, de uma maneira simples, os iogas de dormir, de acordar e de experimentar néctar pode ser encontrada na Parte Dois do livro *Budismo Moderno*.

O Ioga das Incomensuráveis

Este quarto ioga e os demais sete iogas devem ser praticados em associação com a preciosa sadhana intitulada *Caminho Rápido ao Grande Êxtase*, que pode ser encontrada no Apêndice II. Essa sadhana foi escrita por Je Phabongkhapa, que é uma manifestação de Buda Heruka. Ela contém as práticas essenciais de todas as Deidades do Tantra Ioga Supremo, em geral, e a prática das instruções orais de Je Tsongkhapa, tanto as de Sutra quanto as de Tantra, em particular. Devemos nos regozijar com a nossa grande boa fortuna de termos encontrado este precioso Budadharma.

As práticas principais do ioga das incomensuráveis são: buscar refúgio, gerar bodhichitta, e a meditação e recitação de Vajrasattva. A prática de buscar refúgio é denominada "incomensurável" porque, durante essa prática, concentramo-nos em um número incomensurável de objetos de refúgio; a prática de cultivar a mente altruísta da bodhichitta é denominada "incomensurável" porque focamos nossa mente de compaixão em incomensuráveis seres vivos; e a prática da meditação e recitação de Vajrasattva é denominada "incomensurável" porque purifica as ações não virtuosas que temos acumulado durante um período incomensuravelmente longo.

O comentário ao ioga das incomensuráveis é apresentado sob os seguintes sete tópicos:

1. Buscar refúgio;
2. Gerar o supremo bom coração, a bodhichitta;
3. Receber bênçãos;

Venerável Vajrayogini

4. Autogeração instantânea como Vajrayogini;
5. Abençoar a oferenda interior;
6. Abençoar as oferendas exteriores;
7. Meditação e recitação de Vajrasattva.

Dentre os onze iogas, o quarto ioga (o ioga das incomensuráveis) e o quinto ioga (o ioga do Guru) contêm as práticas dos *quatro grandes guias preliminares*: o grande guia de buscar refúgio e gerar bodhichitta, o grande guia da meditação e recitação de Vajrasattva, o grande guia de Guru-Ioga, e o grande guia de fazer oferendas de mandala. Os dois primeiros grandes guias estão incluídos no ioga das incomensuráveis e os outros dois, no ioga do Guru.

Essas práticas são denominadas "guias" porque, ao nos empenharmos nelas, somos guiados aos caminhos espirituais propriamente ditos do Mantra Secreto. Devemos saber que treinar o estágio de geração e o estágio de conclusão é o veículo interior supremo por meio do qual iremos alcançar rapidamente o mundo iluminado. As quatro rodas desse veículo são os quatro grandes guias preliminares. Podemos compreender, a partir disso, que praticar os *quatro grandes guias preliminares* é extremamente importante para a efetividade de nosso treino no estágio de geração e no estágio de conclusão.

Buscar refúgio é a porta de ingresso ao Budismo, em geral, e gerar a bodhichitta é a porta de ingresso ao Budismo Mahayana, em particular; a meditação e recitação de Vajrasattva é a porta de ingresso para purificar negatividades e quedas morais; Guru-Ioga é a porta de ingresso para receber bênçãos; e fazer oferendas de mandala é a porta de ingresso para acumular uma coleção de mérito.

BUSCAR REFÚGIO

Este tópico tem duas partes:

1. Explicação geral;
2. A prática de refúgio.

EXPLICAÇÃO GERAL

Neste contexto, "buscar refúgio" significa buscar refúgio em Buda, Dharma e Sangha. O propósito desta prática é nos protegermos permanentemente de tomar um renascimento inferior. Porque *estamos* no momento presente como humanos, estamos livres de termos renascido como um animal, fantasma faminto ou como um ser-do-inferno, mas isso é apenas temporário. Somos como um prisioneiro que ganhou permissão para ficar em seu lar por uma semana, mas que depois disso tem de retornar à prisão. Precisamos de libertação permanente dos sofrimentos desta vida e dos sofrimentos das incontáveis vidas futuras. Isso depende de ingressar no caminho budista à libertação, fazer progressos e de concluir esse caminho, que, por sua vez, depende de ingressarmos no Budismo.

Ingressamos no Budismo pela prática de buscar refúgio. Para que a nossa prática de refúgio seja qualificada, devemos fazer, enquanto visualizamos Buda diante de nós, a promessa verbal ou mental de buscar refúgio em Buda, Dharma e Sangha por toda a nossa vida. Essa promessa é o nosso voto de refúgio e é a porta pela qual ingressamos no Budismo. Permaneceremos no Budismo durante o tempo que mantivermos essa promessa, mas, se a quebrarmos, estamos fora. Ao ingressar e permanecer no Budismo, temos a oportunidade de começar o caminho budista à libertação e à iluminação, fazer progressos nele e de concluí-lo.

Nunca devemos abandonar nossa promessa de buscar refúgio em Buda, Dharma e Sangha por toda a nossa vida. Buscar refúgio em Buda, Dharma e Sangha significa que devemos aplicar esforço para receber as bênçãos de Buda, para colocar o Dharma em prática e para receber ajuda da Sangha – os amigos espirituais puros, principalmente nossos professores. Esses são os três principais compromissos do voto de refúgio. Por manter e praticar sinceramente esses três principais compromissos de refúgio, conseguiremos realizar nossa meta final.

A principal razão pela qual precisamos tomar a determinação e fazer a promessa de buscar refúgio em Buda, Dharma e Sangha por toda a nossa vida é que precisamos alcançar libertação permanente do sofrimento. No momento presente, pode ser que estejamos livres de sofrimento físico e dor mental, mas essa liberdade é apenas temporária. Mais tarde, nesta vida e em nossas incontáveis vidas futuras, teremos de vivenciar insuportável sofrimento físico e dor mental continuamente, vida após vida, sem-fim.

Quando a nossa vida está em perigo ou quando somos ameaçados por alguém, o que normalmente fazemos é buscar refúgio na polícia. É claro que, algumas vezes, a polícia consegue nos proteger de um perigo específico, mas ela não pode nos dar libertação permanente da morte. Quando estamos seriamente doentes, buscamos refúgio nos médicos. Algumas vezes, os médicos conseguem curar uma doença específica, mas nenhum médico pode nos dar libertação permanente das doenças. O que realmente precisamos é da libertação permanente de todos os sofrimentos e, como seres humanos, podemos conquistar isso buscando refúgio em Buda, Dharma e Sangha.

Os Budas são "Despertos", o que significa que eles despertaram do sono da ignorância e são livres dos sonhos do samsara, o ciclo de vida impura. Eles são seres completamente puros, permanentemente livres de todas as delusões (ou aflições mentais) e aparências equivocadas. Os Budas atuam concedendo paz mental a todos e cada um dos seres vivos todos os dias, por meio de suas bênçãos – essa é a sua função. Sabemos que, quando a nossa mente está em paz, estamos *felizes*; e também sabemos que, quando a nossa mente não está em paz, estamos *infelizes*. Fica claro, portanto, que a nossa felicidade depende de termos uma mente tranquila, em paz, e não de boas condições exteriores. Mesmo se as nossas condições exteriores forem pobres ou desfavoráveis, seremos sempre felizes se mantivermos uma mente em paz o tempo todo. Por meio de receber continuamente as bênçãos de Buda, podemos manter paz mental o tempo todo. Os Budas são, portanto, a fonte da nossa felicidade. O Dharma é a verdadeira proteção, por meio do qual somos libertados de modo permanente dos sofrimentos da doença, envelhecimento, morte e renascimento; e a Sangha são os amigos espirituais supremos que nos guiam aos caminhos espirituais corretos. Por meio dessas três preciosas joias-que-satisfazem-os-desejos – Buda, Dharma e Sangha, conhecidas como as "Três Joias" – podemos satisfazer tanto os nossos próprios desejos como os desejos de todos os seres vivos.

Devemos recitar todos os dias, do fundo do nosso coração, preces de pedidos aos Budas iluminados, ao mesmo tempo em que mantemos profunda fé neles. Esse é um método simples para recebermos continuamente as bênçãos dos Budas. Devemos, também, nos reunir para fazer preces em grupo, conhecidas como "*pujas*", organizadas nos Templos Budistas ou Salas de Preces. As preces feitas em grupo são métodos poderosos para recebermos as bênçãos e a proteção dos Budas.

Em resumo, primeiramente praticamos a seguinte contemplação:

Eu quero me proteger e me libertar permanentemente dos sofrimentos desta vida e das incontáveis vidas futuras. Somente posso realizar isso por meio de receber as bênçãos de Buda, colocar o Dharma em prática e receber ajuda da Sangha – os amigos espirituais supremos.

Pensando profundamente desse modo, primeiro tomamos a forte determinação de buscar sinceramente refúgio em Buda, Dharma e Sangha por toda a nossa vida e, depois, fazemos sinceramente essa promessa. Devemos meditar nessa determinação todos os dias e manter continuamente nossa promessa pelo restante de nossa vida. Como compromissos do nosso voto de refúgio, devemos sempre aplicar esforço para: receber as bênçãos de Buda, colocar o Dharma em prática e receber ajuda da Sangha, nossos amigos espirituais puros, incluindo nossos professores espirituais. É desse modo que buscamos refúgio em Buda, Dharma e Sangha. Por meio disso, realizaremos nosso objetivo: a libertação permanente de todos os sofrimentos desta vida e das incontáveis vidas futuras, o verdadeiro sentido da nossa vida humana.

Para manter a nossa promessa de buscar refúgio em Buda, Dharma e Sangha por toda a nossa vida, e para que nós e todos os seres vivos possamos receber as bênçãos e a proteção de Buda, devemos recitar preces de refúgio todos os dias, com forte fé.

A PRÁTICA DE REFÚGIO

Este tópico tem cinco partes:

1. Visualizar os objetos de refúgio;
2. Desenvolver renúncia;
3. Desenvolver compaixão;
4. Desenvolver convicção no poder das Três Joias;
5. Recitar a prece de refúgio.

VISUALIZAR OS OBJETOS DE REFÚGIO

No espaço a nossa frente, ao nível de nossas sobrancelhas, visualizamos um vasto trono adornado com joias, sustentado por oito leões-das-neves. Cobrindo totalmente a superfície do trono, está um lótus de quatro pétalas. A pétala situada a leste (a pétala mais próxima de nós) é branca; a pétala situada ao norte (nossa direita) é verde; a pétala situada a oeste é vermelha; e a pétala situada ao sul é amarela. O centro do lótus é verde. Sobre o lótus há um pequeno trono e, sobre o trono, encontram-se uma almofada de lua e uma almofada de sol – a almofada de sol está sobre a de lua.

Sentado sobre a almofada de sol, está nosso Guru-raiz no aspecto de Buda Vajradharma. Ele tem um corpo vermelho, uma face e duas mãos, que estão cruzadas na altura de seu coração e seguram um vajra e um sino. Sobre uma almofada de sol, no coração de Guru Vajradharma, estão Pai Heruka e Mãe Vajrayogini. Heruka é azul, tem quatro faces e doze braços. Ele une-se em abraço com sua consorte, Vajrayogini, que é vermelha e tem uma face e dois braços. Na sadhana, está dito: "No espaço a minha frente, aparecem Guru Chakrasambara Pai e Mãe". De acordo com a intenção de Je Phabongkhapa, "Guru" refere-se, aqui, a Guru Vajradharma, e "Chakrasambara" refere-se à

Deidade Heruka unido em abraço com Vajrayogini, no coração de Guru Vajradharma.

Ao redor de Guru Vajradharma, sobre as anteras amarelas do lótus, estão os Gurus da linhagem Narokhachö e todos os demais Gurus-linhagem de Sutra e de Tantra. Do coração de Guru Vajradharma, emanam todos os demais objetos de refúgio, preenchendo por inteiro a superfície do lótus de quatro pétalas.

No centro da pétala leste está Vajrayogini, rodeada por todas as Deidades das quatro classes de Tantra. As Deidades formam quatro círculos concêntricos - mais próximo do centro, está o círculo das Deidades do Tantra Ioga Supremo, rodeado pelos círculos das Deidades do Tantra Ioga, das Deidades do Tantra Performance, e das Deidades do Tantra Ação, respectivamente.

No centro da pétala sul está Buda Shakyamuni, rodeado por todos os Corpos-Emanação e Corpos-de-Deleite dos Budas.

No centro da pétala oeste estão as Joias Dharma, na forma simbólica de livros escritos pelos Gurus, Budas e Bodhisattvas. Esses livros incluem os textos do *Kangyur* e do *Tengyur* - como os textos tântricos de Heruka - assim como incontáveis outros textos, juntamente com seus comentários, escritos por outros Budas. Devemos imaginar que esses livros aparecem sob o aspecto de luz, mas que são, por natureza, as realizações interiores dos Gurus, Budas e Bodhisattvas. Por externarem suas realizações sob a forma de livros, os seres sagrados beneficiam todos os seres vivos que, assim, podem estudar esses textos e colocá-los em prática.

No centro da pétala norte está Manjushri, rodeado por todos os Bodhisattvas superiores, Destruidores-de-Inimigos Emanados, Heróis e Heroínas. Ao longo da borda exterior das quatro pétalas, estão os Protetores do Dharma.

Cada ser-de-refúgio está sentado ou em pé sobre uma almofada de lua ou de sol. Imaginamos que cada um é realmente um ser vivo, e não algo inanimado como uma estátua ou uma pintura.

Todos os incontáveis objetos de refúgio sobre o trono diante de nós estão abrangidos pelas Três Joias - a Joia Buda, a Joia Dharma e a Joia Sangha. Os Gurus, Yidams e Budas são, todos, Joias Buda;

os Bodhisattvas, Destruidores-de-Inimigos Emanados, Heróis, Heroínas e Protetores do Dharma são, todos, Joias Sangha; e os livros de Dharma representam a Joia Dharma. Devemos também considerar todos os objetos de refúgio como manifestações de nosso Guru-raiz - Guru Vajradharma. As Joias Buda são, todas, manifestações de sua mente; as Joias Dharma são manifestações de sua fala; e as Joias Sangha são manifestações de seu corpo.

No início, não devemos ter a expectativa de sermos capazes de visualizar claramente a assembleia de refúgio. É suficiente, no começo, simplesmente imaginar que os objetos de refúgio estão no espaço a nossa frente. O mais importante é ter forte convicção de que eles estão realmente presentes. Embora não sejamos capazes de vê-los, podemos ter absoluta certeza de que estão aparecendo diante de nós sob suas formas sutis e que estamos, de fato, na sua presença. Gradualmente, seremos capazes de trazer à mente uma imagem mental aproximada de toda a assembleia e, à medida que nos familiarizarmos com a visualização, naturalmente alcançaremos uma imagem mais detalhada. No entanto, no início não devemos ficar preocupados com os detalhes. Por exemplo, quando pensamos em um amigo, simplesmente trazemos à mente a imagem geral que temos desse amigo; não tentamos ter uma imagem detalhada de todas as suas características, como seu rosto, pernas e braços. Do mesmo modo, quando começamos a visualizar a assembleia de refúgio, devemos ficar satisfeitos com uma imagem geral dos seres sagrados, e não nos preocuparmos em tentar visualizar todos os seus detalhes específicos logo de início.

DESENVOLVER RENÚNCIA

Quando praticamos o ioga de acordar, acordamos com o orgulho divino de ser Vajrayogini; porém, quando buscamos refúgio ou nos empenhamos em determinadas práticas - como a de Vajrasattva, que é uma prática de purificação - devemos abandonar o orgulho divino temporariamente.

Para desenvolver renúncia, devemos primeiramente nos recordar da preciosidade da nossa vida humana. Por exemplo, os seres que agora estão sob uma forma animal tiveram esse tipo de renascimento animal devido às suas visões deludidas passadas, que negavam o valor da prática espiritual. Visto que a prática espiritual constitui-se no único fundamento para uma vida significativa, eles não têm agora chance alguma, sob uma forma animal, de se envolverem em uma prática espiritual. Já que para eles é impossível ouvir, entender, contemplar e meditar nas instruções espirituais, seu renascimento presente como animal é, ele próprio, um obstáculo. Somente os seres humanos estão livres de tais obstáculos e têm todas as condições necessárias para se empenharem nos caminhos espirituais – os únicos caminhos que conduzem à paz e felicidade duradouras. Essa combinação de liberdade e de posse de condições necessárias é a característica especial que faz com que a nossa vida humana seja tão preciosa.

Como conclusão, devemos contemplar:

Eu não devo ficar satisfeito com uma mera liberdade temporária de sofrimentos específicos, que até mesmo os animais podem experienciar. Eu preciso me libertar permanentemente da ignorância do agarramento ao em-si – a raiz do sofrimento – pela prática sincera dos três treinos superiores.

Devemos meditar nessa determinação todos os dias, e colocar nossa determinação em prática. Desse modo, nós próprios iremos nos conduzir ao caminho libertador.

DESENVOLVER COMPAIXÃO

Em seguida, contemplamos os sofrimentos de todos os demais seres vivos. Pensamos:

Eu não sou o único a ter de experienciar sofrimentos. Existem incontáveis seres vivos – todos eles tendo experiências e problemas semelhantes aos meus. Portanto, como posso pensar em trabalhar exclusivamente para a minha própria libertação? Todo ser vivo foi, em algum momento do passado, minha querida mãe. Muitas e muitas vezes, cada um deles teve de vivenciar os sofrimentos do nascimento, adoecimento, envelhecimento, morte, ter de se separar do que gosta, ter de se defrontar com o que não gosta, e de não conseguir satisfazer seus desejos. Mais cedo ou mais tarde, eles terão de sofrer fome, sede, conflitos, incertezas e a repetida perda de posição social ou econômica, amigos e cônjuge. Até agora, os seres vivos têm sido incapazes de encontrar segurança ou satisfação e, tendo de renascer muitas e muitas vezes, os seres vivos têm sido forçados a abandonar corpo após corpo e deixá-los para trás. Eu não posso suportar o sofrimento de todos esses seres afogando-se no oceano do samsara – cada um deles não tendo escolha alguma a não ser vivenciar imenso sofrimento. Eu preciso trabalhar para libertar todos eles.

DESENVOLVER CONVICÇÃO NO PODER DAS TRÊS JOIAS

Sem a proteção e orientação dos seres iluminados, é impossível para os confusos seres vivos escaparem do samsara, o ciclo de vidas infelizes e sofredoras. Se contemplarmos profundamente, compreenderemos que somente as Três Joias – Buda, Dharma e Sangha – têm o total poder de nos guiar e proteger. Os Budas podem nos proteger porque possuem quatro atributos especiais: eles são livres de todo e qualquer medo e sofrimento; eles têm habilidade em libertar todos os seres vivos; os Budas possuem grande compaixão por todos os seres vivos; e são totalmente isentos de parcialidade. O Dharma que é revelado por Buda é o verdadeiro método para obter libertação do samsara, e a Sangha nos ajuda a alcançar realizações de Dharma. Em resumo, por meio de recebermos bênçãos de Buda e ajuda da Sangha, e por obtermos realizações de Dharma, ficaremos permanentemente livres do sofrimento e do medo. Se contemplarmos repetidamente esses fatos, desenvolveremos forte fé e convicção nas Três Joias.

RECITAR A PRECE DE REFÚGIO

Primeiramente, visualizamos a assembleia de refúgio, geramos as causas de refúgio (renúncia, compaixão e fé nas Três Joias) e imaginamos que estamos rodeados pelos incontáveis seres vivos dos seis reinos do samsara. Visualizamos todos eles sob a forma humana, mas relembramos que, em realidade, cada um está experienciando os sofrimentos de seu reino específico. Mais próximo de nós estão nossos pais, familiares e amigos. Depois, imaginamos que todos nós recitamos, juntos, a prece de refúgio. Se praticarmos desse modo, o benefício que iremos receber da prática de buscar refúgio será igual ao número de todos os seres vivos.

Com nossa prece aos Gurus, pedimos a eles que concedam suas bênçãos sobre nós e que transformem todas as nossas ações de corpo, fala e mente em caminhos espirituais; com nossa prece aos Budas, pedimos sua orientação no caminho para a libertação e iluminação; com nossa prece ao Dharma, relembramos as qualidades especiais da Joia Dharma e geramos um forte desejo de obtermos rapidamente realizações de Dharma; e com nossa prece às Sanghas superiores, pedimos sua assistência no caminho espiritual e a remoção de todos os obstáculos que impedem que alcancemos a aquisição da libertação e da iluminação.

Se estivermos coletando cem mil preces de refúgio – o primeiro dos *quatro grandes guias preliminares* – podemos contar preces de refúgio neste ponto da sadhana. Podemos coletar a prece que está na sadhana ou a seguinte prece breve:

> Busco refúgio nos Gurus, Budas, Dharma e Sangha.

Após recitarmos cem vezes a prece de refúgio (ou quantas vezes desejemos), imaginamos que luzes de cinco cores e néctares descem de cada um dos objetos de refúgio. Essas luzes e néctares dissolvem-se em nós e purificam todas as nossas ações negativas, especialmente as ações cometidas contra os nossos Gurus, contra os Budas, o Dharma e a Sangha. Temos cometido muitas ações negativas como essas. Podemos ter ficado com raiva de nossos Gurus ou dos Budas, ou podemos ter nos comportado de modo desrespeitoso com eles. Podemos ter perdido nossa fé neles ou quebrado os compromissos e promessas que fizemos a eles. Podemos ter abandonado temporariamente o Dharma, desenvolvido aversão de ouvir ensinamentos de Dharma, ou até mesmo aversão de praticar o Dharma. Podemos ter sido críticos com a Sangha – os amigos espirituais puros – ou nos comportado de modo desrespeitoso com eles. Ao recitarmos as preces e visualizarmos as luzes e néctares descendo, imaginamos que todas essas ações não virtuosas, criadas nesta vida e em todas as nossas vidas anteriores, são purificadas, e que o nosso tempo de vida, mérito e realizações de Dharma aumentam.

GERAR O SUPREMO BOM CORAÇÃO – A BODHICHITTA

A prática do refúgio Mahayana inclui o desenvolvimento de renúncia e compaixão, e ambas são causas essenciais para gerar a bodhichitta. Quanto mais treinarmos o refúgio mahayana, mais forte nossa bodhichitta irá se tornar.

A raiz da bodhichitta é compaixão. O principal método para desenvolver compaixão é contemplar o sofrimento dos outros e desenvolver o desejo de libertar todos os seres vivos de seus sofrimentos. Precisamos desenvolver esse desejo compassivo muitas e muitas vezes, até que ele surja espontaneamente e influencie todos os nossos pensamentos e ações de modo contínuo.

Compaixão induz intenção superior. Compreendendo que simplesmente desejar libertar os outros do sofrimento não é suficiente, tomamos a decisão clara e determinada de nós mesmos agirmos para libertá-los. Então, pensamos: "Para libertar todos os seres vivos dos seus sofrimentos, preciso, primeiramente, que eu mesmo alcance a iluminação. Somente então terei o poder de levar felicidade duradoura a todos os seres vivos". Esse forte desejo – enraizado na compaixão – de alcançar a iluminação para beneficiar todos os seres vivos é a bodhichitta. Quando esse desejo surgir de modo espontâneo em nossa mente, isso irá significar que ingressamos nos Caminhos Mahayana propriamente ditos. Je Tsongkhapa disse que, para ingressar no Mahayana, não é suficiente meramente estudar ensinamentos mahayana; a única porta de ingresso aos Caminhos Mahayana é, de fato, gerar a mente espontânea de bodhichitta.

Devemos gerar e aprimorar nossa mente de bodhichitta por meio de recitar a prece de bodhichitta que está na sadhana. Essa prece contém as práticas da bodhichitta aspirativa, bodhichitta de compromisso e as quatro incomensuráveis. A frase "Uma vez que eu tenha alcançado o estado de um perfeito Buda" refere-se à prática da bodhichitta aspirativa; a frase "libertarei todos os seres sencientes" refere-se à incomensurável equanimidade, indicando que nossa compaixão abrange todos os seres vivos, sem parcialidade; a frase "do oceano de sofrimento do samsara" refere-se à incomensurável compaixão; a frase "e os levarei ao êxtase da plena iluminação" refere-se ao incomensurável amor e à incomensurável alegria; por fim, a frase "Com esse propósito, vou praticar as etapas do caminho de Vajrayogini" refere-se à bodhichitta de compromisso. Por praticar os dois estágios do caminho de Vajrayogini, estamos nos empenhando ativamente nos métodos para alcançar a iluminação para o benefício dos outros.

O propósito de recitarmos preces é nos relembrarmos de seu significado. Porque nossa mente é fraca quanto à compreensão do Dharma, precisamos confiar no apoio de preces verbais. Assim como uma pessoa idosa e frágil necessita de uma bengala, precisamos recitar preces que nos relembrem de aperfeiçoar nossa bodhichitta.

Antes de praticarmos o Mantra Secreto, precisamos treinar suficientemente bem o Lamrim (as etapas do caminho que são comuns ao Sutra e ao Tantra) e devemos nos familiarizar particularmente com os métodos para gerar a bodhichitta. O principal fundamento de uma prática bem-sucedida dos dois estágios de Vajrayogini é ter desenvolvido as três principais realizações – quais sejam, os três principais aspectos do caminho: renúncia, bodhichitta e visão correta da vacuidade. Além disso, precisamos nos empenhar nas práticas preliminares. Se quisermos ser bem-sucedidos em nossa prática do Mantra Secreto, precisamos do fundamento firme do treino nas preliminares e nos três principais aspectos do caminho, do mesmo modo que precisamos de uma fundação firme para construir uma boa casa. Se nossa prática dos estágios de geração e de conclusão do Mantra Secreto tiver um fundamento firme como esse, ela irá se tornar um método rápido para a conquista da iluminação.

Nosso estado mental presente não é permanente. Ele pode mudar para uma mente negativa, como a raiva, ou para uma mente positiva, como o desejo altruísta de alcançar a iluminação. No momento presente, nossa bodhichitta talvez seja artificial porque é gerada com esforço, mas, por meio de prática, podemos transformar nossa mente primária em uma verdadeira bodhichitta, que surge espontaneamente. No entanto, não podemos desenvolver compaixão e bodhichitta meramente por ouvir ensinamentos. Devemos estar preparados para investirmos um longo tempo treinando nos métodos para desenvolvê-las, tanto durante a meditação quanto fora da sessão de meditação. Mais explicações detalhadas sobre buscar refúgio, gerar a bodhichitta e assim por diante podem ser encontradas nos livros *Budismo Moderno* e *Caminho Alegre da Boa Fortuna*.

Ao longo de nossa prática dos dois estágios de Vajrayogini, devemos continuar a aperfeiçoar nossa bodhichitta. Não devemos nos desencorajar, pensando que não podemos praticar o Mantra Secreto porque ainda não desenvolvemos a bodhichitta; podemos treinar ambos conjuntamente. Se praticarmos o Mantra Secreto e o Lamrim ao mesmo tempo, por fim obteremos realizações de ambos simultaneamente. Por exemplo, se plantarmos uma semente de maçã e uma semente de pera simultaneamente e as regarmos e nutrirmos por igual, elas irão crescer juntas e amadurecer juntas. De modo semelhante, devemos começar a praticar, desde agora, tanto o Mantra Secreto quanto o Lamrim e, no futuro, iremos obter seus resultados simultaneamente. Essas duas práticas são como amigos que se ajudam e se apoiam um ao outro. O Mantra Secreto e o Lamrim são indispensáveis se desejamos progredir à plena iluminação.

Os ensinamentos tântricos explicam métodos especiais para melhorar nossa bodhichitta e nossa compreensão da vacuidade. Por exemplo, há uma prática denominada "gerar a mente de todos os iogas", que é explicada durante as iniciações do Tantra Ioga Supremo. Para gerar essa mente, primeiro geramos grande compaixão – fazemos isso nos concentrando em todo o sofrimento que os seres vivos experienciam e, então, desenvolvemos o forte desejo de alcançar a Budeidade para o benefício deles. Esse desejo é a bodhichitta convencional. Sem perder esse desejo, relembramos então que todos os fenômenos carecem de existência inerente. Isso é a bodhichitta última. Em nosso coração, visualizamos nossa bodhichitta convencional na forma de uma almofada de lua muito pequena, em posição horizontal. No centro da almofada de lua, visualizamos nossa bodhichitta última na forma de um vajra branco de cinco hastes, ou dentes, em posição vertical. Imaginando que a lua e o vajra estão firmes e estáveis e irradiando luz, retemos essa visualização sem nos distrairmos, pelo maior tempo possível. Devemos relembrar essa experiência constantemente, durante o dia todo.

Para meditadores habilidosos, as práticas do estágio de geração e do estágio de conclusão são os métodos supremos para aperfeiçoarem sua bodhichitta convencional e sua bodhichitta última.

RECEBER BÊNÇÃOS

Como foi mencionado anteriormente, os Gurus, Yidams e Budas são emanações da mente de Guru Vajradharma; o conjunto das Joias Dharma são emanações de sua fala; e a assembleia de Joias Sangha são emanações de seu corpo. Com isso em mente, recitamos a prece de pedido especial, que está na sadhana, para recebermos as bênçãos das Três Joias.

Imaginamos que, como resultado de fazer esses pedidos com forte fé, a assembleia de Joias Sangha se converte em luz branca. Essa luz se dissolve em nossa coroa, e o nosso corpo recebe as bênçãos do corpo de Guru Vajradharma. O conjunto de Joias Dharma se converte então em luz vermelha. Essa luz se dissolve em nossa garganta, e a nossa fala recebe as bênçãos da fala de Guru Vajradharma. Os Gurus, Yidams e Budas se convertem, por sua vez, em luz azul. Essa luz dissolve-se em nosso coração, e a nossa mente recebe as bênçãos da mente de Guru Vajradharma. Por receber essas bênçãos, todas as nossas falhas e ações negativas de corpo, fala e mente são purificadas, e nossas ações de corpo, fala e mente se transformam em caminhos espirituais.

AUTOGERAÇÃO INSTANTÂNEA COMO VAJRAYOGINI

Após recebermos as bênçãos do corpo, fala e mente de Guru Vajradharma, imaginamos que o mundo inteiro e seus habitantes se convertem em luz e se dissolvem em nosso corpo. Nosso corpo também se converte em luz e, lentamente, diminui de tamanho, até se dissolver, por fim, na vacuidade. Isso se assemelha à maneira pela qual as aparências desta vida se dissolvem no momento da morte. Meditamos na vacuidade, com concentração estritamente focada, sem permitirmos que qualquer aparência convencional surja. Imaginamos que nossa mente se funde por completo com a vacuidade, e desenvolvemos o reconhecimento "eu sou o Corpo-Verdade Vajrayogini". Essa prática é denominada "trazer a morte para o caminho do Corpo-Verdade".

A partir do Corpo-Verdade, instantaneamente nos transformamos em uma oval de luz vermelha, com aproximadamente 30 centímetros de altura e 15 centímetros de largura, que se encontra em posição vertical, sobre um lótus de oito pétalas e uma almofada de sol. Isso se assemelha à maneira pela qual o corpo do ser do estado intermediário surge da clara-luz da morte. Desenvolvemos o reconhecimento "eu sou o Corpo-de-Deleite Vajrayogini". Essa prática é denominada "trazer o estado intermediário para o caminho do Corpo-de-Deleite".

A oval vermelha de luz, por natureza nossa própria mente, agora aumenta de tamanho e se transforma no Corpo-Emanação de Vajrayogini. Desenvolvemos o orgulho divino "eu sou o Corpo-

-Emanação Vajrayogini". Isso se assemelha a deixar o estado intermediário e renascer. Essa prática é denominada "trazer o renascimento para o caminho do Corpo-Emanação".

Se temos o desejo de praticar o Tantra de Vajrayogini diariamente, mas não dispomos de tempo ou habilidade suficientes para praticar a sadhana extensa ou a sadhana mediana, podemos cumprir o compromisso de gerarmo-nos como a Deidade, tomado durante a iniciação de Vajrayogini, por meio de praticarmos a seguinte sequência. Primeiramente, buscamos refúgio, geramos bodhichitta e dissolvemos os objetos de refúgio, como explicado anteriormente. Depois, meditamos em trazer a morte, o estado intermediário e o renascimento para o caminho e geramo-nos como a Deidade, do modo como foi descrito. Então, visualizamos que, dentro de uma fonte-fenômenos vermelha em nosso coração, está uma letra BAM vermelha sobre uma almofada de lua. Em pé, descrevendo um círculo no sentido anti-horário ao redor da letra BAM, está o mantra de Vajrayogini: OM OM OM SARWA BUDDHA DAKINIYE VAJRA WARNANIYE VAJRA BEROTZANIYE HUM HUM HUM PHAT PHAT PHAT SÖHA. Com forte fé, concentramo-nos na letra BAM e nas letras do mantra e recitamos o mantra quantas vezes for possível ou, ao menos, quantas vezes tenhamos prometido quando recebemos a iniciação de Vajrayogini. Por fim, recitamos a prece dedicatória breve. A sadhana condensada de autogeração, *Caminho de Êxtase*, pode ser encontrada no Apêndice II.

É possível, também, fazer a prática mediana de autogeração em associação com a sadhana intitulada *Ioga da Dakini*, que também pode ser encontrada no Apêndice II. No entanto, não devemos ficar satisfeitos apenas com práticas breves. Se temos o desejo de alcançar a Budeidade por meio de confiar em Vajrayogini, precisamos, em definitivo, praticar os onze iogas extensivamente.

ABENÇOAR A OFERENDA INTERIOR

Este tópico tem cinco partes:

1. Os benefícios;
2. A base da oferenda interior;
3. O objeto visual da oferenda interior;
4. Como abençoar a oferenda interior;
5. A importância e o significado da oferenda interior.

OS BENEFÍCIOS

A prática da oferenda interior é encontrada unicamente no Tantra Ioga Supremo. A oferenda interior pode ser utilizada como: uma oferenda aos seres sagrados; uma oferenda a nós mesmos (como no ioga de experimentar néctar); ou para afastar e prevenir obstáculos externos e internos. Abençoar e provar a oferenda interior é causa de muitos níveis de realização do estágio de conclusão. Por meio dessa prática, podemos purificar nossos cinco agregados e elementos contaminados e transformá-los nas Cinco Famílias Búdicas, e podemos purificar as cinco delusões e transformá-las nas cinco sabedorias oniscientes. Fazer a oferenda interior é uma causa para aumentar nosso tempo de vida, acumular mérito e experienciar grande êxtase.

A BASE DA OFERENDA INTERIOR

A oferenda interior recebe essa denominação porque sua base é uma coleção de cinco carnes e cinco néctares, onde todos esses dez componentes são substâncias interiores – ou seja, substâncias derivadas de corpos de seres sencientes. Oferendas de torma e oferendas tsog têm por base substâncias exteriores, que não são obtidas a partir do corpo e, por essa razão, são denominadas "oferendas exteriores". No que diz respeito à oferenda interior, a base e o objeto visual são diferentes, ao passo que para as oferendas exteriores, tanto a base quanto o objeto visual são o mesmo.

O OBJETO VISUAL DA OFERENDA INTERIOR

Colocamos diante de nós uma cuia de crânio, podendo ser também uma vasilha com um formato semelhante ao de um crânio ou qualquer outro recipiente pequeno que tenha uma tampa. Nesse recipiente, colocamos chá preto ou álcool, e introduzimos nisso uma pílula de néctar que tenha sido abençoada por nosso Guia Espiritual ou recebida de um praticante de Dharma da mesma linhagem que a nossa. Isso é o objeto visual. Focando esse objeto visual, prosseguimos para a prática de abençoar a oferenda interior.

COMO ABENÇOAR A OFERENDA INTERIOR

Este tópico tem quatro partes:

1. Desobstrução;
2. Purificação;
3. Geração;
4. Transformação.

DESOBSTRUÇÃO

Neste contexto, "desobstrução" significa remover ou afastar obstáculos, como espíritos nocivos, que podem interferir com a bênção da oferenda interior. Isso é feito recitando o mantra OM KHANDAROHI HUM HUM PHAT. Dentre as muitas Deidades do mandala de Heruka, a Deidade feminina irada Khandarohi é a responsável por afastar obstáculos e impedimentos. Ela também é conhecida como "a Deusa da Ação", e seu mantra é denominado "o mantra-ação". Enquanto recitamos esse mantra, imaginamos incontáveis Deusas Khandarohi vermelhas emanando de nosso coração. Elas se espalham em todas as direções e expulsam quaisquer forças negativas que possam obstruir a bênção da oferenda interior. Depois, absorvemos as Deusas em nosso coração.

PURIFICAÇÃO

Neste contexto, "purificação" significa purificar, por meio de meditação, nossas aparências comuns e concepções comuns, incluindo o agarramento ao em-si. Precisamos purificar as dez substâncias antes de podermos transformá-las em néctar. Para fazer isso, focamos o objeto visual da oferenda interior e contemplamos que ele e todos os demais fenômenos, incluindo nosso *self* que normalmente percebemos, não existem. Ao mesmo tempo, recitamos o mantra OM SÖBHAWA SHUDDHA SARWA DHARMA SÖBHAWA SHUDDHO HAM, seguido pela frase "Tudo se torna vacuidade". O mantra resume a meditação sobre a vacuidade – OM refere-se ao objeto visual da oferenda interior; SARWA DHARMA significa "todos os fenômenos"; e SÖBHAWA SHUDDHO significa "carece de existência inerente". O mantra inteiro, portanto, significa: "Todos os fenômenos, incluindo o objeto visual da oferenda interior, carecem de existência inerente".

Após recitarmos "Tudo se torna vacuidade", meditamos brevemente na vacuidade, a mera ausência de todos os fenômenos que normalmente percebemos. Imaginamos que todas as aparências convencionais se dissolveram na vacuidade, identificamos essa vacuidade como ausência de existência inerente e, então, tentamos misturar nossa mente com essa vacuidade.

GERAÇÃO

Este tópico tem duas partes:

1. Gerar o recipiente;
2. Gerar as substâncias contidas no recipiente.

GERAR O RECIPIENTE

Visualizamos:

Do estado de vacuidade, aparece uma letra YAM azul. Ela é a semente do elemento vento, e sua natureza é a sabedoria de grande êxtase e vacuidade. O YAM se transforma em um vasto mandala de vento, no formato de uma semicircunferência azul e que está em posição horizontal, com seu lado curvo afastado de nós. Em ambas as extremidades, há um estandarte branco. O movimento dos estandartes ativa o mandala de vento, fazendo com que o vento sopre.

Acima do mandala de vento, aparece uma letra RAM vermelha. Ela é a semente do elemento fogo, e sua natureza é a sabedoria de grande êxtase e vacuidade. O RAM se transforma em um mandala triangular de fogo, que está em posição horizontal e é vermelho. Um de seus vértices aponta em nossa direção, diretamente acima do lado reto do mandala de vento (o lado mais próximo a nós), e os outros dois vértices do mandala triangular de fogo estão acima do lado curvo do mandala de vento. Esse triângulo vermelho, que é ligeiramente menor que o mandala de vento, é o núcleo do mandala de fogo. Quando esse núcleo é soprado pelo vento, chamas incandescentes ardem e cobrem o mandala de vento por inteiro.

Acima do mandala de fogo, aparecem três letras AH de diferentes cores. A letra AH acima do ponto leste (o ponto mais próximo de nós) é branca; a letra acima do ponto norte (nossa direita) é vermelha; e a letra acima do ponto sul (nossa esquerda) é azul. Essas letras se transformam em três grandes cabeças humanas, que são da mesma cor que as letras das quais se desenvolveram.

Acima do centro das três cabeças humanas, aparece uma grande letra AH branca, que simboliza a vacuidade. O AH transforma-se em uma vasta cuia de crânio, cujo exterior é branco e o interior, vermelho, e ela repousa no topo das três cabeças.

GERAR AS SUBSTÂNCIAS CONTIDAS NO RECIPIENTE

Para gerar as substâncias contidas no recipiente, visualizamos o seguinte:

Dentro da cuia de crânio, instantaneamente aparecem as dez letras: OM, KHAM, AM, TRAM, HUM, LAM, MAM, PAM, TAM, BAM. Gradualmente, essas letras se transformam nas cinco carnes e nos cinco néctares. No leste (a parte da cuia de crânio mais próxima de nós) a letra OM branca se transforma em excremento amarelo, que está marcado com um OM branco radiante, a letra-semente de Vairochana. No norte (nossa direita), a letra KHAM verde se transforma em miolos brancos, marcados com um KHAM verde radiante, a letra-semente de Amoghasiddhi. No oeste, a letra AM vermelha se transforma em esperma branco, marcado com um AM vermelho radiante, a letra-semente de Amitabha. No sul, a letra TRAM amarela se transforma em sangue vermelho, marcado com um TRAM amarelo radiante, a letra-semente de Ratnasambhava. No centro, a letra HUM azul se transforma em urina azul, marcada com um HUM azul radiante, a letra-semente de Akshobya.

No sudeste, a letra LAM branca se transforma no cadáver preto de uma vaca, marcado com um LAM branco radiante, a letra-semente de Lochana. No sudoeste, a letra MAM azul se transforma no cadáver vermelho de um cachorro, marcado com um MAM azul radiante, a letra-semente de Mamaki. No noroeste, a letra PAM vermelha se transforma no cadáver branco de um elefante, marcado com um PAM vermelho radiante, a letra-semente de Benzarahi. No nordeste, a letra TAM verde se transforma no cadáver verde de um cavalo, marcado com um TAM verde radiante, a letra-semente de Tara. No centro, a letra BAM vermelha se transforma no cadáver vermelho de um ser humano, marcado com um BAM vermelho radiante, a letra-semente de Vajravarahi.

Todos os cadáveres estão deitados de costas e marcados, na altura do coração, com as suas respectivas letras. O cadáver humano está deitado na urina e sua cabeça aponta na direção oposta a que estamos. Todos os demais cadáveres estão com suas cabeças apontando para o centro da cuia de crânio.

Em resumo, do interior da vasta cuia de crânio, surgem as dez letras: as letras-sementes dos Cinco Pais Búdicos e das Cinco Mães Búdicas. Essas dez letras transformam-se nas dez substâncias interiores que constituem a base da oferenda interior.

Aqueles que não compreendem a vacuidade não devem tentar visualizar as dez substâncias muito claramente, porque podem ter a impressão de estarem visualizando excremento e urina de verdade, e, em vez de serem capazes de transformá-los em néctar, irão sentir repugnância!

TRANSFORMAÇÃO

Este tópico tem três partes:

1. Purificar falhas;
2. Transformar em néctar;
3. Aumentar.

PURIFICAR FALHAS

Contemplamos:

Raios de luz se irradiam da letra BAM em nosso coração e atingem os dois estandartes do mandala de vento, fazendo com que eles tremulem. Isso faz com que o mandala de vento sopre, o que, por sua vez, faz o mandala de fogo arder. O calor proveniente do mandala de fogo faz com que as dez letras-sementes que marcam cada substância – assim como também as dez substâncias, elas próprias – fervam. As letras e as substâncias derretem simultaneamente e se transformam em um líquido quente e alaranjado. À medida que as letras se fundem com as dez substâncias, todas as cores desagradáveis e os sabores e odores aversivos das substâncias são purificados.

TRANSFORMAR EM NÉCTAR

Contemplamos:

Acima do líquido alaranjado, aparece uma letra HUM branca, que é da natureza da mente de Heruka – a sabedoria de grande êxtase e vacuidade indivisíveis. O HUM se transforma em um khatanga branco, que está de cabeça para baixo. A substância do khatanga é a bodhichitta branca, e sua natureza é a mente de Heruka.

Devido ao calor do líquido que está fervendo abaixo, o khatanga branco começa a derreter e gotejar na cuia de crânio, do mesmo modo que a manteiga derrete quando é colocada próxima do vapor. Dentro da cuia de crânio, o khatanga branco derretido redemoinha três vezes em sentido anti-horário e, então, funde-se totalmente com o líquido. O líquido torna-se frio e doce, e assume a cor do mercúrio. Em razão do khatanga ter se misturado totalmente, o líquido se transforma em néctar, que possui três qualidades: é um néctar-medicinal que previne todas as doenças, é um néctar-vital que destrói a morte, e é um néctar-sabedoria que erradica todas as delusões.

Enquanto imaginamos que o líquido está se transformando em um néctar com essas três qualidades, é necessário que tenhamos uma concentração muito firme e forte.

AUMENTAR

Diretamente acima do néctar, visualizamos uma fileira de vogais e consoantes sânscritas, de cor branca. No centro, está a letra OM.

Começando da direita do OM, e prosseguindo da direita para a esquerda, estão as vogais na seguinte sequência: A AA I II U UU RI RII LI LII E AI O AU AM AH. Começando da esquerda do OM e prosseguindo da esquerda para a direita, estão todas as consoantes na seguinte sequência: KA KHA GA GHA NGA CHA CHHA JA JHA NYA DA THA TA DHA NA DRA THRA TRA DHRA NA BA PHA PA BHA MA YA RA LA WA SHA KA SA HA KYA.

Acima dessa fileira de letras brancas, há uma fileira semelhante, mas de letras vermelhas, e, acima desta, há uma fileira de letras azuis. As letras de cada fileira são iguais, diferindo apenas na cor. Todas as três fileiras de letras são feitas de luz radiante.

Imaginamos que a fileira de vogais e consoantes brancas gradualmente se dissolve a partir de ambas as extremidades em direção ao centro, e se transforma em um OM branco. Do mesmo modo, a fileira de letras vermelhas se transforma em um AH vermelho, e a fileira de letras azuis se transforma em um HUM azul. Agora, há uma letra OM branca, uma letra AH vermelha e uma letra HUM azul, uma acima da outra, e elas estão acima do néctar.

Essas três letras irradiam raios de luz brilhantes para as Terras Búdicas das dez direções, invocando os prazeres de todos os Budas, Heróis e Ioguines, e atraem de volta para as três letras todo o néctar-sabedoria desses seres. O HUM azul vira de cabeça para baixo, desce e se dissolve no néctar, seguido pelo AH vermelho e pelo OM branco, que fazem o mesmo. As três letras misturam-se totalmente com o néctar, fazendo com que ele se torne inesgotável. Para estabilizar a transformação do néctar, recitamos OM AH HUM três vezes.

Fazemos todas essas práticas da oferenda interior enquanto recitamos as palavras apropriadas da sadhana. Na conclusão das bênçãos, devemos desenvolver uma forte convicção de que, diante de nós, há um néctar-sabedoria especial que possui as três qualidades. Esse néctar pode agora ser utilizado para os nossos próprios propósitos ou para beneficiar os outros.

A IMPORTÂNCIA E O SIGNIFICADO DA OFERENDA INTERIOR

Quando meditadores avançados abençoam sua oferenda interior, eles visualizam as várias etapas da bênção como transformações exteriores, mas, ao mesmo tempo, eles se empenham interiormente nas práticas do estágio de conclusão correspondentes às etapas da bênção. Conhecendo o simbolismo da oferenda interior, eles utilizam o processo de abençoá-la para aprimorar imensamente sua prática do estágio de conclusão.

O mandala de vento simboliza os ventos descendentes de esvaziamento, que estão localizados abaixo do umbigo. O mandala triangular de fogo simboliza o fogo interior (ou *tummo*), localizado no umbigo. As três cabeças humanas simbolizam as mentes da aparência branca, vermelho crescente e quase-conquista negra – o *quinto*, *sexto* e *sétimo* dos oito sinais que ocorrem quando os ventos se dissolvem dentro do canal central. A cuia de crânio simboliza a mente de clara-luz, o oitavo sinal. A cuia de crânio é branca por fora e vermelha por dentro, simbolizando a vacuidade e o grande êxtase, respectivamente. A cuia de crânio, ela própria, simboliza a união indivisível de êxtase e vacuidade. Os cinco néctares dentro da cuia de crânio simbolizam os cinco agregados contaminados; as cinco carnes simbolizam os cinco elementos (terra, água, fogo, vento e espaço) e também as cinco delusões principais: confusão, avareza, apego, inveja e agarramento ao em-si. Os agregados e elementos contaminados são a base principal a ser purificada durante a prática do estágio de conclusão. Gerá-los dentro da cuia de crânio de êxtase e vacuidade simboliza sua purificação e transformação.

Em geral, carne simboliza a carne dos quatro maras, que são exterminados pelos praticantes tântricos com a arma de sua sabedoria. Cada uma das cinco carnes tem, também, um significado especial. Vacas são muito obtusas e estúpidas e, por essa razão, a carne de vaca simboliza confusão. A carne de cachorro simboliza avareza, porque os cães são muito possessivos e avarentos. Embora, normalmente, um cachorro não desfrute das posses de seu dono, assim mesmo ele irá vigiá-las e guardá-las diligentemente, atacando qualquer um que as ameace. A carne de elefante simboliza apego. Carne de cavalo simboliza inveja, porque os cavalos são muito competitivos. Quando correm juntos e um cavalo toma a dianteira, os outros cavalos, invejosamente, correm atrás dele, perseguindo-o. Carne humana simboliza agarramento ao em-si, porque a maioria dos seres humanos tem um senso inflado de sua própria importância. Essas delusões, ou aflições mentais, precisam ser purificadas porque elas são a causa principal de desenvolvermos tanto os agregados contaminados quanto os elementos contaminados.

O tremular dos estandartes no mandala de vento simboliza a ascensão dos ventos descendentes de esvaziamento. O arder do fogo simboliza o arder do fogo interior. Pelo arder do fogo interior, os ventos se reúnem e se dissolvem dentro do canal central, induzindo os três sinais (simbolizados pelas três cabeças humanas sobre o mandala de fogo). Quando os ventos-energia se dissolvem por completo dentro do canal central, a mente de clara-luz surge. Isso é simbolizado pela cuia de crânio no topo das três cabeças humanas. Por meditarmos na clara-luz, os cinco agregados contaminados são purificados e transformados nos Cinco Pais Búdicos, e os cinco elementos contaminados são purificados e transformados nas Cinco Mães Búdicas. Isso é simbolizado pelas dez substâncias que se transformam em néctar-sabedoria.

Em resumo, abençoar a oferenda interior indica a base que necessita ser purificada, o caminho que purifica e os resultados da purificação – indica, portanto, a base, o caminho e o resultado da prática do estágio de conclusão. Quando compreendermos isso e formos capazes de associar nossa compreensão com a prática de abençoar a oferenda interior, começaremos a apreciar a real importância e significado dessa prática profunda. Marpa Lotsawa disse que provar o néctar de sua oferenda interior era mais poderoso do que receber uma centena de iniciações de outros lamas. Isso pode parecer uma afirmação presunçosa, mas, quando entendermos totalmente as qualidades especiais da oferenda interior, compreenderemos a profunda verdade das palavras de Marpa.

Quando abençoamos nossa oferenda interior, a base da oferenda são as dez substâncias interiores, mas o objeto visual da oferenda é a pílula de néctar dissolvida no álcool ou chá. Quando abençoamos as oferendas de torma e as oferendas tsog, tanto o objeto visual das oferendas quanto a base das oferendas são o mesmo, pois ambos têm o aspecto de néctar para ser consumido. Com exceção dessas diferenças, as quatro etapas de desobstrução, purificação, geração e transformação são idênticas quando abençoamos a oferenda interior, as oferendas tsog e as oferendas de torma.

O procedimento para produzir pílulas de néctar – mencionado no ioga de experimentar néctar – é também semelhante ao procedimento para abençoar a oferenda interior. No entanto, há algumas diferenças no que diz respeito à base visualizada a partir da qual as pílulas são produzidas, às substâncias que são utilizadas e quanto ao número de mantras OM AH HUM que são recitados durante a benção.

ABENÇOAR AS OFERENDAS EXTERIORES

Este tópico tem duas partes:

1. Explicação geral;
2. Como abençoar as oferendas exteriores.

EXPLICAÇÃO GERAL

Tradicionalmente, há oito oferendas exteriores, que, algumas vezes, são acrescidas de mais seis. Apresentadas na ordem em que são oferecidas, as oito oferendas são: néctar para beber, água para banhar os pés, flores, incenso, luz, perfume, alimentos e música. O propósito de fazer essas oferendas aos Gurus, Yidams, Budas e Bodhisattvas é aumentar o nosso mérito – ou boa fortuna – e, desse modo, criar a causa para que nossos desejos sejam satisfeitos. Em particular, por oferecer alimentos e néctar, obteremos libertação do sofrimento da pobreza e alcançaremos os prazeres dos Budas. Por oferecer água de banhar e perfume, ficaremos livres dos renascimentos samsáricos e obteremos o Corpo-Forma de um Buda. Por oferecer belas flores, ficaremos livres de doenças, envelhecimento e demais enfermidades físicas, e obteremos os atributos especiais do corpo de um Buda. Por oferecer incenso, criamos a causa de manter disciplina moral pura e de alcançar concentração pura. Por oferecer luzes, ficaremos livres da escuridão interior da ignorância e alcançaremos sabedoria onisciente. Por oferecer linda música, criamos a causa para que nunca tenhamos de escutar sons desagradáveis, mas unicamente a de ouvir sons agradáveis (em especial, o som do Dharma) e também criamos causas para receber somente boas notícias. Oferecer linda música também é causa para obtermos a fala de um Buda. Conhecendo esses benefícios, devemos tentar fazer oferendas exteriores todos os dias, ao menos mentalmente.

Todos os praticantes budistas devem manter uma estátua ou uma figura de Buda Shakyamuni e considerá-la como o próprio Buda Shakyamuni vivo. Os praticantes destas instruções especiais de Vajrayogini devem manter também estátuas ou figuras de Je Tsongkhapa e Vajrayogini e considerá-las como Je Tsongkhapa e Vajrayogini vivos. Diante dessas representações dos Budas, Gurus e Yidams, dispomos três fileiras de vasilhas de oferendas. A primeira fileira, mais próxima do altar, é para o Campo de Acumular Mérito (da maneira como é visualizado na prática de Guru-Ioga); a segunda fileira é para a Deidade gerada-em-frente, visualizada durante a oferenda de torma; e a terceira fileira é para nós mesmos, gerados como a Deidade. Se desejarmos, podemos dispor mais do que três fileiras. Podemos dispor uma centena de fileiras de oferendas – ou até mais – se tivermos tempo.

De acordo com o Tantra-Mãe, oferendas são feitas a partir da mão esquerda da Deidade. Por essa razão, oferendas à Deidade autogerada devem ser dispostas começando a partir de nossa esquerda, e oferendas às Deidades geradas-em-frente devem ser dispostas começando a partir de nossa direita, e colocadas na sequência já explicada. Tradicionalmente, utilizamos água para as duas primeiras oferendas (néctar para beber e água para banhar os pés) e para a sexta oferenda (perfume); porém, consideramos essas oferendas como néctar.

Diante de nós, sobre uma mesa pequena, dispomos (da nossa direita para a esquerda e em linha): um damaru, um sino, um vajra e a oferenda interior. O sino deve estar com sua face voltada para nós, e o vajra deve estar colocado à direita do sino (nossa esquerda), levemente em contato com ele. Os demais objetos rituais devem ser colocados ligeiramente afastados. O sino simboliza a vacuidade, e o vajra simboliza grande êxtase; juntos, o sino e o vajra nos recordam de que, quando recebemos a iniciação, assumimos o compromisso de treinar grande êxtase e vacuidade e, também, de treinar a união de ambos. "Grande êxtase" refere-se ao êxtase que surge do derretimento das gotas dentro do canal central pelo poder de meditação.

COMO ABENÇOAR AS OFERENDAS EXTERIORES

Este tópico tem quatro partes:

1. Desobstrução;
2. Purificação;
3. Geração;
4. A bênção propriamente dita.

DESOBSTRUÇÃO

Para abençoar as oferendas exteriores, começamos com a etapa de desobstrução, na qual recitamos OM KHANDAROHI HUM HUM PHAT e visualizamos dez ou incontáveis Deusas Khandarohi iradas emanando da letra BAM em nosso coração. Essas Deusas expulsam todos os espíritos que tentam nos interromper. Absorvemos, então, essas Deusas em nosso coração.

PURIFICAÇÃO

Enquanto recitamos o mantra OM SÖBHAWA SHUDDHA SARWA DHARMA SÖBHAWA SHUDDHO HAM, meditamos sobre a ausência de existência inerente das oito substâncias de oferenda e de todos os fenômenos. Essa prática purifica nossas aparências comuns e concepções comuns.

GERAÇÃO

Visualizamos o seguinte:

> *Do estado de vacuidade, oito letras KHAM aparecem instantaneamente no espaço a nossa frente. Essas oito letras, que têm a natureza de grande êxtase e vacuidade, transformam-se em oito cuias de crânio. Dentro de cada cuia de crânio, aparece uma letra HUM. Cada uma dessas letras – que, por natureza, são êxtase e vacuidade indivisíveis – se transforma em uma das oito oferendas: água para beber, água para banhar os pés, e assim por diante. Cada oferenda possui três atributos: sua natureza é a união-sabedoria de grande êxtase e vacuidade; seu aspecto é o da oferenda exterior específica na qual se transformou; e sua função é fazer com que aqueles que a desfrutem experienciem especial êxtase incontaminado.*

A BÊNÇÃO PROPRIAMENTE DITA

Acima de cada cuia de crânio, visualizamos as três letras OM AH HUM, uma acima da outra, e então recitamos o mantra de abençoar apropriado. Para cada mantra de abençoar, inserimos o nome sânscrito da oferenda entre a letra OM e o conjunto de letras AH HUM. Os nomes sânscritos das oito oferendas exteriores são: AHRGHAM, água para beber; PADÄM, água para banhar os pés; VAJRA PUPE, flores; VAJRA DHUPE, incenso; VAJRA DIWE, luz; VAJRA GÄNDHE, perfume; VAJRA NEWIDE, alimentos; e VAJRA SHAPTA, música. Assim, para abençoar a água para beber, por exemplo, recitamos o mantra de abençoar OM AHRGHAM AH HUM.

Após abençoarmos verbalmente cada oferenda desse modo, imaginamos que a letra HUM que está acima de cada cuia de crânio se dissolve na oferenda, seguida pela letra AH e, depois, pela letra OM. Desse modo, as oferendas são abençoadas e se transformam na natureza da união-sabedoria de grande êxtase e vacuidade, que possui os três atributos.

OM é a letra-semente dos corpos de todos os Budas, AH é a letra-semente da fala de todos os Budas, e HUM é a letra-semente das mentes de todos os Budas. Portanto, as letras OM AH HUM simbolizam o corpo, a fala e a mente de todos os Budas. Essas três letras são a fonte de todos os mantras dos Gurus, Budas, Yidams e Protetores do Dharma, e quando recitamos esse mantra, invocamos o grande poder de todos esses seres sagrados. Apesar de sua brevidade, o mantra OM AH HUM é um dos mais abençoados e poderosos dentre todos os mantras. Se o recitarmos com convicção e forte fé, receberemos as bênçãos de todos os Budas.

Enquanto recitamos o mantra de abençoar, podemos executar o gesto manual associado a ele – também conhecido como *mudra* – e que simboliza e abençoa cada oferenda. As ilustrações dos vários gestos manuais, ou mudras, podem ser encontradas no Apêndice III. Quando recitamos o mantra de abençoar a oferenda de música, tocamos o damaru e o sino. Seguramos o sino com nossa mão esquerda e o tocamos na altura do nosso coração para simbolizar a experiência de clara-luz, que surge pela dissolução dos ventos interiores dentro do canal central, no coração. Para alcançar a sabedoria da clara-luz por meio de meditação, precisamos acender o fogo interior e fazer com que aumente – isso é simbolizado por tocar o damaru. Seguramos o vajra e o damaru com nossa mão direita. Tocamos o damaru na altura do nosso umbigo, porque o fogo interior é aceso por meio de nos concentrarmos em nossa roda-canal do umbigo. Começamos tocando o damaru e imaginamos que ele acende nosso fogo interior e, então, tocamos o sino breve e simultaneamente, significando a experiência subsequente da clara-luz. Tocando o damaru e o sino dessa maneira, plantamos em nossa mente um potencial especial para conquistar essas aquisições no futuro.

As seis oferendas exteriores adicionais são também conhecidas por seus nomes sânscritos. Essas oferendas são: VAJRA ADARSHE, forma indestrutível – imaginamos que todas as formas visuais surgem como Deusas Rupavajra; VAJRA WINI, som indestrutível – todos os sons surgem como Deusas Shaptavajra; VAJRA GÄNDHE, aromas indestrutíveis – todos os odores surgem como Deusas Gändhavajra; VAJRA RASE, sabores indestrutíveis – todos os sabores surgem como Deusas Rasavajra; VAJRA PARSHE, objetos de toque indestrutíveis – todos os objetos táteis surgem como Deusas Parshavajra; e VAJRA DHARME, fenômenos indestrutíveis – todos os demais fenômenos surgem como Deusas Dharmadhatuvajra.

MEDITAÇÃO E RECITAÇÃO DE VAJRASATTVA

Este tópico tem três partes:

1. Desenvolver a intenção de purificar;
2. Visualizar Vajrasattva;
3. Recitar o mantra.

DESENVOLVER A INTENÇÃO DE PURIFICAR

Algumas vezes, achamos que nossos parentes e amigos são a causa de nossa felicidade e que nossos inimigos são a causa de nossos sofrimentos e problemas; mas, em verdade, toda a nossa felicidade é o resultado de nossas próprias ações virtuosas, e todo o nosso sofrimento é o resultado de nossas próprias ações negativas. Apesar de, mesmo em nossos sonhos, termos o desejo constante de sermos livres de problemas, sofrimentos, medos e perigos, nunca iremos desfrutar dessas liberdades até que tenhamos purificado todas as ações negativas que acumulamos nesta vida e nas vidas anteriores.

Purificação é muito importante para todos, mas ela é especialmente importante para os praticantes de Dharma que desejam obter realizações de Sutra e de Tantra. As ações negativas que criamos no passado são os principais obstáculos que nos impedem de obter realizações de Dharma e de satisfazer nossos desejos espirituais.

Devido a sua compaixão pelos seres vivos, Buda ensinou muitos métodos para purificar ações negativas. Dentre esses métodos, a meditação e recitação de Vajrasattva é um método supremamente poderoso. Em *O Caminho Principal dos Conquistadores, o Texto-Raiz do Mahamudra*, o primeiro Panchen Lama diz:

> E, visto que a realização da natureza última da mente
> Depende de acumular mérito e de purificar obstruções,
> Tu deves, primeiramente, recitar cem mil vezes o mantra de cem letras
> E fazer tantas centenas de prostrações quantas sejam possíveis, ao mesmo tempo em que recitas *A Confissão das Quedas Morais*,
> E, depois, do fundo de teu coração, deves fazer pedidos, muitas e muitas vezes, para teu Guru-raiz,
> Que é inseparável de todos os Budas dos três tempos.

Práticas poderosas de purificação – como o treino em tomar e dar, motivado por compaixão por todos seres vivos – irão fazer com que o sofrimento, em geral, e os sofrimentos provocados por doenças como o câncer, em particular, cessem por completo. A razão pela qual isso acontece é que essas práticas irão fazer com que o autoapreço e o agarramento ao em-si (a raiz de todos esses sofrimentos) cessem.

VISUALIZAR VAJRASATTVA

Imaginamos que, acima de nossa coroa, aparece um lótus branco de mil pétalas e uma almofada de lua. Sobre a almofada de lua, sentam-se Vajrasattva Pai e Mãe. Eles têm o corpo branco e, por natureza, Vajrasattva Pai e Mãe e Guru Heruka são um único e mesmo ser. O Pai segura um vajra em sua mão direita e um sino na esquerda. Seus braços estão cruzados, abraçando sua consorte, Vajramanani, e ele está sentado em postura vajra. Ele está adornado com seis tipos de ornamento-mudra de osso: ornamento-coroa, brincos, colar, ornamento-coração, braceletes e tornozeleiras, e cinzas de osso espalhadas por seu corpo. Vajramanani segura uma faca curva em sua mão direita e uma cuia de crânio na esquerda. Ela está adornada com os cinco primeiros ornamentos-mudra, mas não com as cinzas. Vajramanani senta-se em postura de lótus, assim denominada porque suas pernas, ao cingirem Vajrasattva, adotam um formato semelhante ao de um lótus.

Devemos considerá-los como Vajrasattva e consorte vivos e reais. O corpo deles é a síntese de todas as Joias Sangha, sua fala é a síntese de todas as Joias Dharma, e a mente deles é a síntese de todas as Joias Buda. Devemos visualizá-los a cerca de 8 centímetros acima de nossa coroa e, de maneira ideal, com aproximadamente 15 centímetros de altura; mas, se acharmos isso difícil, podemos visualizá-los do tamanho que for mais confortável.

RECITAR O MANTRA

Este tópico tem três partes:

1. O mantra a ser recitado;
2. Como associar recitação com purificação;
3. Conclusão.

O MANTRA A SER RECITADO

Há quatro tipos de mantra de cem letras: os mantras de cem letras de Heruka, Yamantaka, Vajrasattva e da linhagem Pema. Esses quatro mantras são, em sua maior parte, idênticos; a principal diferença entre eles está no nome do Yidam que aparece no início de cada mantra. Assim, no mantra de cem letras de Heruka, recitamos OM VAJRA HERUKA SAMAYA (...) e assim por diante; no mantra de cem letras de Yamantaka, recitamos OM YAMANTAKA SAMAYA (...); no mantra de cem letras de Vajrasattva, recitamos OM VAJRASATTÖ SAMAYA (...); e no mantra de cem letras da linhagem Pema, recitamos OM PÄMASATTÖ SAMAYA (...). As demais letras dos mantras são, em sua maior parte, idênticas. Nas práticas de Heruka e Vajrayogini, recitamos o mantra de cem letras de Heruka.

Em geral, Vajrasattva e Vajradhara têm a mesma natureza, diferindo apenas na forma, cor e ornamentos de seu corpo. Isso é como alguém expressando diferentes aspectos de sua natureza ao utilizar diferentes roupas. No *Tantra de Guhyasamaja*, Vajradhara diz que existe uma centena de Famílias Búdicas. Essa centena de Famílias pode ser condensada em cinco; essas cinco Famílias podem ser condensadas em três; e essas três Famílias, por sua vez, podem ser condensadas em uma única – Vajradhara, ou Vajrasattva. O mantra de cem letras simboliza a centena de Famílias Búdicas e tem a mesma natureza dessas Famílias.

COMO ASSOCIAR RECITAÇÃO COM PURIFICAÇÃO

Este tópico tem duas partes:

1. Explicação geral;
2. Purificação em sete rodadas.

EXPLICAÇÃO GERAL

Para associar a recitação do mantra com purificação, precisamos primeiramente desenvolver um forte sentimento de arrependimento por todas as ações negativas que criamos nesta vida e nas incontáveis vidas passadas.

Como mencionado anteriormente, toda infelicidade, problemas, medos, perigos e desejos não satisfeitos são o resultado de nossas ações nocivas, prejudiciais. De que maneira as ações negativas produzem sofrimento? Para ilustrar, podemos tomar uma única ação – por exemplo, a ação de matar. Essa ação irá resultar em quatro efeitos de grande sofrimento. O efeito amadurecido dessa ação é que tomaremos renascimento em um reino desafortunado. Como efeito ambiental, nosso local de nascimento e o ambiente no qual viveremos quando renascermos como um ser humano será, por exemplo, muito pobre, improdutivo e estéril, e encontraremos muitos perigos e problemas. No que diz respeito à experiência similar à causa, quando tomarmos a forma humana, por exemplo, nosso corpo será feio e deformado, teremos de passar por muita dor física e nosso tempo de vida será curto. Por fim, no que diz respeito à tendência similar à causa, nas vidas futuras teremos uma tendência natural para matar, extraindo prazer em caçar, lutar, participar de guerras e assim por diante. Esses impulsos irão nos levar a criar as causas para renascermos muitas e muitas vezes nos reinos inferiores. Todas as ações não virtuosas, até mesmo as mais insignificantes, produzem esses quatro grandes sofrimentos.

No entanto, por muito que desejemos progredir espiritualmente, encontraremos dificuldade em fazer qualquer progresso até que tenhamos purificado essas ações negativas. Por contemplar as falhas e perigos das ações negativas, iremos desenvolver intenso arrependimento e tomar a firme determinação de não mais cometermos ações negativas no futuro. Mantemos esse arrependimento e determinação em nossa mente e, então, buscamos refúgio em Guru Vajrasattva, que está acima de nossa coroa, considerando-o como a síntese das Três Joias. Recordando as palavras de Shantideva, no *Guia do Estilo de Vida do Bodhisattva*:

> Porém, pode ser que eu morra antes de purificar
> Todas as minhas negatividades;
> Ó, por favor, protege-me, de modo que eu
> Possa, rapidamente e com absoluta certeza, livrar-me delas.

fazemos, mentalmente, esta súplica a Vajrasattva:

Por favor, protege-me e a todos os seres vivos contra os perigos das ações negativas e de seus efeitos.

Recitamos, então, o mantra. Primeiramente, visualizamos, sobre uma almofada de lua no coração de Vajrasattva Pai, uma letra HUM branca rodeada pelo mantra de cem letras - o mantra é branco e suas letras estão em pé, dispostas em sentido anti-horário. Todas as letras irradiam luz e têm a natureza-sabedoria de Guru Vajrasattva. Recordamos que as cem letras do mantra são inseparáveis das Cem Famílias Búdicas. Enquanto recitamos o mantra, pedimos mentalmente a Vajrasattva que proteja a nós e a todos os seres vivos contra os sofrimentos de nossas ações negativas e de seus efeitos.

Para que essa prática de purificação seja eficiente, precisamos aplicar corretamente os quatro poderes oponentes. Desenvolver arrependimento pelas ações negativas que criamos no passado é o *poder da destruição*; tomar a determinação de não repetir essas ações é o *poder da promessa*; buscar refúgio em Guru Vajrasattva é o *poder da confiança*; e recitar o mantra é o *poder da força oponente.*

PURIFICAÇÃO EM SETE RODADAS

Podemos associar a recitação do mantra com a purificação em sete rodadas. Essas sete rodadas são:

1. Eliminar negatividade a partir de cima;
2. Eliminar negatividade a partir de baixo;
3. Destruir negatividade no coração;
4. Purificar por meio de receber a iniciação-vaso;
5. Purificar por meio de receber a iniciação secreta;
6. Purificar por meio de receber a iniciação mudra-sabedoria;
7. Purificar por meio de receber a iniciação da palavra.

As primeiras três rodadas são práticas gerais, e as demais quatro rodadas são práticas exclusivas do Tantra Ioga Supremo.

ELIMINAR NEGATIVIDADE A PARTIR DE CIMA

Para praticar esta primeira rodada, começamos por relembrar o sentimento de arrependimento e a determinação de não cometer ações negativas no futuro. Então, focamos nossa atenção no mantra de cem letras, que está no coração de Guru Vajrasattva, e geramos forte convicção e fé em Guru Vajrasattva e no poder de seu mantra. Recitamos o mantra sete vezes ou mais, verbal ou mentalmente, e depois imaginamos que luzes-sabedoria e néctares, ambos brancos, descem das letras do mantra. As luzes e os néctares saem pelo ponto de união de Guru Vajrasattva Pai e Mãe e entram em nosso corpo pela nossa coroa. Visualizamos todas as nossas ações negativas e delusões sob o aspecto de um líquido escuro como fuligem; todas as nossas enfermidades e sofrimentos sob o aspecto de pus, sangue e muco; e todos os nossos impedimentos provocados por espíritos são visualizados sob o aspecto de serpentes, aranhas e escorpiões, todos venenosos. À medida que nosso corpo é preenchido com luzes e néctares, imaginamos que todas essas impurezas são empurradas para baixo a partir da parte superior do nosso corpo e saem por nossas portas inferiores. Essas impurezas descem até as profundezas da terra, onde entram na boca do Senhor da Morte. Imaginamos que o Senhor da Morte sente-se plenamente satisfeito. Nosso corpo fica totalmente preenchido com luzes-sabedoria e néctares e se transforma em um corpo de luz, livre de todas as falhas da doença, envelhecimento e morte. Meditamos de modo estritamente focado nesse corpo puro, feito de luz.

ELIMINAR NEGATIVIDADE A PARTIR DE BAIXO

Recordamos tudo o que geramos anteriormente (o arrependimento, a determinação e a fé no poder nessa prática de purificar negatividades) e, então, recitamos o mantra sete vezes ou mais. Como fizemos anteriormente, visualizamos luzes-sabedoria e néctares descendo e preenchendo nosso corpo. Imaginamos que essas luzes-sabedoria e néctares fazem com que todas as nossas ações negativas, doenças, sofrimentos e delusões – tudo isso sob a forma de fumaça, pus, sangue, muco, serpentes, aranhas e escorpiões – subam a partir da parte inferior do nosso corpo e saiam por nossa boca e narinas. Isso então se dispersa e desaparece totalmente no espaço. Esse método é como limpar o interior de uma garrafa suja – à medida que colocamos água na garrafa, o nível da água sobe e a sujeira, que flutua na superfície, é forçada a sair pela boca da garrafa, deixando-a totalmente limpa por dentro.

DESTRUIR NEGATIVIDADE NO CORAÇÃO

Visualizamos todo o nosso carma negativo, doenças, sofrimentos e delusões sob a forma de uma massa compacta de luz preta em nosso coração e, então, recordamos as três condições necessárias: arrependimento, determinação e fé. Recitamos o mantra sete vezes ou mais. Depois, visualizamos luzes-sabedoria e néctares descendo e entrando em nosso corpo pela nossa coroa. Quando as luzes-sabedoria e néctares alcançam nosso coração, todas as nossas ações negativas, doenças e assim por diante são eliminadas, desaparecendo instantaneamente, do mesmo modo que a escuridão é instantaneamente eliminada no momento em que a luz é acesa.

PURIFICAR POR MEIO DE RECEBER A INICIAÇÃO-VASO

Para receber a iniciação-vaso e as bênçãos do corpo de Guru Vajrasattva, primeiramente recordamos as três condições e recitamos o mantra por um breve período. Depois, imaginamos que luzes-sabedoria e néctares descem e preenchem nosso corpo por inteiro, purificando todas as ações negativas que fizemos com nosso corpo – como matar, roubar, agredir e outras maneiras de prejudicar fisicamente os outros. Geramos um sentimento de grande êxtase e consideramos esse sentimento como a essência da iniciação-vaso. Essa iniciação amadurece as sementes das nossas

Naropa

realizações do estágio de geração, assim como nosso potencial para alcançar o Corpo-Emanação de um Buda.

PURIFICAR POR MEIO DE RECEBER A INICIAÇÃO SECRETA

Para receber a iniciação secreta e as bênçãos da fala de Guru Vajrasattva, primeiramente recordamos as três condições e recitamos o mantra, como fizemos anteriormente. Depois, imaginamos que luzes-sabedoria e néctares preenchem nosso corpo, purificando todas as ações negativas que fizemos com nossa fala – como dizer palavras ásperas ou falar de modo ríspido, mentir, criticar e retaliar verbalmente. Essa purificação induz uma experiência de grande êxtase, que é a essência da iniciação secreta. Essa iniciação amadurece as sementes da nossa aquisição do corpo-ilusório e amadurece nosso potencial para alcançar o Corpo-de-Deleite de um Buda.

PURIFICAR POR MEIO DE RECEBER A INICIAÇÃO MUDRA-SABEDORIA

Para receber a iniciação mudra-sabedoria, recordamos as três condições, recitamos o mantra e, depois, imaginamos que luzes-sabedoria e néctares preenchem nosso corpo, purificando todas as ações negativas que fizemos com nossa mente – como pensamentos de prejudicar os outros, visões errôneas, intenções negativas, falta de fé, e desrespeito para com os seres sagrados. As luzes-sabedoria e néctares nos conferem as bênçãos da mente de Guru Vajrasattva, e induzem uma experiência de grande êxtase, que é a essência da iniciação mudra-sabedoria. Essa iniciação amadurece as sementes da nossa realização da clara-luz e amadurece nosso potencial para alcançar o Corpo-Verdade de um Buda.

PURIFICAR POR MEIO DE RECEBER A INICIAÇÃO DA PALAVRA

Para receber a iniciação da palavra, recordamos as três condições, recitamos o mantra e, depois, imaginamos que luzes-sabedoria e néctares preenchem nosso corpo, purificando todas as nossas quedas morais, compromissos quebrados e transgressões dos votos bodhisattva e tântricos. As luzes-sabedoria e néctares nos conferem as bênçãos do corpo, fala e mente de Guru Vajrasattva, induzindo uma experiência de grande êxtase, experiência essa que é a essência da iniciação da palavra. Essa iniciação amadurece as sementes das nossas realizações da união-que-precisa-aprender e da União-do-Não-Mais-Aprender, ambas do estágio de conclusão.

Em algumas ocasiões, podemos praticar as primeiras três rodadas e, em outras, as demais quatro rodadas. Para praticantes que enfatizam a meditação de reunir e dissolver os ventos interiores no canal central, não é necessário praticar as primeiras duas rodadas.

CONCLUSÃO

Quando tivermos finalizado a meditação e recitação, sentimos que Guru Vajrasattva está deleitado conosco. Imaginamos que ele diminui lentamente de tamanho, dissolve-se em luz e entra em nosso corpo pela nossa coroa. Quando alcança nosso coração, Guru Vajrasattva se dissolve em nossa mente sutil e, em razão disso, nosso corpo, fala e mente sutis tornam-se *unos* com o corpo, fala e mente de Vajrasattva.

Podemos fazer a meditação e recitação de Vajrasattva em associação com a prece breve que está na sadhana de Vajrayogini, ou podemos utilizar a própria sadhana de Vajrasattva, separadamente. Quando fazemos essa prática como um dos *quatro grandes guias preliminares*, coletamos cem mil recitações do mantra de cem letras. Se tivermos a oportunidade, devemos tentar fazer o retiro longo de Vajrasattva. O mais importante é fazer essa prática todos os dias, até percebermos sinais de que nossas ações negativas foram realmente purificadas.

Se nossa prática de purificação for bem-sucedida, podemos experienciar sonhos recorrentes nos quais estamos nos lavando ou usando roupas novas e limpas; ou podemos sonhar que estamos voando ou que substâncias sujas estão sendo expelidas do nosso corpo. Outros efeitos de termos purificado carma negativo é que nossa mente irá se tornar cada vez mais tranquila, e ficará progressivamente mais fácil obtermos profunda experiência de Dharma.

O Ioga do Guru

Este tópico tem duas partes:

1. Explicação geral;
2. A prática de Guru-Ioga.

EXPLICAÇÃO GERAL

Praticar Guru-Ioga sinceramente significa confiar no Guia Espiritual, a raiz do caminho espiritual. Como praticantes do Tantra Ioga Supremo, temos o compromisso de praticar Guru-Ioga seis vezes ao dia, todos os dias. Guru-Ioga é um método especialmente poderoso para recebermos as bênçãos dos Budas e para aumentar nosso mérito. Se seguíssemos somente o caminho do Sutra, levaríamos mil éons para acumular a vasta quantidade de mérito necessária para alcançar a Budeidade; mas, como Sakya Pândita observou, por praticarmos Guru-Ioga de modo totalmente profundo e sincero, podemos acumular a mesma quantidade de mérito no breve espaço de uma única vida humana.

Nossa mente é como um campo; purificar carma negativo e acumular mérito são como limpar o campo de obstáculos e fertilizá-lo; e meditar no estágio de geração e no estágio de conclusão é como plantar boas sementes. No entanto, essas sementes somente irão dar origem a uma colheita de realizações se forem regadas por uma chuva de bênçãos vinda dos Yidams e Budas. Praticar Guru-Ioga é o meio pelo qual recebemos essas bênçãos.

A prática de confiar em nosso Guia Espiritual, como explicada no livro *Caminho Alegre da Boa Fortuna*, é a melhor maneira de aprimorar nossa prática de Guru-Ioga. Yeshe Tsondru, um professor altamente realizado, disse em *Essência de Néctar*:

> Quando discípulos confiam sinceramente no Guia Espiritual,
> Todos os Budas naturalmente ingressam e habitam no corpo do Guia Espiritual,
> E o Guia Espiritual, deleitado com seus discípulos, aceita suas oferendas
> E abençoa o continuum mental deles.
>
> Nesse momento, a mente dos discípulos fiéis e devotados
> Recebe as bênçãos de todos os Budas.
> Por essa razão, maras, espíritos maléficos e delusões não irão prejudicá-los,
> E os discípulos irão, naturalmente, obter as realizações dos solos e caminhos espirituais.

Muitos praticantes de Dharma (como Naropa, Dromtonpa e Geshe Jayulwa) obtiveram, instantaneamente, puras realizações de Sutra e de Tantra por meio de receberem as bênçãos de seus Guias Espirituais respectivos.

Os animais são, em geral, incapazes de gerar mentes virtuosas; porém, ocasionalmente, por receberem as bênçãos dos Budas, desenvolvem de modo espontâneo mentes como a da compaixão e do amor, assim como o desejo de ajudar os outros. Se isso acontecer com um animal que está prestes a morrer, sua mente irá se tornar tranquila e positiva, e isso irá ajudá-lo a renascer como ser humano ou como um deus. Nagarjuna disse que não há ser vivo algum que, por receber as bênçãos dos Budas, não tenha experienciado a felicidade de humanos ou deuses.

A maneira como vemos, ou consideramos, nosso Guia Espiritual é o que irá determinar se receberemos ou não as bênçãos dos Budas por intermédio de nosso Guia Espiritual. Ver, ou considerar, nosso Guia Espiritual como um Buda fará com que recebamos as bênçãos de um Buda; vê-lo ou considerá-lo como um Bodhisattva fará com que recebamos as bênçãos de um Bodhisattva; e vê-lo ou considerá-lo como um ser comum fará com que não recebamos bênção alguma. Geshe Potowa disse que nosso Guia Espiritual será precioso ou não na dependência de nossa própria maneira de vê-lo, ou considerá-lo: isto é, não depende das qualidades do Guia Espiritual. Não importa se o nosso Guia Espiritual é realmente um Buda ou não. Se carecermos de fé em nosso Guia Espiritual, não iremos obter nada que venha dele, mesmo que seja um Buda vivo. Por outro lado, se nosso Guia Espiritual for um ser comum, mas o considerarmos como um Buda, é inquestionável que iremos receber bênçãos de Buda. Os benefícios de confiar em nosso Guia Espiritual e os métodos para fazê-lo, tanto por meio de pensamento quanto por meio de ações, estão explicados em detalhes no Lamrim. É importante que treinemos em confiar em nosso Guia Espiritual de acordo com as instruções de Lamrim.

Quem é nosso Guru-raiz? Como praticantes tântricos, nosso Guru-raiz é o professor espiritual de quem recebemos a iniciação, a transmissão e o comentário completo da prática de nosso Yidam principal. Assim, se nossa prática principal for a prática de Vajrayogini, nosso Guru-raiz será o professor que nos deu a iniciação, a transmissão e o comentário completo à prática de Vajrayogini. Alguns praticantes de Vajrayogini podem ter mais de um Guru-raiz, mas quando eles praticam Guru-Ioga, devem visualizar Buda Vajradharma e considerá-lo como sendo a essência de todos os seus Gurus; com esse reconhecimento, devem fazer prostrações, oferendas, pedidos, e assim por diante.

A PRÁTICA DE GURU-IOGA

Este tópico tem seis partes:

1. Visualização;
2. Prostração;

3. Oferendas;
4. Pedir aos Gurus-linhagem;
5. Receber as bênçãos das quatro iniciações;
6. Absorver os Gurus.

VISUALIZAÇÃO

No espaço a nossa frente, encontra-se uma mansão celestial quadrada, surgida a partir da sabedoria onisciente de Guru Vajradharma e inseparável da vacuidade. Essa mansão celestial tem quatro portais, ornamentos e arcadas, e ela possui todas as características, tanto arquitetônicas quanto ornamentais, essenciais. No centro dessa mansão, está um precioso trono adornado com joias, sustentado por oito leões-das-neves. Sobre o trono, em um lótus de várias cores, sobre o qual estão uma almofada de lua e uma almofada de sol, senta-se nosso Guru-raiz, que está no aspecto de Buda Vajradharma. Ele tem um corpo vermelho, uma face e duas mãos, que estão cruzadas na altura do coração e seguram um vajra e um sino. Buda Vajradharma está na flor de sua juventude, adornado com vestimentas de seda e os ornamentos apropriados, de joia e osso.

Ao redor de Guru Vajradharma, estão os Gurus-linhagem. Eles estão dispostos em sequência anti-horária, formando um quadrado em volta de Guru Vajradharma. Diante de Guru Vajradharma está o primeiro Guru-linhagem, Buda Vajradharma. Na sadhana, está dito "Buda Vajradhara". Buda Vajradhara e Buda Vajradharma são a mesma natureza. Neste contexto, Buda Vajradhara está aparecendo no aspecto de Buda Vajradharma.

À esquerda de Buda Vajradharma (nossa direita), está Vajrayogini, seguida por Naropa, Pamtingpa e Sherab Tseg. Os próximos nove Gurus-linhagem, desde Malgyur Lotsawa até Sonam Gyaltsen, estão do lado esquerdo de Guru Vajradharma. Os próximos nove Gurus-linhagem, desde Yarlungpa até Wangchug Rabten, estão atrás de Guru Vajradharma. Os nove Gurus-linhagem seguintes, desde Jetsun Kangyurpa até Ganden Dargyay, estão à direita de

Guru Vajradharma (nossa esquerda). E os últimos cinco Gurus-linhagem, desde Dharmabhadra até Losang Yeshe, estão diante de Guru Vajradharma e à direita de Buda Vajradharma. A lista completa dos Gurus-linhagem pode ser encontrada na sadhana extensa, *Caminho Rápido ao Grande Êxtase*, no Apêndice II.

De Buda Vajradharma a Lama Losang Yeshe Dorjechang Trijang Rinpoche há 37 Gurus-linhagem, mas o número total de Gurus-linhagem pode variar para diferentes discípulos. Por exemplo, se o Guru-raiz de um (ou de uma) praticante for Dorjechang Trijang Rinpoche, Trijang Rinpoche deverá estar no centro de sua visualização, no aspecto de Guru Vajradharma. Para esse praticante, o último Guru-linhagem será, portanto, Je Phabongkhapa Dechen Nyingpo, e o número de Gurus-linhagem será 36. Por essa razão, o número de Gurus-linhagem não é fixo.

Devemos visualizar Buda Vajradharma e Vajrayogini em seus aspectos habituais. Os demais Gurus-linhagem estão no aspecto de Herói Vajradharma. O corpo deles é vermelho, na flor da juventude, e têm uma face e duas mãos. Sentam-se em postura-vajra e usam os seis ornamentos de osso. Com a mão direita, eles tocam damarus, e com a esquerda seguram, na altura do coração, cuias de crânio repletas de néctar. Na dobra do cotovelo esquerdo, repousam khatangas.

Na coroa de cada Guru, está uma letra OM branca, o símbolo do corpo de todos os Budas; na garganta, está uma letra AH vermelha, o símbolo da fala de todos os Budas; e no coração, está uma letra HUM azul, o símbolo da mente de todos os Budas. Essas três letras mostram que esses Gurus são a síntese das Três Joias. Visualizar nosso Guru-raiz e Gurus-linhagem desse modo é denominado "gerar os seres-de-compromisso".

Do HUM no coração de nosso Guru-raiz, raios de luz se irradiam e convidam todos os Gurus, Yidams, Budas e Protetores do Dharma para virem de suas moradas naturais. A morada natural de todos os Budas é o Corpo-Natureza, a natureza última de sua mente onisciente. Podemos, então, recitar:

OM VAJRA SAMADZA DZA HUM BAM HO
Cada um se torna uma natureza que é a síntese de todos os objetos de refúgio.

e imaginamos que os seres-de-sabedoria convidados dissolvem-se nos seres-de-compromisso.

PROSTRAÇÃO

Focando a atenção em nosso Guia Espiritual, sentado no trono central, geramos três reconhecimentos: (1) ele (ou ela) é a corporificação de todos os Budas; (2) ele (ou ela) é inseparável de Vajrayogini; e (3) sua bondade excede a de todos os demais Budas. Desse modo, geramos profunda fé e respeito por nosso Guia Espiritual. Com essa mente de fé e respeito, imaginamos que emanamos incontáveis réplicas de nosso corpo e que elas preenchem o mundo inteiro; com todos esses corpos emanados, fazemos prostrações físicas a nosso Guru. Ao mesmo tempo, com as palmas unidas, recitamos o seguinte louvor enquanto contemplamos seu significado:

Detentor do Vajra, meu Guru, que és como uma joia,
Por cuja bondade posso realizar
O estado de grande êxtase num instante,
A teus pés de lótus, humildemente me prostro.

Nessa estrofe de louvor, nosso Guru é comparado a uma joia-que--concede-desejos porque, se desenvolvermos fé inabalável nele, ele irá nos ajudar a alcançar a sabedoria do grande êxtase espontâneo. Esse êxtase é o supremo caminho rápido à Budeidade, que nos capacita a cumprir todos os nossos próprios desejos e os de todos os seres vivos. A frase "realizar o estado de grande êxtase num instante" significa que, por praticar puramente Guru-Ioga, podemos alcançar o grande êxtase espontâneo e a Budeidade no breve espaço de uma vida humana. Se constantemente fizermos prostrações a nosso Guru com nosso corpo, fala e mente, cada momento de nossa vida humana terá imenso significado.

OFERENDAS

Fazemos as seguintes sete oferendas:

1. Oferendas exteriores;
2. Oferenda interior;
3. Oferenda secreta;
4. Oferenda da talidade;
5. Oferecer nossa prática espiritual;
6. Oferenda kusali tsog;
7. Oferecer o mandala.

OFERENDAS EXTERIORES

Para fazermos as oito oferendas exteriores, recitamos as preces de oferecimento que estão na sadhana. À medida que oferecemos cada substância, imaginamos que incontáveis deusas oferecedoras emanam da letra BAM em nosso coração e fazem a oferenda aos Gurus. Primeiro, emanamos inumeráveis Deusas Ahrghamvajra brancas, cada uma segurando uma vasilha com néctar. Elas são sucedidas por: Deusas Padämvajra brancas, que seguram vasilhas com água para banhar; Deusas Pupevajra brancas, segurando flores; Deusas Dhupevajra, da cor-de-fumaça, que seguram incenso; Deusas Diwevajra alaranjadas, segurando luzes; Deusas Gändhavajra verdes, que seguram vasilhas com perfumes; Deusas Newidevajra multicoloridas, segurando preciosos recipientes com alimentos; e Deusas Shaptavajra multicoloridas, tocando instrumentos musicais.

À medida que fazemos cada oferenda, executamos o mudra associado e recitamos o mantra de oferecimento apropriado. Assim, quando fazemos a primeira oferenda (néctar para beber), emanamos Deusas Ahrghamvajra, executamos o mudra de oferecer néctar para beber e recitamos OM AHRGHAM PARTITZA SÖHA.

Depois, absorvemos as Deusas Ahrghamvajra em nosso coração e emanamos o próximo grupo de deusas, as Deusas Padämvajra. Executamos o mudra associado e recitamos o mantra de oferecimento apropriado. Cada uma das oito oferendas obedece o mesmo padrão.

Em seguida, oferecemos os objetos de prazer dos seis sentidos, como belas formas e sons melodiosos. Imaginamos que incontáveis deusas-vajra (como as Deusas Rupavajra, por exemplo), emanam da letra BAM em nosso coração e fazem as oferendas. Cada oferenda que os Gurus recebem faz com que eles experienciem grande êxtase incontaminado. O nome de cada uma das diferentes deusas-vajra refere-se à palavra sânscrita que corresponde a sua oferenda, e cada deusa-vajra tem um aspecto diferente. As Deusas Rupavajra são brancas e seguram espelhos adornados com joias, refletindo todas as formas visíveis do universo; as Deusas Shaptavajra são azuis e tocam vários instrumentos, como flautas; as Deusas Gändhavajra são amarelas e seguram vasilhas adornadas com joias e repletas com perfume; as Deusas Rasavajra são vermelhas e seguram recipientes adornados com joias e repletos com diversos alimentos; as Deusas Parshavajra são verdes e seguram uma grande variedade de preciosos tecidos, extremamente agradáveis ao toque; e as Deusas Dharmadhatuvajra são brancas e seguram fontes-fenômenos, simbolizando a natureza última dos fenômenos. Enquanto visualizamos essas deusas fazendo as oferendas, recitamos os mantras de oferecimento, começando pelo mantra OM AH VAJRA ADARSHE HUM até o mantra OM AH VAJRA DHARME HUM, e executamos os mudras associados. Todos os diversos mudras estão ilustrados no Apêndice III.

Sempre que fazemos essas oferendas, imaginamos que todas as formas visuais que existem no universo transformam-se em Deusas Rupavajra; todos os sons transformam-se em Deusas Shaptavajra; todos os odores transformam-se em Deusas Gändhavajra; todos os sabores transformam-se em Deusas Rasavajra; todos os objetos de toque transformam-se em Deusas Parshavajra; e todos os demais fenômenos transformam-se em Deusas Dharmadhatuvajra. Essas deusas fazem oferendas ao conjunto de Gurus e Deidades, à Deidade autogerada, ou à assembleia de Deidades do mandala de corpo.

OFERENDA INTERIOR

Para oferecer a oferenda interior, imaginamos que deusas oferecedoras vermelhas emanam de nosso coração, extraem um pouco de néctar da oferenda interior a nossa frente, e oferecem o néctar aos Gurus. Simultaneamente, molhamos nosso dedo anular esquerdo no néctar e espargimos um pouco de néctar enquanto recitamos o mantra da oferenda interior: OM GURU VAJRA DHARMA SAPARIWARA OM AH HUM. Imaginamos que os Gurus aceitam essa oferenda e, como resultado, experienciam grande êxtase espontâneo. Depois, absorvemos as deusas em nosso coração.

OFERENDA SECRETA

Enquanto recitamos as preces da sadhana, imaginamos que incontáveis e atraentes deusas-conhecimento, sob o aspecto de Vajrayogini, emanam do nosso coração. Essas deusas-conhecimento cumprem a função de consortes tântricas, ou mudras. Elas são de três tipos: (1) Dakinis dos 24 lugares; (2) mudras com realizações do estágio de geração ou das primeiras etapas do estágio de conclusão; e (3) mudras com realizações da união-que-precisa-aprender ou da União-do-Não-Mais-Aprender. As deusas dissolvem-se umas nas outras e tornam-se uma única Deidade. Ela, então, une-se em abraço com Guru Vajradharma, fazendo com que ambos experienciem êxtase incontaminado.

OFERENDA DA TALIDADE

Por unirem-se em abraço, Guru Vajradharma Pai e Mãe experienciam êxtase incontaminado que realiza a talidade – a vacuidade de todos os fenômenos. Essa realização de êxtase e vacuidade indivisíveis é a oferenda da talidade.

OFERECER NOSSA PRÁTICA ESPIRITUAL

Neste ponto, oferecemos nossa prática dos sete membros tântricos. Essa é a oferenda suprema, que deleita nosso Guia Espiritual mais do que qualquer outra oferenda. Os sete membros tântricos são nossas práticas de: purificação, regozijo, bodhichitta última, refúgio, bodhichitta aspirativa, bodhichitta de compromisso e dedicatória.

A prática dos sete membros é indispensável para os praticantes do Tantra Ioga Supremo. De acordo com o ensinamento do Tantra Ioga Supremo, a bodhichitta última é a sabedoria de êxtase espontâneo que realiza a vacuidade diretamente. Esse é o verdadeiro caminho rápido que conduz à União-do-Não-Mais-Aprender. Antes que possamos realizar a bodhichitta última, precisamos gerar os dois tipos de bodhichitta convencional – a bodhichitta aspirativa e a bodhichitta de compromisso; e todas essas aquisições dependem das práticas de buscar refúgio, acumular mérito, purificar ações negativas e dedicar virtudes.

Podemos oferecer esses sete membros com a prece tântrica dos sete membros que está na sadhana:

Busco refúgio nas Três Joias
E confesso todas e cada uma das minhas ações negativas.
Regozijo-me nas virtudes de todos os seres
E prometo realizar a iluminação de um Buda.

Até que eu me torne um ser iluminado, vou buscar refúgio
Em Buda, no Dharma e na Suprema Assembleia,
E, para cumprir todas as metas, as minhas e as dos outros,
Vou gerar a mente de iluminação.

Tendo gerado a mente de suprema iluminação,
Chamarei todos os seres sencientes para serem meus convidados
E irei me empenhar nas agradáveis, supremas práticas da iluminação.
Que eu alcance a Budeidade para beneficiar os migrantes.

Os quatro primeiros versos dessa prece vêm do *Tantra Vajrapanjara*. De acordo com a interpretação do Tantra Ioga Supremo, os dois primeiros versos indicam a prática de purificação, o terceiro verso indica a prática de regozijo, e o quarto verso indica o treino na bodhichitta última. A frase "prometo realizar a iluminação de um Buda" significa o treino no desenvolvimento da sabedoria do êxtase espontâneo inseparável da vacuidade, que é a causa principal da mente iluminada de um Buda. Os dois primeiros versos da segunda estrofe indicam o refúgio Mahayana, e os dois últimos indicam a prática da bodhichitta aspirativa. Na última estrofe, os três primeiros versos indicam a bodhichitta de compromisso e os votos bodhisattva, e o último verso é uma prece dedicatória.

Podemos também oferecer, algumas vezes, nossa experiência desses sete membros – fazemos isso imaginando que nossas experiências interiores transformam-se em uma variedade de oferendas, tais como flores, lindos jardins, parques, montanhas e lagos. Podemos oferecer aos Gurus qualquer uma de nossas ações virtuosas, tais como disciplina moral, generosidade, paciência, estabilização mental ou sabedoria. Todas essas oferendas de nossa prática espiritual são denominadas "oferendas sublimes".

OFERENDA KUSALI TSOG

"*Kusali*" significa literalmente "possuidor de virtude". É o nome dado a praticantes muito especiais de Dharma, como Shantideva, que pareciam dar impressão de estarem envolvidos com uma prática espiritual pequena e insignificante, mas que, em verdade, praticavam extensiva e poderosamente em segredo. Na oferenda kusali tsog, utilizamos nossa imaginação para oferecer nosso próprio corpo ao invés de oferecer coisas exteriores. O nosso corpo é a nossa posse mais preciosa e, por essa razão, é muito mais poderoso oferecê-lo para o nosso Guia Espiritual, por meio de efetuarmos a oferenda kusali tsog, do que oferecer coisas materiais. É dito que a oferenda kusali tsog se assemelha às práticas secretas dos iogues kusali, já que essa oferenda é feita apenas mentalmente, e, por essa razão, outras pessoas são incapazes de vê-la. O significado literal da palavra "tsog" é "coleção". Neste contexto, tsog refere-se à vasta coleção de mérito que acumulamos por fazer essa oferenda.

Há duas maneiras de oferecer nosso corpo aos nossos Guias Espirituais e aos Budas. Uma maneira é oferecer nosso corpo como um empregado ou criado, do mesmo modo que Naropa, Milarepa e Geshe Jayulwa o fizeram. A outra maneira é gerar uma determinação forte e clara de oferecer nosso corpo, transformá-lo mentalmente em néctar e, então, oferecê-lo aos seres sagrados e dá-lo a todos os seres sencientes. Esse método é semelhante à "distribuição branca" da prática "*chod*", ou prática de "cortar" – a principal diferença está em que, na oferenda kusali tsog, não utilizamos objetos rituais, como o grande tambor ou a trombeta de fêmur.

A oferenda kusali tsog é uma prática de dar, especialmente poderosa, capaz de cortar nosso autoapreço e o agarramento ao em-si. Um efeito semelhante também pode ser obtido por meio da prática de tomar e dar. Ambas as práticas aumentam grandemente nossa coleção de mérito.

Para praticar a oferenda kusali tsog, abandonamos temporariamente nossa clara aparência de sermos a Deidade e reassumimos nossa forma comum. Então, geramos uma motivação especial por meio de contemplar o seguinte:

> *Desde tempos sem início até agora, tenho tomado incontáveis renascimentos, e em cada renascimento tive um corpo. De todos esses corpos, meu corpo atual é o único que restou. Todos os meus corpos anteriores desapareceram. Alguns foram reduzidos a cinzas pelo fogo; outros, foram enterrados; outros foram jogados na água; e outros, ainda, foram comidos por outros seres. Ter assumido todas essas formas teria sido vantajoso se eu tivesse extraído algum significado de minhas vidas passadas, mas a maioria das minhas vidas foi desperdiçada. Do mesmo modo, caso eu não utilize de uma maneira significativa esta forma presente que assumi, ela irá provar ser tão inútil e infrutífera quanto as passadas.*

Meu objetivo principal é alcançar a iluminação tão logo quanto possível, de modo que eu possa beneficiar todos os seres vivos. Para realizar isso, preciso usar meu corpo para criar uma grande e excelente riqueza de mérito. Quer eu utilize ou não este corpo de uma maneira significativa, cedo ou tarde ele será destruído, assim como todos os meus corpos anteriores o foram. Portanto, preciso usar meu corpo agora, enquanto ainda tenho a oportunidade. A melhor maneira de fazer isso é por meio de praticar a oferenda kusali tsog. Irei transformar meu corpo em néctar, oferecê-lo aos Gurus e às Três Joias, e dá-lo a todos os seres vivos. Por meio dessa prática, irei cortar meu autoapreço e o agarramento ao em-si, e alcançarei a Budeidade para proteger todos os seres vivos.

Tendo gerado essa motivação, visualizamos que nossa mente está sob o aspecto de uma letra BAM, em nosso coração. Desenvolvemos, então, o forte desejo de separar nossa mente de nosso corpo. Nossa mente – a letra BAM em nosso coração – transforma-se em uma Vajrayogini do tamanho de um polegar, que, na sadhana, é denominada "a poderosa Senhora da Terra Dakini". Com essa forma, nossa mente sai muito rapidamente de nosso coração, como uma flecha que é disparada; nossa mente deixa o nosso corpo pela coroa de nossa cabeça e voa em direção a nosso Guru-raiz. Ficando frente a frente com nosso Guru-raiz, nossa mente-Vajrayogini então aumenta, até ficar do tamanho de uma mulher de estatura média. Mantemos essa forma pelo restante da oferenda kusali tsog.

Em seguida, transformamos nosso antigo corpo em uma forma que seja adequada para oferecer. Imaginamos que nos voltamos para trás para olhá-lo, e vemos que está caído no chão, onde se tornou um corpo obeso e oleoso, tão imenso quanto uma montanha. Aqueles que são ordenados devem visualizar seu antigo corpo no aspecto de uma pessoa leiga, e não como um monge ou uma monja. À medida que nos aproximamos desse gigantesco cadáver, três enormes cabeças humanas aparecem espontaneamente. Elas estão dispostas em triângulo, como três pedras dispostas para sustentar uma panela. Tocamos a testa do cadáver com a nossa faca curva e, instantaneamente, a pele se rompe e se descola, e o crânio racha, abrindo-se. O topo do crânio cai e forma uma gigantesca cuia, ou *kapala*, que é colocada sobre o tripé de três cabeças humanas. Retalhamos em pedaços o restante do cadáver e amontoamos isso dentro da cuia de crânio. A pilha de carne e ossos cortados e descarnados, dentro da cuia de crânio, é tão grande quanto uma montanha, e está rodeada por um oceano de sangue, pus e demais líquidos corpóreos. Nossa mente-Vajrayogini olha fixamente, com olhos arregalados, para a cuia de crânio e as substâncias em seu interior. Como é inapropriado oferecer tais substâncias impuras para os seres sagrados, devemos agora abençoar essas substâncias e transformá-las em néctar.

A bênção da oferenda kusali tsog inclui todo o profundo significado da bênção da oferenda interior, e a visualização é muito semelhante. A principal diferença é que, na benção da oferenda kusali tsog, precisamos apenas recitar OM AH HUM HA HO HRIH três vezes, enquanto efetuamos os mudras associados. Essas seis letras, acompanhadas pelos mudras, contêm as quatro etapas de abençoar que são encontradas na bênção da oferenda interior. A etapa de desobstrução – em geral, a primeira etapa – passa a ser a última na bênção da oferenda kusali tsog, e é efetuada por meio de um mudra. As etapas de purificação e geração são efetuadas em associação com as letras OM AH HUM, e a etapa de transformação é efetuada em associação com as letras HA HO HRIH.

Quando dizemos OM, devemos formar um punho fechado com nossa mão direita, na altura do coração. Sobre ele, colocamos nossa mão esquerda, aberta e com a palma voltada para fora; os dedos ficam erguidos, apontando para cima, e o polegar dobrado para dentro. Esse mudra simboliza a sabedoria da clara-luz que realiza a vacuidade. Em geral, no Mantra Secreto, o lado esquerdo {de nosso corpo} ou a mão esquerda simbolizam a sabedoria que realiza a vacuidade, e o direito simboliza o método. Os Tantras-Mãe, como o Tantra de Vajrayogini, enfatizam o desenvolvimento da clara-luz da vacuidade, e, para nos lembrarmos disso, devemos tentar começar cada ação física com o nosso lado esquerdo. Por exemplo, ao começar a comer, devemos pegar o talher com nossa mão esquerda e nos recordar da clara-luz-vacuidade. Isso nos ajuda a manter contínua-lembrança ao longo do dia.

A letra OM simboliza a natureza última do nosso corpo e de todos os demais fenômenos. Ao recitarmos OM, executamos o mudra associado, e por meditar brevemente na ausência de existência inerente da cuia de crânio e de seu conteúdo, superamos nossas aparências comuns e concepções comuns e, assim, purificamos a cuia de crânio e seu conteúdo.

Quando dizemos AH, fazemos um mudra semelhante ao anterior; porém, agora é a nossa mão esquerda que forma um punho fechado, na altura do coração, e sobre ele colocamos nossa mão direita aberta, em posição vertical, com a palma voltada para fora e assim por diante, como no mudra anterior. Esse mudra simboliza o método, indicando a geração do recipiente convencionalmente existente da oferenda. Quando focamos nossa mente na vasta cuia de crânio no topo das três cabeças humanas, isso é semelhante a gerar a cuia de crânio a partir da letra AH, quando abençoamos a oferenda interior.

Quando dizemos HUM, imaginamos que, de um HUM dentro da vasta cuia de crânio, as substâncias de nosso antigo corpo aparecem na forma das cinco carnes e dos cinco néctares. Simultaneamente, fazemos o mudra que simboliza as dez substâncias. Para fazê-lo, mantemos nossas mãos na altura do coração, com as palmas voltadas para fora; dobramos os polegares para dentro, com a ponta tocando a palma de cada mão; e os demais dedos ficam estendidos para cima, como está ilustrado na página 612.

Dentro do kapala, estão as cinco carnes e os cinco néctares. Por recitar HA HO HRIH, transformamos essas dez substâncias em néctar. As letras HA HO HRIH têm a mesma natureza e o mesmo significado das letras OM AH HUM utilizadas para abençoar a oferenda interior. Ambos os conjuntos de letras simbolizam os três Budas-Vajra: Akshobya, Amitabha e Vairochana. Akshobya é o Buda da Mente-Vajra, o Buda cuja natureza é a mente de todos os Budas; Amitabha é o Buda da Fala-Vajra, cuja natureza é a fala de todos os Budas; e Vairochana é o Buda do Corpo-Vajra, cuja natureza são os corpos de todos os Budas. HRIH e HUM são as letras-sementes de Buda Akshobya; HA e AH são as letras-sementes de Buda Amitabha; e HO e OM são as letras-sementes de Buda Vairochana.

No espaço diretamente acima do kapala, visualizamos uma letra HRIH azul. Ela simboliza a mente-vajra, a natureza das mentes de todos os Budas. À direita do HRIH, visualizamos uma letra HA vermelha, o símbolo da fala-vajra, a natureza da fala de todos os Budas; e à esquerda do HRIH, visualizamos uma letra HO branca, o símbolo do corpo-vajra, a natureza dos corpos de todos os Budas.

Conforme recitamos HA HO HRIH, essas letras derretem e caem na cuia de crânio, misturando-se com as dez substâncias. À medida que as letras e a substâncias misturam-se e fundem-se, elas se transformam em um néctar que possui as três qualidades, como explicado na oferenda interior. Enquanto recitamos HA HO HRIH, fazemos o mudra de desobstrução, conhecido como "Mudra Garuda". Esse mudra simboliza a Deidade, Garuda, que aparece na forma de um aterrorizante pássaro. Em certa época, as pessoas deste mundo eram afligidas por muitas doenças terríveis, causadas por espíritos-naga maléficos, e que eram extremamente difíceis de serem curadas. Após ser solicitado por Vajrapani, Buda Shakyamuni manifestou-se como Garuda e pacificou totalmente as ações prejudiciais desses seres malévolos.

Para fazer o mudra Garuda, as pontas do dedo médio e do polegar de cada mão se tocam {como se formassem dois círculos} e, então, juntamos lado a lado esses mesmos dedos de uma mão com os da outra. A ponta do dedo anular direito passa por cima da unha do dedo anular esquerdo, e a ponta do dedo mínimo de ambas as mãos tocam-se e apontam para frente. Os dedos indicadores apontam para cima. O espaço interior formado pelos dedos médio e polegar de cada mão simbolizam os olhos de Garuda; os indicadores simbolizam seus chifres; os dedos anulares simbolizam as asas dobradas de Garuda; e os dedos mínimos são a cauda de

Garuda. Ao verem esse mudra, os espíritos-naga se recordam de Garuda e imediatamente fogem em pânico. Esse mudra também expulsa muitos outros espíritos que nutrem pensamentos maléficos contra os praticantes, assim como também os espíritos que tentam interferir com a bênção da oferenda kusali tsog. Uma ilustração desse mudra pode ser encontrada no Apêndice III.

Agora que nosso corpo antigo foi abençoado e transformado em néctar, ele está pronto para ser oferecido aos seres sagrados e dado aos seres comuns. Primeiramente, oferecemos o néctar ao convidado principal, nosso Guru-raiz: Guru Vajradharma. Para fazer oferendas ao nosso Guru-raiz, seguramos o recipiente da oferenda interior na altura de nossa testa e recitamos a estrofe de oferecimento, como está na sadhana:

Ofereço esse néctar de substância-compromisso
A ti, meu Guru-raiz, a natureza dos quatro corpos
[de Buda];
Para teu deleite.

Simultaneamente, visualizamos que sete deusas oferecedoras principais, juntamente com muitas outras deusas e liderando-as, emanam de nosso coração. Com suas cuias de crânio, elas extraem néctar da imensa cuia de crânio e o oferecem ao nosso Guru-raiz. Ao final da estrofe, dizemos OM AH HUM sete vezes. A cada vez que dissermos OM AH HUM, molhamos nosso dedo anular esquerdo no néctar e espargimos uma gota de néctar no espaço a nossa frente. Imaginamos que nosso Guru-raiz fica deleitado com a nossa oferenda e a aceita, sorvendo o néctar através de sua língua de luz-vajra. Isso faz com que ele experiencie grande êxtase espontâneo. Depois, absorvemos todas as deusas oferecedoras em nosso coração.

Após termos feito oferendas ao nosso Guru-raiz, oferecemos o néctar aos Gurus-linhagem destas instruções. Segurando a oferenda interior como antes, recitamos a próxima estrofe, enquanto imaginamos que muitas deusas oferecedoras emanam de nosso coração. Com suas cuias de crânio, elas extraem néctar da vasta cuia de crânio e o oferecem aos Gurus-linhagem, que estão ao redor de nosso Guru-raiz. Ao final da estrofe, dizemos OM AH HUM uma vez e espargimos uma gota de néctar no espaço a nossa frente. Imaginamos que os Gurus-linhagem ficam deleitados ao aceitar nossa oferenda e, então, absorvemos as deusas oferecedoras.

Em seguida, focamos as Três Joias. Visualizando-as como na visualização do Campo de Mérito do Lamrim, fazemos oferendas a todos os demais Gurus-linhagem de Sutra e de Tantra, aos Budas, aos Yidams das quatro classes de Tantra, e aos Bodhisattvas. Segurando a oferenda interior na altura de nossa garganta, recitamos a próxima estrofe, enquanto imaginamos que muitas deusas oferecedoras emanam do nosso coração. Com suas cuias de crânio, elas extraem néctar e o oferecem às Três Joias. Ao final da estrofe, dizemos OM AH HUM e espargimos o néctar uma vez. Imaginamos que as Três Joias ficam deleitadas ao aceitar nossa oferenda e, então, absorvemos as deusas oferecedoras.

Em seguida, oferecemos o néctar aos diferentes tipos de guardião. Visualizamos todos os guardiões locais, guardiões regionais e guardiões direcionais existentes em todo o universo, concentrando-nos especialmente naqueles que protegem nosso país e nossa região ou área na qual vivemos ou estamos fazendo retiro. Visualizamos também todos os espíritos e nagas, tanto os pacíficos quanto os irados – aqueles que prestam ajuda, aqueles que prejudicam e aqueles que são neutros. Segurando a oferenda interior na altura do nosso coração, recitamos a próxima estrofe, emanando deusas oferecedoras que extraem néctar e o oferecem aos guardiões. Ao final da estrofe, dizemos OM AH HUM e espargimos o néctar uma vez. Imaginamos que os guardiões aceitam nossa oferenda e, então, absorvemos as deusas oferecedoras.

Por fim, oferecemos o néctar a todos os seres sencientes nos seis reinos e no estado intermediário. Segurando a oferenda interior na altura do nosso umbigo, recitamos a próxima estrofe, emanando deusas oferecedoras que extraem néctar e o dão a todos esses seres. Ao final da estrofe, dizemos OM AH HUM e espargimos o néctar uma vez.

Imaginamos que todos os convidados ficam totalmente satisfeitos e que desfrutam de êxtase incontaminado. Todos os seres sencientes recebem tudo o que desejam - alimentos, bebidas, os mais variados e lindos objetos - e suas falhas mentais e físicas são purificadas. O ambiente deles é purificado e transforma-se na Terra Dakini exterior; seus corpos assumem a forma de Vajrayogini; e a mente deles se transforma na suprema Terra Dakini interior: a clara-luz Corpo-Verdade.

Após termos feito a oferenda, absorvemos as deusas oferecedoras e contemplamos que as três esferas da oferenda (os convidados, a oferenda e nós próprios) são vazias de existência inerente e têm a natureza da união de êxtase e vacuidade.

Há outras maneiras de dar mentalmente o nosso corpo. Por exemplo, em *Guia do Estilo de Vida do Bodhisattva*, Shantideva ensina um método para dar o nosso corpo, no qual imaginamos que ele se transforma em uma joia-que-concede-desejos e que irradia luz por todo o universo, realizando os desejos de todos os seres vivos e fazendo-os experienciar grande felicidade e satisfação.

OFERECER O MANDALA

Em geral, "mandala" significa "universo", mas a tradução literal do termo tibetano equivalente para mandala (*kyil khor*) é "extrair a essência". Por meio de fazermos oferendas de mandala, criamos a causa para experienciar as Terras Dakini exterior e interior, e, ao fazer isso, estamos extraindo a essência desta preciosa vida humana.

No *Tantra de Guhyasamaja*, Vajradhara diz:

Aqueles que desejam realizações
Devem, mental e habilidosamente, preencher este universo
Com os sete objetos preciosos.
Por oferecê-los todos os dias,
Seus desejos serão satisfeitos.

Essa estrofe revela a oferenda de mandala. Embora, explicitamente, mencione apenas sete pontos, implicitamente ela se refere ao mandala completo de 37 pontos.

É importante, para os praticantes, que obtenham um conjunto tradicional de mandala, que consiste de uma base, três anéis e uma joia, utilizada para ser colocada no topo do mandala. A base e os anéis são utilizados como suportes para os pequenos montes de arroz ou de qualquer outro grão, os quais representam as diversas características do mandala. Coisas tão simples quanto essas podem parecer inúteis ou sem valor para aqueles que não conhecem seu significado, mas podem ser extremamente preciosas nas mãos de um praticante que sabe como usá-las para acumular uma vasta coleção de mérito.

Para construir o mandala de 37 pontos, primeiramente pegamos um pouco de arroz com nossa mão esquerda e, com ela, seguramos a base do mandala. Com nossa mão direita, pegamos outro tanto de arroz e espalhamos um pouco sobre a base. Com a parte de dentro do nosso punho direito, esfregamos a base três vezes em sentido horário, simbolizando a purificação do solo universal. Como resultado, todos os solos rochosos, irregulares e acidentados tornam-se macios e planos, e todas as nossas delusões são purificadas. Depois, esfregamos a base três vezes em sentido anti-horário, e imaginamos que todas as bênçãos do corpo, fala e mente de todos os Budas se dissolvem em nós. Contemplamos que o solo por inteiro foi abençoado e recitamos o mantra para abençoar o solo: OM VAJRA BHUMI AH HUM. Depois, espalhamos sobre a base o restante do arroz que ficou em nossa mão direita e visualizamos que o solo por inteiro, por todo o universo, transformou-se em um solo puro e dourado.

Enquanto recitamos OM VAJRA REKHE AH HUM, colocamos o anel mais largo sobre a base e, em sentido horário, despejamos arroz em seu interior, simbolizando a preciosa cerca de ferro. Depois, colocamos um punhado de arroz no centro do anel, formando um monte, e que simboliza o Monte Meru – ele é visualizado como uma imensa montanha feita de joias preciosas. Colocamos, então, outro punhado de arroz no leste (a parte da base do mandala mais próxima de nós), simbolizando o continente leste. Prosseguindo no sentido horário ao redor do anel, colocamos um punhado de arroz em cada uma das três direções cardeais restantes, simbolizando os continentes sul, oeste e norte.

Colocamos, então, oito pequenos montes de arroz, simbolizando os oito subcontinentes. Começando do continente leste e prosseguindo em sentido horário, colocamos um pequeno monte à esquerda e outro à direita de cada continente.

Depois, colocamos um pequeno monte de arroz interiormente ao continente leste, e fazemos o mesmo para os continentes sul, oeste e norte, simbolizando a montanha de joias, a árvore-que-concede-desejos, a vaca-que-concede-desejos e a colheita não semeada, respectivamente. Imaginamos que há incontáveis continentes e subcontinentes, cada um com sua própria profusão especial de recursos e riquezas.

Em seguida, dispomos o segundo anel sobre o arroz do primeiro anel, e colocamos, no sentido horário, pequenos montes de arroz em cada direção cardeal (leste, sul, oeste e norte) para simbolizar a preciosa roda, a preciosa joia, a preciosa rainha e o precioso ministro, respectivamente. Depois, colocamos pequenos montes de arroz no sentido horário em cada uma das direções intermediárias (sudeste, sudoeste, noroeste e nordeste) para simbolizar o precioso elefante, o precioso supremo cavalo, o precioso general e o grande vaso-tesouro, respectivamente. Imaginamos um número incontável de cada uma dessas oferendas preenchendo todo o espaço. Novamente, colocamos, no sentido horário, pequenos montes de arroz em cada uma das quatro direções cardeais (leste, sul, oeste e norte) para simbolizar a deusa da beleza, a deusa das grinaldas, a deusa da música e a deusa da dança; e então, no sentido horário e em cada uma das quatro direções intermediárias (sudeste, sudoeste, noroeste e nordeste) para simbolizar a deusa das flores, a deusa do incenso, a deusa da luz e a deusa do perfume. Imaginamos que, permeando todo o espaço, há incontáveis deusas e deuses oferecedores.

Em seguida, dispomos o terceiro anel sobre o arroz do segundo anel, e colocamos pequenos montes de arroz no leste (simbolizando o sol), no oeste (simbolizando a lua), no sul (simbolizando o precioso guarda-sol), e no norte (simbolizando o estandarte da vitória). Imaginamos que todo o espaço está preenchido com inumeráveis objetos preciosos.

Quando colocamos a joia no topo do terceiro anel, imaginamos uma profusão de diversas joias preciosas e de recursos desfrutados por seres humanos e deuses – essa joia é a última coisa a ser colocada no mandala. No espaço acima do Monte Meru, estão os ambientes dos deuses do reino do desejo e, acima destes, estão os reinos da forma. Esses reinos divinos transformam-se em Terras Puras, e os prazeres dos deuses transformam-se em prazeres puros.

Tendo construído o mandala, pegamos agora um pouco de arroz com nossa mão direta e seguramos a base com ambas as mãos. Imaginamos que todos os inumeráveis sistemas planetários e tudo o que existe neles foram totalmente transformados em Terras Puras e prazeres puros. Imaginamos que tudo isso está presente na base que seguramos em nossas mãos, ainda que a base não tenha aumentado de tamanho e tampouco o universo tenha diminuído. Assim como um espelho pode refletir imensas montanhas, ou uma pequena tela de televisão pode mostrar imagens de cidades inteiras, podemos imaginar que o mandala em nossas mãos contém o universo inteiro. Concentramo-nos de modo estritamente focado nesses incontáveis mundos, prazeres e seres puros e, com firme fé, os oferecemos aos nossos Gurus e aos Budas.

Enquanto construímos o mandala, recitamos a prece de oferecimento que está na sadhana. Quando tivermos concluído a recitação da prece longa de oferecimento do mandala, podemos, enquanto ainda seguramos a base, continuar e oferecer o mandala de 23 pontos. Não precisamos construir um novo mandala, pois os 23 objetos preciosos estão incluídos entre os objetos preciosos do mandala de 37 pontos. Os 23 objetos preciosos são: Monte Meru, os quatro continentes, os oito subcontinentes, os sete objetos preciosos (desde a preciosa roda até o precioso general), o vaso-tesouro, o sol e a lua.

Para oferecer o mandala de 23 pontos, recitamos a estrofe que está na sadhana:

Ó tesouro de compaixão, meu Refúgio e Protetor,
Ofereço a ti a montanha, continentes, objetos preciosos, vaso-tesouro, sol e lua,
Os quais surgiram dos meus agregados, fontes e elementos,
Como aspectos da excelsa sabedoria de êxtase espontâneo e vacuidade.

Com essa estrofe, fazemos as oferendas do mandala exterior, interior, secreto e da talidade. Oferecemos o mandala exterior por meio de visualizar a montanha, continentes, objetos preciosos, vaso-tesouro, sol e lua. Oferecemos o mandala interior por meio de transformarmos mentalmente nossos agregados e elementos na forma do mandala exterior. Oferecemos o mandala secreto e o mandala da talidade por meio de imaginarmos que a nossa mente de êxtase e vacuidade indivisíveis transforma-se no mandala. Do ponto de vista de que o mandala possui a natureza de grande êxtase, o mandala é o mandala secreto; e do ponto de vista dele ser uma manifestação da vacuidade, o mandala é o mandala da talidade. Se desejarmos coletar mandalas de 23 pontos como um dos *grandes guias preliminares*, podemos construí-los utilizando a base, com ou sem os anéis, e recitar essa estrofe.

Oferecer o mandala é o melhor método para nos libertarmos da pobreza futura e para criar a causa de renascer na Terra Pura de um Buda. Por fazer oferendas de mandala, reduzimos nosso apego aos prazeres e posses mundanos e acumulamos uma vasta coleção de mérito. Como resultado, experienciamos um aumento gradual de nossos prazeres, riqueza e boas condições. Nossos desejos temporários são satisfeitos e, por fim, alcançaremos nossa meta última, a plena iluminação. Se temos o desejo de experienciar esses benefícios, devemos nos familiarizar com a prática de oferecer o mandala.

Je Tsongkhapa foi um ser iluminado, e, por essa razão, não precisava acumular mérito; porém, para mostrar um bom exemplo aos demais praticantes, ofereceu um milhão de mandalas durante um de seus longos retiros no sul do Tibete Central, na caverna chamada Ölga Cholung. Para a base do mandala, Je Tsongkhapa utilizou uma pedra plana e lisa; devido à grande quantidade de mandalas oferecidos, esfregou tantas e tantas vezes a parte de dentro de seu punho contra a pedra que ele chegou a ficar em carne viva e a sangrar.

Muitos praticantes receberam visões de seres sagrados como resultado de fazerem oferendas de mandala. Khedrubje, um discípulo de Je Tsongkhapa, costumava levar consigo sua base de mandala onde quer que fosse, pois considerava muito importante fazer oferendas de mandala. Após o falecimento de Je Tsongkhapa, Khedrubje recebeu, enquanto fazia oferendas de mandala, muitas visões dele. A monja Bhikshuni Palmo também enfatizava a prática de oferendas de mandala e, como resultado, recebeu uma visão de Avalokiteshvara. Toda vez que Atisha oferecia um mandala a Tara, ele imediatamente recebia uma visão dela, e quando Chandragomin fez oferendas de mandala, recebeu visões de Avalokiteshvara. Esses exemplos mostram o poder e a importância dessa prática.

Se formos fortemente apegados a alguém ou a algo, podemos imaginar o objeto de nosso apego sobre a base do mandala, transformá-lo em um objeto puro e, então, oferecê-lo enquanto rezamos: "Que eu seja libertado de todo apego". De modo semelhante, podemos oferecer todos os objetos de nossa ignorância, raiva, inveja, orgulho, e assim por diante. Enquanto recitamos a estrofe que está na sadhana, podemos oferecer todos os objetos de nossas delusões, ou aflições mentais, e rezar para nos libertarmos dessas delusões.

Para fazer oferendas de mandala como um dos *grandes guias preliminares*, coletamos cem mil oferendas de mandala. No início de cada sessão, oferecemos um mandala de 37 pontos e, depois, coletamos mandalas de sete pontos. Para fazer oferendas de mandala de sete pontos e contá-las, seguramos com os dedos da mão esquerda um mala com as contas frouxamente enfileiradas, pegamos um pouco de arroz com essa mão e, então, seguramos a base do mandala com ela. Depois, pegamos um punhado de arroz com nossa mão direita e recitamos as preces de refúgio e bodhichitta enquanto construímos o mandala. Para isso, espalhamos um pouco de arroz sobre a base e, com a parte de dentro do nosso punho direito, esfregamos a base três vezes em sentido horário e três vezes em sentido anti-horário. Depois, colocamos um punhado de arroz no centro da base, no leste, no sul, no oeste e no norte, simbolizando Monte Meru e os quatro continentes. Depois, colocamos um punhado de arroz no leste, simbolizando o sol, e um punhado de arroz no oeste, simbolizando a lua. Por fim, pegamos um pouco de arroz com nossa mão direita e seguramos a base com ambas as mãos, enquanto recitamos a seguinte prece de oferecimento do mandala:

O chão espargido com perfume e salpicado de flores,
A Grande Montanha, quatro continentes, sol e lua,
Percebidos como Terra de Buda e assim oferecidos,
Que todos os seres desfrutem dessas Terras Puras.

IDAM GURU RATNA MANDALAKAM NIRYATAYAMI

Após recitarmos a prece, derrubamos o arroz em nossa direção, sobre um tecido em nosso colo. Isso é contado como uma oferenda de mandala e, portanto, movemos uma conta em nosso mala. Fazemos quantas oferendas de mandala desejarmos durante cada sessão. Ao final da sessão, fazemos uma oferenda do mandala longo de 37 pontos e, depois, dedicamos nosso mérito.

PEDIR AOS GURUS-LINHAGEM

Fazemos esse pedido utilizando a prece que está na sadhana extensa. À medida que recitarmos a prece, devemos focar nossa mente nos Gurus mencionados em cada verso, gerar forte fé neles e pedir suas bênçãos. Nosso principal pedido é para termos a realização da excelsa sabedoria espontaneamente nascida, que é a essência do Tantra Ioga Supremo. Essa sabedoria é alcançada quando a mente muito sutil de grande êxtase espontâneo realiza a vacuidade. É unicamente por meio de alcançarmos a excelsa sabedoria espontaneamente nascida que poderemos obter a Budeidade no espaço de uma única vida humana, e essa é a razão pela qual o Tantra Ioga Supremo é o caminho rápido à iluminação. Essa sabedoria é a verdadeira bodhichitta última. Quando treinamos os métodos para desenvolver a excelsa sabedoria espontaneamente nascida, estamos praticando a terceira oferenda dos sete membros tântricos, explicados anteriormente.

Na *Canção da Rainha da Primavera*, Je Tsongkhapa diz:

> Vós, que tendes a característica da libertação de grande êxtase,
> Não dizeis que, numa única vida, a libertação possa ser
> alcançada
> Por meio de várias práticas ascéticas de abandono do
> grande êxtase,
> Mas que o grande êxtase reside no centro do supremo lótus.

Isso mostra claramente que a excelsa sabedoria espontaneamente nascida é o coração da prática tântrica. Outros iogues realizados – como os Mahasiddhas Saraha, Nagarjuna, Naropa e Tilopa – também louvaram grandemente a realização da excelsa sabedoria espontaneamente nascida e enfatizaram a importância das práticas que conduzem a sua aquisição. Nesse ponto da sadhana, pedimos a cada Guru-linhagem que abençoe nossa mente para nos ajudar a obter essa realização essencial.

Mesmo que obtenhamos uma mera compreensão intelectual da real natureza, função, qualidade e características da excelsa sabedoria espontaneamente nascida, essa compreensão é algo que irá nos dar grande incentivo para estudar e praticar os métodos para desenvolvê-la. Se ouvirmos com atenção os ensinamentos sobre esse tipo de sabedoria, nossa mente irá se tornar mais feliz e mais tranquila, nossa ignorância irá diminuir e nosso desejo de praticar o Tantra Ioga Supremo irá crescer.

É importante fazer a distinção entre o êxtase *comum*, o êxtase *puro* mencionado nos Sutras e nos Tantras inferiores, e o êxtase *espontâneo* descrito no Tantra Ioga Supremo. Devemos também compreender a diferença entre o êxtase obtido por meio da prática do estágio de geração e o êxtase espontâneo obtido por meio da prática do estágio de conclusão. Por estudar comentários autênticos sobre a prática do estágio de conclusão, iremos chegar à compreensão sobre o que o êxtase espontâneo é, e compreenderemos, por meio disso, a real natureza e função da bodhichitta última. Explicações mais detalhadas sobre esses pontos essenciais podem ser encontradas nos livros *Clara-Luz de Êxtase* e *Solos e Caminhos Tântricos*.

Em *Clara-Luz de Êxtase*, são explicadas quatro experiências distintas de grande êxtase. Dentre elas, a principal é o grande êxtase espontâneo. Obter a mente de grande êxtase espontâneo que realiza a vacuidade é a única maneira pela qual podemos alcançar a Budeidade. Por meio da meditação do estágio de conclusão, podemos fazer com que os ventos sutis se dissolvam na gota indestrutível dentro do canal central, no coração. Depois, quando as bodhichittas derretem dentro do canal central, experienciamos grande êxtase. Desse modo, geramos diversos níveis de êxtase, mas o mais sublime é o grande êxtase espontâneo. Quando o grande êxtase espontâneo realiza a vacuidade, direta ou conceitualmente, essa sabedoria é denominada "excelsa sabedoria espontaneamente nascida". Devemos tentar compreender a importância dessa sabedoria e o modo de obtê-la. O principal propósito da prática tântrica é desenvolver essa sabedoria. Quando tivermos gerado o intenso desejo de obter essa realização especial, devemos pedir aos nossos Gurus que concedam suas bênçãos, de modo que nos ajudem a concretizar isso.

Devemos acreditar firmemente que os Gurus estão sentados diante de nós, vivos, e cultivar forte fé neles. À medida que recitamos os pedidos, concentramo-nos no significado das palavras e imaginamos que os Gurus nos ouvem atentamente. Após recitarmos a última estrofe – a estrofe para Losang Yeshe Dorjechang Trijang Rinpoche – focamos nossa mente em nosso Guru-raiz, que está no trono central, e recitamos as duas estrofes seguintes:

Meu bondoso Guru-raiz, Vajradharma,
És a corporificação de todos os Conquistadores,
Que concedes as bênçãos da fala de todos os Budas,
Peço a ti, por favor, concede a excelsa sabedoria espontaneamente nascida.

Por favor, abençoa-me para que, por força da meditação
No ioga da Dakini do profundo estágio de geração,
E no ioga do canal central do estágio de conclusão,
Eu gere a excelsa sabedoria do grande êxtase espontâneo, e alcance o estado iluminado Dakini.

Não devemos ficar satisfeitos com a mera recitação desses pedidos, mas devemos tomar a forte determinação de, realmente, nos empenharmos nas práticas do estágio de geração e do estágio de conclusão. A aquisição do estado iluminado Dakini - a Budeidade - depende da excelsa sabedoria espontaneamente nascida, que por sua vez depende do ioga do canal central do estágio de conclusão, que por sua vez depende das práticas de autogeração do estágio de geração. Tendo compreendido o propósito dos dois estágios tântricos, devemos concluir nosso pedido por meio de gerar a forte determinação de praticá-los.

RECEBER AS BÊNÇÃOS DAS QUATRO INICIAÇÕES

A primeira das quatro iniciações é a iniciação-vaso, por meio da qual recebemos as bênçãos dos corpos de todos os Budas. Essa iniciação purifica o carma negativo que temos criado com o nosso corpo e também planta a semente para alcançarmos as realizações do estágio de geração e o Corpo-Emanação de um Buda. Por meio da segunda iniciação (a iniciação secreta), recebemos as bênçãos da fala de todos os Budas. Essa iniciação purifica nosso carma negativo da fala e planta a semente para alcançarmos o corpo-ilusório do estágio de conclusão e o Corpo-de-Deleite de um Buda. Por meio da terceira iniciação (a iniciação mudra-sabedoria), recebemos as bênçãos das mentes de todos os Budas. Essa iniciação purifica nosso carma negativo que criamos com a mente e planta a semente para alcançarmos a clara-luz do estágio de conclusão e o Corpo--Verdade de um Buda. Por meio da quarta iniciação (a iniciação da preciosa palavra), recebemos as bênçãos do corpo, fala e mente de todos os Budas. Essa iniciação purifica todo o nosso carma negativo de corpo, fala e mente e planta a semente para alcançarmos a união-que-precisa-aprender e a União-do-Não-Mais-Aprender. Recebemos as quatro iniciações com a intenção de obter essas bênçãos e realizações.

Essas quatro iniciações foram recebidas por nós diretamente de nosso Guru durante a iniciação de Tantra Ioga Supremo que participamos. O propósito de receber as *bênçãos das quatro iniciações* quando estamos praticando a sadhana é impedir que as bênçãos recebidas diretamente de nosso Guru se degenerem. Primeiramente, pedimos a nosso Guru-raiz que conceda as quatro iniciações; para tanto, recitamos três vezes a seguinte estrofe:

Peço a ti, ó Guru, que incorporas todos os objetos
de refúgio,
Por favor, concede-me tuas bênçãos,
Por favor, concede-me as quatro iniciações inteiramente,
E concede-me, por favor, o estado dos quatro corpos.

Em seguida, visualizamos que, da letra OM na testa de nosso Guru, raios de luz branca e néctares brancos se irradiam. Cada minúscula partícula de luz e de néctar aparece na forma de uma radiante letra OM branca, que é da natureza dos corpos de todos os Budas. As luzes e néctares dissolvem-se em nossa testa, purificando todas as negatividades e obstruções do nosso corpo. Recebemos a iniciação-vaso, e as bênçãos do corpo de nosso Guru entram em nosso corpo. Isso faz com que as sementes das realizações do estágio de geração e do Corpo-Emanação amadureçam.

Da letra AH na garganta de nosso Guru, raios de luz vermelha e néctares vermelhos se irradiam. Cada partícula de luz e de néctar aparece na forma de uma radiante letra AH vermelha, da natureza da fala de todos os Budas. As luzes e néctares dissolvem--se em nossa garganta, purificando todas as negatividades e obstruções de nossa fala. Recebemos a iniciação secreta, e as bênçãos da fala de nosso Guru entram em nossa fala. Isso faz com que as sementes do corpo-ilusório e do Corpo-de-Deleite amadureçam.

Da letra HUM no coração de nosso Guru, raios de luz azul e néctares azuis se irradiam. Cada partícula de luz e de néctar aparece na forma de uma radiante letra HUM azul, da natureza das mentes de todos os Budas. As luzes e néctares dissolvem-se em nosso coração, purificando todas as negatividades e obstruções da nossa mente. Recebemos a iniciação mudra-sabedoria, e as bênçãos da mente de nosso Guru entram em nossa mente. Isso faz com que as sementes da clara-luz do estágio de conclusão e do Corpo-Verdade amadureçam.

Das letras OM, AH e HUM nos três lugares de nosso Guru, raios de luz e néctares (ambos brancos, vermelhos e azuis) se irradiam. As luzes e os néctares dissolvem-se em nossos três lugares, e purificam todas as negatividades e obstruções de nosso corpo, fala e mente. Recebemos a quarta iniciação, a iniciação da preciosa palavra, e as bênçãos de corpo, fala e mente de nosso Guru entram em nosso corpo, fala e mente. Isso faz com que as sementes da união-que-precisa--aprender e da União-do-Não-Mais-Aprender amadureçam.

Por fim, recitamos três vezes o seguinte pedido breve ao nosso Guru:

> **Meu precioso Guru, a essência de todos os Budas dos três tempos, rogo a ti, por favor, abençoa meu continuum mental.**

Se desejarmos fazer o *grande guia preliminar* de Guru-ioga, podemos recitar esse pedido cem mil vezes. Alternativamente, podemos recitar cem mil vezes o mantra-nominal de nosso Guru ou o mantra de Guru Sumati Buda Heruka: OM GURU SUMATI BUDDHA HERUKA SARWA SIDDHI HUM.

ABSORVER OS GURUS

Como resultado de fazermos esse pedido, a mansão celestial se dissolve nos Gurus-linhagem, e os Gurus-linhagem, por sua vez, juntamente com seus tronos, se dissolvem um no outro. Começando por Buda Vajradharma, cada Guru se dissolve no Guru a sua esquerda. Por fim, o último Guru-linhagem, Losang Yeshe Dorjechang Trijang Rinpoche, se dissolve em nosso Guru-raiz. Devido a sua afeição por nós, nosso Guru-raiz desenvolve o desejo de unificar-se conosco; e nós, do nosso lado, também desejamos intensamente que isso aconteça. Imaginamos que nosso Guru se converte em luz vermelha, a partir de baixo e de cima, diminuindo até ficar do tamanho de um polegar. Ele, então, entra pela coroa de nossa cabeça e desce por nosso canal central até nosso coração, onde se mistura de modo inseparável com a nossa mente. Visto que a verdadeira natureza de nosso Guru é o grande êxtase espontâneo de todos os Budas, imaginamos que, pela dissolução da mente de nosso Guru em nossa mente, a nossa mente se transforma em grande êxtase espontâneo. Meditamos, estritamente focados, na sensação de que estamos experienciando grande êxtase espontâneo, que é a mente de nosso Guru. Essa meditação é o Guru-Ioga definitivo. Ela é o coração da prática tântrica.

O Ioga da Autogeração e o Ioga de Purificar os Migrantes

O IOGA DA AUTOGERAÇÃO

ESTE IOGA É explicado em três partes:

1. Trazer os três corpos para o caminho;
2. A meditação de examinar o mandala e os seres que nele habitam;
3. A meditação do estágio de geração propriamente dita.

TRAZER OS TRÊS CORPOS PARA O CAMINHO

Este tópico tem duas partes:

1. Explicação geral;
2. A prática de trazer os três corpos para o caminho.

EXPLICAÇÃO GERAL

No ioga da autogeração, os três corpos que são trazidos para o caminho são: o corpo-verdade básico, o corpo-de-deleite básico e o corpo-emanação básico. Eles recebem essa denominação porque são as bases a partir das quais os corpos-resultantes de um Buda se desenvolvem. Os Budas têm três corpos: o Corpo-Verdade, ou

Dharmakaya; o Corpo-de-Deleite, ou *Sambhogakaya*; e o Corpo--Emanação, ou *Nirmanakaya*. O Corpo-Verdade é a mente onisciente de um Buda: ela está unificada de modo inseparável com a vacuidade. Essa mente é experienciada apenas pelos Budas. O Corpo-de-Deleite é o Corpo-Forma sutil de um Buda, e pode ser visto apenas por Bodhisattvas superiores e Budas. O Corpo--Emanação é o Corpo-Forma denso de um Buda, e pode ser visto até mesmo por seres comuns. Somente os Budas têm o efetivo Corpo-Verdade, o efetivo Corpo-de-Deleite e o efetivo Corpo--Emanação. Esses três corpos são denominados "os três corpos--resultantes" ou "os três resultados da purificação".

O corpo-verdade básico é a nossa clara-luz do sono e a nossa clara-luz da morte. No momento presente, nenhuma dessas mentes é o Corpo-Verdade propriamente dito, efetivo – pelo contrário, elas são as bases do Corpo-Verdade, já que, em aspecto, tanto a clara-luz do sono quanto a clara-luz da morte são semelhantes ao Corpo--Verdade e são as bases *trazidas para o caminho* e transformadas no Corpo-Verdade efetivo, propriamente dito, de um Buda. O corpo--de-deleite básico é o nosso corpo-sonho e o corpo do estado intermediário. Eles são as bases do Corpo-de-Deleite, já que, em aspecto, são semelhantes ao Corpo-de-Deleite e, por trazer o corpo-sonho e o corpo do estado intermediário para o caminho, iremos por fim transformá-los no Corpo-de-Deleite efetivo, propriamente dito, de um Buda. O corpo-emanação básico é o nosso ato de acordar do sono e o nosso renascimento. Eles são as bases do Corpo-Emanação efetivo, já que, em aspecto, são semelhantes à maneira pela qual um Corpo-Emanação se desenvolve e porque, por trazer o ato de acordar e o renascimento para o caminho, iremos por fim obter o Corpo--Emanação efetivo, propriamente dito, de um Buda.

Os três corpos-resultantes de um Buda (o Corpo-Verdade efetivo, o Corpo-de-Deleite efetivo e o Corpo-Emanação efetivo) são alcançados por meio das práticas do estágio de geração e do estágio de conclusão do Tantra Ioga Supremo. Primeiro, precisamos alcançar os três corpos do caminho: a clara-luz-exemplo última, que impede diretamente a morte comum; o corpo-ilusório, que impede diretamente o estado intermediário comum; e o corpo-Deidade denso que surge do corpo-ilusório, que impede diretamente o renascimento comum. Alcançamos esses três corpos do caminho pela prática do estágio de conclusão.

Para obtermos os três corpos do caminho, precisamos treinar em: trazer o corpo-verdade básico para o caminho que impede a morte comum; trazer o corpo-de-deleite básico para o caminho que impede o estado intermediário comum; e trazer o corpo-emanação básico para o caminho que impede o renascimento comum.

Podemos meditar em trazer os três corpos básicos para o caminho de acordo com o estágio de geração ou de acordo com o estágio de conclusão. Antes de obtermos as verdadeiras realizações do estágio de conclusão, precisamos aperfeiçoar constantemente nossa meditação em trazer os três corpos básicos para o caminho de acordo com o estágio de geração. Uma vez que tenhamos obtido experiência nisso e, também, obtido alguma experiência do estágio de conclusão, devemos enfatizar as meditações em trazer os três corpos básicos para o caminho de acordo com o estágio de conclusão. Por fim, alcançaremos os três corpos do caminho propriamente ditos, efetivos.

Em resumo, as bases a serem purificadas são: a morte, o estado intermediário e o renascimento samsárico. Os métodos para purificá-las são: as práticas de trazer os três corpos básicos para o caminho e os três corpos do caminho. E os resultados da purificação são os três corpos de um Buda.

Desde tempos sem início, temos vivenciado um ciclo ininterrupto de morte, estado intermediário e renascimento. Enquanto permanecermos nesse ciclo, estaremos aprisionados no samsara e continuaremos a vivenciar sofrimentos sem escolha alguma. Até que purifiquemos a morte, o estado intermediário e o renascimento, não alcançaremos a Budeidade. A principal função do estágio de geração e do estágio de conclusão é purificar esses três estados e, assim, alcançarmos os três corpos resultantes. Realizaremos isso por meio de nos empenharmos nas meditações em trazer os três corpos básicos para o caminho.

Pamtingpa

A PRÁTICA DE TRAZER OS TRÊS CORPOS PARA O CAMINHO

Este tópico tem três partes:

1. Trazer a morte para o caminho do Corpo-Verdade;
2. Trazer o estado intermediário para o caminho do Corpo-de-Deleite;
3. Trazer o renascimento para o caminho do Corpo-Emanação.

TRAZER A MORTE PARA O CAMINHO DO CORPO-VERDADE

Essa prática cumpre três funções principais: purifica a morte comum, faz com que a realização da clara-luz amadureça, e aumenta nossa coleção de sabedoria. Nessa meditação, cultivamos experiências semelhantes àquelas que temos quando morremos – fazemos isso por meio de imaginar que estamos percebendo os sinais que ocorrem durante o processo da morte, desde a aparência miragem até a aparência da clara-luz.

Tendo feito pedidos ao nosso Guru para que abençoasse nossa mente, e após termos imaginado que ele entrou em nosso coração, desenvolvemos três reconhecimentos: (1) a natureza da mente de nosso Guru é a união de grande êxtase e vacuidade; (2) a mente de nosso Guru se unificou de modo inseparável com a nossa própria mente, transformando-a na união de grande êxtase e vacuidade; e (3) nossa mente de grande êxtase está no aspecto de uma letra BAM vermelha, em nosso coração. Meditamos nesses três reconhecimentos por algum tempo.

A letra BAM começa então a aumentar de tamanho e gradualmente dissolve nosso corpo em uma luz vermelha de êxtase, do mesmo modo que, ao derramarmos água quente sobre o gelo, ele derrete. A letra BAM se expande até absorver o nosso corpo por inteiro. Continuando a se expandir, ela gradualmente absorve nosso quarto, nossa casa, nossa cidade, nosso país, nosso continente, nosso mundo e, por fim, o universo inteiro, incluindo todos os seres vivos que nele habitam. Tudo é absorvido e transformado em uma letra BAM infinitamente grande, que permeia o universo inteiro, e a natureza dessa letra BAM é a nossa mente de grande êxtase misturada com a vacuidade. Não percebemos nada além que a letra BAM, e meditamos nela com concentração estritamente focada por algum tempo. Contemplamos: "eu purifiquei todos os seres vivos juntamente com seus ambientes".

Depois de algum tempo, a letra BAM começa a diminuir, recolhendo-se gradualmente desde os confins do espaço infinito, deixando para trás somente vacuidade. A letra BAM torna-se cada vez menor, até ficar de um tamanho diminuto, uma pequeníssima letra BAM. Então, essa letra BAM diminuta se dissolve gradualmente a partir da base até a linha horizontal, conhecida como "cabeça do BAM". Por meio dessa meditação, imaginamos que estamos passando por experiências semelhantes às vivenciadas por uma pessoa que está morrendo. Neste ponto, imaginamos que percebemos a "aparência miragem", que surge devido à dissolução do elemento terra. Então, a cabeça do BAM se dissolve na lua crescente, e imaginamos que percebemos a "aparência fumaça", que surge devido à dissolução do elemento água. Depois, a lua crescente se dissolve na gota, e imaginamos que percebemos a "aparência vaga-lumes cintilantes", que surge devido à dissolução do elemento fogo. A gota, então, se dissolve no *nada* {nome dado à linha de três curvas, acima da gota}, e imaginamos que percebemos a "aparência chama de vela", que surge devido à dissolução do elemento vento.

Essas quatro aparências são os sinais interiores da dissolução dos ventos que sustentam nossos quatro elementos corporais. Quando morremos, esses quatro ventos gradualmente absorvem-se e, em razão disso, experienciamos esses quatro sinais. Normalmente, quando o quarto sinal do processo da morte – a aparência chama de vela – é percebido, toda a nossa memória densa, nossos ventos interiores densos e nossas aparências densas cessam, e a respiração exterior para. Nesse ponto da meditação, tudo o que restou é o *nada*. Depois de algum tempo, imaginamos que estamos experienciando o quinto sinal: a mente da aparência branca. A cada dissolução que ocorre, a mente se torna cada vez mais sutil. Quando a curva inferior do *nada* dissolve-se na curva mediana acima dela, imaginamos que estamos experienciando a "mente do vermelho crescente", e quando a curva mediana dissolve-se na curva superior, imaginamos que estamos experienciando a "mente da quase-conquista negra". Por fim, a curva superior dissolve-se na vacuidade, e imaginamos que experienciamos a mente mais sutil de todas, a mente de clara-luz.

Nesse ponto, devemos ter quatro reconhecimentos: (1) imaginamos que nossa mente de clara-luz realmente se manifestou e que está experienciando grande êxtase; (2) unicamente vacuidade aparece para a nossa mente; (3) identificamos essa vacuidade como a ausência de fenômenos inerentemente existentes; e (4) imaginamos que alcançamos o Corpo-Verdade de um Buda, e pensamos: "eu sou o Corpo-Verdade Vajrayogini, Vajrayogini definitiva". Então, meditamos na mente de clara-luz, ao mesmo tempo que mantemos esses quatro reconhecimentos continuamente.

Sem nos distrairmos da meditação principal, devemos verificar de vez em quando, com uma parte de nossa mente, se nenhum desses quatro reconhecimentos foi esquecido. Se percebermos que nos esquecemos de um deles ou mais, devemos, de maneira habilidosa, aplicar esforço para restabelecê-los. Se meditarmos dessa maneira todos os dias, mesmo com concentração fraca, aumentaremos nossa coleção de sabedoria. A *coleção de sabedoria* é definida como qualquer ação mental virtuosa que causa, principalmente, a aquisição do Corpo-Verdade de um Buda. A *coleção de mérito* é definida como qualquer ação virtuosa que causa, principalmente, a aquisição do Corpo-Forma de um Buda. Alcançaremos a Budeidade por meio de concluir essas duas coleções. O termo "Vajrayogini definitiva" refere-se, aqui, à Vajrayogini que é imputada – ou seja, designada – ao Corpo-Verdade de Buda, ou Dharmakaya.

Para os que estão começando a fazer essa prática, há uma meditação simplificada sobre trazer a morte para o caminho. Quando tivermos dissolvido o *nada* na vacuidade, imaginamos que percebemos o oitavo sinal – a clara-luz – e imaginamos que essa mente está experienciando grande êxtase. Com essa mente de êxtase, meditamos então na vacuidade. Sem perder essa experiência da mente plena de êxtase da clara-luz meditando na vacuidade, imaginamos, com uma parte de nossa mente, que a nossa mente de êxtase se misturou por completo com a vacuidade, como água misturada com água, e identificamos essa união de êxtase e vacuidade como o Corpo-Verdade de Vajrayogini. Meditamos, então, estritamente focados nesse reconhecimento.

Quando, por meio da meditação do estágio de conclusão, formos capazes de fazer com que nossos ventos interiores entrem, permaneçam e se dissolvam dentro do nosso canal central, na altura da roda-canal do coração, experienciaremos a mente-isolada da clara-luz-exemplo. Uma vez que tenhamos alcançado essa realização, nossa morte não mais será um processo samsárico, descontrolado; pelo contrário, seremos capazes de controlar o processo de morrer, e esse controle irá se dar por meio de transformarmos a clara-luz da morte na mente da clara-luz-exemplo última. Esse é o caminho rápido à iluminação. Quando surgirmos dessa clara-luz, em vez de entrarmos no estado intermediário comum com um corpo do estado intermediário, alcançaremos o corpo-ilusório. Desse corpo-sutil, em vez de tomarmos um renascimento comum, iremos emanar um corpo-Deidade denso, semelhante ao Corpo-Emanação de um Buda.

Em resumo, a partir do momento que alcançarmos a clara-luz-exemplo última, seremos capazes de controlar a morte, o estado intermediário e o renascimento. A aquisição da clara-luz-exemplo última depende de treinarmos a meditação de trazer a morte para o caminho do Corpo-Verdade. Para meditar em trazer a morte para o caminho do Corpo-Verdade, precisamos, primeiramente, impedir todas as aparências comuns – fazemos isso por meio de perceber tudo como vazio. Devemos identificar essa vacuidade como ausência de existência inerente, e imaginar que nossa mente se funde com essa vacuidade. Depois, com a sensação de que nossa mente é completamente *una* com a vacuidade, devemos tentar desenvolver o orgulho divino de sermos o Corpo-Verdade. Se formos bem-sucedidos nessa meditação, nossas meditações em gerarmo-nos como a Deidade também serão bem-sucedidas.

Certa vez, um praticante disse a Longdol Lama que, embora tentasse arduamente gerar-se como a Deidade, ele ainda assim tinha consciência de seu corpo comum, seus amigos, sua casa e de todas as coisas que ele fazia normalmente. O praticante perguntou o que deveria fazer para corrigir isso. Longdol Lama respondeu que, para solucionar o problema, ele deveria treinar a meditação em trazer a morte para o caminho do Corpo-Verdade. Se imaginarmos que tudo se dissolve na vacuidade, podemos superar as aparências comuns, e isso irá fazer com que seja fácil para nós gerarmos aparências novas, puras. "Corpo-Verdade" refere-se à mente de Buda (o Corpo-Verdade-Sabedoria) e à vacuidade da mente de Buda (o Corpo-Verdade-Natureza). O Corpo-Verdade-Sabedoria e o Corpo-Verdade-Natureza também são conhecidos como "Dharmakaya". Neste contexto, "corpo" significa a base de imputação, ou de designação, de uma pessoa.

TRAZER O ESTADO INTERMEDIÁRIO PARA O CAMINHO DO CORPO-DE-DELEITE

Imediatamente após a experiência da clara-luz ter cessado e a mente ter se tornado ligeiramente mais densa, o corpo-sutil se manifesta. Para os seres comuns, o corpo-sonho surge quando a clara-luz do sono cessa, e o corpo-bardo surge quando a clara-luz da morte cessa. Para os praticantes tântricos, o corpo-ilusório *impuro* surge da mente da clara-luz-exemplo última, e o corpo-ilusório *puro* surge da mente da clara-luz-significativa. Para os Budas, o Corpo-de-Deleite surge da clara-luz do Corpo-Verdade.

Quando meditamos em trazer a morte para o caminho do Corpo-Verdade, desenvolvemos orgulho divino, pensando: "eu sou o Corpo-Verdade". Enquanto mantemos esse orgulho divino, uma parte de nossa mente deve contemplar:

> *Se eu permanecer exclusivamente como o Corpo-Verdade, não poderei beneficiar os seres vivos porque eles são incapazes de me ver. Portanto, preciso surgir sob o aspecto de um Corpo-Forma, o Corpo-de-Deleite de um Buda.*

Com esse pensamento, imaginamos que, da clara-luz da vacuidade, nossa mente instantaneamente se transforma em um Corpo-de--Deleite, no aspecto de uma letra BAM vermelha. Geramos orgulho divino, pensando "eu sou o Corpo-de-Deleite Vajrayogini", e meditamos brevemente nessa sensação. Nessa etapa, é mais importante meditar na sensação de ser o Corpo-de-Deleite de um Buda do que enfatizar que estamos sob o aspecto da letra BAM. "Corpo--de-Deleite Vajrayogini" refere-se à Vajrayogini imputada ao Corpo-Forma sutil de Buda, o corpo-ilusório de Buda. A natureza de nossa mente é grande êxtase, e seu aspecto é o de uma letra BAM vermelha. A letra BAM tem três partes: o BA, a gota e o *nada*. Essas três partes simbolizam o corpo, a fala e a mente do ser-do-bardo e o corpo, fala e mente do Corpo-de-Deleite. Isso indica que a meditação em trazer o estado intermediário para o caminho purifica o estado intermediário e causa o amadurecimento do corpo-ilusório, que, por fim, se transforma no Corpo-de-Deleite de um Buda.

TRAZER O RENASCIMENTO PARA O CAMINHO DO CORPO-EMANAÇÃO

Para os seres comuns, o estado da vigília surge do corpo-sonho e, após a morte, o próximo renascimento surge do corpo-bardo. De modo semelhante, para os praticantes tântricos, o corpo-Deidade denso surge do corpo-ilusório e, para os Budas, o Corpo-Emanação surge do Corpo-de-Deleite. Quando meditamos em trazer o renascimento para o caminho do Corpo-Emanação, imaginamos um processo semelhante. Enquanto estamos sob a forma da letra BAM vermelha, em posição vertical no espaço, identificamos essa letra BAM como o Corpo-de-Deleite, e uma parte de nossa mente contempla:

> *Se eu permanecer exclusivamente sob essa forma, não poderei beneficiar os seres comuns, pois eles são incapazes de ver o Corpo-de-Deleite de um Buda. Portanto, preciso nascer sob a forma de um Corpo-Emanação, de modo que até mesmo seres comuns consigam me ver.*

Com essa motivação, procuramos por um lugar no qual iremos renascer. Olhando para o espaço abaixo de nós, vemos duas letras EH vermelhas, uma acima da outra, aparecendo do estado de vacuidade. Essas letras se transformam em uma fonte-fenômenos, cujo formato é como o de um duplo tetraedro em pé, com a extremidade fina apontando para baixo e a parte larga voltada para cima. Há um tetraedro exterior, que é branco, e um tetraedro interior, que é vermelho. Ambos são feitos de luz e, por essa razão, eles se interpenetram sem obstrução. Visto a partir de cima, o topo do duplo tetraedro se assemelha a uma estrela de seis pontas, com uma ponta do tetraedro interior apontando para diante e uma ponta do tetraedro exterior apontando para trás. O ângulo da frente e o ângulo de trás estão vazios, mas em cada um dos quatro ângulos restantes está um torvelinho-rosa de alegria, girando em sentido anti-horário.

Dentro da fonte-fenômenos, aparece uma letra AH branca, que se transforma em um disco de lua branco. Em pé, ao redor da borda do disco de lua, estão as letras do mantra tri-OM: OM OM OM SARWA BUDDHA DAKINIYE VAJRA WARNANIYE VAJRA BEROTZANIYE HUM HUM HUM PHAT PHAT PHAT SÖHA. As letras são vermelhas e estão dispostas em sentido anti-horário, começando da frente. O centro do disco de lua está vazio. Nossa mente – a letra BAM vermelha – observa todos esses desenvolvimentos desde o espaço acima.

A fonte-fenômenos exterior simboliza o ambiente do renascimento; a fonte-fenômenos interior simboliza o útero da mãe; o disco de lua branco simboliza a bodhichitta branca do Pai Heruka; e o rosário de mantra vermelho simboliza a bodhichitta vermelha da Mãe Vajrayogini. Porque o rosário de mantra reflete na lua, a lua encontra-se tingida de vermelho. A lua e o rosário de mantra, juntos, simbolizam a união das células reprodutivas do pai e da mãe no momento da concepção.

Logo antes do ser-do-bardo renascer, ele vê seus futuros pais durante a relação sexual. De modo semelhante, nós, sob o aspecto da letra BAM vermelha, observamos abaixo de nós a união de Pai Heruka e Mãe Vajrayogini nas formas simbólicas da lua e do rosário de mantra, e geramos a forte motivação de renascer ali. Com essa motivação, nós, a letra BAM, descemos e pousamos no centro do disco de lua, dentro da fonte-fenômenos. Isso é semelhante à maneira como um ser-do-bardo renasce no útero de sua futura mãe.

Então, da letra BAM e do rosário de mantra, raios de luz se irradiam por todo o espaço. Na extremidade de cada raio de luz está uma Deidade do mandala de Heruka. Esses Heróis e Heroínas concedem bênçãos e iniciações a todos os seres, pelo universo inteiro. Eles purificam todos os seres samsáricos e aqueles que ingressaram no nirvana solitário, assim como todos os seus ambientes, e os transformam em seres puros na Terra Pura de Vajrayogini. Os seres transformados e seus mundos puros, a fonte-fenômenos e o disco de lua se convertem então em luz e se dissolvem em nossa mente, a letra BAM. A letra BAM e o rosário de mantra se transformam, então, instantaneamente no mandala sustentador e nas Deidades sustentadas de Vajrayogini. Tornamo-nos Vajrayogini, com um corpo, fala e mente puros, residindo na Terra Pura de Vajrayogini e experienciando prazeres puros. Pensamos intensamente "eu sou o Corpo-Emanação Vajrayogini", e meditamos nesse orgulho divino. "Corpo-Emanação Vajrayogini" refere-se a Vajrayogini designada, ou imputada, ao Corpo-Emanação, o Corpo-Forma denso de um Buda.

A MEDITAÇÃO DE EXAMINAR O MANDALA E OS SERES QUE NELE HABITAM

Com o orgulho divino de ser o Corpo-Emanação de Buda Vajrayogini, e visualizando nosso ambiente como a Terra Pura de Vajrayogini, fazemos agora a seguinte contemplação para aperfeiçoarmos nossa clara aparência do mandala, da mansão celestial e dos seres que vivem dentro dele:

> *O mandala é sustentado por um vasto e extenso solo-vajra, que é inteiramente composto de vajras indestrutíveis. Cada vajra é feito de átomos no formato de vajras. Ao redor de todo o solo-vajra, está a cerca-vajra, circular. A cerca-vajra possui três camadas de imensos vajras de cinco hastes, ou dentes. Na primeira camada, os vajras estão em posição horizontal. Sobre ela, está a segunda camada, com os vajras em posição vertical, e sobre esta, encontra-se a terceira camada, com vajras em posição horizontal. A cerca-vajra é impenetrável e indestrutível, sem apresentar nem mesmo um minúsculo espaço. No topo da cerca-vajra está um dossel-vajra, que serve de teto. Acima do dossel está a tenda-vajra, de formato cônico. O dossel e a tenda são impenetráveis; a tenda tem o formato de uma tenda mongol, e tanto o dossel quanto a tenda são também constituídos de vajras. Cada vajra é composto de minúsculos átomos semelhantes a vajras, sem nenhum espaço entre eles. Embora todos os minúsculos átomos-vajra sejam claros e distintos, nem mesmo um único átomo pode ser removido. O solo-vajra, a cerca-vajra, o dossel-vajra e a tenda-vajra são azuis e estão totalmente rodeados por chamas de fogo-sabedoria de cinco cores, que rodopiam em sentido anti-horário. As chamas são reais e têm o poder de nos proteger contra todo dano e todo mal vindos de espíritos maléficos.*

Se contemplarmos repetidamente os detalhes do círculo de proteção, a clareza de nossa visualização irá gradualmente melhorar e desenvolveremos a firme convicção de que o círculo de proteção realmente existe e é eficiente em nos proteger contra danos e impedimentos. Continuamos com nossa meditação de examinar o mandala:

No interior do círculo de proteção, estão os oito grandes solos sepulcrais, situados nas direções cardeais e intermediárias. O solo sepulcral leste é denominado O Feroz; o do norte, Floresta Muito Densa; o do oeste, Vajra Flamejante; e o do sul, Possuindo Osso e Tutano. O solo sepulcral sudeste é denominado Guardião Auspicioso; o do sudoeste, Escuridão Assustadora; o do noroeste, Fazendo o Som Kili Kili; e o do nordeste, Risada Irada. Cada solo sepulcral tem oito características: uma árvore, um guardião direcional, um guardião regional, um lago, um naga, uma nuvem, um fogo e uma estupa.

No solo sepulcral leste, a árvore é denominada Árvore Naga. Aos pés da árvore, está Indra, o guardião do leste – ele é amarelo, segura um vajra e uma cuia de crânio e monta um elefante branco. No topo da árvore, está um guardião regional branco, chamado Cara de Elefante. Em cada um dos oito solos sepulcrais, o guardião regional segura uma torma triangular vermelha e uma cuia de crânio; ele senta-se no topo de uma árvore, com a parte superior de seu corpo emergindo acima dos galhos. Abaixo, há um lago denominado Água de Compaixão, no qual está um naga branco chamado Riqueza Crescente. No céu acima, há uma nuvem denominada Fazendo Sons. Um fogo, denominado Fogo Sabedoria, arde na base de uma preciosa montanha, chamada Monte Meru. No cume da montanha, há uma estupa branca denominada Estupa da Iluminação.

No solo sepulcral norte, o nome da árvore é Ashuta. Aos pés da árvore, está Vaishravana, o guardião do norte – ele é amarelo, segura um mangusto e uma cuia de crânio e monta as costas de um homem. No topo da árvore, está um guardião regional amarelo, chamado Face Humana. No lago abaixo, está um naga chamado Jogpo, e no céu acima, há uma nuvem denominada Fazendo Sons Estrondosos. Um fogo de sabedoria arde na base de uma montanha verde, denominada Mandara. No cume da montanha, há uma estupa branca. Em cada solo sepulcral, o lago, o fogo e a estupa têm os mesmos nomes que os do solo sepulcral leste.

No solo sepulcral oeste, o nome da árvore é Kangkela. Aos pés da árvore, está Deidade Água (ou Varuna, em sânscrito), o guardião do oeste – ele é branco, usa um capuz de sete serpentes, segura uma corda-serpente e uma cuia de crânio e monta um crocodilo. No topo da árvore, está um guardião regional vermelho, chamado Cara de Crocodilo. No lago abaixo, está um naga azul chamado Karakota, e no céu acima, há uma nuvem cujo nome é Irada. Um fogo de sabedoria arde na base de uma montanha branca, denominada Kailash. No cume da montanha, há uma estupa branca.

No solo sepulcral sul, o nome da árvore é Tsuta. Aos pés da árvore, está Yama, o guardião do sul – ele é azul, segura um bastão e uma cuia de crânio e monta um búfalo. No topo da árvore, está um guardião regional preto, chamado Cara de Búfalo. No lago abaixo, está um naga branco chamado Lótus, e no céu acima, há uma nuvem cujo nome é "Movendo-se". Um fogo de sabedoria arde na base de uma montanha amarela, denominada Malaya. No cume da montanha, há uma estupa branca.

No solo sepulcral sudeste, o nome da árvore é Karanza. Aos pés da árvore, está Deidade-Fogo (ou Agni, em sânscrito), o guardião do sudeste – ele é vermelho, segura um mala, um vaso de gargalo longo e uma cuia de crânio e monta um bode. No topo da árvore, está um guardião regional vermelho, chamado Cara de Bode. No lago abaixo, está um naga amarelo chamado Carregando uma Concha, e no céu acima, há uma nuvem cujo nome é Totalmente Plena. Um fogo de sabedoria arde na base de uma montanha amarela, denominada Incenso Fragrante. No cume da montanha, há uma estupa branca.

No solo sepulcral sudoeste, o nome da árvore é Padreyaga. Aos pés da árvore, está o guardião do sudoeste, que se chama Possuindo Rosário de Cabeças Humanas (ou Kardava, em sânscrito) – ele está nu, seu corpo é azul, segura uma espada e uma cuia de crânio e monta um zumbi. No topo da árvore, está um guardião regional preto, chamado Cara de Zumbi. No lago abaixo, está um naga branco cujo nome é Possuindo Linhagem, e no céu acima, há uma nuvem denominada Descendo. Um fogo de sabedoria arde na base de uma montanha branca, denominada Possuindo Neve. No cume da montanha, há uma estupa branca.

No solo sepulcral noroeste, o nome da árvore é Parthipa. Aos pés da árvore, está Deidade Vento (ou Vayuni, em sânscrito), o guardião do noroeste – seu corpo é cor-de-fumaça, segura um estandarte amarelo e uma cuia de crânio e monta um cervo. No topo da árvore, está um guardião regional verde, chamado Cara de Cervo. No lago abaixo, está um naga vermelho chamado Ilimitado, e no céu acima, há uma nuvem cujo nome é Irada. Um fogo de sabedoria arde na base de uma montanha azul, denominada Montanha da Glória. No cume da montanha, há uma estupa branca.

No solo sepulcral nordeste, o nome da árvore é Nadota. Aos pés da árvore, está Ishvara, o guardião do nordeste – ele é branco, segura um tridente e uma cuia de crânio e monta um touro. No topo da árvore, está um guardião regional branco, chamado Cara de Touro. No lago abaixo, está um naga branco chamado Grande Lótus, e no céu acima, há uma nuvem cujo nome é Imóvel. Um fogo de sabedoria arde na base de uma montanha negra, denominada Grande Poder. No cume da montanha, há uma estupa branca.

Além dessas oito características, em cada solo sepulcral há várias criaturas (tais como corvos, corujas, águias, raposas, serpentes e cobras com cabeça de touro), assim como outras emanações, como espíritos, zumbis e espíritos comedores-de-carne. Em cada solo sepulcral, há também muitos diferentes meditadores tântricos – no aspecto de humanos e de deuses – e muitos iogues e ioguines que se manifestam sob diversas formas. Tudo o que está dentro dos solos sepulcrais – incluindo os lagos, nuvens e animais – é uma emanação de Vajrayogini.

Em geral, os oito guardiões direcionais e os oito guardiões regionais são deidades mundanas que controlam as oito direções deste mundo e todas as principais regiões que existem nele. Na sadhana de Mahakala, está dito que cada guardião direcional tem um séquito de cem mil, e isso também é verdadeiro para os guardiões regionais. Os guardiões direcionais são como os ministros de um país, e os guardiões regionais são como os administradores de uma região, que controlam parcelas do território de um país. Além disso, cada cidade, distrito ou pequeno povoado tem um espírito guardião local que controla essa área. Normalmente, eles tentam ajudar os seres humanos que vivem ali, mas, algumas vezes, por ficarem descontentes ou enraivecidos, eles causam problemas, como chuvas de granizo e furacões.

No entanto, os guardiões direcionais e os guardiões regionais nos solos sepulcrais do mandala de Vajrayogini não são deidades mundanas, mas emanações de Vajrayogini. Na prece de oferenda da torma preliminar (na sadhana de autoiniciação), são mencionadas onze diferentes assembleias de guardiões, tais como deuses, nagas e causadores-de-mal. Os guardiões direcionais e guardiões regionais nos solos sepulcrais aparecem nesses onze diferentes aspectos. Alguns aparecem como deuses; outros, como nagas; e assim por diante. Quando oferecemos tormas aos Dakas e Dakinis mundanos, convidamos esses onze grupos dos oito solos sepulcrais para que recebam a torma.

Continuando nossa meditação de examinar o mandala, contemplamos agora o seguinte:

No centro do círculo dos oito grandes solos sepulcrais, há uma mansão celestial: uma fonte-fenômenos vermelha em pé, com sua extremidade fina tocando o solo-vajra. Em cada um de seus quatro ângulos, está um torvelinho-rosa de alegria rodopiando em sentido anti-horário. Dentro da fonte-fenômenos, está um lótus de oito pétalas de várias cores. As pétalas nas direções cardeais são vermelhas. As cores das pétalas nas direções intermediárias são: no sudeste, amarela; no sudoeste, verde; no noroeste, amarela; e no nordeste, preta. O centro do lótus é verde e está rodeado por anteras amarelas. No centro do lótus, encontra-se um mandala de sol. Sobre isso, eu surjo na forma da Venerável Vajrayogini.

Minha perna direita, esticada, pisa sobre o peito da vermelha Kalarati. Kalarati tem uma face e está deitada de costas, com as palmas das mãos unidas. Minha perna esquerda, dobrada, pisa sobre a testa de Bhairawa negro. Ele tem uma face e está deitado de bruços, com sua cabeça vergada para trás e tocando suas costas, e está com as palmas das mãos unidas. Eu tenho um corpo vermelho, que resplandece com o brilho igual ao do fogo do final de um éon. Tenho uma face, duas mãos e três olhos, e meu olhar está voltado para a Terra Pura das Dakinis. Minha mão direita, esticada e apontando para baixo, segura uma faca curva marcada com um vajra. Minha mão esquerda segura, ao alto, uma cuia de crânio repleta de sangue, que compartilho e bebo com a boca voltada para o alto. Meu ombro esquerdo sustenta um khatanga marcado com um vajra, e do khatanga pendem um damaru, um sino e um triplo estandarte. Meus cabelos, pretos e soltos, cobrem minhas costas até a cintura. Estou na flor de minha juventude. Meus seios, excitados, são fartos e mostro como gerar êxtase. Minha cabeça está adornada com cinco crânios humanos, e uso um longo colar de cinquenta crânios humanos. Nua, estou adornada com cinco mudras, e estou em pé no centro de um fogo flamejante de excelsa sabedoria.

O círculo de proteção, os solos sepulcrais e a fonte-fenômenos são extremamente vastos e sua natureza é sabedoria incontaminada. Essa é a Terra Pura das Dakinis. Eu acabei de nascer na Terra Pura das Dakinis, no aspecto de Vajrayogini.

Para superar as aparências comuns, devemos contemplar repetidamente o simbolismo do círculo de proteção, dos solos sepulcrais, do mandala e de todos os seres que estão dentro dele. O fogo de cinco cores do círculo de proteção é uma manifestação das cinco sabedorias oniscientes de Vajrayogini e simboliza a bodhichitta última. A cerca-vajra e assim por diante simbolizam a bodhichitta convencional, e os solos sepulcrais simbolizam renúncia. Juntas, essas três características nos ensinam que, primeiramente, devemos obter experiência dos três principais aspectos do caminho.

A fonte-fenômenos interior, vermelha, simboliza grande êxtase; e a fonte-fenômenos exterior, branca, simboliza a vacuidade. Juntas, elas nos ensinam que devemos desenvolver a união de grande êxtase e vacuidade.

A partir de baixo, de sua extremidade fina, a fonte-fenômenos aumenta gradualmente de largura, mostrando que realizações tântricas elevadas não podem ser alcançadas instantaneamente, mas são desenvolvidas gradualmente. Por aperfeiçoarmos constantemente nossas pequenas experiências de Dharma, por fim realizaremos a suprema aquisição da Budeidade.

As três pontas no topo de cada tetraedro simbolizam as três portas da perfeita libertação: a vacuidade da entidade de todos os fenômenos, a vacuidade das causas e a vacuidade dos efeitos. Essas três vacuidades nos ensinam que a natureza de todos os fenômenos, assim como todas as causas e todos os efeitos, são simplesmente manifestações da vacuidade. Os dois ângulos vazios, o da frente e o de trás, simbolizam a ausência do em-si de pessoas e a ausência do em-si dos fenômenos. Os torvelinhos-rosa de alegria, nos outros quatro ângulos, simbolizam as quatro alegrias. Juntos, os seis ângulos nos ensinam que devemos associar a prática da vacuidade com a prática das quatro alegrias.

O mandala de sol, sobre o qual estamos em pé, simboliza o método para amadurecer a colheita virtuosa das realizações dos estágios de geração e de conclusão e, assim, alcançarmos a aquisição do Corpo-Forma imaculado de Vajrayogini, de sua Terra

Pura e de seus prazeres puros. O lótus simboliza que o corpo, a fala e a mente de Vajrayogini são livres de falhas e totalmente puros. Nossa perna direita pisa sobre o peito da vermelha Kalarati, a principal deusa mundana, e nossa perna esquerda pisa sobre a testa de Bhairawa negro, ou Ishvara irado, o principal deus mundano. Kalarati e Bhairawa não são seres sencientes reais, mas manifestações da sabedoria de êxtase e vacuidade de Vajrayogini, que aparece no aspecto de Kalarati e Bhairawa. Eles simbolizam os maras das delusões, ou aflições mentais. Vajrayogini pisa sobre Kalarati e Bhairawa para mostrar que ela destruiu seu próprio apego, ódio e ignorância, e também para mostrar que ela é livre dos medos do samsara e da paz solitária e que pode conduzir todos os seres vivos a essa mesma liberdade.

O brilho do corpo vermelho de Vajrayogini, que resplandece como o fogo do final de um éon, simboliza o arder de seu fogo interior. O fogo interior de Vajrayogini faz com que seu corpo seja permeado por grande êxtase espontâneo, por meio do qual ela destrói totalmente as duas obstruções. Ela possui uma única face, e isso simboliza que Vajrayogini realizou que todos os fenômenos são, da perspectiva última, um único sabor, ou uma única natureza. Seus dois braços simbolizam sua completa realização das duas verdades. Seus três olhos simbolizam sua habilidade para ver tudo no passado, presente e futuro. Ela olha para o espaço, demonstrando sua aquisição das Terras Dakini *exterior* e *interior*, e indicando que ela conduz seus seguidores a essas aquisições. Sua mão direita segura uma faca curva, mostrando seu poder para cortar o *continuum* das delusões e os obstáculos de seus seguidores e de todos os seres vivos. Sua mão esquerda segura uma cuia de crânio repleta de sangue, que simboliza sua experiência da clara-luz de êxtase.

O ombro esquerdo de Vajrayogini sustenta um khatanga, simbolizando que ela nunca está separada de Pai Heruka. Heruka é a manifestação da mente plena de êxtase de todos os Budas, e Vajrayogini é a manifestação da mente de sabedoria de todos os Budas. Visto que essas duas mentes são uma única e mesma entidade, Heruka e Vajrayogini são uma única e mesma pessoa mostrando diferentes aspectos – eles não são como um casal comum. O khatanga é Heruka ele próprio, e as várias características do khatanga são as 62 Deidades do mandala de Heruka. O formato do khatanga é octogonal em seu sentido transversal, simbolizando os oito grandes solos sepulcrais do mandala de Heruka. Na extremidade inferior do khatanga, está um vajra de uma única haste, ou dente, simbolizando o círculo de proteção do mandala de Heruka. Na extremidade superior, está um vaso, simbolizando a mansão celestial de Heruka. Acima disso, estão: um vajra cruzado (simbolizando as oito Deidades da roda-compromisso), uma cabeça humana azul (simbolizando as dezesseis Deidades da roda-coração), uma cabeça humana vermelha (simbolizando as dezesseis Deidades da roda-fala) e uma cabeça humana branca (simbolizando as dezesseis Deidades da roda-corpo). No topo de tudo isso, está um vajra de cinco hastes, ou dentes, simbolizando as cinco Deidades da roda do grande êxtase.

A natureza do corpo de Vajrayogini é a perfeição de sabedoria de todos os Budas. Seus cinco ornamentos-mudra de osso são as demais cinco perfeições de todos os Budas. Adornando sua coroa, há uma roda de oito raios – ela é feita de osso, está em posição horizontal e, no centro dela, encontra-se uma joia preciosa, vermelha e com nove facetas. No topo dessa joia, está um vajra azul de cinco hastes. Na parte da frente da roda, está uma tiara com cinco crânios humanos e, no topo de cada crânio, há uma joia. As cinco joias simbolizam as Cinco Famílias Búdicas. No conjunto, todos esses implementos constituem o ornamento-cabeça de Vajrayogini, simbolizando a perfeição de esforço de todos os Budas. Os demais ornamentos são: ornamento-orelha (perfeição de paciência), ornamento-pescoço (perfeição de dar); ornamento-coração (perfeição de estabilização mental); e ornamentos dos braços e pernas (perfeição de disciplina moral).

Os cinco agregados purificados de Vajrayogini aparecem na forma dos cinco crânios humanos. Seus cinquenta ventos interiores purificados – as sementes da fala – aparecem na forma de uma guirlanda de cinquenta crânios humanos que Vajrayogini usa pendurada no pescoço. Seu cabelo é preto, simbolizando a natureza imutável de seu Corpo-Verdade. O cabelo cai livremente por suas costas, simbolizando que Vajrayogini é livre dos grilhões do agarramento ao em-si. Na prece dedicatória longa da sadhana, está dito que seu cabelo é vermelho-alaranjado, mas isso se refere principalmente às suas emanações humanas, que aparecem com um cabelo vermelho-alaranjado, como testemunhado por Tsarchen Losel Gyatso e outros.

Vajrayogini está nua e seus seios são fartos e excitados, mostrando que ela própria experiencia grande êxtase e que, também, concede a aquisição do grande êxtase aos praticantes.

Ao contemplar esse simbolismo, devemos tentar impedir a aparência comum que temos de nós próprios, de nosso ambiente e de nossos prazeres, e pensar profundamente: "acabo de nascer como o Corpo-Emanação Vajrayogini, em minha própria Terra Pura".

A MEDITAÇÃO DO ESTÁGIO DE GERAÇÃO PROPRIAMENTE DITA

A terceira parte do ioga da autogeração (que é a meditação do estágio de geração propriamente dita) será explicada após os dois próximos iogas.

O IOGA DE PURIFICAR OS MIGRANTES

Se praticarmos continuamente o sexto ioga (o ioga da autogeração), iremos aperfeiçoar nossa familiaridade com o reconhecimento de que alcançamos a Budeidade sob o aspecto de Vajrayogini. Após termos nos gerado como Vajrayogini habitando sua Terra Pura, devemos contemplar:

> *Eu tenho compaixão e amor por todos os seres vivos dos seis reinos. Agora eu posso conduzi-los, todos, à iluminação por meio de purificar seus ambientes, prazeres, corpos e mentes, e transformá-los no ambiente, prazeres, corpo e mente de Vajrayogini.*

Recitamos, então, as palavras apropriadas que estão na sadhana, ao mesmo tempo que meditamos em seu significado, como segue:

No interior de uma fonte-fenômenos vermelha no formato de um duplo tetraedro, em meu coração, está um mandala de lua. Em seu centro, está uma letra BAM rodeada por um rosário de mantra. Raios de luz se irradiam da lua, da letra BAM e do rosário de mantra e saem de meu corpo pelos poros de minha pele. Os raios de luz tocam todos os seres vivos dos seis reinos, purificando suas negatividades e obstruções juntamente com suas marcas, e os transformam, todos, na forma de Vajrayogini.

Ao gerar a bodhichitta, temos dois desejos: alcançar a Budeidade e conduzir todos os seres vivos ao mesmo estado. Imaginamos que acabamos de cumprir nosso primeiro desejo mediante a prática do sexto ioga – o ioga da autogeração. Agora, cumprimos nosso segundo desejo por meio da prática do sétimo ioga: o ioga de purificar os migrantes. Ambas as práticas são a causa principal para satisfazer esses dois desejos.

O Ioga de ser Abençoado por Heróis e Heroínas

Este tópico tem seis partes:

1. Meditação sobre o mandala de corpo;
2. Absorver os seres-de-sabedoria e fundir os três mensageiros;
3. Vestir a armadura;
4. Conceder iniciação e adornar a coroa;
5. Fazer oferendas à autogeração;
6. Os oito versos de louvor à Mãe.

MEDITAÇÃO SOBRE O MANDALA DE CORPO

Este tópico tem duas partes:

1. Explicação geral;
2. A meditação propriamente dita.

EXPLICAÇÃO GERAL

Neste contexto, "mandala" refere-se a uma assembleia de Deidades, e não à mansão celestial. O *mandala de corpo* recebe essa denominação porque a substância que se transforma em um mandala de corpo é originada de uma parte do corpo de uma Deidade autogerada. Isso é semelhante a chamar um vaso feito de ouro de *vaso de ouro*, pois a substância da qual o vaso é feito é ouro.

Um mandala de corpo é definido como a transformação de qualquer parte do corpo de uma Deidade autogerada em uma Deidade. Meramente visualizar Deidades marcadas no corpo (como na prática de Yamantaka, por exemplo) não é uma prática de mandala de corpo. Além disso, a Deidade autogerada não é, ela própria, um mandala de corpo porque sua substância causal não é uma parte de nosso corpo. Durante a prática de trazer a morte para o caminho, dissolvemos mentalmente nosso corpo comum na vacuidade e, da vacuidade, surgimos na forma de uma letra BAM, que é da natureza de nossa própria mente. Esse BAM, então, transforma-se em Vajrayogini. É apenas quando uma *parte* do corpo da autogeração se transforma em uma Deidade que essa parte se torna um mandala de corpo. Isso não é fácil de compreender de início e, em vários textos, há diferentes interpretações sobre *o que é* um mandala de corpo e *o que não é* um mandala de corpo.

Muitos praticantes altamente realizados louvaram a profunda prática do mandala de corpo de Vajrayogini, reconhecendo sua superioridade sobre as práticas de mandala de corpo de outras Deidades. Essa prática é um método especialmente poderoso para abençoar nossos canais, gotas e ventos. Por meio dessas bênçãos, nossos ventos interiores irão se reunir e se dissolver dentro do canal central em nosso coração, e isso irá fazer com que experienciemos a clara-luz de êxtase, o caminho rápido propriamente dito que nos conduz à Budeidade. Je Tsongkhapa disse que a aquisição do grande êxtase espontâneo depende de os canais e gotas serem abençoados pelos Heróis e Heroínas. Meditar no mandala de corpo nos capacita a receber essas bênçãos. Quando visualizamos nossos canais e gotas no aspecto de Heroínas, as Heroínas dos 24 lugares sagrados entram em nossos canais e gotas e os abençoam. Isso nos ajuda a desenvolver grande êxtase.

O mandala de corpo de Vajrayogini possui 37 Deidades geradas a partir de 37 partes de seu corpo. Essas 37 partes são: os 24 canais dos 24 lugares interiores, os oito canais das oito portas das faculdades sensoriais, os quatro canais da roda-canal do coração, e a gota indestrutível muito sutil no coração.

Logo após a concepção, quando o corpo começa a tomar forma, o primeiro canal a se desenvolver é o canal central, na altura do coração. A partir do canal central, os oito canais do coração se ramificam e, desses oito canais, os 24 canais se desenvolvem. O canal central pode ser comparado à haste principal de um guarda-chuva, e os 24 canais são como suas varetas. As extremidades interiores dos 24 canais unem-se ao canal central na roda-canal do coração, e as extremidades exteriores terminam nos 24 lugares interiores.

Os 24 lugares interiores do corpo são: (1) o contorno do couro cabeludo; (2) a coroa; (3) a orelha direita; (4) a nuca; (5) a orelha esquerda; (6) o ponto entre as sobrancelhas; (7) os dois olhos; (8) os dois ombros; (9) as duas axilas; (10) os dois mamilos; (11) o umbigo; (12) a ponta do nariz; (13) a boca; (14) a garganta; (15) o coração (o ponto bem no meio entre os dois mamilos); (16) os dois testículos, para os homens, ou os dois lados da vagina, para as mulheres; (17) a ponta do órgão sexual; (18) o ânus; (19) as duas coxas; (20) as duas panturrilhas; (21) os oito dedos das mãos, exceto os polegares, e os oito dedos dos pés, exceto os dedões; (22) o dorso dos pés; (23) os dois polegares e os dois dedões dos pés; e (24) os dois joelhos. Esses 24 lugares correspondem às 24 Terras Puras exteriores de Heruka e Vajrayogini que existem neste mundo.

Na prática do mandala de corpo de Heruka, as Deidades são geradas nas extremidades exteriores dos 24 canais, nos 24 lugares interiores. Por sua vez, no mandala de corpo de Vajrayogini, as Deidades são geradas nas extremidades interiores dos 24 canais, dentro do canal central, na altura da roda-canal do coração. Essa é a principal razão pela qual o mandala de corpo de Vajrayogini é mais profundo que o mandala de corpo de outros Yidams.

Os oito canais são os canais das oito portas das faculdades sensoriais. Essas oito portas são minúsculas aberturas, ou vacúolos, na extremidade exterior de cada um dos oito canais. Elas estão localizadas: (1) na raiz da língua; (2) no umbigo; (3) no órgão sexual; (4) no ânus; (5) no ponto entre as sobrancelhas; (6) nas duas orelhas; (7) nos dois olhos; e (8) nas duas narinas. As extremidades interiores desses oito canais unem-se ao canal central na roda-canal do coração, juntamente com as extremidades interiores dos 24 canais, as extremidades interiores dos quatro canais da roda-canal do coração e a gota indestrutível.

Essas 37 partes do corpo transformam-se nas 37 Deidades femininas das 62 Deidades do mandala de Heruka. As 62 Deidades estão incluídas nas Cinco "Rodas": as seis Deidades da roda do grande êxtase, as 16 Deidades da roda-coração; as 16 Deidades da roda-fala, as 16 Deidades da roda-corpo e as oito Deidades da roda-compromisso. No entanto, visualizamos diretamente apenas as oito Heroínas da roda-compromisso, as oito Heroínas da roda-corpo, as oito Heroínas da roda-fala, as oito Heroínas da roda-coração e as cinco Deidades femininas da roda do grande êxtase (as Deusas das quatro direções e a Deidade principal do mandala de corpo, Vajrayogini). As demais 25 Deidades – as Deidades masculinas – não são visualizadas diretamente, mas aparecem na forma de khatangas, que são sustentados por Vajrayogini e por cada uma das Heroínas das rodas corpo, fala e mente.

Todas as Heroínas do mandala de corpo são geradas dentro do canal central da roda-canal do coração. O canal central é ladeado pelos canais direito e esquerdo. Na altura da roda-canal do coração, esses dois canais enrolam-se três vezes em torno do canal central, formando seis nós ao redor dele. No centro desses nós, dentro do canal central, há um minúsculo vacúolo. É nesse minúsculo vacúolo que visualizamos o mandala de corpo de Vajrayogini. O centro da roda-canal do coração é uma das dez portas pelas quais os ventos podem entrar no canal central. É muito importante que o local da meditação do mandala de corpo seja precisamente identificado.

Se praticarmos o mandala de corpo todos os dias, visualizando, nas extremidades interiores dos 24 canais, as Heroínas e seus khatangas, e considerando esses canais como sendo os 24 lugares interiores, todos os Heróis e Heroínas dos 24 lugares *exteriores* irão entrar em nosso corpo. Não há necessidade de irmos aos 24 lugares exteriores para recebermos as bênçãos dessas Deidades.

A MEDITAÇÃO PROPRIAMENTE DITA

No centro da roda-canal do coração, visualizamos uma fonte-fenômenos, no centro da qual está uma minúscula almofada de lua, menor que uma unha – ou tão pequena quanto possamos visualizá-la. Sobre a almofada de lua estão os 36 canais e a gota indestrutível. Começando a partir da frente da almofada de lua e dispostos em sentido anti-horário, estão os 24 canais dos 24 lugares interiores e os oito canais das oito portas das faculdades sensoriais, formando um círculo de 32 canais. Essa disposição é semelhante à maneira como as 32 letras do mantra tri-OM estão dispostas sobre a almofada de lua, durante a recitação do mantra. Os canais estão em posição vertical. Eles são ligeiramente mais finos que uma agulha, bastante curtos, transparentes, e encontram-se preenchidos com gotas vermelhas e brancas. Dentro do círculo dos 32 canais, estão os quatro canais da roda-canal do coração – esses quatro canais estão em pé e cada um está situado em uma direção cardeal. No centro disso, está a gota indestrutível muito sutil, que é do tamanho aproximado ao de uma semente de mostarda. A gota indestrutível é clara e translúcida. Sua metade superior é branca e a metade inferior, vermelha. É importante acreditar que esses canais e gotas visualizados são, de fato, os canais e as gotas de nosso próprio corpo.

Os 32 canais formam um círculo ao redor da borda do disco de lua. Dentro desse círculo, estão os quatro canais das quatro direções e, no centro exato disso, está a gota indestrutível. Os 32 canais transformam-se instantaneamente nas 32 letras do mantra tri-OM, que estão em posição vertical. Os quatro canais – começando a partir da esquerda (ou seja, o norte) e prosseguindo em sentido anti-horário – transformam-se, respectivamente, na letra YA verde, na letra RA vermelha, na letra LA amarela e na letra WA branca. A gota central transforma-se na letra AH-curto, cuja metade superior é branca e a metade inferior, vermelha. Tentamos focar nossa mente de modo bastante claro nessas 37 letras. Elas são, em essência, nossos 36 canais e nossa gota indestrutível, mas têm o aspecto das letras do mantra tri-OM.

Após focarmos, concentrados, essas letras por algum tempo, imaginamos que elas se transformam simultaneamente nas Heroínas do mandala de Heruka. No centro, está Vajrayogini. Ela está rodeada pelas quatro Heroínas das quatro direções cardeais, e estas, por sua vez, estão rodeadas pelas 32 Heroínas, dispostas ao redor da borda da almofada de lua. Todas elas estão no aspecto de Vajrayogini e estão de frente para a Deidade principal, ao centro.

Ao redor da borda da almofada de lua, começando a partir da frente e prosseguindo em sentido anti-horário, estão as oito Heroínas da roda-coração de Heruka: Partzandi, Tzändriakiya, Parbhawatiya, Mahanasa, Biramatiya, Karwariya, Lamkeshöriya e Drumatzaya. Elas são sucedidas pelas oito Heroínas da roda-fala de Heruka: Airawatiya, Mahabhairawi, Bayubega, Surabhakiya, Shamadewi, Suwatre, Hayakarne e Khaganane. Elas são sucedidas pelas oito Heroínas da roda-corpo de Heruka: Tzatrabega, Khandarohi, Shaundini, Tzatrawarmini, Subira, Mahabala, Tzatrawartini e Mahabire. Essas são as 24 Heroínas dos 24 lugares. Completando o círculo das 32 Heroínas, estão as oito Heroínas da roda-compromisso de Heruka: Kakase, Ulukase, Shonase, Shukarase, Yamadhathi, Yamaduti, Yamadangtrini e Yamamatani.

Imaginamos que as 32 letras do mantra tri-OM transformam-se nessas Heroínas. Por exemplo: o primeiro OM do mantra se transforma na Heroína Partzandi, o segundo OM se transforma em Tzändriakiya, o terceiro OM se transforma em Parbhawatiya, o SAR se transforma em Mahanasa, o WA se transforma em Biramatiya, e assim por diante, até concluir com o terceiro PHAT (que se transforma em Yamaduti), o SÖ (que se transforma em Yamadangtrini) e o HA (que se transforma em Yamamatani).

Dentro do círculo de 32 Heroínas, as quatro letras YA, RA, LA e WA transformam-se nas quatro Deusas. No norte, a letra YA se transforma em Lama verde; no oeste, a letra RA se transforma em Khandarohi vermelha; no sul, a letra LA se transforma em Rupini amarela; e no leste, a letra WA se transforma em Dakini branca. Essas quatro Deusas têm a aparência exata de Vajrayogini, exceto por suas cores, que são diferentes. No centro exato disso, o AH--curto vermelho e branco se transforma na própria Vajrayogini. As quatro Deusas das quatro direções cardeais, juntamente com Vajrayogini, são as Heroínas da roda do grande êxtase de Heruka.

Todos os Heróis (os Budas masculinos do Mantra Secreto) e todas as Heroínas (os Budas femininos do Mantra Secreto) estão abrangidos pelos Heróis e Heroínas dos 24 lugares. Por essa razão, quando visualizamos os Heróis e Heroínas dos 24 lugares na forma das 37 Heroínas do mandala de corpo e seus khatangas, estamos de fato visualizando todos os Budas. Se tivermos forte fé de que as 37 Heroínas estão realmente no centro de nosso coração, todos os Budas irão entrar em nosso coração e permanecer nele, e nosso corpo irá se tornar muito precioso.

Os corpos dos Budas não são obstruídos pela matéria. Sempre que visualizamos os Budas – seja diante de nós ou em nosso coração – eles imediatamente estarão lá, presentes. Se abrigarmos dúvidas sobre isso, estaremos nos privando da chance de receber suas bênçãos. Quando fazemos essas práticas, precisamos de uma firme convicção na existência de seres iluminados e na habilidade que eles têm de aparecer sempre e onde quer que os visualizemos. Nos Sutras, Buda disse que estaria presente toda vez que alguém o visualizasse com fé. Nós, seres comuns, não podemos ver os Budas diretamente porque não temos mérito suficiente. Assim como um sol obscurecido pelas nuvens, nossas mentes estão obscurecidas pelas delusões, ou aflições mentais, e pela nossa inclinação ou tendência para ações não virtuosas. Embora os Budas existam, não seremos capazes de vê-los até que tenhamos dissipado nossos próprios obscurecimentos mentais. Até que isso aconteça, devemos tentar desenvolver a convicção de que os Budas estão realmente presentes sempre que os visualizamos. Sem essa convicção, nossa prática do Mantra Secreto – e, especialmente, a prática do mandala de corpo – não serão bem-sucedidas. Se acreditarmos firmemente que os Heróis e Heroínas estão no centro da nossa roda-canal do coração, eles definitivamente irão entrar e abençoar nossos canais, gotas e ventos. Ficaremos muito próximos deles e receberemos seus cuidados e orientações, e eles irão nos ajudar a desenvolver grande êxtase espontâneo.

Há dois pontos importantes para recordar quando meditamos no mandala de corpo. O primeiro ponto é que as 37 Heroínas no centro da nossa roda-canal do coração são as próprias Heroínas da Terra Pura de Vajrayogini. O segundo ponto é que os canais, gotas e elementos purificados do nosso próprio corpo são da natureza, ou essência, dessas 37 Heroínas. Se não nos lembrarmos do primeiro ponto, não receberemos as bênçãos diretas das Heroínas, e, se não nos lembrarmos do segundo ponto, nossa meditação não será uma prática de mandala de corpo.

Durante a meditação do mandala de corpo propriamente dita, primeiramente concentramo-nos na Deidade principal – Vajrayogini – no centro da almofada de lua em nosso coração, dentro do canal central, e recordamos que a Deidade principal é, em essência, nossa própria gota indestrutível purificada. Depois, concentramo-nos em cada uma das quatro Heroínas, recordando que os nossos quatro canais das quatro direções em nosso coração, purificados, são da natureza dessas quatro Heroínas. Depois, concentramo-nos nas 32 Heroínas, recordando que os 24 canais purificados dos 24 lugares e os oito canais purificados das oito portas das faculdades sensoriais são da natureza dessas 32 Heroínas.

Após focarmos brevemente as 32 Heroínas, concentramo-nos novamente nas quatro Heroínas e, depois, concentramo-nos na Deidade principal. Repetimos esse ciclo de meditação analítica diversas vezes, construindo gradualmente a visualização de toda a assembleia. Quando tivermos uma imagem aproximada da assembleia das 37 Heroínas, mantemos essa imagem em meditação posicionada, com concentração estritamente focada. No início, não conseguiremos perceber cada Heroína de modo claro e individual. Devemos ficar satisfeitos com uma imagem aproximada de toda a assembleia e nos concentrarmos, estritamente focados, nessa imagem. Com a meditação posicionada, tentamos fundir nossa mente com a assembleia de Heroínas, de modo que percamos a sensação de que a *nossa mente* e a *assembleia* são como que duas coisas separadas. Primeiramente, observamos a assembleia como se fôssemos separados dela e, depois, dissolvemos nossa mente na assembleia, de modo que a nossa mente torna-se *una* com a assembleia. Meditamos, então, nisso com concentração estritamente focada.

No início, até que fiquemos familiarizados com a prática, devemos fazer essa meditação por apenas um breve período. Não é aconselhável que nos concentremos por muito tempo em objetos sutis logo de início. Após meditarmos por um breve período, devemos descansar um pouco e, depois, recomeçar a meditação analítica. Fazemos novamente o exame da assembleia de Heroínas, começando pela Vajrayogini central; passamos depois para as quatro Heroínas, para as 32 Heroínas e, outra vez, retornamos. Quando obtivermos uma imagem de toda a assembleia, posicionamos nossa mente nessa concentração estritamente focada. Essa é a maneira de treinarmos gradualmente a meditação do mandala de corpo.

Durante a meditação, nossa atenção não deve se desviar para fora do canal central. Manter nossa atenção focada dentro do canal central fará com que nossos ventos entrem, permaneçam e se dissolvam nele. Quando isso acontecer, experienciaremos cada um dos sinais de dissolução, desde a *aparência miragem* até a *clara-luz*.

Há outras maneiras de gerar o mandala de corpo, mas o método explicado aqui é o mais sucinto. Ele foi ensinado por Je Phabongkhapa e Dorjechang Trijang Rinpoche.

ABSORVER OS SERES-DE-SABEDORIA E FUNDIR OS TRÊS MENSAGEIROS

Este tópico tem duas partes:

1. Absorver os seres-de-sabedoria nos seres-de-compromisso;
2. Fundir os três mensageiros.

ABSORVER OS SERES-DE-SABEDORIA NOS SERES-DE-COMPROMISSO

Nessa prática, há dois tipos de ser-de-compromisso: nós mesmos (gerados como Vajrayogini, juntamente com as 37 Deidades do mandala de corpo) e a visualização do círculo de proteção, solos sepulcrais e fonte-fenômenos. Eles são denominados "seres-de-compromisso" porque, quando recebemos a iniciação de Vajrayogini, tomamos o compromisso de gerar todos eles. Os seres-de-sabedoria são os Budas masculinos e femininos das dez direções. Quando convidamos os seres-de-sabedoria, imaginamos que eles chegam ao espaço a nossa frente no mesmo aspecto dos seres-de-compromisso e, então, eles se dissolvem nos seres-de-compromisso, unificando-se com eles. Enquanto visualizamos isso, recitamos as seguintes palavras da sadhana:

> **PHAIM**
> **Raios de luz se irradiam da letra BAM em meu coração, saem por entre minhas sobrancelhas e se espalham para as dez direções. Eles convidam todos os Tathagatas, Heróis e Ioguines das dez direções, todos sob o aspecto de Vajrayogini.**

Recitamos bem alto "PHAIM", para exortarmos os seres-de-sabedoria a virem até nós. Enquanto fazemos isso, mentalmente recordamo-nos do êxtase e da vacuidade e, fisicamente, fazemos o gesto manual denominado "mudra fulgurante". Para fazer esse mudra, primeiramente juntamos as pontas dos polegares, de modo que se toquem mutuamente; com as palmas voltadas para fora, enganchamos levemente os dois indicadores, com o indicador direito passando sobre o esquerdo. Os dois dedos médios tocam-se levemente, e os dedos anulares e mínimos ficam estendidos para cima. É dito que o formato feito pelos dedos indicadores e polegares é semelhante ao formato de uma vagina, que simboliza grande êxtase. O espaço vazio entre esses dedos simboliza a vacuidade.

A associação do formato dos dedos com o espaço vazio entre eles simboliza a união de grande êxtase e vacuidade; juntos, o formato e o espaço vazio nos recordam a experienciar a união de grande êxtase e vacuidade. Os dedos anulares e mínimos estendidos para cima simbolizam o arder do fogo interior. Esse mudra nos recorda a gerar a experiência de grande êxtase e vacuidade. Inicialmente, mantemos nossas mãos nesse mudra, apoiadas sobre o nosso joelho esquerdo e com as palmas voltadas para baixo; então, enquanto recitamos "PHAIM", trazemos as mãos para cima, até a nossa testa, fazendo um movimento em forma de arco, e descrevemos nove pequenos movimentos circulares com as nossas mãos {ainda formando o mudra} – três círculos no sentido anti-horário, três no sentido horário, e novamente três círculos no sentido anti-horário. Depois, trazemos nossas mãos para o nosso joelho direito.

Com a exortação verbal PHAIM, invocamos os seres-de-sabedoria. Imaginamos que todos os Budas masculinos e femininos (os Heróis e as Heroínas das dez direções, todos aparecendo no aspecto de Vajrayogini, juntamente com o mandala inteiro e as Deidades) vêm ao espaço acima do nosso mandala visualizado. Os seres-de-sabedoria são idênticos em aspecto aos seres-de-compromisso.

Recitamos então "DZA HUM BAM HO". Ao dizermos "DZA", os seres-de-sabedoria aparecem acima dos seres-de-compromisso. Simultaneamente, fazemos o "mudra gancho". Para fazê-lo, estendemos os dedos indicadores e mínimos e dobramos os dedos médios e anulares, de modo a tocarem as respectivas palmas, e os polegares passam por cima deles, segurando-os. Mantendo a palma da mão direita voltada para baixo e a esquerda para cima, tocamos a ponta do indicador direito na ponta do dedo mínimo da mão esquerda.

Ao dizermos "HUM", os seres-de-sabedoria dissolvem-se nos seres-de-compromisso. Simultaneamente, fazemos o "mudra laço", ou "mudra ligadura", que é uma imagem espelhada do mudra gancho. Assim, mantemos a palma da mão esquerda voltada para baixo e a direita para cima, e tocamos a ponta do indicador esquerdo na ponta do dedo mínimo da mão direita.

Ao dizermos "BAM", os seres-de-sabedoria e os seres-de--compromisso fundem-se inseparavelmente. Ao mesmo tempo, fazemos o "mudra corrente de ferro". Para fazer esse mudra, mantemos os dedos como antes, mas as palmas ficam voltadas para cima e os dedos indicadores e mínimos levemente enganchados.

Ao dizermos "HO", a fusão inseparável dos seres-de-sabedoria com os seres-de-compromisso é estabilizada. Simultaneamente, fazemos o "mudra sino". Continuamos mantendo os dedos médios e anulares dobrados, com os polegares passando sobre eles e segurando-os, e os dedos indicadores e mínimos estendidos, como antes. Então, cruzamos nossos braços, com o antebraço esquerdo próximo de nosso corpo. Mantemos nossa mão esquerda com os dedos apontando para cima {mas sem desfazer a posição deles}, e dobramos nosso pulso direito, de modo que os dedos da mão direita apontem para baixo, com a palma voltada para fora. Os pulsos tocam-se, com o lado interior de nosso pulso direito tocando a parte de fora de nosso pulso esquerdo. Todos esses mudras estão ilustrados no Apêndice III.

Essa invocação é semelhante ao modo pelo qual um oráculo convida uma Deidade para entrar em seu próprio corpo, por meio de concentração. Em tais ocasiões, há muitos sinais válidos de que a Deidade realmente entrou no corpo do oráculo. De modo semelhante, quando invocamos os seres-de-sabedoria de Vajrayogini e os convidamos a entrarem no corpo da autogeração, não devemos ter dúvidas de que nos unificamos com o ser-de-sabedoria Vajrayogini e que o nosso ambiente é a Terra Pura de Vajrayogini.

As escrituras dizem que se recitarmos verbalmente PHAIM, fizermos o mudra e nos recordarmos do grande êxtase e vacuidade, é absolutamente certo que todos os Budas virão até nós. Vajradhara, ele próprio, prometeu que viria com todos os Budas sempre que praticantes fiéis e devotados o chamassem. Não precisamos ter dúvidas sobre isso. Se fizermos regularmente essa poderosa invocação, nosso continuum mental irá receber as bênçãos dos Heróis e Heroínas, e obteremos confiança de que os seres-de-sabedoria realmente se dissolveram em nós e permanecem sempre conosco.

Obtemos aquisições do Tantra Ioga Supremo basicamente por meio do poder da fé e da imaginação. Por imaginarmos vividamente que os seres-de-sabedoria se dissolvem em nosso corpo e mente e por acreditarmos que isso realmente acontece, tanto o nosso orgulho divino de sermos Vajrayogini quanto a clareza de nossa visualização irão se aperfeiçoar. Por meio dessa prática, iremos superar as concepções comuns e as aparências comuns e obteremos realizações tântricas. Embora, no início, a absorção dos seres-de-sabedoria seja imaginada, ainda assim, ela possui esses efeitos. Por meio de prática contínua, por fim os seres-de-sabedoria irão realmente entrar em nosso corpo e mente sempre que os invocarmos, exatamente como acontece com um oráculo. Eu gostaria de encorajar os praticantes de Vajrayogini ou Heruka a se tornarem oráculos qualificados de Vajrayogini ou Heruka, por meio de manterem o ser-de-sabedoria em seu coração o tempo todo. Desse modo, esses praticantes irão se tornar emanações de Vajrayogini ou Heruka.

Tendo dissolvido os seres-de-sabedoria de Vajrayogini em nós mesmos, recitamos então o mantra "OM YOGA SHUDDHA SARWA DHARMA YOGA SHUDDHO HAM", que significa "eu sou a natureza do ioga de todos os fenômenos completamente purificados". Neste contexto, "ioga" refere-se à união de êxtase e vacuidade. Do ponto de vista último, todos os fenômenos são, em essência, a união de grande êxtase e vacuidade. Observando essa união totalmente abrangente de êxtase e vacuidade, geramos orgulho divino, pensando: "isso sou eu". A expressão "todos os fenômenos completamente purificados" significa que todos os fenômenos foram completamente purificados de aparência equivocada.

Enquanto recitamos esse mantra, fazemos o "mudra concedendo a essência". Para fazê-lo, executamos três vezes o "mudra lótus-que-gira" – primeiro, do lado esquerdo do peito; depois, do lado direito do peito; e depois, no coração – e, por fim, fazemos o "mudra abraço". O primeiro mudra simboliza os ventos interiores do canal esquerdo reunindo-se no canal central; o segundo mudra simboliza os ventos interiores do canal direito reunindo-se no canal central; o terceiro mudra simboliza todos os ventos dissolvendo-se no canal central, na altura do coração; e o quarto mudra simboliza a união do Pai e da Mãe em abraço. Mantemos esse mudra brevemente, enquanto nos lembramos do grande êxtase inseparável da vacuidade, que é a Vajrayogini secreta gerada durante a iniciação de Vajrayogini. Enquanto recitamos o mantra e fazemos o mudra, imaginamos que a nossa mente de grande êxtase funde-se com a natureza última de todos os fenômenos. Consideramos, então, essa união de grande êxtase e vacuidade como a base sobre a qual imputamos *eu*, e geramos orgulho divino de sermos o Corpo-Verdade Vajrayogini. Simultaneamente, recitamos: "eu sou a natureza do ioga de todos os fenômenos completamente purificados". Essa experiência é muito profunda, e seu real significado não é fácil de compreender.

A prática correta dessa meditação envolve a fusão dos mensageiros exteriores, interiores e secretos. No sexto ioga – o ioga da autogeração – visualizamos a Vajrayogini interior: a letra BAM. Agora, no ioga de ser abençoado por Heróis e Heroínas, primeiro absorvemos as Vajrayoginis exteriores (as Dakinis dos 24 lugares sagrados) e, então, identificamos a Vajrayogini secreta – a Vajrayogini definitiva – que é a união de êxtase e vacuidade.

FUNDIR OS TRÊS MENSAGEIROS

Fundir os três mensageiros significa que: convidamos as mensageiras exteriores – as Heroínas dos 24 lugares de Heruka e da Terra Pura de Keajra; dissolvemos as mensageiras exteriores nas mensageiras interiores (as 37 Deidades do mandala de corpo de Vajrayogini, que são a natureza de nossos canais e da gota indestrutível); e, por meio dessa dissolução, experienciamos a mensageira secreta, a união de grande êxtase e vacuidade.

Em geral, um mensageiro é alguém que satisfaz os desejos de duas pessoas por transmitir uma mensagem entre elas. Nesta prática, é dito que há três tipos de mensageiro: mensageiros exteriores, mensageiros interiores e mensageiros secretos. Os mensageiros exteriores são as Heroínas que residem nos 24 lugares de Heruka e na Terra Pura das Dakinis. Elas são convidadas quando invocamos os seres-de-sabedoria a se dissolverem nos seres-de-compromisso. Elas são denominadas "mensageiras" porque satisfazem os desejos daqueles praticantes que querem alcançar grande êxtase espontâneo. Os mensageiros interiores são os 36 canais e a gota indestrutível de nosso corpo, que aparecem no aspecto das Heroínas do mandala de corpo. Por meio de concentração, podemos penetrar esses canais, fazendo com que os ventos entrem, permaneçam e se dissolvam dentro do canal central e, assim, gerar grande êxtase espontâneo. Os mensageiros secretos sãos os muitos níveis de realização da excelsa sabedoria espontaneamente nascida, que são a causa principal da Budeidade, nosso objetivo último. Os mensageiros interiores são os objetos observados da meditação do estágio de conclusão, e os mensageiros secretos são as realizações que resultam de tal meditação.

Na prática de fundir os três mensageiros, convidamos as mensageiras exteriores (as Heroínas dos 24 lugares e da Terra Pura das Dakinis) para se dissolverem nos mensageiros interiores (os canais de nosso corpo) e, então, imaginamos que geramos o mensageiro secreto (a mente de grande êxtase indivisivelmente misturada, unificada, com a vacuidade). Em uma prece de Vajrayogini, está dito:

Ó Venerável e linda Senhora da Terra Dakini,
Por receber assistência dos três mensageiros exteriores
E meditar nos três mensageiros interiores,
Que eu alcance os três mensageiros secretos.

Um mensageiro exterior é qualquer um que nos ajude a gerar grande êxtase. Há três tipos de mensageiro exterior: supremo, mediano e menor. Um mensageiro *exterior supremo* é alguém que alcançou a união-que-precisa-aprender ou a União-do-Não-Mais-Aprender; um mensageiro *exterior mediano* é alguém que alcançou realizações do estágio de conclusão, mas não a união; e o mensageiro *exterior menor* é alguém que possui alguma experiência do estágio de geração, mas não do estágio de conclusão.

Há também três tipos de mensageiro interior. Os mensageiros *interiores supremos* são o canal central e os quatro canais do coração; os mensageiros *interiores medianos* são os 24 canais dos 24 lugares do corpo; e os mensageiros *interiores menores* são os oito canais das oito portas das faculdades sensoriais. A meditação no canal central e nos quatro canais do coração é o método mais rápido e mais poderoso para centralizar os ventos e experienciar grande êxtase espontâneo. A penetração meditativa dos 24 canais dos 24 lugares interiores é um método menos poderoso para centralizar os ventos do que a meditação no canal central, ele próprio; porém, a penetração meditativa dos 24 canais é mais poderosa do que meditar em outros canais – tais como os oito canais das oito portas das faculdades sensoriais. A penetração meditativa dos oito canais também irá fazer com que os ventos entrem no canal central; porém, esse método é o menos poderoso para experienciarmos grande êxtase, razão pela qual os oito canais são denominados "mensageiros *interiores menores*".

As meditações nos três mensageiros interiores incluem meditações nos ventos e nas gotas, assim como nos canais. Um exemplo da primeira meditação, a meditação nos ventos, é a recitação vajra, também denominada "o ioga do vento" – esse tipo de recitação é explicado em detalhes no livro *Solos e Caminhos Tântricos*. A recitação vajra é um excelente método para trazer os ventos para o canal central e fazer com que grande êxtase espontâneo surja. Um exemplo da meditação nas gotas é a meditação no fogo interior, também denominada "meditação tummo" ou "o ioga das gotas", que é outro excelente método para experienciar grande êxtase espontâneo. Nessa meditação, concentramo-nos na célula, ou gota, vermelha do sangue, localizada no umbigo e que tem a natureza do fogo interior. Qualquer método que cause a experiência de grande êxtase espontâneo é denominado "mensageiro".

Há também três tipos de mensageiro secreto. O mensageiro *secreto supremo* é a mente de grande êxtase espontâneo que realiza a vacuidade diretamente; o mensageiro *secreto mediano* é a mente de grande êxtase espontâneo meditando na imagem genérica da vacuidade; e o mensageiro *secreto menor* é a mente de meditação que simplesmente imagina que temos a mente de grande êxtase, indivisível da vacuidade. Embora essa última meditação não seja um realização completa, ela é denominada "mensageiro secreto" porque nos ajuda a desenvolver a realização propriamente dita da união de grande êxtase e vacuidade.

Em resumo, obtemos os três mensageiros secretos por meio de penetrar, com o auxílio dos três mensageiros exteriores, os três mensageiros interiores. Para penetrar os mensageiros interiores, é necessário meditar em nossos canais, gotas e ventos. Há muitos mensageiros exteriores que irão nos ajudar em nossa prática, mas é muito importante que nossa meditação nos canais, gotas e ventos seja feita corretamente.

Podemos afrouxar os nós da roda-canal do coração por meio da meditação do estágio de conclusão, na qual os ventos interiores entram e se dissolvem no canal central na altura do coração, fazendo com que experienciemos grande êxtase. No entanto, embora possamos afrouxar parcialmente os nós por meio de meditação solitária, não conseguiremos afrouxá-los totalmente sem dependermos de um mensageiro exterior. No momento da morte, os nós da roda-canal do coração afrouxam-se totalmente devido à força do carma, permitindo que nossa consciência deixe o corpo; mas, para afrouxar totalmente os nós antes da morte, precisamos da assistência de um mensageiro exterior, ou mudra-ação, com quem podemos fortalecer e aperfeiçoar nossa experiência do grande êxtase. Quando tivermos afrouxado completamente todos os nós da roda-canal do coração por meio de meditação e na dependência de um mudra-ação, iremos alcançar a mente-isolada da clara-luz-exemplo última. Essa clara-luz de grande êxtase é o mensageiro secreto. Uma vez que tenhamos obtido essa realização, definitivamente alcançaremos a iluminação antes da morte.

Na dependência dos mensageiros exteriores e de meditarmos nos mensageiros interiores, geramos os mensageiros secretos.

Unificar os três tipos de mensageiro desse modo é denominado “fundir os três mensageiros”.

VESTIR A ARMADURA

Há três razões principais para vestirmos a armadura: (1) para estabilizar a absorção dos seres-de-sabedoria nos seres-de-compromisso; (2) para nos protegermos contra obstáculos exteriores, como espíritos prejudiciais; e (3) para nos protegermos de obstáculos interiores, como delusões e doenças, que perturbam nossa concentração na prática do estágio de geração. Do mesmo modo que guerreiros usam armaduras para se protegerem na batalha, meditadores precisam proteger a si próprios, dotando-se de uma couraça contra obstáculos e impedimentos.

Há dois sistemas para vestir a armadura. Um deles é visualizar Deidades marcadas sobre o corpo; o outro é visualizar as letras-sementes das Deidades, e são as suas letras-sementes que se encontram marcadas sobre o corpo. Quando fazemos a prática de modo elaborado, como na sadhana extensa de Heruka, visualizamos Deidades marcadas sobre o corpo; mas, na sadhana extensa de Vajrayogini, visualizamos somente as letras-sementes das Deidades.

No Mantra Secreto, é importante compreender que as Deidades e suas letras-sementes têm a mesma natureza. Por exemplo, as 32 letras do mantra tri-OM são da mesma natureza que as 32 Deidades do mandala de corpo de Vajrayogini. Não obteremos aquisições supramundanas se considerarmos os mantras e as Deidades como diferentes em natureza.

Na prática de Vajrayogini visualizamos – em vários pontos do corpo, entre a pele e a carne – as letras-sementes de seis Deusas. As seis Deusas são: Vajravarahi (a consorte de Buda Akshobya); Yamani (o aspecto irado de Lochana, a consorte de Buda Vairochana); Mohani (o aspecto irado de Benzarahi, a consorte de Buda Amitabha); Sachalani (o aspecto irado de Vajradhatuishvari, a consorte de Buda Vajradhara); Samtrasani (o aspecto irado de

Mamaki, a consorte de Buda Ratnasambhava); e Chandika (o aspecto irado de Tara, a consorte de Buda Amoghasiddhi).

No nível do nosso umbigo, visualizamos um mandala de lua em posição vertical, e no centro do mandala visualizamos as letras OM BAM vermelhas, respectivamente à direita e à esquerda. Embora tenham o aspecto de letras, elas são, em essência, Vajravarahi. No nível do nosso coração, encontra-se um mandala de lua em posição vertical, que tem em seu centro as letras HAM YOM azuis, respectivamente à direita e à esquerda. Elas são, em essência, Yamani. No topo do nosso pescoço, logo abaixo do queixo, está um mandala de lua em posição vertical, que tem em seu centro as letras HRIM MOM brancas, respectivamente à direita e à esquerda. Elas são, em essência, Mohani. Em nossa testa, encontra-se um mandala de lua em posição vertical, que tem em seu centro as letras HRIM HRIM amarelas. Elas são, em essência, Sachalani. Em nossa coroa, está um mandala de lua em posição horizontal, que tem em seu centro as letras HUM HUM verdes. Elas são, em essência, Samtrasani. Em ambos os ombros, pulsos, quadris e tornozelos, no centro de mandalas de lua em posição vertical, estão as letras PHAT PHAT cor-de-fumaça. Elas são, em essência, Chandika. Na sadhana, está dito que essas letras estão "em todos os meus membros", mas o significado é que as letras estão nos oito lugares aqui mencionados. Esses lugares são conhecidos como "as oito grandes articulações".

Em cada caso, as duas letras em cada ponto do corpo simbolizam o Pai e a Mãe de cada Família Búdica. As letras à direita simbolizam o Pai, e as da esquerda simbolizam a Mãe. Por exemplo, em nosso umbigo, o OM simboliza Akshobya, o Pai da Família Vajra, e o BAM simboliza Vajravarahi, a Mãe dessa Família.

Das letras HUM HUM verdes em nossa coroa, luz verde se irradia entre a pele e a carne, fazendo com que a superfície de nosso crânio acima da testa seja protegida por uma camada de luz verde. No entanto, isso não altera a cor da camada exterior de nossa pele, que permanece vermelha, já que estamos gerados como Vajrayogini. Das letras HRIM HRIM amarelas em nossa testa, luz amarela se irradia entre a pele e a carne, descendo até o topo de nosso pescoço. Das letras HRIM MOM brancas em nosso pescoço, luz branca se irradia para baixo e em torno de nosso corpo, entre a pele e a carne, até a altura de nosso coração. Das letras HAM YOM azuis na altura de nosso coração, luz azul se irradia para baixo até o nosso umbigo. Das letras OM BAM vermelhas em nosso umbigo, luz vermelha se irradia para baixo até os nossos quadris. Das letras PHAT PHAT em nossos quadris, luz cor-de-fumaça se irradia para baixo até os nossos tornozelos; e das letras PHAT PHAT em nossos tornozelos, luz cor-de-fumaça se irradia para baixo até a ponta de nossos dedos. Das letras PHAT PHAT em nossos ombros, luz cor-de-fumaça se irradia para baixo até os nossos pulsos; e das letras PHAT PHAT em nossos pulsos, luz cor-de-fumaça se irradia para baixo até a ponta de nossos dedos. Não há nenhum espaço entre as diferentes luzes coloridas, de modo que qualquer parte de nosso corpo, entre a pele e a carne, está preenchida com essas luzes radiantes.

Em resumo, imaginamos que nosso corpo está totalmente envolto por uma camada protetora de luz, que é, em essência, as Cinco Famílias Búdicas. Nosso corpo e mente são preenchidos com essa sabedoria. Desse modo, os seres-de-sabedoria permanecem unificados conosco e impedindo a entrada de quaisquer obstáculos em nosso corpo ou em nossa mente. É importante ter forte fé de que essas luzes são da mesma natureza que o grande êxtase e vacuidade das Cinco Famílias Búdicas. Essa convicção irá nos proteger contra qualquer dano ou prejuízo. Com efeito, estamos criando um círculo de proteção interior.

CONCEDER INICIAÇÃO E ADORNAR A COROA

Segue-se agora a explicação de três práticas: (1) conceder iniciação e adornar a coroa; (2) fazer oferendas à autogeração; e (3) os oito versos de louvor à Mãe. Embora essas práticas não estejam diretamente listadas entre os onzes iogas, elas são uma parte importante da prática de autogeração.

Do ponto de vista das aparências incomuns, as Cinco Famílias Búdicas das dez direções ungiram, com os cinco néctares, o corpo de Buda Shakyamuni quando ele nasceu. Aqui, neste ponto da sadhana, imaginamos que a Vajrayogini recém-surgida recebe uma iniciação semelhante.

Primeiro, recitamos "PHAIM" enquanto fazemos o mudra fulgurante. Visualizamos raios de luz se irradiando da letra BAM em nosso coração e convidando, do mandala de Heruka, as Deidades Que-Concedem-Iniciação a aparecerem no espaço acima de nós. Pedimos então a essas Deidades, juntamente com todos os Budas, que nos concedam a iniciação. As oito Deusas dos portais respondem ao nosso pedido, afastando todos os impedimentos; os 24 Heróis, como Khandakapala, entoam versos auspiciosos; as 24 Heroínas, como Partzandi, cantam canções-vajra sobre a vacuidade; e as Deusas oferecedoras, como Rupavajra e Shaptavajra, fazem oferendas à Deidade principal, Heruka. A Deidade principal consente em conceder a iniciação, e Vajravarahi e as Quatro Mães - Lama, Khandarohi, Rupini e Dakini - seguram ao alto preciosos vasos adornados com joias, repletos com os cinco néctares-sabedoria, e derramam os néctares sobre nosso coroa. Os néctares entram pela nossa roda-canal da coroa e preenchem nosso corpo por inteiro, purificando todas as obstruções e ações negativas de corpo, fala e mente.

Um pouco de néctar transborda pela nossa roda-canal da coroa e transforma-se em Buda Vairochana-Heruka juntamente com sua consorte, sentados no interior de uma joia multifacetada do nosso ornamento-coroa. Buda Vairochana-Heruka e consorte são, ambos, brancos. O Pai senta-se em postura vajra. Com sua mão direita no gesto do equilíbrio meditativo, ele segura uma roda, e com sua mão esquerda, na altura do coração, segura um sino. Vairochana-Heruka é o aspecto do *método* de todos os Budas, aparecendo na forma de uma Deidade, e Vajrayogini é o aspecto da *sabedoria* de todos os Budas, aparecendo como uma Deidade. Vajrayogini pertence, de fato, à Família Akshobya, mas aqui ela está adornada por Vairochana-Heruka para mostrar a união de método e sabedoria. Esse é um dos muitos símbolos da união de método e sabedoria a serem encontrados por toda a prática de Vajrayogini.

FAZER OFERENDAS À AUTOGERAÇÃO

De acordo com algumas tradições, não é necessário fazer oferendas a nós mesmos gerados como a Deidade; é dito que fazer oferendas à Deidade gerada-em-frente é suficiente. Je Tsongkhapa, no entanto, deu muitas explicações que mostram a importância de fazer oferendas à autogeração, e citou diversos Tantras para fundamentar seu raciocínio. No *Tantra-Raiz de Heruka*, Vajradhara diz:

> Fazer oferendas a nós mesmos
> Torna-se uma oferenda a todos os Budas.

Quando, gerados como Vajrayogini, absorvemos os seres-de--sabedoria, todos os Budas se dissolveram e se fundiram de modo inseparável conosco – esse é o significado da afirmação de Vajradhara. Além disso, durante a prática de trazer a morte para o caminho do Corpo-Verdade, dissolvemos todos os ambientes e seres, incluindo todos os Budas, na clara-luz, e identificamos essa clara-luz como o Corpo-Verdade – o Corpo-Verdade é *uno* com as mentes de todos os Budas. A partir da mente de clara-luz, surgimos na forma do Corpo-Emanação de Vajrayogini. Portanto, a autogeração é a síntese de todos os Budas e, por essa razão, quando fazemos oferendas à autogeração, estamos fazendo oferendas a todos os Budas.

Fazer oferendas a nós mesmos gerados como a Deidade é um método especialmente poderoso para acumular mérito. Se, durante o dia inteiro, mantivermos a consciência, ou percepção, de que somos Vajrayogini, o que quer que desfrutemos – como alimentos ou bebida – irá se tornar então uma oferenda à Deidade. É somente no Mantra Secreto que temos a oportunidade de criar mérito dessa maneira.

Se não fizermos oferendas à autogeração, o poder de nossa prática tântrica irá diminuir. Grandes eruditos e meditadores tântricos do passado, incluindo Buda Shakyamuni, afirmaram que a prática tântrica é caracterizada pelas *quatro completas purezas*: a completa pureza de lugar, a completa pureza de corpo, a completa pureza de feitos, e a completa pureza de prazeres. Na prática de Vajrayogini, a completa pureza de lugar é a transformação de nosso ambiente no mandala de Vajrayogini; a completa pureza de corpo é a transformação de nosso corpo no corpo de Vajrayogini; a completa pureza de feitos é a prática do ioga de purificar os migrantes; e a completa pureza de prazeres é considerar ou perceber tudo o que desfrutamos ou que nos dá prazer como uma oferenda à autogeração. Se omitirmos essas oferendas à autogeração, nossa prática não irá conter a quarta completa pureza e, portanto, não será uma prática tântrica plenamente qualificada. Nossa prática tântrica irá carecer do poder, qualidade e benefícios plenos da prática do Mantra Secreto. Por essa razão, é importante fazer oferendas a nós mesmos gerados como Vajrayogini.

A maneira de abençoar as oito oferendas exteriores já foi explicada anteriormente. Para fazer as oferendas exteriores à autogeração, imaginamos que deusas oferecedoras emanam de nosso coração, pegam réplicas das oferendas anteriormente abençoadas e as oferecem para nós mesmos gerados como Vajrayogini. Enquanto visualizamos isso, recitamos os mantras de oferecimento e fazemos os gestos manuais associados às oferendas. Após concluirmos as oito oferendas, fazemos as oferendas das seis deusas-conhecimento (Rupavajra, e assim por diante), juntamente com seus mantras de oferecimento e gestos manuais. A sadhana de Heruka contém oferendas mais elaboradas – as oferendas das dezesseis deusas-conhecimento.

Para fazer a oferenda interior à autogeração, imaginamos que muitas deusas oferecedoras emanam de nosso coração e enchem suas cuias de crânio com a oferenda interior da vasta cuia de crânio de néctar abençoado. À medida que recitamos o mantra tri-OM para a oferenda interior, essas deusas oferecem o néctar a nós, gerados como Vajrayogini, e às 37 Deidades do mandala de corpo. Recitamos então OM AH HUM e provamos a oferenda interior.

Para fazer a oferenda secreta e a oferenda da talidade à autogeração, visualizamos que o khatanga que sustentamos em nosso ombro esquerdo se transforma em Pai Heruka. Ele se une em abraço conosco, que estamos gerados como Vajrayogini. Por meio dessa união, o fogo interior, localizado no umbigo de Heruka, inflama e faz com que a bodhichitta branca na coroa dele derreta e flua para baixo, pelo seu canal central. Essa bodhichitta branca alcança nosso órgão sexual e entra pela extremidade inferior de nosso canal central. Ela então começa a subir pelo nosso canal central. Quando a bodhichitta branca alcança nosso umbigo, experienciamos *alegria*; quando ela alcança nosso coração, experienciamos *suprema alegria*; quando alcança nossa garganta, experienciamos *extraordinária alegria*; e quando ela alcança nossa coroa, experienciamos *grande alegria espontânea*. À medida que experienciamos a quarta alegria, imaginamos que as 37 Deidades em nosso coração também experienciam grande alegria espontânea, e meditamos por um breve período nessa experiência de grande alegria espontânea. Essa experiência é a oferenda secreta. Recordamos então a vacuidade e fundimos nossa mente de grande êxtase espontâneo com a vacuidade. Essa é a oferenda da talidade.

Outro método para fazermos a oferenda secreta e a oferenda da talidade é mudar nosso aspecto, passando de Vajrayogini para o de Heruka, e, por nos unirmos em abraço com Vajrayogini (denominada "a Mãe secreta", na sadhana), imaginar que experienciamos as quatro alegrias. Após concluirmos essas oferendas, reassumimos então a forma de Vajrayogini. Ambos os métodos são igualmente válidos e podemos escolher um ou outro. Je Phabongkhapa diz que o primeiro método pode ser mais adequado para praticantes femininos e o segundo, para praticantes masculinos.

Há um outro método especial para experienciar as quatro alegrias, que pode ser praticado neste ponto da sadhana. Se nossa motivação for totalmente pura, devemos tentar receber instruções orais sobre esse método com um Guia Espiritual tântrico qualificado.

OS OITO VERSOS DE LOUVOR À MÃE

Quando nos empenhamos nessa prática, devemos saber, em primeiro lugar, que da perspectiva da verdade última não há coisas impuras, não há samsara, não há sofrimento e não há aparência equivocada – tudo é totalmente puro na natureza de Heruka definitivo, a vacuidade inseparável da clara-luz de êxtase. Coisas impuras são, unicamente, a criação da ignorância do agarramento ao em-si e, portanto, não existem de fato, verdadeiramente. Com esse profundo conhecimento, nos empenhamos na prática dos oito versos de louvor à Mãe.

Quando tivermos concluído os quatro tipos de oferenda, emanamos deusas-louvadoras que, respeitosamente, com as palmas das mãos unidas, recitam os oito versos de louvor a nós, gerados como Vajrayogini. Esse louvor foi ensinado por Vajradhara e é uma prática especialmente abençoada. Para praticantes de Heruka e Vajrayogini, essas palavras são, dentre todos os louvores, o louvor supremo. A mera recitação desses louvores faz com que Vajrayogini e todas as Deidades do mandala de Heruka aproximem-se de nós e permaneçam constantemente conosco. Podemos também utilizar esses louvores para render homenagem a outras Deidades, reconhecendo que tanto elas quanto seus ambientes têm a mesma natureza de Vajrayogini e de sua Terra Pura. Ao fazermos isso, glorificamos todos os seres sagrados.

Os praticantes de Heruka e Vajrayogini podem considerar quaisquer seres que encontrem como uma emanação de Heruka ou Vajrayogini e recitar os oito versos de louvor de Heruka ou Vajrayogini para eles. Por recitar sinceramente esses louvores, purificamos rapidamente nossas aparências comuns e alcançamos a Terra Dakini exterior. Mesmo que sejamos confrontados com um criminoso agressivo e cruel, não devemos nos apoiar nas aparências comuns; pelo contrário, devemos considerá-lo como uma emanação de Heruka ou Vajrayogini e, silenciosamente, fazer louvores a ele com esses oito versos. Se ganharmos familiaridade com essa prática, viremos a perceber todos os seres como puros. Podemos até mesmo estender essa visão pura a todos os objetos inanimados, tais como montanhas, lagos, edificações, e o próprio globo terrestre. Não devemos ficar iludidos pelo aspecto exterior de objeto algum; em vez disso, devemos pensar que sua real natureza é a mesma que a de Heruka e Vajrayogini e, então, louvá-lo com os oito versos. Isso irá nos ajudar a superar aparências comuns e fazer com que alcancemos a Terra Pura exterior de Vajrayogini.

Muitos ensinamentos sobre o *Tantra de Heruka* – dentre os quais *Iluminando Todos os Significados Ocultos*, de Je Tsongkhapa – descrevem Heruka de duas maneiras. A visão convencional de Heruka, denominada "Heruka interpretativo", é a de que Heruka é um Corpo-Emanação de Vajradhara, com um corpo azul, quatro faces e doze mãos. A visão última de Heruka, denominada "Heruka definitivo", é a de que Heruka é a mente de grande êxtase inseparavelmente unificada com a vacuidade. Visto que a natureza última de todos os fenômenos é vacuidade, Heruka definitivo permeia todos os fenômenos. Em tibetano, Heruka definitivo é denominado Heruka "*kyabdag*". "*Kyab*" significa "que-permeia", e "*dag*" significa "natureza"; portanto, *kyabdag* significa "da mesma natureza que a de todos os fenômenos". Desse profundo ponto de vista, todas as Deidades – tais como Guhyasamaja, Yamantaka, Heruka e Vajrayogini – são, em essência, a mesma Deidade. Toda Deidade, incluindo Vajrayogini, tem uma natureza definitiva e uma natureza interpretativa. Por meio de compreendermos Vajrayogini definitiva ou Heruka definitivo, haverá uma grande chance de sermos capazes de perceber o que quer que apareça para a nossa mente como Vajrayogini ou Heruka.

Pela devoção e prática sincera destas instruções, os praticantes ficam mais próximos de Heruka e Vajrayogini e tornam-se como *unos* com essas Deidades. Se fizermos oferendas e louvores a praticantes como esses, criaremos grande mérito e nossa mente será abençoada.

Neste ponto da sadhana, recitamos os oito versos de louvor em sânscrito. Uma explicação desses versos, com base na tradução para o inglês (e desta para o português) é dada a seguir:

OM Prostro-me a Vajravarahi, a Mãe Abençoada HUM HUM PHAT

Em cada verso desse louvor, OM simboliza o corpo, a fala e a mente de Vajrayogini, a quem estamos a oferecer louvor. Todos os Budas destruíram totalmente sua ignorância por meio da perfeição de sabedoria, e Vajravarahi - ou Vajrayogini - é a corporificação da perfeição de sabedoria de todos os Budas. O nome "Vajrayogini" enfatiza sua natureza - a união de grande êxtase e vacuidade - e o nome "Vajravarahi" enfatiza sua função de destruir a ignorância. A tradução tibetana do nome sânscrito *Vajravarahi* é "Dorje Pagmo". Neste contexto, "*pag*" significa "porco". O porco simboliza a ignorância, razão pela qual ele está representado bem no centro da Roda da Vida. Ao chamarmos Vajrayogini de "Vajravarahi", estamos a louvá-la como a essência da perfeição de sabedoria, que destrói a ignorância. Ela é "a Mãe Abençoada", porque destruiu os quatro maras e possui todas as boas qualidades de um Buda. Ao final de cada verso, recitamos HUM HUM PHAT. Com o primeiro HUM, fazemos o pedido: "Por favor, concede-me as aquisições mundanas, tais como aumento de riqueza, tempo de vida e mérito". Com o segundo HUM, fazemos o pedido: "Por favor, concede-me as aquisições supramundanas, tais como a realização do grande êxtase espontâneo, a união-que-precisa-aprender e a União-do-Não-Mais-Aprender". Com PHAT, pedimos a destruição dos obstáculos exteriores, interiores e secretos, que nos impedem de obter essas aquisições.

OM À Superior e poderosa Senhora do Saber, inconquistada pelos três reinos HUM HUM PHAT

Neste contexto, "Superior" refere-se à mente de Vajrayogini, que vê diretamente a natureza última de todos os fenômenos; e "poderosa Senhora do Saber" significa que Vajrayogini tem o poder de conceder grande êxtase a Heruka e aos praticantes. "Inconquistada pelos três reinos" significa que os maras das delusões dos três reinos são incapazes de prejudicar Vajrayogini – a razão para isso é que Vajrayogini abandonou todas as delusões dos reinos do desejo, da forma e da sem-forma.

> OM A ti, que destróis todos os medos de espíritos maléficos com teu grande vajra HUM HUM PHAT

Neste contexto, "grande vajra" significa "grande êxtase espontâneo". Sua sabedoria de grande êxtase espontaneamente nascido, inseparável da vacuidade, destrói todo o mal vindo de espíritos maléficos.

> OM A ti, com olhos controladores, que permaneces como o assento-vajra inconquistado por outros HUM HUM PHAT

Vajrayogini é o assento-vajra de Heruka, que está sempre em união com ela. Permanecendo inconquistada por outros, Vajrayogini consegue controlá-los só de olhar para eles.

> OM A ti, cuja feroz forma irada desseca Brahma HUM HUM PHAT

Vajrayogini aparece na forma de uma Deidade irada e feroz para subjugar o orgulho de deuses mundanos, como Brahma e Indra.

> OM A ti, que aterrorizas e exterminas demônios, conquistando aqueles de outras direções HUM HUM PHAT

Vajrayogini extingue os demônios interiores das aparências comuns e das concepções comuns pelo arder de seu fogo interior e, por meio disso, ela conquista todos os demônios exteriores das dez direções. Se alguém não tiver aparências comuns nem concepções comuns, não poderá ser prejudicado por demônios exteriores; por essa razão, diz-se que alguém assim conquistou esses demônios.

OM A ti, que conquistas todos os que nos tornam obtusos, rígidos e confusos HUM HUM PHAT

Vajrayogini nos torna aptos a superar todo o mal infligido por espíritos maléficos que podem interferir com nossa prática. Essa interferência pode se dar por meio de nos sentirmos fisicamente sem energia, cansados ou preguiçosos, verbalmente "rígidos" - por exemplo, incapazes de pronunciar mantras com clareza - ou mentalmente confusos sobre nossa prática.

OM Curvo-me a Vajravarahi, a Grande Mãe, a consorte Dakini que satisfaz todos os desejos HUM HUM PHAT

Porque Vajrayogini é a manifestação da perfeição de sabedoria - conhecida como "a Grande Mãe de todos os Budas" - ela destrói a ignorância de todos os seres vivos e tem o poder de satisfazer os desejos deles.

A Meditação do Estágio de Geração Propriamente Dita

Embora seja uma parte do sexto ioga (o ioga da autogeração), a meditação do estágio de geração propriamente dita é explicada aqui porque é neste ponto da sadhana que treinamos o aperfeiçoamento da nossa concentração em orgulho divino e clara aparência.

A meditação efetiva, ou propriamente dita, do estágio de geração é apresentada em três partes:

1. O que é o estágio de geração?;
2. Treinar a meditação do estágio de geração denso;
3. Treinar a meditação do estágio de geração sutil.

O QUE É O ESTÁGIO DE GERAÇÃO?

O estágio de geração é uma realização de um ioga criativo. Essa realização é obtida como resultado de trazer os três corpos para o caminho com uma concentração pura, no qual geramo-nos mentalmente como uma Deidade tântrica e geramos também nosso ambiente como o mandala da Deidade. A meditação no estágio de geração é denominada "ioga criativo" porque seu objeto é criado, ou gerado, por meio de imaginação correta.

Os oito iogas precedentes são preparações necessárias para que a prática da meditação no estágio de geração propriamente dita seja bem-sucedida. Os onze iogas são como os membros de um corpo, e a meditação efetiva do estágio de geração é como o próprio corpo, que depende de seus membros. Esse método especial de associar a meditação efetiva, ou propriamente dita, do estágio de geração com a recitação da sadhana foi ensinado e enfatizado por Je Tsongkhapa.

Nagarjuna aconselhou que devemos progredir passo a passo, desde o estágio de geração até o estágio de conclusão, do mesmo modo que subimos uma escada. O principal propósito de fazer a meditação no estágio de geração é o de preparar o fundamento para o desenvolvimento das realizações posteriores do estágio de conclusão. Sem primeiramente nos empenharmos na meditação do estágio de geração, não conseguiremos ser bem-sucedidos na meditação do estágio de conclusão.

TREINAR A MEDITAÇÃO DO ESTÁGIO DE GERAÇÃO DENSO

Este tópico tem duas partes:

1. Treinar orgulho divino;
2. Treinar clara aparência.

TREINAR ORGULHO DIVINO

O orgulho divino é uma maneira especial de nos percebermos, por meio da qual imaginamos que somos uma Deidade tântrica e que o meio em que vivemos (nosso ambiente) é a Terra Pura da Deidade. Embora seja denominado "orgulho", o orgulho divino não é uma delusão, ou aflição mental. O orgulho divino é totalmente diferente do orgulho deludido. O orgulho deludido faz, unicamente, com que renasçamos no samsara, ao passo que o orgulho divino de ser Vajrayogini nos conduz, unicamente, à libertação do samsara. Damos início à meditação no estágio de geração propriamente dita por meio de cultivar orgulho divino e então, fundamentados nisso, desenvolvemos clara aparência. Os principais objetos a serem abandonados durante a meditação do estágio de geração são as concepções comuns e as aparências comuns. O orgulho divino supera as concepções comuns, e a clara aparência supera as aparências comuns.

Os termos "concepção comum" e "aparência comum" são mais bem explicados pelo seguinte exemplo. Suponha que haja um praticante de Vajrayogini chamado João. Normalmente, ele vê (ou percebe) a si próprio como João; e vê ou percebe seu ambiente, prazeres, corpo e mente como os de João. Essas aparências são aparências comuns. A mente que concorda com essas aparências comuns, sustentando-as como verdadeiras, é a concepção comum. As concepções comuns são obstruções à libertação, e as aparências comuns são obstruções à onisciência. Todos os seres sencientes têm aparências comuns, exceto os Bodhisattvas do décimo solo, que obtiveram a concentração semelhante-a-um-vajra do Caminho da Meditação.

Agora, se João fosse meditar no estágio de geração de Vajrayogini, considerando intensamente a si mesmo como Vajrayogini e acreditando que seu ambiente, experiências, corpo e mente são os de Vajrayogini, nesse momento ele teria orgulho divino, que impede as concepções comuns. Se ele também alcançar a clara aparência de si próprio como Vajrayogini – com o ambiente, prazeres, corpo e mente de Vajrayogini – ele terá então clara aparência, que irá impedi-lo de perceber aparências comuns.

Inicialmente, as concepções comuns são mais prejudiciais que as aparências comuns. A razão pela qual isso acontece é ilustrada pela analogia a seguir. Suponha que um mágico faça aparecer a ilusão de um tigre diante de uma plateia. O tigre aparece tanto para a plateia quanto para o mágico, mas a plateia acredita que verdadeiramente há um tigre diante dela e, por causa disso, sente medo, ao passo que o mágico não acredita que o tigre exista verdadeiramente e, em consequência disso, permanece calmo. O problema real da plateia não é que o tigre apareça para ela, mas sua concepção de que o tigre exista verdadeiramente. É essa concepção, muito mais que a mera aparência do tigre, que faz a plateia experienciar medo.

Se, assim como o mágico, a plateia não tivesse a concepção de que o tigre existe, então, mesmo que o tigre continuasse aparecendo, a plateia não teria medo. Do mesmo modo, mesmo quando as coisas aparecem para nós como comuns, se não nos aferrarmos conceitualmente a elas como comuns, isso não será tão prejudicial. De modo semelhante, é menos danoso para o nosso desenvolvimento espiritual ver ou perceber nosso Guia Espiritual como se ele fosse comum, ainda que sustentemos que ele (ou ela) é em essência um Buda, do que ver ou perceber nosso Guia Espiritual como comum e acreditar que ele (ou ela) é comum. A convicção de que nosso Guia Espiritual é um Buda, mesmo quando ele (ou ela) possa aparecer-nos como uma pessoa comum, ajuda nossas práticas espirituais a progredirem rapidamente.

Como foi explicado anteriormente, podemos reduzir nossas concepções comuns por meio de desenvolvermos orgulho divino. Por essa razão, precisamos enfatizar o desenvolvimento do orgulho divino desde o princípio do nosso treino no estágio de geração. Se continuarmos a perceber nosso corpo e mente comuns, isso irá obstruir o nosso desenvolvimento do orgulho divino. Por essa razão, quando meditamos em orgulho divino, precisamos nos assegurar de que cessamos todas as percepções de nosso corpo e mente comuns – fazemos isso imaginando que, em lugar de nosso corpo e mente comuns, já alcançamos o corpo e a mente puros de Vajrayogini. Para subjugar nossas concepções comuns e aperfeiçoar nosso orgulho divino, podemos contemplar os três raciocínios seguintes:

(1) Não sou mais um ser comum porque o meu corpo comum, minha mente comum e meu ambiente comum foram purificados pela prática de trazer os três corpos para o caminho. Durante essa prática, eu realmente morri e renasci como Vajrayogini em sua Terra Pura.

(2) Depois, quando absorvi os seres-de-sabedoria, dissolvi todos os Budas – todos eles aparecendo na forma de Vajrayogini –

em mim mesmo. Por essa razão, eu e Vajrayogini somos um só, unificados, e a minha natureza é a mesma que a de todos os Budas.

(3) O orgulho deludido, comum, que eu tinha até agora resultou tão somente em sofrimento e em contínuos renascimentos no samsara; mas o orgulho divino irá me conduzir à libertação e à Terra Pura de Vajrayogini. Portanto, nunca abandonarei esse orgulho puro de ser Vajrayogini.

Contemplar esses três raciocínios, ou qualquer outro que nos seja útil, é a meditação analítica. Quando, como resultado de contemplar esses raciocínios, orgulho divino surgir em nossa mente, tentamos mantê-lo em meditação posicionada, com concentração estritamente focada. Depois, precisamos fortalecer continuamente nosso orgulho divino por meio de repetida meditação.

É muito importante não se equivocar com relação à base sobre a qual geramos orgulho divino. Por exemplo, se um praticante chamado João tentar desenvolver orgulho divino de ser Vajrayogini, tomando por base seu corpo e mente comuns, ele estará totalmente equivocado. O corpo e a mente de João são agregados contaminados e, por essa razão, são bases válidas para imputar, ou designar, João; porém, o corpo e a mente de João não podem ser uma base para imputar, ou designar, Vajrayogini. As aparências do corpo e mente de João são aparências comuns, e concordar com essas aparências como verdadeiras é concepção comum, que é o oposto do orgulho divino.

Quando geramos orgulho divino de ser Vajrayogini em sua Terra Pura, primeiramente precisamos impedir nossa concepção e aparência habituais de nós próprios, assim como de nosso ambiente, corpo e mente. Precisamos eliminá-las por completo de nossa mente. Tendo eliminado as aparências comuns, devemos, então, utilizar nossa imaginação para tentar perceber o corpo e o ambiente de Vajrayogini e vê-los como o nosso próprio corpo e ambiente. Eles são a base sobre a qual geramos orgulho divino, por decidirmos firmemente: "eu sou Vajrayogini, rodeada por meu ambiente puro e prazeres puros".

TREINAR CLARA APARÊNCIA

Há duas maneiras de treinar clara aparência:

1. Treinar clara aparência no aspecto geral;
2. Treinar clara aparência em aspectos específicos.

TREINAR CLARA APARÊNCIA NO ASPECTO GERAL

Se já tivermos obtido alguma habilidade em meditação, podemos começar imediatamente a treinar clara aparência no aspecto geral – isto é, ver ou perceber nós próprios e o mandala completo de Vajrayogini como um todo. Porém, se acharmos isso muito difícil, podemos começar pelo treino da clara aparência em aspectos específicos até obtermos mais familiaridade e, então, prosseguir para o treino da clara aparência no aspecto geral.

Para meditar em clara aparência no aspecto geral, começamos fazendo a meditação analítica para obter uma imagem genérica do mandala por inteiro. Começamos o exame a partir do círculo de fogo e prosseguimos para a cerca-vajra, os solos sepulcrais e a fonte-fenômenos, até chegarmos ao lótus, à almofada de sol e a nós próprios (Vajrayogini) e, então, fazemos o caminho reverso. Continuamos desse modo até termos uma imagem aproximada de nós próprios (Vajrayogini), juntamente com todo o mandala e todos os seres que nele habitam. Tentamos então, em meditação posicionada, manter essa imagem com concentração estritamente focada. Gradualmente, por meio de repetidas meditações, aperfeiçoaremos nossa clara aparência de nós próprios como Vajrayogini em seu mandala.

Quando tivermos uma imagem aproximada de nós próprios como Vajrayogini em seu mandala, teremos encontrado o objeto propriamente dito da meditação do estágio de geração, e teremos também alcançado a primeira das nove permanências mentais, denominada "posicionamento da mente". Por meio da prática diária e, algumas vezes, em retiros breves ou longos, devemos aperfeiçoar essa concentração até alcançarmos a quarta permanência mental, denominada "estreito-posicionamento". Se, nessa altura, entrarmos em retiro estrito, será possível alcançar o tranquilo-permanecer no estágio de geração dentro de um período de seis meses. A partir disso, não irá demorar muito até que alcancemos a Terra Dakini exterior. Explicações mais detalhadas sobre o método para alcançar o tranquilo-permanecer são fornecidas em *Caminho Alegre da Boa Fortuna* e *Contemplações Significativas.*

TREINAR CLARA APARÊNCIA EM ASPECTOS ESPECÍFICOS

Os aspectos específicos são objetos específicos dentro do mandala. Por exemplo, podemos primeiramente nos concentrar no olho central de Vajrayogini até que consigamos percebê-lo claramente. Sem nos esquecer dele, concentramo-nos nos outros dois olhos e, depois, no rosto, pescoço, tronco, braços, pernas, e assim por diante, até termos uma imagem mental do corpo inteiro. Gradualmente, podemos incluir a fonte-fenômenos, os oito solos sepulcrais e o círculo de proteção. Contemplar cada aspecto dessa maneira irá nos ajudar, por fim, a obter clara aparência do mandala sustentador e sustentado por inteiro. Uma vez que tenhamos realizado isso, treinamos então em concentração, como descrito anteriormente. Assim, por treinarmos dessa maneira em meditação analítica e posicionada, iremos aperfeiçoar nossa clara aparência até concluirmos as realizações de ambos os estágios de geração – denso e sutil.

TREINAR A MEDITAÇÃO DO ESTÁGIO DE GERAÇÃO SUTIL

O círculo de proteção, os solos sepulcrais, a fonte-fenômenos e a autogeração possuem, todos eles, características densas e sutis.

O solo-vajra, a tenda-vajra, o dossel-vajra, a massa de fogo ao redor, os solos sepulcrais, a fonte-fenômenos, o lótus, a almofada de sol, Kalarati, Bhairawa, e o nosso corpo no aspecto de Vajrayogini – tudo isso são as características densas. Elas são os objetos da meditação do estágio de geração denso. Suas partes constituintes (como os minúsculos vajras que compõem o interior da cerca-vajra) são as características sutis. Uma meditação que se utiliza dessas características sutis como objeto de meditação é denominada "meditação do estágio de geração sutil".

Pelo constante treino em meditação para aperfeiçoar a clara aparência dos objetos densos, iremos, por fim, perceber diretamente com nossa consciência mental o mandala por inteiro – desde o círculo de fogo até a autogeração, tão claramente quanto vemos, neste exato momento, as coisas com nossos próprios olhos. Quando obtivermos essa experiência em meditação, teremos alcançado a realização completa da meditação do estágio de geração denso e deveremos, então, avançar para o treino na meditação do estágio de geração sutil.

O objeto supremo da meditação do estágio de geração sutil é o mandala de corpo de Vajrayogini. Devemos meditar repetidamente nesse mandala interior até que consigamos ver as 37 Dakinis do mandala de corpo diretamente com a nossa consciência mental, tão claramente quanto vemos as coisas com os nossos olhos neste exato momento. Quando obtivermos essa realização, teremos concluído o estágio de geração sutil. Se, ao mesmo tempo que obtivermos essa realização, nossos ventos se reunirem e se dissolverem no canal central, na roda-canal do coração, teremos alcançado as realizações do estágio de conclusão. Podemos compreender, a partir disso, que uma meditação habilidosa no mandala de corpo de Vajrayogini é uma verdadeira joia-que-satisfaz-os-desejos, pois realiza os desejos dos praticantes puros.

Se acharmos difícil acreditar que um ser comum possa perceber diretamente a si próprio como uma Deidade e a seu ambiente como a Terra Pura de um Buda, devemos considerar o seguinte.

Embora nosso corpo e mente que temos agora não sejam o nosso *eu*, todavia, devido à forte familiaridade com o agarramento ao em-si, vemos ou percebemos direta e vividamente nosso *eu* como *uno* {ou seja, uma só e mesma coisa} com o nosso corpo e mente. Devido a isso, sempre que nosso corpo está indisposto, dizemos "*eu* estou indisposto", e sempre que nossa mente está infeliz, dizemos "*eu* estou infeliz". Se, por familiaridade com a ignorância do agarramento ao em-si, podemos nos identificar com um corpo e mente contaminados, então, com absoluta certeza, podemos vir também a nos identificar com o corpo e mente puros de Vajrayogini por meio de familiaridade com imaginação correta – ou crença correta – e concentração pura. Então, familiarizando-nos com a meditação do estágio de geração, por fim iremos, direta e definitivamente, perceber a nós próprios como Vajrayogini. Essa tem sido a experiência de muitos meditadores tântricos.

Há um relato sobre um praticante de Yamantaka que, devido a sua clara aparência de ser Yamantaka, realmente via (ou percebia) a si próprio como sendo a Deidade, em todos os detalhes, incluindo os chifres em sua cabeça. Ele sentia como se pudesse tocar os chifres e, sempre que atravessava uma porta, ele se curvava para permitir que seus chifres passassem por ela! Embora esse praticante não fosse realmente Yamantaka, sua clara aparência de si próprio como a Deidade Yamantaka não é uma aparência equivocada. Se algo é uma aparência equivocada, necessariamente surge da ignorância. Porém, se um praticante tântrico realmente vê ou percebe a si próprio como Yamantaka ou Vajrayogini, essa clara aparência surge de sua pura concentração – ela não surge da ignorância. Experiências como essa são evidentes unicamente para o próprio praticante; outras pessoas irão continuar a vê-lo como uma pessoa comum.

Pessoas sem experiência de meditação tântrica podem achar difícil acreditar que é possível mudar nossa identidade – de uma pessoa comum para a de uma Deidade. Mas, se desenvolvermos compreensão correta sobre como *pessoas* carecem de existência verdadeira e são meras imputações, ou designações, compreenderemos que isso é total e definitivamente possível. Isso irá nos ajudar a experienciar profundas realizações de Tantra e irá nos capacitar a obter uma compreensão sobre as duas verdades de acordo com o Tantra Ioga Supremo: a clara-luz-significativa e o corpo-ilusório. Essa compreensão é essencial para a prática do estágio de conclusão. Mais informações sobre o estágio de geração podem ser encontradas no livro *Solos e Caminhos Tântricos*.

O Ioga da Recitação Verbal e Mental

ESTE TÓPICO TEM quatro partes:

1. O mantra a ser recitado;
2. Os benefícios de recitar esse mantra;
3. A recitação propriamente dita do mantra;
4. Explicação sobre o retiro-aproximador.

O MANTRA A SER RECITADO

Vajrayogini, ou Vajravarahi, tem muitos diferentes aspectos: Sangye Khandroma (ou Buda Dakini), Dorje Rabngama (ou Dakini da Fala-Vajra), e Dorje Nampar Ngangtsema (ou Dakini da Forma-Vajra). Por essa razão, Buda Vajaradhara ensinou muitos diferentes mantras de Vajrayogini, tais como o mantra-raiz, o mantra-essência e o mantra-essência-aproximador. De acordo com a linhagem Narokhachö, recitamos o mantra de Vajrayogini denominado "o mantra tri-OM". Esse mantra é a síntese de todos os mantras de Vajrayogini e Vajravarahi. Quando recitamos esse mantra, estamos a recitar diretamente os mantras de todas as 32 Dakinis do mandala de corpo e, indiretamente, os mantras de todos os Dakas e Dakinis - portanto, o mantra de todos os Budas. O mantra tri-OM é:

OM OM OM SARWA BUDDHA DAKINIYE VAJRA WARNANIYE VAJRA BEROTZANIYE HUM HUM HUM PHAT PHAT PHAT SÖHA

Palden Lama Tenpa Sonam Gyaltsen

Esse mantra veio, originalmente, dos capítulos 48º e 50º do *Tantra-Raiz de Heruka*. Os três OMs que estão no início do mantra – e que dão a ele o seu nome – significam que Vajrayogini é a corporificação dos três corpos de todos os Budas. O primeiro OM simboliza o Corpo-Verdade de todos os Budas; o segundo OM, o Corpo-de-Deleite de todos os Budas; e o terceiro OM simboliza o Corpo-Emanação de todos os Budas.

SARWA BUDDHA DAKINIYE literalmente significa "as Dakinis de todos os Budas". Neste contexto, "Dakini" é a Dakini interior, a mente de clara-luz de um Buda; portanto, SARWA BUDDHA DAKINIYE indica que Vajrayogini é a natureza da mente de clara-luz de todos os Budas.

VAJRA WARNANIYE significa "Dakini da Fala-Vajra", e indica que Vajrayogini é a natureza da fala-vajra de todos os Budas.

VAJRA BEROTZANIYE significa "Dakini da Forma-Vajra", e indica que Vajrayogini é a natureza do corpo-vajra de todos os Budas. Neste contexto, "vajra" refere-se ao grande êxtase inseparável da vacuidade.

HUM HUM HUM é um pedido a Vajrayogini: "Por favor, concede-me as bênçãos de teu corpo, fala e mente para que eu alcance o corpo-vajra, a fala-vajra e a mente-vajra de um Buda".

PHAT PHAT PHAT é um pedido: "Por favor, pacifica meus obstáculos exteriores, interiores e secretos".

SÖHA significa o pedido: "Por favor, ajuda-me a construir o fundamento de todas as aquisições".

Alguns comentários interpretam as letras OM OM OM, HUM HUM HUM e PHAT PHAT PHAT ligeiramente diferente, mas não há contradições entre essas diferentes interpretações.

Ao recitar o mantra, estamos a chamar Vajrayogini e seu séquito de 32 Dakinis e a fazer pedidos a elas. É importante não considerarmos as letras do mantra tri-OM como letras comuns. Devemos considerá-las como tendo a mesma natureza do séquito de 32 Dakinis. No *Tantra-Raiz de Heruka*, Vajradhara diz:

Se desejas alcançar a suprema aquisição,
Não consideres, nem percebas, o mantra como diferente
das Deidades.

Explicitamente, o mantra tri-OM contém 32 letras, que são como o séquito da letra principal – a letra BAM. A letra BAM é formada por cinco letras (YA, RA, LA, WA e o AH-curto); a letra BAM e o rosário de mantra totalizam, juntos, 37 letras. Elas são da mesma natureza que as 37 Dakinis. O AH-curto é Vajrayogini, e as letras YA, RA, LA e WA são, respectivamente: Lama, Khandarohi, Rupini e Dakini. As letras OM OM OM SAR WA BU DHA DA KI NI YE VAJ RA WAR NA NI YE VAJ RA BE RO TZA NI YE HUM HUM HUM PHAT PHAT PHAT SÖ HA são o séquito de Dakinis: Partzandi, Tzändriakiya, Parbhawatiya, Mahanasa, Biramatiya, Karwariya, Lamkeshöriya, Drumatzaya, Airawatiya, Mahabhairawi, Bayubega, Surabhakiya, Shamadewi, Suwatre, Hayakarne, Khaganane, Tzatrabega, Khandarohi, Shaundini, Tzatrawarmini, Subira, Mahabala, Tzatrawartini, Mahabire, Kakase, Ulukase, Shonase, Shukarase, Yamadhathi, Yamaduti, Yamadangtrini e Yamamatani.

OS BENEFÍCIOS DE RECITAR ESSE MANTRA

Por recitar o mantra tri-OM, ficamos cada vez mais próximos de Vajrayogini, tanto no sentido de fazermos conexão com uma amiga muito especial quanto no sentido de realmente nos tornarmos a Deidade Vajrayogini. Quando fazemos um retiro-aproximador, colocamos ênfase na recitação de mantra e meditação; o propósito disso é nos aproximarmos cada vez mais de Vajrayogini em ambos esses sentidos. É por essa razão que um retiro como esse é denominado retiro "aproximador".

Recitar o mantra tri-OM purifica nossas ações não virtuosas e suas marcas, e pacifica os obstáculos que impedem que nossa prática seja bem-sucedida. Recitar o mantra também aumenta o poder de nossa fala. A fala da maioria dos seres comuns é uma fala mundana e possui pouco poder, mas a fala comum pode ser transformada por meio da recitação desse mantra. Com a recitação do mantra, podemos pacificar todos os obstáculos interiores (como doenças e fortes delusões), assim como obstáculos exteriores (como, por exemplo, ser prejudicado por espíritos maléficos); e também podemos aumentar nosso tempo de vida, mérito, riqueza e – o mais importante – nossas realizações espirituais. Podemos ganhar controle sobre as ações maléficas dos outros e ter a habilidade de conduzi-los para caminhos corretos. Obtemos também a habilidade de domar a mente dos outros e de ajudá-los, utilizando ações iradas quando necessário. Recitar continuamente o mantra tri-OM com fé faz com que experienciemos crescente felicidade e satisfação dos nossos desejos. A recitação do mantra faz com que as realizações da prática do estágio de conclusão da recitação vajra amadureçam e, por fim, nos capacita a alcançar a fala-vajra de um Buda.

O *Tantra-Raiz de Heruka* louva o mantra de Vajrayogini como "o rei de todos os mantras", e afirma que não há, em todos os três reinos de existência, mantra que seja mais poderoso do que esse. Esse Tantra também explica que o mantra de Vajrayogini é, em essência, o mantra de todas as Dakinis, e que apenas recordá-lo ou recitá-lo com fé é igual a lembrar ou recitar os mantras de todas as Dakinis.

Je Phabongkhapa disse que o mantra de Vajrayogini é o único mantra por meio do qual é possível receber verdadeiras aquisições meramente por recitá-lo. No *Tantra-Raiz de Heruka*, Vajradhara diz:

> Pela mera recitação do mantra, conseguirás alcançar
> aquisições
> E concluirás perfeitamente todas as ações.
>
> Este, o rei de todos os mantras,
> É responsável pela consumação de qualquer ação.
> Não há, em todos os três reinos,
> Mantra mais supremo que este.

Ele é a essência de todas as Dakinis.
Por meramente relembrar este mantra,
Tu alcançarás todas as aquisições.

Neste contexto, a palavra "aquisições" refere-se à felicidade temporária de humanos e deuses e à felicidade última da libertação e da iluminação. Essa palavra também se refere às aquisições que são comuns tanto ao Sutra quanto ao Tantra (como renúncia, bodhichitta e visão correta) e também às aquisições incomuns do Mantra Secreto (como as realizações do estágio de geração e do estágio de conclusão). Além de alcançarmos essas aquisições, a recitação desse mantra irá fazer com que sejamos cuidados por todos os Dakas e Dakinis dos 24 lugares, assim como por suas emanações.

Ao recitar o mantra tri-OM, estamos recitando o mantra-essência de todas as Dakinis. Por exemplo, quando recitamos o mantra tri-OM, estamos também recitando indiretamente os mantras de Tara, Sarasvati, Marichi e de todas as demais Dakinis. A recitação desse mantra também nos conduz à aquisição da Terra Dakini exterior e da Terra Dakini interior.

Por recitar o mantra tri-OM, podemos ajudar os outros a satisfazerem seus desejos e obterem paz, boa saúde, longa vida e prosperidade. Por meio dele, alcançamos a habilidade de impedir que os outros fiquem doentes – que adoeçam de câncer, derrames, paralisias – assim como a habilidade de prevenir qualquer dor física e perigos advindos de fogo, água, terra ou vento.

Alguns praticantes que possuem forte conexão cármica com Vajrayogini alcançam a Terra Dakini exterior antes da morte por meio de sua prática diária ou por, meramente, recitarem esse mantra. Algumas vezes, eles alcançam isso sem nem mesmo terem se empenhado em retiros-aproximadores ou meditação intensa. Outros alcançam a Terra Dakini no bardo, ou estado intermediário: eles se recordam, como num sonho, de sua recitação diária do mantra e, por meio dessa recordação, possibilitam que Vajrayogini os conduza a sua Terra Pura. Na Terra Dakini, esses praticantes são cuidados por Heruka e Vajrayogini e, sem nunca mais terem de se submeter novamente à morte descontrolada, eles alcançam a iluminação durante essa mesma vida. É por essas razões que o mantra tri-OM de Vajrayogini é denominado "o rei de todos os mantras".

A RECITAÇÃO PROPRIAMENTE DITA DO MANTRA

Este tópico tem duas partes:

1. Recitação verbal;
2. Recitação mental com duas meditações do estágio de conclusão.

RECITAÇÃO VERBAL

Quando recebemos a iniciação de Vajrayogini, fazemos a promessa de recitar um número específico de vezes o mantra tri-OM como nosso compromisso diário. É importante manter um rosário (ou *mala*, em sânscrito) apropriado, com o qual iremos contar as recitações do mantra. O mala possui grande significado e é um dos nossos objetos rituais de compromisso. Quando tivermos encontrado um mala adequado, devemos tentar abençoá-lo todos os dias, por meio de executarmos a seguinte bênção breve. Consideramos nossa mão direita como sendo da natureza de grande êxtase, e nossa mão esquerda como sendo da natureza da sabedoria da vacuidade. Colocamos o mala na palma de nossa mão direita e o cobrimos com nossa mão esquerda. Juntar nossas duas mãos desse modo simboliza a união de grande êxtase e vacuidade. Recordamos então que o mala é, por natureza, vacuidade, e recitamos o mantra tri-OM três ou sete vezes. Depois, sopramos sobre o mala enquanto o esfregamos entre nossas mãos e, com forte concentração, imaginamos que ele se transforma na sabedoria de Vajrayogini, a união de grande êxtase e vacuidade.

Quando tivermos abençoado o mala dessa maneira, devemos sempre considerá-lo como um objeto sagrado. Se abençoarmos nosso mala e continuamente recitarmos o mantra com ele, nosso mala irá gradualmente se tornar um objeto muito poderoso, com o qual poderemos conceder bênçãos e ajudar as pessoas, impedindo que sejam afligidas por obstáculos. Muitos tibetanos têm experienciado o poder espiritual dos malas (ou rosários) de praticantes puros. Quando eles ou seus filhos são afligidos por espíritos maléficos, procuram a ajuda desses praticantes puros, que curam a pessoa doente com a ação curativa de tocar a coroa da cabeça dela com um mala abençoado e de rezar pelo seu bem-estar. Pelo poder de ações como essa, muitas pessoas têm recebido real benefício.

Durante a recitação do mantra, há uma maneira especial de utilizar o mala para reunir em nosso corpo todas as Dakinis e, assim, receber suas bênçãos. Começamos por deixar o mala suspenso sobre o dedo anular de nossa mão esquerda. Podemos segurar o mala na altura de nosso coração ou de nosso umbigo. Recitamos o mantra uma vez e movemos a primeira conta com o polegar, em nossa direção. Imaginamos que, da vacuidade de cada conta, surge uma Deidade no aspecto de Vajrayogini, que se dissolve em nosso coração ou umbigo. Depois de recitar alguns mantras desse modo, podemos, se isso for mais confortável, manter o mala suspenso sobre o nosso dedo médio ou indicador e continuar a mover as contas com o nosso polegar, como antes. No entanto, é um sinal auspicioso para nossa prática utilizar, pelo menos algumas vezes no início da sessão da recitação de mantra, o dedo anular esquerdo e o polegar, porque isso simboliza o controle sobre nossas delusões, ou aflições mentais.

Praticantes tântricos têm o compromisso de beneficiar os seres sencientes e de fazer oferendas aos Budas. Para cumprir esses dois compromissos, podemos recitar o mantra tri-OM com a visualização descrita na sadhana:

No centro de um mandala de lua, dentro de uma fonte-fenômenos vermelha no formato de um duplo tetraedro, em meu coração, está uma letra BAM rodeada por um rosário de mantra vermelho, em pé e no sentido anti-horário.

Incomensuráveis raios de luz vermelha irradiam-se de tudo isso. Eles purificam as negatividades e obstruções de todos os seres sencientes e fazem oferendas a todos os Budas. Todo o poder e a força de suas bênçãos são invocados sob a forma de raios de luz vermelha, que se dissolvem na letra BAM e no rosário de mantra, abençoando meu continuum mental.

Essa é a recitação do compromisso.

Para aperfeiçoar nossa meditação do mandala de corpo, podemos recitar o mantra com a seguinte visualização. No coração da Deidade principal do mandala de corpo, há uma fonte-fenômenos. Sobre uma almofada de lua, dentro da fonte-fenômenos, está uma letra BAM vermelha rodeada pelo mantra tri-OM, também vermelho. Recitamos o mantra tri-OM com uma mente alerta e, enquanto observamos as letras do mantra, identificamos cada uma das 37 Deidades do mandala de corpo. Por exemplo, ao recitar o primeiro OM, tentamos simultaneamente identificar Partzandi, e ao recitar o segundo OM, identificamos Tzändriakiya, e assim por diante, até alcançarmos a última letra, HA, e a identificarmos como Yamamatani.

RECITAÇÃO MENTAL COM DUAS MEDITAÇÕES DO ESTÁGIO DE CONCLUSÃO

Este tópico é apresentado em três partes:

1. Primeira meditação do estágio de conclusão;
2. Recitação mental;
3. Segunda meditação do estágio de conclusão.

Podemos praticar a recitação mental com as meditações do estágio de geração ou do estágio de conclusão. Por meio dessa prática, recebemos benefícios tanto da recitação de mantra quanto da meditação do estágio de conclusão.

PRIMEIRA MEDITAÇÃO DO ESTÁGIO DE CONCLUSÃO

Para fazer essa meditação, visualizamos que, em nosso coração, há uma fonte-fenômenos do tamanho aproximado da ponta do dedo mínimo. Dentro dela está uma almofada de lua, o rosário de mantra e a letra BAM. A fonte-fenômenos desce pelo canal central até o centro da nossa roda-canal do umbigo, onde nos concentramos nela por alguns instantes. Depois, inspiramos suavemente e imaginamos que todos os ventos da parte superior do nosso corpo se reúnem e fluem para baixo pelo canal central, alcançando o ponto logo acima da fonte-fenômenos em nosso umbigo. Então, contraímos ligeiramente os músculos da parte inferior do nosso corpo e deslocamos todos os ventos inferiores para cima. Eles sobem pelo canal central e alcançam o ponto logo abaixo da fonte-fenômenos em nosso umbigo. Ambos os ventos, superiores e inferiores, do nosso corpo estão agora reunidos e sendo mantidos em nosso umbigo. Isso é denominado "a respiração-vaso", porque o formato da união dos ventos superiores e inferiores é semelhante ao formato de um vaso bojudo.

Sentimos que nossa mente está dentro da fonte-fenômenos, no centro da nossa roda-canal do umbigo. Concentramo-nos então nos quatro ângulos da fonte-fenômenos, nos quais estão minúsculos torvelinhos de alegria a girar em sentido anti-horário. Sustentamos a respiração-vaso e concentramo-nos nos quatro torvelinhos de alegria pelo maior tempo possível. Logo antes de começarmos a sentir desconforto, exalamos devagar e suavemente pelas narinas.

No começo, somos incapazes de prender nossa respiração por muito tempo; por essa razão, precisamos repetir esse processo muitas vezes em uma mesma sessão. Após termos obtido alguma experiência nessa meditação, podemos praticar a recitação mental propriamente dita.

RECITAÇÃO MENTAL

Damos início à recitação mental repetindo a meditação anterior, até a respiração-vaso. Nossa mente, então, se dissolve na letra

BAM, tornando-se *una* com ela. Depois, enquanto sustentamos a respiração-vaso dentro do canal central na altura do nosso umbigo, nossa mente - a letra BAM - lê as letras do mantra tri-OM, dispostas em sentido anti-horário. Mentalmente, recitamos o mantra três ou sete vezes e, depois, exalamos suavemente. Deslocamos então novamente os ventos para o nosso umbigo e os mantemos ali, enquanto recitamos mentalmente o mantra, e depois novamente exalamos. Podemos repetir esse ciclo muitas vezes na mesma sessão.

SEGUNDA MEDITAÇÃO DO ESTÁGIO DE CONCLUSÃO

A prática regular da seguinte meditação irá desenvolver e aumentar nossa experiência de grande êxtase, aperfeiçoará nossa compreensão sobre a vacuidade e irá fazer com que alcancemos a realização da clara-luz de êxtase.

Visualizamos o canal central localizado exatamente no meio, entre as metades esquerda e direita do corpo, mais próximo das costas do que da frente. Por dentro, sua cor é vermelha, e ele é macio e claro. O canal central é da natureza da luz, com a espessura aproximada à espessura de uma flecha. De sua extremidade inferior, localizada no órgão sexual, ele sobe em linha reta até a coroa. A partir da coroa, ele forma um arco descendente, onde termina no ponto entre as sobrancelhas. No interior da extremidade inferior do canal central está um minúsculo torvelinho-branco de alegria, que rodopia muito rapidamente em sentido anti-horário, e no interior da extremidade superior do canal central (entre as sobrancelhas), está um minúsculo torvelinho-vermelho de alegria, também rodopiando muito rapidamente em sentido anti-horário.

Primeiramente, focamos nossa atenção no torvelinho-branco de alegria, no interior da extremidade inferior do nosso canal central. Ele está rodopiando rapidamente e concentramo-nos nisso, e imaginamos que ele induz uma forte sensação de grande êxtase. À medida que gira, o torvelinho de alegria sobe vagarosamente pelo canal central, fazendo com que nossa experiência de grande êxtase se intensifique. Quando o torvelinho de alegria alcança o centro da nossa roda-canal do coração, concentramo-nos nele enquanto experienciamos êxtase. Focamo-nos então no torvelinho-vermelho de alegria, no interior da extremidade superior do nosso canal central. Rodopiando continuamente, ele sobe a partir do ponto entre as nossas sobrancelhas e dirige-se para o centro da roda-canal da coroa e, então, desce vagarosamente pelo canal central. Quando ele alcança o ponto logo acima do torvelinho-branco de alegria em nosso coração, focamo-nos em ambos os torvelinhos de alegria – eles rodopiam muito rapidamente e de modo contínuo, um acima do outro, e recordamos que tudo é, por natureza, vacuidade. À medida que os torvelinhos de alegria giram, eles gradualmente ficam cada vez mais próximos um do outro até que, por fim, eles se fundem e se transformam em um único torvelinho-rosa de alegria. O torvelinho-rosa de alegria continua a rodopiar e gradualmente se torna cada vez menor, até que, por fim, ele se dissolve na clara-luz da vacuidade. Nossa mente de grande êxtase então medita na vacuidade, e concentramo-nos estritamente focados nessa experiência, pelo maior tempo possível.

A "clara-luz da vacuidade" à qual se refere aqui é a experiência da clara-luz de êxtase misturada inseparavelmente com a vacuidade – essa experiência é a Dakini secreta. A letra BAM, visualizada em nosso umbigo durante a iniciação e na primeira meditação do estágio de conclusão, é a Dakini interior; e as Dakinis dos 24 lugares sagrados são as Dakinis exteriores. Esses três tipos de Dakini são mencionados nas preces dedicatórias extensas da sadhana de Vajrayogini, *Caminho Rápido ao Grande Êxtase*, que está no Apêndice II:

> A bela Mãe dos Conquistadores é a Ioguine exterior,
> A letra BAM é a suprema Rainha-Vajra interior,
> A clareza e a vacuidade da mente, ela própria, é a secreta
> Mãe Dakini;
> Que eu desfrute o divertimento de ver a natureza própria
> de cada uma.

EXPLICAÇÃO SOBRE O RETIRO-APROXIMADOR

Este tópico tem quatro partes:

1. O que é um retiro?;
2. Explicação sobre retiros-aproximadores de sinais, tempo e contagem;
3. Práticas preliminares para o retiro-aproximador;
4. O retiro-aproximador propriamente dito.

O QUE É UM RETIRO?

Em um retiro, interrompemos todas as formas de trabalho profissional e quaisquer outras atividades exteriores ou alheias ao retiro, de modo a enfatizarmos uma prática espiritual específica. Há três tipos de retiro: físico, verbal e mental. Entramos em retiro físico quando, com motivação espiritual, nos isolamos das outras pessoas, das atividades e do barulho, e abandonamos também atividades sem sentido e que não sejam pertinentes ao retiro. Entramos em retiro verbal quando, com motivação espiritual, nos refreamos de conversação sem sentido, fútil, e guardamos silêncio durante um período específico. Entramos em retiro mental quando impedimos que distrações e fortes delusões (como raiva, apego, inveja e forte agarramento ao em-si) se manifestem, e por mantermos também contínua-lembrança e conscienciosidade.

Se permanecermos em retiro físico e verbal, mas falharmos em observar retiro mental, nosso retiro terá pouco poder. Um retiro como esse poderá ser relaxante, mas se não impedirmos que fortes delusões surjam, nossa mente não ficará em paz, mesmo durante um retiro. No entanto, manter retiro físico e verbal ajuda-nos a manter retiro mental e, por essa razão, Shantideva louva os dois primeiros tipos de retiro em seu livro *Guia do Estilo de Vida do Bodhisattva*.

EXPLICAÇÃO DOS RETIROS-APROXIMADORES DE SINAIS, TEMPO E CONTAGEM

Um retiro-aproximador é um retiro no qual praticamos métodos especiais que nos aproximam cada vez mais das aquisições de uma Deidade tântrica. Entramos em "retiro-aproximador de sinais" quando permanecemos em retiro até que um sinal correto de aquisição se manifeste. Entramos em "retiro-aproximador de tempo" quando fazemos retiro por um tempo determinado (por exemplo, seis meses) ou, alternativamente, quando todo ano fazemos um retiro-aproximador, longo ou breve, no mesmo período.

Há dois tipos de retiro-aproximador de contagem: o retiro-aproximador de ações e o grande retiro-aproximador. Quanto ao retiro-aproximador de ações, há dois tipos: o longo e o breve. No *retiro-aproximador de ações longo* de Vajrayogini, recitamos o mantra tri-OM quatrocentas mil vezes; no *retiro-aproximador de ações breve* de Vajrayogini, recitamos o mantra tri-OM cem mil vezes. Devemos recitar dez mil mantras sabedoria-descendente para concluir ambos os retiros-aproximadores de ações e, depois, fazer um puja do fogo.

Há também dois tipos de grande retiro-aproximador: o grande retiro-aproximador extenso e o grande retiro-aproximador breve. Em um "grande retiro-aproximador extenso" de Vajrayogini, recitamos o mantra tri-OM dez milhões de vezes; no "grande retiro-aproximador breve" de Vajrayogini, recitamos o mantra três milhões e duzentas mil vezes.

PRÁTICAS PRELIMINARES PARA UM RETIRO-APROXIMADOR

Podemos fazer dois tipos de prática, a título de preliminares, antes de nos empenharmos em um retiro-aproximador bem-sucedido: preliminares distantes e preliminares próximas. Resultados mundanos ou supramundanos advindos de um retiro-aproximador serão ou não obtidos na dependência das preparações que fizermos. Boas preparações trazem bons resultados.

PRELIMINARES DISTANTES

Há nove práticas preliminares distantes:

1. Buscar refúgio;
2. Recitação do mantra de Vajrasattva;
3. Prostrações;
4. Oferendas de mandala;
5. Guru-Ioga;
6. Recitação do mantra de Samayavajra;
7. Oferenda ardente de Vajradaka;
8. Fazer imagens do corpo ou da mente de um Buda;
9. Oferendas de água.

Devemos fazer cada uma dessas práticas preliminares cem mil vezes. Se formos incapazes de fazer todas as nove preliminares, mas desejarmos intensamente obter realizações do estágio de geração e do estágio de conclusão, devemos tentar fazer, pelo menos, as cinco primeiras preliminares, praticando puramente cada uma delas cem mil vezes. Podemos fazer as práticas de buscar refúgio, recitação do mantra de Vajrasattva, oferendas de mandala e Guru-Ioga em associação, todas elas, com a sadhana extensa de Vajrayogini, escrita por Je Phabongkhapa, como já foi explicado.

Inicialmente, podemos achar que essas preliminares são uma tarefa muito grande para nós; porém eu, o autor, gostaria de dar grande encorajamento pelo relato de minha própria experiência. Eu concluí quatro retiros-aproximadores de Vajrayogini. Fiz meu primeiro retiro em grupo, logo após ter recebido a iniciação de Vajrayogini. Naquela altura, eu não havia concluído as cinco primeiras práticas preliminares. Posteriormente, após ter concluído as cinco primeiras práticas preliminares, fiz o meu segundo e terceiro retiros-aproximadores. Mais tarde ainda, concluí as restantes quatro preliminares e fiz meu quarto retiro-aproximador. Desde então, tenho realizado retiros de meditação de Vajrayogini e de outros Yidams muitas vezes. Não devemos pensar que, por termos concluído apenas um ou dois retiros-aproximadores, iremos nos tornar um Buda!

É muito importante obter uma clara compreensão de como fazemos cada uma das nove práticas preliminares. As práticas de buscar refúgio, recitação do mantra de Vajrasattva, oferendas de mandala e Guru-Ioga foram explicadas anteriormente. A maneira de coletar cem mil Guru-Iogas é recitar, uma vez no início de cada sessão, a prática principal de Guru-Ioga que está na sadhana. Depois, contamos o número de recitações do pedido breve, ou do mantra nominal de nosso Guru, ou do mantra de Guru Sumati Buda Heruka (OM GURU SUMATI BUDDHA HERUKA SARWA SIDDHI HUM). A maneira de coletar prostrações em associação com *A Confissão Bodhisattva das Quedas Morais* está explicada no livro *O Voto Bodhisattva*.

Devemos fazer a recitação do mantra de Samayavajra e a oferenda ardente de Vajradaka em associação com suas respectivas sadhanas, que podem ser encontradas no Apêndice II. A recitação do mantra de Samayavajra purifica, principalmente, compromissos e votos degenerados, e a oferenda ardente de Vajradaka purifica nosso carma negativo em geral. Essas duas práticas e a recitação do mantra de Vajrasattva são, principalmente, práticas de purificação. Fazer prostrações é tanto uma prática de purificação quanto um método para acumular mérito.

Para fazer a oferenda ardente de Vajradaka, precisamos de sementes de gergelim preto e de um pequeno recipiente para o fogo. O recipiente representa o mandala de Vajradaka, e serve como o objeto visual da prática. O fogo que é aceso dentro do recipiente não deve fazer fumaça e deve durar, pelo menos, o tempo que durar a sessão. Colocamos o recipiente para o fogo diante do nosso assento de meditação. Em um prato, colocamos a quantidade de sementes de gergelim que será queimada naquela sessão, e dispomos as sementes no formato de um escorpião. Quando tudo estiver preparado, sentamo-nos no assento de meditação e damos início à sessão.

Imaginamos que todo o carma negativo criado por nós mesmos e pelos seres vivos reúne-se em uma massa de luz preta, que se dissolve nas sementes de gergelim dispostas no formato de um escorpião. Enquanto recitamos o mantra de oferecimento, pegamos, com o polegar e o dedo anular da mão direita, um pouco de sementes de gergelim e as atiramos no fogo. Continuamos desse modo, até que todas as sementes de gergelim tenham sido queimadas. Enquanto fazemos isso, contamos, com um mala em nossa mão esquerda, o número de mantras recitados e de oferendas. Devemos seguir pacientemente esse procedimento, coletando as recitações de mantra e de oferendas de cada dia, em diversas sessões, até que tenhamos concluído cem mil recitações e oferendas.

Je Tsongkhapa compilou instruções especificamente para essa prática. Ela é um método muito poderoso para purificar nossas próprias ações negativas e também pode ser utilizada para purificar as ações negativas dos outros, estejam eles vivos ou mortos. Por exemplo, se nossa mãe faleceu, podemos purificar as ações negativas dela por meio de executarmos essa oferenda ardente em seu nome. Para fazer isso, seguimos a sadhana como de costume, exceto que nos focamos principalmente em nossa mãe, visualizando-a diante de nós como se estivesse viva. Imaginamos que todo o carma negativo que ela acumulou desde tempos sem início reúne-se sob o aspecto de uma massa de fumaça preta, que se dissolve nas sementes de gergelim. Enquanto recitamos o mantra de oferecimento, oferecemos as sementes à boca de Vajradaka, no centro do mandala. Pedimos então que o continuum mental de nossa mãe seja purificado de todas as falhas. Repetimos essa oferenda e pedido muitas vezes.

Para fazermos cem mil imagens de um Buda ou cem mil estupas, precisamos de um molde autêntico, a partir do qual podemos modelá-las. Devemos tentar fazer a modelagem nós mesmos, em vez de pagarmos para que outros a façam. À medida que cada estátua ou estupa é produzida, imaginamos que um novo Buda vivo se manifesta do Dharmakaya. Enquanto fazemos essas imagens, recitamos o mantra da essência da relação-dependente: OM YE DHARMA HETU TRABHAWA HETUN TEKÄN TATHAGATO HÄWADÄ TEKÄNTSAYO NIRODHA EHWAMBHADHI MAHA SHRAMANIYE SÖHA. Com um único molde, podemos produzir muitas estátuas ou estupas simultaneamente, de modo que não levará muito tempo para fazer cem mil. As estátuas ou estupas podem ser grandes ou pequenas. Mesmo que façamos uma única estátua ou estupa, mas a fizermos com fé, estaremos criando a causa para que nos tornemos um Buda vivo no futuro.

Para fazer cem mil oferendas de água, devemos obter cem vasilhas de oferenda e preenchê-las com água pura todos os dias. Se desejarmos fazer um retiro, podemos fazer cinco sessões por dia, oferecendo cem vasilhas de água em cada sessão. Gradualmente, iremos coletar as cem mil oferendas de água. Os benefícios de oferecer água e a maneira de fazer oferendas de água encontram-se explicados no livro *Caminho Alegre da Boa Fortuna*.

No início, talvez pensemos que devamos apenas fazer o retiro, e que não precisamos nos preocupar com as práticas preliminares porque elas são muito difíceis. Embora seja verdade que as nove preliminares demoram um longo tempo, apesar disso, é importante tentar fazê-las. As práticas preliminares são como preparar uma refeição, e o retiro propriamente dito é como comer a refeição. Preparar uma refeição é mais difícil que comê-la, mas uma refeição que é preparada com grande carinho torna-se um desfrute ao ser consumida.

Alguns praticantes podem pensar que, uma vez que tenham finalizado um retiro, não há necessidade de fazer as nove preliminares ou as cinco primeiras preliminares; essa atitude, entretanto, é incorreta. Não podemos dizer que finalizamos retiros de meditação até que tenhamos alcançado a Budeidade. Após finalizarmos um retiro-aproximador e concluí-lo com um puja do fogo, podemos enfatizar meditação e tentar obter experiência do estágio de geração e do estágio de conclusão nos retiros-aproximadores subsequentes.

PRELIMINARES PRÓXIMAS

Fazemos as práticas preliminares próximas pouco antes de darmos início ao retiro-aproximador. Precisamos encontrar um local silencioso e tranquilo, com uma sala de meditação adequada e bem organizada, em ambiente seguro e saudável, salubre. Devemos ter certeza de que todas as condições necessárias (como alimentos, água e aquecimento) estejam prontamente disponíveis para serem utilizados. Precisamos também de um assistente adequado, que nos auxilie durante o nosso retiro. Devemos ter a liberdade de praticar de acordo com a nossa própria tradição espiritual.

Além dessas condições exteriores, precisamos de condições interiores específicas. Em particular, precisamos ter estudado as instruções e comentários por inteiro, de modo que tenhamos a compreensão sobre como praticar as preliminares, os onze iogas do estágio de geração e as meditações do estágio de conclusão.

Devemos, então, preparar a sala de meditação na qual faremos o retiro. Primeiramente, limpamos a sala e montamos um altar com estátuas ou figuras de Buda Shakyamuni, Je Tsongkhapa, Vajrayogini e de nosso Guru-raiz. Se tivermos outras imagens de Budas e Bodhisattvas, podemos também colocá-las no altar. O assento de meditação deve ser colocado de frente para o altar. Se possível, o assento deve estar voltado para o oeste. Ele deve ser estável e confortável, com a parte de trás ligeiramente elevada. Já que a almofada de meditação não deve ser movida durante todo o retiro, é importante que, especialmente em um retiro longo, ela seja ventilada por baixo. Podemos fazer isso elevando a almofada, colocando-a sobre uma plataforma de madeira com furos. Devemos executar essas preparações poucos dias antes do nosso retiro ter início.

Na manhã do dia em que nosso retiro tiver início, dispomos as tormas e demais oferendas diante do altar - colocamos as tormas ligeiramente mais elevadas que as outras oferendas. Na frente das tormas e oferendas, dispomos quatro fileiras de vasilhas de oferenda. A primeira fileira, mais próxima do altar, é para as Deidades supramundanas; a segunda fileira é para os Dakas e Dakinis mundanos; e a terceira fileira, para os Protetores do Dharma. Essas três fileiras de oferendas exteriores são colocadas começando da esquerda da estátua (nossa direita). A quarta fileira de oferendas exteriores é para a autogeração e é disposta a partir de nossa esquerda. Cada fileira de vasilhas de oferenda é colocada na seguinte sequência: AHRGHAM, PADÄM, PUPE, DHUPE, DIWE, GÄNDHE e NEWIDE. Não há necessidade de colocar a oferenda SHAPTA, pois música não é um objeto visual.

Sobre uma mesa pequena diante de nós, colocamos nossos objetos rituais: o nosso sino e vajra, o nosso damaru, o nosso recipiente da oferenda interior, o vaso ritual e o nosso mala. O vaso deve estar preenchido dois terços com água fresca misturada com açafrão, e seu bico deve apontar para nós. Até que nosso retiro seja concluído, não devemos mover ou trocar nosso assento de meditação, tampouco remover da sala de retiro os objetos rituais de compromisso.

Fora do local em que faremos o retiro (casa, edifício, etc.), devemos mentalmente estabelecer uma fronteira ao redor da área de retiro; fazemos isso escolhendo diversos pontos de referência da paisagem, como árvores, estradas ou montanhas. Essas referências podem estar bem próximas ou distantes, conforme nosso desejo. Quando tivermos estabelecido as fronteiras, tomamos a forte determinação de não as ultrapassarmos até que nosso retiro esteja concluído.

No início de nosso retiro, devemos tomar a forte determinação de não nos encontrarmos com ninguém enquanto o retiro durar. Entretanto, podemos abrir exceções para pessoas especiais, como nosso Guia Espiritual, nosso assistente, nossos amigos de Dharma mais próximos ou nosso médico. Devemos também tomar a decisão de nos restringirmos de todas as atividades mundanas, tarefas e ocupações mentais, assim como de conversas sem significado, fúteis. Em resumo, devemos tomar a determinação de nos empenharmos em um retiro de corpo, fala e mente.

Devemos também preparar duas tormas para os rituais preliminares – uma, cuja função é eliminar obstáculos, consiste de três pequenas tormas, com velas diante delas; a outra, para os guardiões locais. A primeira torma, para eliminar obstáculos, é levada para fora durante os rituais preliminares. A torma para os guardiões locais pode ser levada para fora após esses rituais serem concluídos.

Tendo concluído todas as preparações, devemos, no meio da tarde do primeiro dia de nosso retiro, sentarmo-nos na almofada de meditação e fazer os rituais preliminares. Recitamos as preces preliminares para entrar em retiro: buscar refúgio; gerar bodhichitta; autogeração instantânea; abençoar a oferenda interior; gerar a água de limpeza no vaso; abençoar as oferendas exteriores; oferecer a torma aos Dakas e Dakinis mundanos; dar a torma aos guardiões locais; e dar e sair com a torma-que-afasta-obstáculos. Então, mentalmente geramos Khandarohi em cada um dos marcos de fronteira para que afaste obstáculos ao nosso retiro.

Nesse ponto, meditamos no círculo de proteção – o solo, cerca, tenda e dossel vajras, rodeados por chamas de fogo-sabedoria de cinco cores. Imaginamos intensamente que estamos dentro desse círculo de proteção. Abençoamos então o assento de meditação e, novamente, meditamos no círculo de proteção. Depois, abençoamos nosso ambiente de meditação e tudo o que há nele, e abençoamos também nossos três lugares corporais. Meditamos então, mais uma vez, no círculo de proteção. Devemos executar todos esses rituais preliminares em associação com a sadhana das preliminares do retiro, escrita por Je Phabongkhapa, ou em associação com a sadhana *Joia-Preliminar*, que são as preliminares condensadas do retiro de Vajrayogini – ambas as sadhanas estão no Apêndice II. Devemos tentar concluir essas preparações de modo que tenhamos tempo para descansar e jantar antes do pôr-do-sol. Devemos começar a primeira sessão do retiro ao anoitecer.

O RETIRO-APROXIMADOR PROPRIAMENTE DITO

Damos início à primeira sessão do retiro gerando uma motivação especialmente pura. Contemplamos:

> *Pela bondade de Buda Shakyamuni e, especialmente, pela bondade de meu precioso Guru-raiz, tenho agora a grande fortuna e oportunidade de praticar o supremo caminho de Vajrayogini. Eu preciso usar esta oportunidade para beneficiar todos os seres vivos.*

Com um sentimento de grande felicidade, recitamos então a sadhana, concentrando-nos no significado das palavras, sem nos distrairmos. Após a *Prece para contemplar a linda face de Vajrayogini*, fazemos as oferendas tsog e, depois, continuamos com as demais preces da sadhana, concluindo com as preces dedicatórias extensas e as preces auspiciosas. Quando formos deitar, devemos nos lembrar de praticar o ioga de dormir.

No dia seguinte, devemos concluir a primeira sessão antes do café da manhã; a segunda sessão, antes do almoço; a terceira, antes do jantar; e a última sessão, antes de irmos dormir. Devemos manter esses horários – ou algo semelhante – pelo retiro inteiro. Durante os intervalos entre as sessões de meditação, devemos estudar e contemplar as instruções de Lamrim, a fim de aperfeiçoar nossa renúncia, compaixão, bodhichitta e visão correta da vacuidade. Devemos também melhorar nossa compreensão dos estágios de geração e de conclusão lendo comentários tântricos.

Em cada sessão, após abençoarmos a oferenda interior, pegamos uma gota do néctar com a ponta de nosso dedo anular esquerdo e, com ele, desenhamos um triângulo na palma de nossa mão direita. Imaginamos que esse néctar é feito das bodhichittas brancas e vermelhas do Pai Heruka e da Mãe Vajrayogini, provenientes do órgão sexual da Mãe. Provamos o néctar e imaginamos que nossos canais, gotas e ventos interiores são abençoados e purificados de todas as falhas, e experienciamos a clara-luz de êxtase.

Pela prática de buscar refúgio, aumentamos nossa renúncia e compaixão; por meio da recitação e meditação de Vajrasattva, purificamos nosso carma negativo; por praticarmos Guru-Ioga, acumulamos uma vasta coleção de mérito; por meditarmos em trazer os três corpos para o caminho espiritual, purificamos e ganhamos controle sobre a morte, o estado intermediário e o renascimento; e pela meditação do estágio de geração propriamente dita e do estágio de conclusão, purificamos a aparência comum e a concepção comum. Por meio dessas práticas e pela recitação do mantra tri-OM, aproximamo-nos cada vez mais, momento a momento, de Vajrayogini e de todas as Dakinis. Por oferecer tormas, rapidamente recebemos aquisições de Vajrayogini, e por fazer oferendas tsog, cumprimos nossos compromissos, de modo que seremos cuidados pelos Heróis e Heroínas. Durante o retiro, devemos refletir com frequência sobre esses benefícios.

É muito importante manter os compromissos de retiro, a saber: não nos encontrarmos com muitas pessoas; não nos envolvermos em conversas fúteis; manter contínua-lembrança e conscienciosidade; não nos envolvermos em atividades mundanas; não ler livros que não estejam relacionados com a nossa prática principal; fazer oferendas de torma todos os dias, no mesmo horário; não discutir com os outros; não mostrar nossos objetos rituais de compromisso para aqueles que não têm fé; ser cuidadoso para não danificar tormas; e não permitir que aqueles que não têm fé toquem o nosso mala. Devemos também tentar abandonar as dez falhas de recitação verbal: interromper a recitação por conversar ou tossir; recitar o mantra muito alto; recitar o mantra sem som algum; recitar o mantra muito rapidamente; recitar o mantra muito vagarosamente; recitar o mantra com suspiros; recitar o mantra enquanto soluça; recitar o mantra com uma mente sonolenta; ou recitar o mantra com uma mente distraída.

Quando fazemos um "retiro-aproximador de ações", devemos recitar a totalidade do número de mantras sobre o mesmo assento. Após finalizarmos as cem mil ou quatrocentas mil recitações do mantra tri-OM, recitamos dez mil vezes o mantra sabedoria-descendente: OM OM OM SARWA BUDDHA DAKINIYE VAJRA WARNANIYE VAJRA BEROTZANIYE HUM HUM HUM PHAT PHAT PHAT HUM HA ADZE SÖHA. Enquanto recitamos esse mantra, visualizamos incontáveis raios de luz vermelha irradiando-se do nosso coração para as dez direções e convidando todos os Budas sob a forma de Vajrayogini. Eles se dissolvem em nosso corpo, como uma chuva intensa caindo no oceano. Com forte convicção, contemplamos que recebemos as bênçãos de todos os Budas, e imaginamos que nossa mente e nosso corpo se transformam na natureza de sabedoria-onisciente. Após finalizarmos as dez mil recitações do mantra sabedoria-descendente, fazemos a última sessão de nosso

Je Phabongkhapa

retiro na manhã do último dia. Nessa sessão, devemos recitar a sadhana inteira, incluindo a oferenda tsog, exatamente como fizemos na primeira sessão do retiro.

Após terminarmos o retiro, podemos levar para fora as tormas e demais oferendas e colocá-las em um lugar elevado, ou jogá-las no mar ou num rio, ou também podemos colocá-las em qualquer lugar puro e limpo. Até concluirmos o puja do fogo, devemos continuar a recitar uma vez por dia a sadhana inteira que utilizamos no retiro, sem deixar de praticá-la um único dia sequer. Quando tivermos realizado o puja do fogo, teremos concluído nosso retiro-aproximador de ações. Nos retiros-aproximadores de Vajrayogini subsequentes, não será necessário fazer o puja do fogo ao final do retiro, a menos que tenhamos o desejo específico de fazê-lo.

Mais informações sobre as preparações para o puja do fogo e sobre o esquema de como fazer a "lareira" podem ser encontradas consultando a sadhana e o diagrama no Apêndice III. Quando viermos a fazer o puja do fogo propriamente dito, iremos necessitar da ajuda de diversos assistentes; também podemos fazer o puja do fogo com outros praticantes.

O Ioga da Inconceptibilidade e o Ioga das Ações Diárias

O IOGA DA INCONCEPTIBILIDADE

"**Inconceptibilidade" refere-se à** clara-luz-significativa, a mente de grande êxtase espontâneo que realiza a vacuidade diretamente. Quando alcançarmos essa realização, obteremos a plena iluminação em seis meses. Treinar a meditação do ioga da inconceptibilidade nos conduz à aquisição da clara-luz-significativa.

Todas as aparências desta vida (nosso ambiente, nossos prazeres, nosso corpo e mente) surgiram da clara-luz da morte de nossa vida anterior. Imediatamente após a clara-luz da morte ter cessado, percebemos a aparência da quase-conquista negra *da sequência reversa* – essa mente foi o primeiro momento da mente desta vida atual. A partir dessa mente – a mente da quase-conquista negra – todas as mentes densas que percebem as coisas desta vida desenvolveram-se gradualmente, e passamos a experienciar então diversas sensações agradáveis, desagradáveis e neutras. Posteriormente, quando morrermos, todas as nossas mentes densas que percebem as coisas deste mundo irão novamente se dissolver na clara-luz da morte e, simultaneamente, tudo o que aparece para nós irá desaparecer.

De modo semelhante, quando meditamos em trazer a morte para o caminho do Corpo-Verdade, imaginamos que todas as aparências comuns se dissolvem na clara-luz da morte e que, dessa mente, as mentes densas que percebem o ambiente puro, os prazeres puros, e o corpo e mente puros de Vajrayogini desenvolvem-se gradualmente. Então, no ioga da inconceptibilidade, essas mentes novamente se dissolvem na clara-luz da vacuidade. Tudo o que percebíamos durante a meditação do estágio de geração desaparece e nós, mais uma vez, experienciamos somente a clara-luz da vacuidade. Esse processo de manifestação e dissolução da mente e de seus objetos mostra, de modo bastante claro, que coisa alguma no samsara ou no nirvana existe do seu próprio lado, do lado do objeto. Tudo é mera aparência para a mente, nada além que vacuidade. Quando dois espaços se fundem, eles se tornam um só; do mesmo modo, quando realizarmos que tudo é mera aparência, nada além que vacuidade, realizaremos a aparência e vacuidade não duais – ou seja, a união das duas verdades. Neste contexto, "união" significa que aparência e vacuidade são uma só coisa.

A prática propriamente dita desse ioga é feita de acordo com as palavras da sadhana. Visualizamos como segue:

> **Da letra BAM e do rosário de mantra em meu coração, raios de luz irradiam-se e permeiam os três reinos. O reino da sem-forma dissolve-se na parte superior do meu corpo, no aspecto de raios de luz azul. O reino da forma dissolve-se na parte mediana do meu corpo, no aspecto de raios de luz vermelha. O reino do desejo dissolve-se na parte inferior do meu corpo, no aspecto de raios de luz branca. Eu, por minha vez, gradualmente me converto em luz a partir de baixo e de cima, e dissolvo-me na fonte-fenômenos. Que se dissolve na lua. Que se dissolve nas 32 Ioguines. Elas se dissolvem nas quatro Ioguines; e estas se dissolvem na Principal Senhora do mandala de corpo. A Principal Senhora, por sua vez, converte-se gradualmente em luz a partir de baixo e de cima, e dissolve-se na fonte-fenômenos. Que se dissolve na lua. Que se dissolve no rosário de mantra. Que se dissolve na letra BAM. Que se dissolve na cabeça do BAM. Que se dissolve na lua crescente. Que se dissolve na gota. Que se**

dissolve no *nada*; e este, diminuindo cada vez mais, se dissolve na clara-luz-vacuidade.

Tendo dissolvido tudo na clara-luz-vacuidade, imaginamos que estamos experienciando a clara-luz de êxtase misturada inseparavelmente com a vacuidade, e meditamos nessa crença pelo maior tempo possível.

A real inconceptibilidade é a união de grande êxtase e vacuidade. Somente praticantes tântricos qualificados conseguem experienciar isso. O ioga da inconceptibilidade é, principalmente, um método para treinar essa união e para alcançar a clara-luz-significativa e o corpo-ilusório puro.

A meditação aqui explicada é a prática comum do ioga da inconceptibilidade, que pode ser praticada por todos os praticantes de Vajrayogini. Há também uma prática incomum do ioga da inconceptibilidade, que pode ser praticada unicamente por praticantes de Vajrayogini que tenham recebido instruções e transmissão de bênçãos especiais. A sadhana desse ioga, intitulada *O Ioga Incomum da Inconceptibilidade*, pode ser encontrada no Apêndice II.

O IOGA DAS AÇÕES DIÁRIAS

O ioga das ações diárias é um método para transformar ações diárias – tais como comer, dormir, caminhar e conversar – em profundos caminhos espirituais e, assim, extrair grande significado de todo e qualquer momento de nossa vida. O ioga das ações diárias tem duas partes:

1. A prática principal;
2. As práticas complementares.

A PRÁTICA PRINCIPAL

Mantendo a sensação de grande êxtase experienciada quando meditamos no ioga da inconceptibilidade, instantaneamente surgimos, do estado de vacuidade, como Vajrayogini. Estamos rodeados pelo círculo de proteção exterior e vestidos com o círculo de proteção interior – a armadura marcada em nosso corpo. Geramos, agora, o círculo de proteção direcional das Dakinis iradas das dez direções – fazemos isso mediante a recitação do mantra irado denominado "o mantra-que-emana-das-quatro-bocas", ao mesmo tempo que estalamos o polegar e o indicador de nossa mão esquerda em cada uma das dez direções.

Imaginamos que dez Dakinis iradas emanam da letra BAM em nosso coração. No leste (isto é, diante de nós) está Kakase; no norte, Ulukase; no oeste, Shonase; no sul, Shukarase; no sudeste, Yamadhathi; no sudoeste, Yamaduti; no noroeste, Yamadangtrini; e no nordeste, Yamamatani. No espaço acima, está Kakase; e no espaço abaixo, está Khandarohi. Visualizamos que todas essas Deidades estão no aspecto de Vajrayogini, mas com expressões iradas. Vigorosas chamas de fogo-sabedoria emanam do corpo delas e permeiam a direção que elas guardam, protegendo os praticantes contra espíritos prejudiciais.

Primeiro, recitamos OM SUMBHANI SUMBHA HUM HUM PHAT, exortando a Deidade no leste e a Deidade no espaço acima (ambas chamadas Kakase) para que expulsem todos os espíritos maléficos dessas direções. À medida que recitamos esse mantra, estalamos nosso polegar e indicador esquerdos duas vezes – a primeira vez, diante de nós, e a segunda vez, um pouco acima de nós. Estalar os dedos nos faz recordar de que tudo é da natureza da vacuidade. Depois, com a recitação de OM GRIHANA GRIHANA HUM HUM PHAT, exortamos Ulukase para que expulse todos os espíritos maléficos do norte; estalamos então nossos dedos uma vez na direção norte e recordamo-nos da vacuidade. Com OM GRIHANA PAYA GRIHANA PAYA HUM HUM PHAT, exortamos Shonase no oeste e Khandarohi no espaço abaixo para que expulsem os espíritos maléficos dessas direções; estalamos nossos dedos duas vezes – primeiro, atrás de nossa cabeça, e depois, atrás de nosso pescoço. Com OM ANAYA HO BHAGAWÄN VAJRA HUM HUM PHAT, exortamos Shukarase para que expulse todos os espíritos maléficos do sul; estalamos nossos dedos uma vez na direção sul e recordamo-nos da vacuidade.

Recitamos então os quatro mantras mais uma vez. Com a recitação do primeiro mantra, exortamos Yamadhathi para que expulse todos os espíritos maléficos do sudeste; estalamos nossos dedos uma vez na direção sudeste e recordamo-nos da vacuidade. Com o segundo mantra, exortamos Yamaduti para que expulse todos os espíritos maléficos do sudoeste; estalamos nossos dedos uma vez na direção sudoeste e recordamo-nos da vacuidade. Com o terceiro mantra, exortamos Yamadangtrini para que expulse todos os espíritos maléficos da direção noroeste; estalamos nossos dedos na direção noroeste e recordamo-nos da vacuidade. Com o quarto mantra, exortamos Yamamatani para que expulse todos os espíritos maléficos do nordeste; estalamos nossos dedos uma vez na direção nordeste e recordamo-nos da vacuidade.

Esses mantras são denominados "o mantra-que-emana-das-quatro-bocas" porque o som desses mantras vem das bocas de Heruka de quatro faces. Esses mantras têm o poder especial de impedir obstáculos.

Tendo estabelecido esse círculo de proteção direcional, devemos manter os seguintes reconhecimentos durante todas as nossas atividades diárias: (1) o que quer que apareça para a nossa mente é da natureza da vacuidade; (2) todas as vacuidades são da natureza da nossa mente de grande êxtase; (3) nossa mente de grande êxtase é o Corpo-Verdade Vajrayogini – isso significa que, por meio de experienciar grande êxtase, desenvolvemos o pensamento "eu sou Vajrayogini". Devemos tentar associar todas as nossas ações diárias com esses três reconhecimentos. Aqueles que conseguem fazer essa prática de modo bem-sucedido podem transformar suas ações diárias em atos de grande virtude, mesmo que os outros possam pensar que as ações desses praticantes são neutras ou, até mesmo, más. Por obtermos experiência na visão correta da vacuidade, seremos capazes de praticar o primeiro reconhecimento. E por obtermos experiência em trazer os três corpos para o caminho e experiência no décimo e 11º iogas, seremos capazes de praticar os dois últimos reconhecimentos.

AS PRÁTICAS COMPLEMENTARES

Há seis práticas complementares:

1. O ioga de comer;
2. A oferenda tsog;
3. Oferendas ardentes;
4. Oferendas dos décimos-dias;
5. Oferendas de torma;
6. Ações do lado esquerdo.

O IOGA DE COMER

Buda deu muitas instruções sobre como os praticantes de Dharma devem comer. De acordo com os ensinamentos hinayana, devemos considerar alimentos e bebidas como medicamentos para curar a dor da fome e da sede, e devemos comer e beber sem apego. Os ensinamentos mahayana de Sutra nos aconselham a cultivar primeiramente a motivação de bodhichitta e, depois, pensar: "Meu principal desejo é ajudar todos os seres vivos, mas, para fazer isso, preciso primeiro alcançar a Budeidade. O corpo humano que tenho agora é essencial para cumprir esse desejo. Portanto, preciso cuidar dele, dando-lhe de comer e de beber". Com essa motivação, desfrutamos então de nossa comida e bebida. De acordo com os ensinamentos Vajrayana, devemos, além da motivação de bodhichitta, desfrutar qualquer ação que envolva os sentidos – tais como comer e beber, vestir-se, lavar-se, cantar e dançar, assistir televisão ou ouvir música – como uma oferenda a nós mesmos gerados como uma Deidade, a síntese de todos os Budas. Com forte convicção na verdade das palavras de Vajradhara, devemos recordar os dois versos do *Tantra-Raiz de Heruka*:

Fazer oferendas a nós mesmos
Torna-se uma oferenda a todos os Budas.

Como praticantes de Vajrayogini, devemos, logo antes de comer ou beber, primeiramente abençoar o alimento ou a bebida recitando três vezes o mantra OM AH HUM HA HO HRIH. OM desobstrui obstáculos; AH purifica as imperfeições de cheiro, sabor e cor; HUM gera as substâncias (as cinco carnes e os cinco néctares); e HA HO HRIH transformam as substâncias em néctar. Recordamo-nos das 37 Dakinis do mandala de corpo em nosso coração e recitamos então o mantra PHAIM para convidar todos os Budas sob o aspecto de Vajrayogini. Recitamos então DZA HUM BAM HO e, ao fazermos isso, imaginamos que os seres-de-sabedoria chegam, dissolvem-se nas Dakinis do mandala de corpo e fundem-se inseparavelmente com elas. Desfrutamos, então, do alimento ou bebida, considerando-o como uma oferenda às 37 Dakinis e, por conseguinte, deleitando todos os Budas. Devemos tentar memorizar a seguinte prece, de modo que possamos recitá-la antes de comer ou beber:

OM Com uma natureza inseparável dos três vajras,
Gero-me como o Guru-Deidade.
AH Este néctar de excelsa sabedoria e êxtase incontaminados,
HUM Sem afastar-me da bodhichitta,
Compartilho para deleitar as Deidades que moram
em meu corpo.
AH HO MAHA SUKHA HO

Neste contexto, "os três vajras" são o corpo-vajra, a fala-vajra e a mente-vajra de todos os Budas.

A OFERENDA TSOG

Para os praticantes do Tantra Ioga Supremo, em geral, e para os praticantes de Heruka e Vajrayogini, em particular, a oferenda tsog é muito importante para renovar compromissos e prevenir obstáculos. É um método especial por meio do qual ficamos sob o cuidado e a orientação dos Dakas e Dakinis, que concedem realizações do estágio de conclusão. Nossa riqueza, mérito e grande êxtase irão aumentar por meio dessa prática.

O termo "*tsog*" refere-se a uma assembleia de Heróis e Heroínas. Os termos "Herói e Heroína" e "Daka e Dakini" são equivalentes. Shantideva disse que um verdadeiro Herói ou Heroína é alguém que destruiu seu inimigo (as mentes do agarramento ao em-si e do autoapreço), subjugou suas delusões e desenvolveu a coragem de ajudar incontáveis seres vivos. Quando fazemos uma oferenda tsog, devemos considerar como Heróis e Heroínas tanto aqueles *a quem* a oferenda é feita quanto aqueles *que estão fazendo* a oferenda. Oferecemos a oferenda tsog ao Campo para Acumular Mérito, que inclui toda a assembleia de Heróis e Heroínas. Quando nos reunimos em grupo para fazer um puja com oferenda tsog, é muito importante que consideremos todos como uma assembleia de Heróis e Heroínas. Se fizermos esse puja sozinhos, devemos nos visualizar rodeados por todos os seres – todos eles no aspecto de Heróis e Heroínas.

As substâncias de uma oferenda tsog podem ser qualquer alimento puro ou bebida pura, como bolos, chocolate, frutas, mel, biscoitos, sucos ou iogurte. Uma verdadeira oferenda tsog deve também incluir carne e álcool, normalmente referidos por seus nomes sânscritos – "*bala*" e "*madana*", respectivamente. Em caso de não termos carne e álcool disponíveis, podemos utilizar qualquer outra coisa que os represente. Se desejarmos, podemos fazer uma torma de oferenda tsog, no formato do seio de uma Heroína. Tradicionalmente, essa torma é colorida de vermelho e decorada com uma roda, meia lua, gota e *nada*. Todas essas substâncias são a base da oferenda tsog.

Quando fazemos uma oferenda tsog para Vajrayogini, visualizamos, no espaço a nossa frente: o círculo de proteção, os solos sepulcrais e a fonte-fenômenos. No centro da fonte-fenômenos, encontra-se Vajrayogini, rodeada pelas quatro Dakinis, pelas 32 Dakinis, por todos os Yidams das quatro classes de Tantra, por todos os Budas e Bodhisattvas, e por todos os Realizadores Solitários Emanações e Ouvintes Emanações. No espaço acima deles e um pouco atrás de Vajrayogini, visualizamos a assembleia de Gurus.

No ângulo da frente da fonte-fenômenos, visualizamos Heróis e Heroínas supramundanos, e no ângulo posterior visualizamos os Protetores do Dharma. Entre os solos sepulcrais e a cerca--vajra, visualizamos incontáveis seres vivos, todos no aspecto de Vajrayogini. Devemos manter forte orgulho divino de que somos realmente Vajrayogini, de que nosso ambiente é realmente a Terra Pura de Vajrayogini, e de que todos os seres que vemos diante de nós são emanações de Vajrayogini.

Primeiramente, abençoamos a oferenda tsog de acordo com a sadhana. Depois, recitamos as preces da oferenda tsog que estão na sadhana e fazemos as oferendas obedecendo a seguinte sequência: à assembleia de Gurus, para recebermos suas bênçãos; à assembleia de Vajrayogini e seu séquito, para alcançarmos a Terra Dakini exterior e a Terra Dakini interior; à assembleia dos demais Yidams, para aquisições gerais tântricas; à assembleia de Budas, Bodhisattvas, Realizadores Solitários e Ouvintes, para a aquisição de realizações gerais de Dharma; à assembleia de Protetores do Dharma, Heróis e Heroínas, para impedir obstáculos e obter sua assistência para desenvolvermos grande êxtase; e para todos os seres vivos, de modo que alcancem libertação da ignorância e do sofrimento. À medida que recitamos as estrofes, emanamos incontáveis Deusas Rasavajra da letra BAM em nosso coração e imaginamos que elas servem a oferenda tsog a todos os convidados. Oferecemos então as oferendas exteriores, a oferenda interior e os oito versos de louvor.

Se o Guia Espiritual Vajrayana estiver presente no trono, é tradição oferecer a ele (ou a ela) a primeira porção do alimento--néctar da oferenda tsog – fazemos isso montando para ele um prato separado de alimento abençoado. Um, dois ou três discípulos fazem três prostrações ao Guia Espiritual Vajrayana – esses discípulos atuam como representantes da assembleia e seu número depende de quão elaborada for a oferenda. Se forem dois discípulos, um deve segurar o prato contendo a primeira porção, e o outro deve segurar o *bala* e *madana*. Ambos devem estar em pé e respeitosamente diante do Guia Espiritual Vajrayana. Esses dois discípulos começam a cantar o primeiro verso da primeira estrofe de *Fazer a oferenda tsog ao Guia Espiritual Vajrayana*, e os demais discípulos juntam-se a eles, cantando a estrofe. O Guia Espiritual Vajrayana começa a cantar a segunda estrofe, e a assembleia de discípulos o acompanha, cantando a estrofe. Os dois discípulos representantes dão início à terceira estrofe, e o Guia Espiritual Vajrayana canta a quarta estrofe.

Com a recitação do mantra AH HO MAHA SUKHA HO, que significa "Ó Grande êxtase!", o Guia Espiritual Vajrayana aceita a primeira porção do alimento-néctar da oferenda tsog, o *bala* e o *madana*. O alimento abençoado restante é, então, distribuído para todos os presentes, que o desfrutam com o ioga de comer. Depois, a assembleia inteira e o Guia Espiritual Vajrayana cantam a *Canção da Rainha da Primavera* para gerarem grande êxtase e aumentá-lo. Essa prece, escrita por Je Tsongkhapa, é uma canção-vajra muito abençoada, que expressa a profunda essência do Tantra Ioga Supremo. Ela foi oferecida a Je Tsongkhapa por uma hoste de Dakinis, quando ele vivia em Ganden Yangpa Chen. Há diversos comentários a essa canção, como os que foram escritos por Gungtang Tenpai Dronme e Kachen Yeshe Gyaltsen.

Após a assembleia ter compartilhado das substâncias da oferenda tsog, um discípulo deve coletar, de cada um dos discípulos, uma pequena porção do alimento abençoado e, por último, do Guia Espiritual Vajrayana. O discípulo adiciona então a esse prato um pouco das substâncias de oferenda que não foram distribuídas, além de acrescentar um pouco de *bala* e *madana*. Se fizermos a oferenda tsog à noite, podemos também colocar uma vareta de incenso acesa no prato. Abençoamos então essa oferenda com a prece que está na sadhana, e damos essa oferenda aos espíritos que vivem de restos de alimento que foi dedicado a eles por seres humanos.

É muito importante para os praticantes de Vajrayogini e Heruka fazerem oferendas tsog, porque esse é o principal método para alcançar tanto a Terra Dakini exterior quanto a Terra Dakini interior. Khedrubje recebeu uma visão de Heruka, na qual Heruka dizia a ele: "Os praticantes que sinceramente praticam a oferenda tsog sem que se esqueçam dos dois 'décimos-dias' de cada mês irão, com absoluta certeza, renascer na Terra Dakini". Portanto, devemos nos assegurar de que não perderemos a oferenda tsog realizada nesses dois dias.

OFERENDAS ARDENTES

As verdadeiras oferendas ardentes que deleitam os Gurus e os Budas são as práticas mentais que consomem o combustível da aparência comum e da concepção comum. Na meditação do estágio de geração, desenvolvemos o "fogo" da concentração em clara aparência e orgulho divino, que parcialmente consome o combustível da aparência comum e da concepção comum. Depois, durante a meditação do estágio de conclusão, desenvolvemos o "fogo" da sabedoria da união de grande êxtase e vacuidade, que consome totalmente o combustível da aparência comum e da concepção comum.

As escrituras mencionam três tipos de oferenda ardente: exterior, interior e insuperável. As práticas de oferenda ardente que envolvem a utilização de fogo exterior e de substâncias materiais são denominadas "oferendas ardentes exteriores". Há muitos diferentes tipos de oferenda ardente exterior, tais como a oferenda ardente de sementes de gergelim preto, a oferenda ardente de cumprimento do compromisso de um retiro-aproximador, a oferenda ardente de dez por cento de um retiro-aproximador, e as oferendas ardentes para alcançar ações pacificadoras, crescentes, controladoras e iradas.

A oferenda ardente de Vajradaka e a oferenda ardente da chama de vela são, ambas, exemplos de oferendas nas quais são queimadas unicamente sementes de gergelim preto. A última – a oferenda ardente da chama de vela – foi compilada por Je Phabongkhapa para ser praticada em associação com a prática de Vajrayogini.

Para concluir um retiro-aproximador de ações, precisamos fazer uma "oferenda ardente de cumprimento do compromisso do retiro-aproximador" para purificarmos quaisquer erros ou equívocos que tenhamos cometido durante o nosso retiro. Talvez tenhamos recitado incorretamente o mantra; ou desenvolvido dúvida ou falta de fé; talvez tenhamos sucumbido às distrações; ou fomos vencidos pelo sono e tenhamos adormecido. Podemos ter pronunciado mal as palavras ou de maneira errada; ou talvez omitimos ou adicionamos palavras enquanto recitávamos a sadhana. É possível que tenhamos praticado com má motivação, dúvida deludida, visões errôneas, falta de convicção ou sem que tivéssemos afastado nossa mente das atividades mundanas. Podemos ter permitido que nossa contínua-lembrança diminuísse e ficasse mais "frouxa"; talvez tenhamos conversado sem uma boa razão; ou desenvolvido raiva, inveja ou outras fortes delusões; ou ignorado ou esquecido as instruções de nosso Guru. Podemos purificar todos esses erros ou equívocos executando a oferenda ardente.

Para executarmos a "oferenda ardente de cumprimento do compromisso", devemos primeiramente obter e preparar as substâncias tradicionais e dispor de um local apropriado para a fogueira. Depois, limpamos e purificamos a área onde o puja do fogo irá acontecer e fazemos os preparativos necessários, tais como: desenhar o mandala na base da fogueira – ou lareira –, arrumar a lenha, organizar as substâncias na ordem correta, preparar o assento e os implementos, e assim por diante.

Uma vez que estejamos sentados no local onde faremos o puja do fogo, pegamos nosso vajra e sino (que devemos segurar durante o puja inteiro) e paramos de falar. Imaginamos então que um fogo-sabedoria surge da vacuidade. No centro do fogo, visualizamos Vajrayogini e a Deidade-Fogo mundana e, enquanto recitamos as preces apropriadas que estão na sadhana do puja do fogo, oferecemos para Vajrayogini e para a Deidade-Fogo mundana as seguintes oferendas: doze substâncias principais, uma mistura especial de substâncias, oferendas exteriores, a oferenda interior e oferendas de torma. Devemos considerar todas essas substâncias como tendo a natureza de néctar-sabedoria.

Cada uma das doze substâncias tem um significado específico: (1) oferecer madeira lactescente – madeira que ainda contém seiva – aumenta nossa vitalidade; (2) oferecer manteiga aumenta nossa riqueza; (3) oferecer sementes de gergelim purifica nosso carma negativo; (4) oferecer grama-de-ponta aumenta nosso tempo de vida; (5) oferecer arroz aumenta nosso mérito; (6) oferecer farinha integral com iogurte aumenta o êxtase supremo; (7) oferecer grama *kusha* purifica nossa mente; (8) oferecer sementes de mostarda impede obstáculos exteriores; (9) oferecer cevada com casca aumenta as colheitas; (10) oferecer cevada sem casca causa o desenvolvimento de uma mente poderosa e rápida; (11) oferecer ervilhas verdes aumenta o poder do nosso corpo; e (12) oferecer trigo alivia e controla doenças. A 13ª oferenda é uma mistura especial de doze substâncias. Ela consiste de grama *kusha*, leite, cevada, sementes de gergelim, grama-de-ponta, arroz, farinha e iogurte, pó de sândalo, *ti yang ku* (um tipo de grama), *thang chu* (uma goma, ou resina, especial), flores e arroz expandido seco (também conhecido no Brasil como *pipoca de arroz integral*).

A "oferenda ardente de dez por cento do retiro-aproximador" é feita após concluirmos um grande retiro-aproximador, no qual recitamos dez milhões de mantras tri-OM. Durante esse puja, que é executado durante vários dias, recitamos um milhão de mantras adicionais – o equivalente a dez por cento do total de mantras coletados – e fazemos o mesmo número de oferendas ardentes. Podemos também fazer a oferenda ardente de dez por cento após retiros em que recitamos cem mil, quatrocentos mil ou três milhões e duzentos mil mantras. Em cada caso, se desejarmos, podemos fazer um puja do fogo durante vários dias, no qual recitamos uma quantidade adicional de mantras equivalente a um décimo do total do número de mantras que nos comprometemos recitar no retiro.

Uma vez que tenhamos realizado um retiro-aproximador de ações e o puja do fogo conclusivo, estaremos autorizados a executar quatro tipos de oferenda ardente: "oferendas ardentes de ações pacificadoras", para pacificar nossos próprios obstáculos e os dos outros; "oferendas ardentes de ações crescentes", para aumentar riqueza, tempo de vida, mérito, boa fortuna e realizações; "oferendas ardentes de ações controladoras", para reunir e atrair o poder dos Budas, Bodhisattvas, seres sencientes e dos quatro elementos; e "oferendas ardentes de ações iradas", pelas quais podemos destruir o poder de espíritos maléficos.

Quando fazemos um puja do fogo, oferecemos as doze substâncias e outras oferendas materiais às Deidades e, ao mesmo tempo, contemplamos que nossas próprias aparências e concepções comuns, bem como as dos outros, são consumidas no fogo de sabedoria. Por pensarmos desse modo, nosso puja do fogo será uma genuína prática de oferenda ardente.

Qualquer oferenda ardente do estágio de geração que não envolva a utilização de um fogo exterior é uma oferenda ardente *interior*, e qualquer oferenda ardente do estágio de conclusão é uma oferenda ardente *insuperável*. Podemos praticar ambas essas oferendas ardentes quando estivermos praticando os iogas de comer e de beber. Sempre que comermos ou bebermos, focamo-nos na letra BAM em nosso coração e imaginamos que fazemos oferendas a todos os Dakas e Dakinis. Para fazer tais oferendas, primeiramente geramos orgulho divino de ser Vajrayogini e imaginamos que as 37 Dakinis do mandala de corpo se dissolvem e se transformam na letra BAM vermelha em nosso coração. O *nada* do BAM irrompe em chamas e se torna um fogo-sabedoria ardente, que consome totalmente nossa comida e bebida assim que a ingerimos. Enquanto visualizamos isso, acreditamos que nossas aparências e concepções comuns são totalmente consumidas pelo fogo-sabedoria, e isso faz com que experienciemos a sabedoria unificada de grande êxtase e vacuidade. Essa prática resulta em um corpo saudável, com poucas desordens físicas. Ela também aumenta nossas coleções de mérito e de sabedoria.

OFERENDAS DOS DÉCIMOS-DIAS

De acordo com o calendário tibetano, o "primeiro décimo-dia" ocorre dez dias após a lua nova, e o "segundo décimo-dia" ocorre dez dias após a lua cheia. Embora no calendário tibetano o segundo décimo-dia seja considerado, em geral, como o 25º dia do mês (já que esse calendário se fundamenta no calendário lunar), a partir desta explicação podemos compreender porque é dito que cada mês possui dois décimos-dias. Quando fazemos oferendas especiais em um desses dois dias, ela é denominada "oferenda do décimo-dia". Podemos também fazer essas oferendas no 10º e 25º dias do calendário ocidental. Esses dois dias são sagrados para as Dakinis e, por esse motivo, se fizermos oferendas ou preces nesses dias, elas serão especialmente poderosas, e será mais fácil receber as bênçãos dos Dakas e Dakinis. Por essas razões, sinceros praticantes de Heruka e Vajrayogini não devem se esquecer de fazer oferendas nos dois décimos-dias. De acordo com a prática de Vajrayogini, há três tipos de oferenda do décimo-dia:

1. Oferendas extensas dos décimos-dias;
2. Oferendas medianas dos décimos-dias;
3. Oferendas breves dos décimos-dias.

OFERENDAS EXTENSAS DOS DÉCIMOS-DIAS

Este tópico tem duas partes:

1. As preparações;
2. A oferenda propriamente dita.

AS PREPARAÇÕES

Primeiramente, colocamos uma mesa alta e grande diante do altar, ou em qualquer outra posição que seja mais prática. Sobre a mesa – que deve estar coberta com um tecido limpo – colocamos uma imagem do mandala de Vajrayogini, em posição horizontal. No centro do mandala, colocamos um pequeno recipiente com pó sindhura. Isso é denominado "o mandala sobreposto de corpo" e é o objeto visual na dependência do qual geramos o corpo da Vajrayogini gerada-em-frente. Sobre isso, colocamos um tripé, sobre o qual colocamos uma cuia de crânio (verdadeira ou artificial) ou algum outro recipiente semelhante. Despejamos na cuia de crânio um pouco de álcool ou chá preto, adoçamos esse conteúdo com mel, e adicionamos um pouco da substância da oferenda interior. Cobrimos então a cuia de crânio, ou recipiente similar, com um pequeno tecido vermelho e limpo – colocamos o tecido sobre uma estrela de seis pontas feita de varetas entrelaçadas, em posição horizontal. Isso é denominado "o mandala de néctar da fala" e é o objeto visual na dependência do qual geramos a fala de Vajrayogini. Em cima do tecido, colocamos "o mandala sindhura da mente", que é o objeto visual na dependência do qual geramos a mente da Vajrayogini gerada-em-frente. Se não tivermos um mandala sindhura tradicional de madeira, podemos utilizar um pedaço circular de madeira, limpo, ou um espelho redondo. Na superfície, que deve ser plana, pintamos uma fonte-fenômenos vermelha no formato de uma estrela de seis pontas, formada por dois triângulos entrelaçados, com torvelinhos de alegria nos quatro ângulos laterais. No centro da fonte-fenômenos, escrevemos em dourado – preferivelmente, com tinta de ouro verdadeira – a letra BAM com o mantra tri-OM ao seu redor, em sentido anti-horário. Utilizando uma pequena peneira, espargimos então um pouco de pó sindhura sobre a superfície do disco, cobrindo-a ligeiramente, de modo que possamos ainda ver a letra BAM e o mantra. Um montículo de pó sindhura deve também ser colocado em cada um dos quatro torvelinhos de alegria. Podemos utilizar isso como o mandala sindhura da mente e colocá-lo sobre o mandala de néctar da fala. Esse método de fazer o mandala sindhura da mente foi explicado por Ngulchu Dharmabhadra, de acordo com autêntica tradição.

Ao redor dos mandalas de corpo, fala e mente, dispomos um conjunto de pequenas vasilhas de oferenda em sentido anti-horário. Começando a partir do leste (diante do mandala), colocamos AHRGHAM; no nordeste (nossa direita), PADÄM; no norte, PUPE; no noroeste, DHUPE; no oeste, DIWE; no sudoeste, GÄNDHE; e no sul, NEWIDE; por fim, no sudeste, colocamos uma flor para marcar a fronteira. Na frente dos mandalas, dispomos pelo menos cinco fileiras de oferendas exteriores. A primeira fileira (mais próxima do mandala) consiste em nove vasilhas na seguinte sequência de conteúdo: AHRGHAM, PADÄM, ÄNTZAMANAM (água para lavar a boca), PROKYANAM (água para espargir), PUPE, DHUPE, DIWE, GÄNDHE e NEWIDE. Essas oferendas são para as Deidades do mandala gerado-em-frente. A segunda fileira (disposta à frente da anterior) é constituída das oferendas exteriores gerais: AHRGHAM, PADÄM, PUPE, DHUPE, DIWE, GÄNDHE e NEWIDE. Elas podem ser utilizadas em qualquer etapa da sadhana, tais como: oferendas de torma, oferendas tsog ou oferendas de agradecimento. Diante dessas oferendas, estão as oferendas exteriores para a Deidade do vaso (desde AHRGHAM até NEWIDE) e, em frente destas, estão as oferendas preliminares (desde AHRGHAM até NEWIDE). Todas essas fileiras de oferendas começam a partir da esquerda do mandala (nossa direita). A fileira de oferendas mais à frente (a que está mais próxima do praticante) é para a Deidade autogerada, e inclui desde AHRGHAM até NEWIDE. Essas oferendas são dispostas no sentido oposto – da nossa esquerda para nossa direita. Colocamos as oferendas de torma à direita do mandala (nossa esquerda), ligeiramente diante dele. Em frente às tormas principais, colocamos uma torma para os Protetores do Dharma em geral e uma torma preliminar. Colocamos as oferendas tsog à esquerda do mandala, ou em qualquer outro lugar em que haja espaço.

Sobre uma pequena mesa diante do nosso assento, colocamos um vaso ou um recipiente preenchido dois terços com água açafroada, e adicionamos um pouco da substância especial do vaso, se estiver disponível. Se preferirmos, poderemos dispor, diante do vaso, as oferendas à Deidade do vaso, em vez de colocá-las diante do altar. Sobre a mesa, colocamos uma pequena concha e um vajra diminuto, com um longo fio de cinco cores enrolado em torno dele; colocamos também nossos implementos (sino, vajra e damaru), nosso recipiente com a oferenda interior e um pote com um pouco de arroz ou flores. Quando fazemos a prática em grupo, é necessário apenas um único vaso, concha e vajra diminuto para o grupo todo, e esses objetos rituais devem estar colocados sobre a mesa diante da pessoa que irá presidir o puja.

A OFERENDA PROPRIAMENTE DITA

Fazemos as oferendas extensas dos décimos-dias em associação com a sadhana de autoiniciação de Vajrayogini, *Festa de Grande Êxtase*, escrita por Je Phabongkhapa, que pode ser encontrada no Apêndice II. A sequência da sadhana é a seguinte: fazer as preliminares (tais como abençoar as oferendas e oferecer a torma preliminar); meditação na autogeração; realizar o vaso; realizar o mandala-em-frente; fazer oferendas; receber as iniciações; oferecer as tormas; fazer a oferenda tsog; fazer a oferenda de agradecimento; recitar as preces dedicatórias; e recitar as preces auspiciosas. Se praticantes de Vajrayogini que ainda não tenham concluído um "retiro-aproximador de ação de Vajrayogini" desejarem fazer a oferenda extensa do décimo-dia, eles devem fazer as mesmas preparações; porém, quando recitarem a sadhana, devem omitir as seções da oferenda da torma preliminar e de realizar o vaso. Depois, podem prosseguir desde realizar o mandala-em-frente e fazer extensas oferendas até a seção *receber as iniciações*, exclusive. Eles devem, portanto, omitir a seção *receber as iniciações*, e continuar com a recitação a partir das oferendas de torma e oferendas tsog até o final da sadhana.

OFERENDAS MEDIANAS DOS DÉCIMOS-DIAS

Fazemos as oferendas medianas dos décimos-dias recitando a sadhana extensa de autogeração de Vajrayogini, juntamente com as preces da oferenda tsog.

OFERENDAS BREVES DOS DÉCIMOS-DIAS

Fazemos as oferendas breves dos décimos-dias recitando a sadhana condensada de Vajrayogini, *Caminho de Êxtase*, juntamente com as preces da oferenda tsog. A sadhana *Caminho de Êxtase* pode ser encontrada no Apêndice II.

Visto que a oferenda dos décimos-dias é um compromisso importante para os praticantes de Heruka e Vajrayogini, devemos tentar não nos esquecer desses dias. Quando fazemos oferendas tsog em associação com o puja *Oferenda ao Guia Espiritual* como uma oferenda do décimo-dia, devemos considerar que o Campo para Acumular Mérito principal, Lama Losang Tubwang Dorjechang, tem a mesma natureza de Heruka e Vajrayogini. Sempre que executarmos uma oferenda tsog relacionada a qualquer outra Deidade, devemos considerar o objeto principal do Campo para Acumular Mérito como sendo *uno*, em natureza, com Heruka e Vajrayogini.

Se circunstâncias nos impedirem de fazer uma oferenda do décimo-dia, devemos então recitar o dobro do número de mantras tri-OM que prometemos recitar diariamente. Se ignorarmos ou nos esquecermos por completo de fazer uma oferenda do décimo-dia, isso significa que quebramos nosso compromisso.

Há um mês do ano que é um período muito importante para os praticantes de Heruka e Vajrayogini. De acordo com o calendário tibetano, esse mês abrange desde o 16º dia do 11º mês do calendário lunar até o 15º dia do 12º mês. Visto que isso normalmente coincide com o mês ocidental de janeiro (ou se aproxima bastante dele), podemos considerar o mês de janeiro como um mês especial. Esse período do ano é poderoso para os praticantes de Heruka e Vajrayogini fazerem oferendas e retiros. Os dois décimos-dias desse mês são particularmente especiais. O primeiro décimo-dia é o dia especial de Vajrayogini, e o segundo décimo-dia é o dia especial de Heruka. É particularmente importante fazer oferendas especiais nesses dois dias.

OFERENDAS DE TORMA

A oferenda de torma é uma oferenda especial de comida realizada com o propósito de se obter aquisições espirituais. Ao passo que oferendas tsog podem ser feitas unicamente por praticantes do Tantra Ioga Supremo, as oferendas de torma podem ser feitas por qualquer praticante de Sutra ou de Tantra. Os *Sutras Vinaya* ensinam que a Sangha deve oferecer tormas às Três Joias e aos Protetores do Dharma para impedir obstáculos e reunir todas as condições necessárias, e que a Sangha também deve dar tormas aos guardiões locais como uma maneira de fazer amizade com eles. Uma prática semelhante é explicada nos ensinamentos do Treino da Mente. A oferenda de torma na prática de Vajrayogini será explicada em duas partes:

1. As preparações;
2. A oferenda de torma propriamente dita.

AS PREPARAÇÕES

Em geral, para a prática de Vajrayogini, há quatro tormas: as três tormas principais e a torma para os Protetores do Dharma em geral, frequentemente denominada "a torma Ogminma". No entanto, de acordo com esta tradição, se tivermos o desejo de oferecer tormas continuamente – seja como parte de nossa prática diária, seja durante um retiro-aproximador – podemos dispor cinco tormas. É costume essas tormas serem coloridas de vermelho e estarem decoradas. Se desejarmos, podemos confeccioná-las de acordo com a maneira tradicional, como está ilustrado no Apêndice III. Se não pudermos fazer tormas da maneira tradicional, podemos utilizar mel, bolos frescos, álcool, ou qualquer outro alimento puro para representá-las.

Dispomos as tormas sobre o altar, diante de uma estátua ou figura de Vajrayogini. A torma central é para Vajrayogini e seu séquito, que são os principais convidados da oferenda de torma. A torma imediatamente à direita de Vajrayogini (nossa esquerda) é para os Dakas e Dakinis mundanos, e a torma à direita desta é a torma Ogminma. *Ogmin*, ou "Akanishta" em sânscrito, é uma Terra Pura Búdica. A torma imediatamente à esquerda da torma central (nossa direita) é para o Protetor do Dharma Kinkara. Esse Protetor é um Protetor especial para os praticantes de Heruka e Vajrayogini e é também conhecido como "Pai-Mãe Senhor dos

Solos Sepulcrais". À esquerda dessa torma, está a torma para o Protetor do Dharma, que é denominado "o grande Protetor das palavras do Guru". Na sadhana, a prece para oferecer a torma aos Protetores do Dharma em geral contém estes dois versos:

Peço e faço oferendas a vós, ó Hoste de Protetores da doutrina do Conquistador,
Eu vos propicio e confio em vós, ó Grandes Protetores das palavras do Guru.

O primeiro verso refere-se aos Protetores do Dharma em geral, e o segundo verso refere-se, especificamente, ao Protetor do Dharma do nosso próprio Guia Espiritual. Devemos descobrir, perguntando ao nosso Guia Espiritual principal que nos guia pelo caminho de Vajrayogini, o nome desse Protetor do Dharma especial. Eu, o autor, tenho Dorje Shugden como meu Protetor do Dharma especial. Para mim, Dorje Shugden é o grande Protetor das palavras do Guru, e eu utilizo a quinta torma como uma oferenda a ele. Para oferecer a torma a Dorje Shugden, podemos adicionar, imediatamente após a estrofe para o Protetor Kinkara, a seguinte estrofe especial:

Dos lugares supremos, como Tushita, Keajra e assim por diante,
Grande Protetor da doutrina do segundo Conquistador,
Dorje Shugden, Cinco Linhagens, juntamente com vossos séquitos,
Por favor, vinde a nós e compartilhai desta oferenda e torma.

A OFERENDA DE TORMA PROPRIAMENTE DITA

A visualização dos convidados, a quem as tormas são oferecidas, é exatamente igual à visualização para fazer a oferenda tsog e para fazer as oferendas dos décimos-dias. Abençoamos as tormas de acordo com a sadhana e, depois, emanamos incontáveis Deusas

Rasavajra da letra BAM em nosso coração para oferecer tormas aos convidados.

Enquanto visualizamos as tormas sendo oferecidas, recitamos três vezes o mantra OM VAJRA AH RA LI HO: DZA HUM BAM HO: VAJRA DAKINI SAMAYA TÖN TRISHAYA HO e executamos o mudra associado. Para fazer esse mudra, mantemos ambas as mãos diante de nós com as palmas abertas, voltadas para cima e estendidas, e os polegares dobrados. Quando recitamos DZA HUM BAM HO, estalamos o dedo médio e o polegar de nossa mão direita. Com a primeira recitação, fazemos oferendas de torma a Guru Vajrayogini e a seu séquito de 36 Dakinis, assim como aos Gurus-linhagem; com a segunda recitação, fazemos oferendas de torma a todos os demais Yidams, Budas, Bodhisattvas, Realizadores Solitários Emanação e Ouvintes Emanação; e com a terceira recitação, fazemos oferendas de torma para todos os Protetores do Dharma e para os Dakas e Dakinis supramundanos. O significado do mantra de oferecimento é o seguinte:

OM: "Ó, Vajrayogini,"
VAJRA: refere-se à torma, ela própria.
AH RA LI HO: "por favor, desfruta".
DZA: imaginamos que o néctar alcança a língua de Vajrayogini.
HUM: o néctar alcança a garganta de Vajrayogini.
BAM: o néctar alcança o coração de Vajrayogini.
HO: Vajrayogini experiencia grande êxtase espontâneo.
VAJRA DAKINI: "Ó, Vajrayogini,"
SAMAYA TÖN: "por tua compassiva equanimidade,"
TRISHAYA HO: "por favor, cuida de mim".

Recitamos, então, duas vezes o mantra que começa com OM KHA KHA, KHAHI KHAHI, SARWA YAKYA RAKYASA (...). Com a primeira recitação, oferecemos tormas aos Dakas e Dakinis mundanos das quatro direções cardeais, e com a segunda recitação, oferecemos tormas aos Dakas e Dakinis mundanos das quatro direções intermediárias. Quando recitamos esse mantra, estamos a pedir aos Dakas e Dakinis mundanos – as onze assembleias, tais como a assembleia de deuses e a assembleia de nagas, que residem nos oito solos sepulcrais – que aceitem a torma e a desfrutem, e que nos ajudem a cumprir nossos desejos.

Após oferecer essas tormas, fazemos então oferendas exteriores, oferecemos a oferenda interior, e recitamos as preces longa e breve de Vajrayogini, pedindo para que ela nos conduza, e a todos os seres vivos, a sua Terra Pura.

Oferecemos então a torma aos Protetores do Dharma em geral – como Mahakala de quatro faces, Kalindewi (Palden Lhamo) e o Protetor Kinkara – e oferecemos também a torma especial ao grande Protetor das palavras do Guru. Para essas oferendas, utilizamos a prece da sadhana intitulada "Ogminma" em tibetano.

Ao final da sadhana, recitamos o mantra de Vajrasattva, ao mesmo tempo que tocamos o sino para nos recordarmos da vacuidade. Isso purifica quaisquer erros ou equívocos que tenhamos cometido durante a nossa prática. Pedimos aos seres sagrados para serem pacientes e que perdoem quaisquer erros ou equívocos. Recitamos, então, as preces dedicatórias e preces auspiciosas.

AÇÕES DO LADO ESQUERDO

No *Tantra-Raiz de Heruka*, Vajradhara diz:

> Tudo, nos três reinos, quer seja movente ou imóvel,
> Surge da esquerda.

Neste contexto, "[d]a esquerda" refere-se à clara-luz da vacuidade. Essa passagem significa que tudo nos três reinos, incluindo todos os seres vivos, surge da vacuidade. O Tantra-Mãe, em geral, e os Tantras de Vajrayogini e Heruka, em particular, revelam principalmente a prática da clara-luz da vacuidade, isto é, a mente de clara-luz associada com a realização da vacuidade. Praticantes de Heruka e Vajrayogini devem manter, com o mesmo apreço que temos por

Dorjechang Trijang Rinpoche

um tesouro, a clara-luz da vacuidade como sua prática-coração. Para nos lembrarmos constantemente disso, devemos tentar iniciar qualquer ação física com o nosso lado esquerdo. Por exemplo, sempre que formos pegar ou tocar alguma coisa, devemos usar nossa mão esquerda; sempre que olharmos para algo, devemos tentar pensar que estamos olhando, primeiro, com nosso olho esquerdo; sempre que ouvirmos algo, devemos tentar pensar que estamos ouvindo, primeiro, com nosso ouvido esquerdo; e sempre que formos andar, devemos dar o primeiro passo com o pé esquerdo. Devemos aplicar isso a todas as nossas ações físicas. Quando obtivermos familiaridade com essa prática, todas as nossas atividades serão transformadas em ações semelhantes às ações das Dakinis, que, em todas as suas atividades, se recordam da vacuidade. Essa prática das ações do lado esquerdo é um compromisso do Tantra-Mãe.

Como Alcançar a Terra Dakini Exterior pela Prática do Estágio de Geração

HÁ TRÊS TIPOS de praticante de Vajrayogini: o que possui grande fortuna, ou mérito; o que possui fortuna mediana; e o que possui menor fortuna.

COMO OS PRATICANTES DE VAJRAYOGINI QUE POSSUEM GRANDE FORTUNA, OU MÉRITO, ALCANÇAM A TERRA DAKINI EXTERIOR, CONHECIDA COMO TERRA PURA DE KEAJRA

Um praticante de grande fortuna pode alcançar a Terra Dakini exterior antes da morte dedicando-se diariamente à prática do estágio de geração, à recitação do mantra tri-OM e por fazer oferendas nos décimos-dias. Se, por um longo período, nos empenharmos de maneira pura, sincera e contínua nessas práticas, mas não experienciarmos sinal especial algum de aquisição, isso irá indicar que somos um ser de fortuna mediana ou de menor fortuna. Alguns praticantes de fortuna mediana conseguem alcançar a Terra Dakini exterior na mesma vida – isso é obtido por sua prática diária pura, por manterem sinceramente seus compromissos e votos e por fazerem um retiro-aproximador de ações. Outros praticantes de fortuna mediana precisam fazer um grande retiro-aproximador, seguido pela prática de realizar o mandala sindhura usando a haste de uma árvore langali.

Em geral, é importante para todos os praticantes de Vajrayogini fazer retiros-aproximadores. Quando tivermos concluído um retiro-aproximador de ações e um puja do fogo, estaremos qualificados para fazer a autoiniciação. Com essa prática, podemos renovar e fortalecer nossos votos e compromissos tântricos e purificar nossas negatividades, incluindo nossas quedas morais tântricas. É importante praticar regularmente a autoiniciação porque a manutenção de nossos votos e compromissos é o fundamento de todas as aquisições tântricas. Se quebrarmos nossos votos e compromissos e não os restaurarmos utilizando um método apropriado, isso será um grande obstáculo para obtermos realizações tântricas.

COMO OS PRATICANTES DE VAJRAYOGINI QUE POSSUEM FORTUNA MEDIANA ALCANÇAM A TERRA DAKINI EXTERIOR

Há três etapas:

1. Concluir um grande retiro-aproximador enfatizando a autogeração;
2. Realizar o mandala enfatizando a geração-em-frente;
3. Alcançar o efeito.

Se um praticante de fortuna mediana praticar todas essas três etapas com forte fé e convicção, ele (ou ela) conseguirá alcançar a Terra Dakini exterior.

CONCLUIR UM GRANDE RETIRO-APROXIMADOR ENFATIZANDO A AUTOGERAÇÃO

Após concluirmos as nove práticas preliminares, podemos fazer um grande retiro-aproximador. A preparação de um grande retiro-aproximador e a maneira de fazê-lo são, basicamente, as mesmas que para fazer retiros-aproximadores em geral, exceto que, neste caso, devemos coletar dez milhões de mantras tri-OM e um milhão de mantras sabedoria-descendente, todos sobre o mesmo assento. Depois, utilizando principalmente sementes de gergelim preto, devemos executar oferendas ardentes de um milhão de mantras, quantidade essa que corresponde a um décimo do número recitado durante o grande retiro-aproximador.

REALIZAR O MANDALA ENFATIZANDO A GERAÇÃO-EM-FRENTE

Após concluirmos um grande retiro-aproximador, precisamos realizar a segunda etapa. As preparações para essa etapa (montar o mandala sobreposto de corpo, o mandala de néctar da fala, o mandala sindhura da mente, as tormas e as demais oferendas) são as mesmas que as das preparações das oferendas extensas do décimo-dia, e o retiro é, basicamente, idêntico a um retiro-aproximador.

Durante as sessões, devemos nos sentar voltados para o oeste. Em cada sessão, recitamos a sadhana de autogeração, desde *buscar refúgio* até o *ioga da inconceptibilidade*, inclusive; depois, continuamos com a sadhana de autoiniciação, desde realizar o mandala sindhura e fazer extensas oferendas e louvores até o louvor antes da seção *receber as iniciações*. Nesse ponto, recitamos o mantra para Vajrayogini gerada a nossa frente.

No coração da Deidade principal do mandala sindhura, está uma fonte-fenômenos. Sobre uma almofada de lua, dentro da fonte-fenômenos, está uma letra BAM vermelha, rodeada pelo mantra tri-OM. A letra BAM e o mantra irradiam incontáveis raios de luz vermelha, que purificam o carma negativo de todos os seres vivos e fazem oferendas a todos os Budas. Todo o poder e bênçãos de todos os Budas reúnem-se e retornam no aspecto de luz vermelha. Essa luz se dissolve na letra BAM vermelha e no mantra que estão no coração da Deidade gerada-em-frente. Então, da letra BAM e do mantra, raios de luz-sabedoria se irradiam para o nosso próprio coração e recebemos as bênçãos de todas as Dakinis. Com essa visualização, recitamos o mantra tri-OM. Devemos fazer isso em quatro sessões por dia, até termos concluído a recitação de quatrocentos mil mantras. Essa prática é, basicamente, a mesma que a da sadhana de autoiniciação, exceto que: não enviamos para fora a torma preliminar; não realizamos o vaso; e não recebemos as quatro iniciações. Devemos estar cientes sobre como a prática pode ser abreviada ou modificada, sem omitirmos o essencial.

A cada dia, precisamos renovar os três mandalas e fazer oferendas tsog e demais oferendas. Devemos trocar o pó sindhura todos os dias e armazenar, em um recipiente especial, o pó sindhura já utilizado, pois ele será posteriormente usado na prática de *alcançar o efeito*.

Na última sessão de cada dia, fazemos oferendas de torma, oferendas tsog e oferendas de agradecimento, e recitamos a prece dedicatória extensa e as preces auspiciosas. Procedendo desse modo, finalizaremos a recitação dos quatrocentos mil mantras tri-OM da Deidade gerada-em-frente.

Quando tivermos concluído a recitação desses mantras, podemos fabricar um recipiente a partir da haste, ou caule, de uma árvore langali – uma árvore tropical semelhante a um bambu, porém mais grossa. Cortamos um segmento da haste, com alguns centímetros de comprimento. O segmento deve ser oco e uma das extremidades deve estar bloqueada naturalmente por um dos nós da haste; a outra extremidade deve estar aberta. Em um pedaço de madeira, que será utilizado como tampa ou rolha para fechar a extremidade aberta da haste, gravamos um torvelinho de alegria, para servir de sinete. Dividimos então o pó sindhura, coletado a cada dia do retiro, em oito pequenas vasilhas. Depois, colocamos as vasilhas diante do mandala e, então, recitamos oito mil mantras tri-OM em associação com a prática de realizar o mandala, que está na sadhana de autoiniciação. Após termos recitado mil mantras, esvaziamos uma vasilha de pó sindhura na haste de langali. Continuamos desse modo até que tenhamos concluído a recitação dos oito mil mantras e que todas as oito vasilhas de sindhura tenham sido esvaziadas na haste de langali. Com a tampa na qual gravamos o torvelinho de alegria, fechamos então a extremidade da haste. Depois, enrolamos a haste de langali com um tecido vermelho, que deve cobrir ambas as extremidades. Devemos marcar o tecido com uma letra BAM – se possível, com tinta de ouro verdadeira – para indicar qual extremidade da haste de langali deve ficar para cima.

Após concluirmos essas preparações, fazemos, no primeiro décimo-dia do mês, a prática denominada "realizar o sindhura com a haste de langali". Preparamos os três mandalas, as oferendas, as tormas e as oferendas tsog exatamente do mesmo modo como fazemos com as oferendas extensas dos décimos-dias. Colocamos a haste de langali em posição vertical, no centro do mandala sindhura da mente. A letra BAM, pintada no tecido que envolve a haste de langali, deve estar voltada para nós.

Durante o dia, fazemos as práticas de autoiniciação de acordo com a sadhana e fazemos também extensas oferendas. Ao anoitecer, um pouco antes que escureça e com a ajuda de um praticante de Heruka, levamos a haste de langali para um local isolado, que julgamos ser adequado e que devemos considerar como os solos sepulcrais do mandala de Vajrayogini. Assim que chegarmos ao local, cavamos um buraco triangular, com aproximadamente 46 centímetros de profundidade [18 polegadas], e um dos ângulos voltado para o oeste. Colocamos a haste em posição vertical dentro do buraco e a cobrimos com terra. Devemos aplainar a superfície, de modo que o lugar onde enterramos a haste não seja perceptível para os outros; porém, devemos deixar algum sinal ou fazer uma "anotação mental" de sua localização, de maneira que possamos reencontrá-lo.

Sentamo-nos então nesse local, de frente para o oeste, e fazemos a prática de autogeração, desde buscar refúgio até a recitação do mantra, enquanto relembramos que nós próprios e o pó sindhura dentro da haste de langali somos *unos* com a vacuidade. Meditamos, então, principalmente no ioga incomum da inconceptibilidade – a sadhana para meditarmos nesse ioga, intitulada *O Ioga Incomum da Inconceptibilidade*, pode ser encontrada no Apêndice II.

Enquanto meditamos, nosso assistente deve permanecer por perto, recitando o "mantra-que-emana-das-quatro-bocas" e o mantra-essência-aproximador de Heruka, OM HRIH HA HA HUM HUM PHAT, para impedir interrupções à nossa meditação. Após finalizarmos a sessão, retornamos à casa onde estamos fazendo o retiro e praticamos o ioga de dormir. No dia seguinte, fazemos a autoiniciação com extensas oferendas, do mesmo modo como fizemos no dia anterior. Ao anoitecer desse mesmo dia, voltamos com nosso assistente ao local isolado, encontramos o lugar onde enterramos a haste de langali e fazemos uma sessão, do mesmo modo como a fizemos no dia anterior – mas, desta vez, a sessão será um pouco mais longa. Após a sessão, retornamos à casa de retiro e praticamos o ioga de dormir. Devemos repetir isso todos os dias, até o segundo décimo-dia desse mês, e, a cada dia, aumentar ligeiramente a duração da sessão noturna.

No segundo décimo-dia, novamente fazemos a autoiniciação, executando oferendas ainda mais elaboradas. Então, ao escurecer, vamos ao local isolado com o nosso assistente e, como antes, damos início à sessão; porém, desta vez, prosseguimos com a sessão durante a noite inteira, até o amanhecer. Nesta sessão, após recitarmos o mantra, praticamos principalmente o ioga incomum da inconceptibilidade, com forte concentração e fé. Depois, ao amanhecer, concluímos a sessão, desenterramos a haste de langali e retornamos com ela para a casa de retiro. Colocamos a haste de langali no centro do mandala sindhura e, por fim, fazemos as práticas de autoiniciação, com extensas oferendas.

ALCANÇAR O EFEITO

O grande retiro-aproximador, a prática de realizar o mandala e a prática da haste de langali são preparações que, por fim, nos capacitam a conhecer uma emanação de Vajrayogini, que irá nos tomar pela mão e nos conduzir diretamente a sua Terra Pura. Quando tivermos concluído todas essas preparações, terá chegado o momento de deixarmos os lugares samsáricos. Nessa altura, devemos contemplar:

Agora é a hora de eu deixar o samsara e ir para um mundo perfeito, a Terra Pura das Dakinis. Não há razão para ficar apegado a minha casa, amigos ou posses. Preciso deixar a prisão do samsara e, guiado por Vajrayogini, ir para a sua Terra Pura.

Então, sem qualquer apego, dúvida ou hesitação, deixamos nossa casa e viajamos em busca de uma emanação de Vajrayogini. Levamos conosco a haste de langali, preenchida com o pó sindhura, e um pequeno espelho. Todos os dias, marcamos nossa testa com o pó sindhura, utilizando o sinete de torvelinho de alegria da haste de langali. Devemos vagar por cidades, vilarejos, grandes mercados e centros comerciais, lugares públicos, grandes festas ou aglomerações – ou seja, qualquer local onde haja muitas mulheres. Podemos viajar para outros países e visitar qualquer um dos 24 lugares auspiciosos de Heruka. Mantendo o tempo todo um forte orgulho divino de ser Vajrayogini, imaginamos que nosso olho-sabedoria contempla todas as mulheres. Continuamos desse modo, sem desânimo, até um dia vermos uma mulher, idosa ou jovem, que tenha em sua testa a marca do torvelinho de alegria de sindhura, exatamente igual a nossa. Quando isso acontecer, devemos imediatamente nos olhar no espelho para verificar se a nossa marca do torvelinho de alegria desapareceu. Se a marca tiver desaparecido, isso irá indicar claramente que a mulher é uma emanação de Vajrayogini. Não devemos dar importância ao fato de ela ser bonita ou feia, religiosa ou aparentemente não religiosa. Mesmo que, exteriormente, ela apareça negar o Dharma, não devemos ter dúvidas. Devemos nos prostrar mentalmente a ela e pedir para que cuide de nós. Se possível, devemos também fazer prostrações verbais e físicas e pedir que nos aceite. Talvez ela não concorde imediatamente com o nosso pedido, mas nós, sabendo que agora estamos muito próximos de alcançar nossa meta final, devemos permanecer animados e confiantes. Cedo ou tarde, nosso desejo será satisfeito.

Desse modo, praticantes de fortuna mediana concluem as preparações e alcançam o efeito. Praticando desse modo, eles irão conhecer Vajrayogini face a face e, quando isso acontecer, não há dúvida de que alcançarão a Budeidade naquela mesma vida.

Venerável Geshe Kelsang Gyatso Rinpoche

COMO OS PRATICANTES DE VAJRAYOGINI QUE POSSUEM MENOR FORTUNA ALCANÇAM A TERRA DAKINI EXTERIOR

Se concluirmos um grande retiro-aproximador, fizermos a prática da haste de langali e tentarmos alcançar o efeito, porém não formos bem-sucedidos em concretizar nosso desejo, isso irá indicar que somos um praticante de menor fortuna. No entanto, não devemos ficar desanimados; pelo contrário, devemos lembrar que, após morrermos, ficaremos sob o cuidado de Vajrayogini, seja no bardo ou – com absoluta certeza – durante um período de sete vidas.

O Estágio de Conclusão

O comentário ao estágio de conclusão da prática de Vajrayogini tem duas partes:

1. O que é o estágio de conclusão?;
2. Como alcançar a Terra Dakini interior pela prática do estágio de conclusão.

O QUE É O ESTÁGIO DE CONCLUSÃO?

"Estágio de conclusão" refere-se às realizações do Tantra Ioga Supremo obtidas por fazer com que os ventos entrem, permaneçam e se dissolvam no canal central por força de meditação.

Como mencionado anteriormente, "Terra Dakini exterior" é a Terra Pura de Vajrayogini, a Terra Pura de Keajra. Quando alcançarmos a Terra Dakini exterior como resultado da prática do estágio de geração, poderemos alcançar então a Terra Dakini interior e a Budeidade naquela mesma vida, por meio da prática da meditação no estágio de conclusão. "Terra Dakini interior" é a clara-luz-significativa: a mente de grande êxtase espontâneo que realiza diretamente a vacuidade. Para obter essa realização, precisamos dissolver, pela meditação do estágio de conclusão, todos os nossos ventos na gota indestrutível em nosso coração.

COMO ALCANÇAR A TERRA DAKINI INTERIOR PELA PRÁTICA DO ESTÁGIO DE CONCLUSÃO

Este tópico tem três partes:

1. Explicação dos três objetos básicos de conhecimento;
2. As meditações do caminho;
3. Como obter os resultados.

EXPLICAÇÃO DOS TRÊS OBJETOS BÁSICOS DE CONHECIMENTO

Esta explicação irá aperfeiçoar grandemente nosso conhecimento de Dharma. Embora uma explicação extensa dos objetos de conhecimento esteja apresentada nos ensinamentos de Sutra, se não estudarmos ensinamentos tântricos, obteremos apenas uma compreensão aproximada do Budadharma. Não alcançaremos uma compreensão profunda do Dharma estudando apenas ensinamentos de Sutra. Os ensinamentos de Tantra Ioga Supremo contêm as explicações mais profundas sobre a base, o caminho e o resultado da prática.

Há inumeráveis objetos básicos de conhecimento, mas aqui estamos interessados principalmente em três:

1. Objetos de conhecimento relacionados ao corpo;
2. Objetos de conhecimento relacionados à mente;
3. Objetos de conhecimento relacionados aos elementos.

OBJETOS DE CONHECIMENTO RELACIONADOS AO CORPO

Para praticar o estágio de conclusão, precisamos de um corpo humano que tenha os seis elementos: osso, tutano, gotas brancas, carne, pele e sangue. Os três primeiros elementos vêm de nosso pai, e os três restantes vêm de nossa mãe. Quem quer que careça desses elementos – mesmo que seja um Bodhisattva avançado –

não terá oportunidade de praticar o estágio de conclusão. Somos muito afortunados por sermos seres humanos, pois temos esses seis elementos e temos a oportunidade de ouvir, contemplar e meditar nos ensinamentos de Tantra Ioga Supremo.

Nosso corpo atual é um corpo denso temporário, originado do corpo de nossos pais. Embora esse corpo seja agora usado por nós, em verdade ele é um produto do esperma e do óvulo de nossos pais. Nosso corpo é, portanto, uma transformação de partes do corpo de outros. Devido à familiaridade com o agarramento ao em-si, acreditamos que essa forma densa é o nosso verdadeiro corpo. Entretanto, nosso verdadeiro corpo é, em realidade, o *corpo muito sutil* – ele é constituído pelo vento interior que é inseparável de nossa mente muito sutil. Temos esse corpo muito sutil desde tempos sem início, e ele permanecerá conosco para sempre.

O corpo-sonho e o corpo-bardo (o corpo do estado intermediário) são corpos sutis, e o corpo-ilusório é um corpo muito sutil. No estado intermediário e em nossos sonhos, um corpo sutil naturalmente se manifesta, mas, até que alcancemos o corpo-ilusório, o corpo muito sutil nunca está manifesto. Quando nos tornarmos um Buda, o vento interior muito sutil – que forma nosso corpo muito sutil – irá se transformar no Corpo-Forma de um Buda, e nossa mente muito sutil irá se tornar a mente onisciente de um Buda. A partir dessa explicação, podemos compreender que todos os seres vivos têm, dentro de si, a semente do corpo de um Buda, e se eles encontrarem o Budadharma que explica como amadurecer essa semente, poderão se tornar seres iluminados.

Quando tivermos alcançado o corpo-ilusório puro, nosso corpo sutil estará sempre manifesto. Ele passará a ser nosso verdadeiro corpo, nosso corpo de fato, com o qual nos identificaremos naturalmente. Nessa etapa, nosso corpo sutil será o nosso verdadeiro corpo, e o nosso corpo denso será como a nossa casa. Quando um praticante altamente realizado, que tenha alcançado o corpo-ilusório, deixar enfim o seu corpo denso, os seres comuns irão acreditar que essa pessoa morreu; porém, seu verdadeiro corpo nunca morre. A característica que define a morte é a separação definitiva entre corpo e mente. Visto que o corpo muito sutil nunca se separa da mente muito sutil, uma vez que esse corpo esteja para sempre manifesto, seremos livres da morte. Quando solicitado por um de seus discípulos para que citasse um exemplo de pessoa imortal, Khedrub Sangye Yeshe respondeu que milhares de discípulos de Je Tsongkhapa alcançaram o corpo-ilusório puro, e que todos esses seres são imortais porque alcançaram um corpo-vajra, que é completamente livre da morte.

OBJETOS DE CONHECIMENTO RELACIONADOS À MENTE

Sobre a mente, podemos distinguir três tipos: densa, sutil e muito sutil. As cinco consciências sensoriais e as delusões que se manifestam em nosso continuum mental são mentes densas porque são produzidas por ventos interiores densos e são relativamente fáceis de serem identificadas. Quando dormimos ou quando morremos, nossos ventos densos gradualmente se dissolvem no canal central. Devido a essa dissolução, experienciamos oito sinais. Esses sinais indicam diferentes níveis de absorção dos ventos interiores. A mente que experiencia qualquer dos sete primeiros sinais é uma mente sutil, porque ela depende dos ventos interiores sutis e porque ela é mais difícil de ser identificada, ou reconhecida, que as mentes densas. A mente que experiencia o oitavo sinal é uma mente muito sutil, porque ela está associada ao vento interior muito sutil e é ainda mais difícil de ser identificada, ou reconhecida, que as mentes sutis.

A mente muito sutil é também denominada "mente residente-contínua" porque tem estado conosco desde tempos sem início e permanecerá conosco até que alcancemos a Budeidade. Outras mentes (como as mentes deludidas do apego, raiva e inveja) são denominadas "mentes temporárias" porque irão cessar quando alcançarmos a libertação. Os termos "mente muito sutil", "mente residente-contínua" e "mente de clara-luz" têm, todos, o mesmo significado.

Há duas maneiras de obtermos uma compreensão sobre a mente residente-contínua: intelectualmente, por meio de receber uma explicação introdutória, ou experimentalmente, por meio de meditar nas práticas do estágio de conclusão, como os iogas dos canais, gotas e ventos. Quando Gampopa contou para Milarepa sobre sua experiência especial de concentração, Milarepa respondeu que, embora a experiência de Gampopa fosse boa, ele deveria meditar no tummo como ele próprio, Milarepa, o fizera, e, desse modo, vir a reconhecer a natureza da mente. Com isso, Milarepa quis dizer que, por meditar no tummo, Gampopa obteria uma realização direta da mente residente-contínua.

OBJETOS DE CONHECIMENTO RELACIONADOS AOS ELEMENTOS

Há três elementos que são importantes na meditação do estágio de conclusão: os canais, as gotas e os ventos interiores. É dito que os canais são como uma casa; as gotas, como a mobília; e os ventos, como o proprietário.

Por praticarmos meditações específicas nesses três objetos (canais, gotas e ventos interiores) com forte concentração, nossos ventos irão se reunir e se dissolver dentro do canal central, e experienciaremos nossa mente residente-contínua, a mente de clara-luz. Quando essa mente se manifesta como resultado de meditação, nossa mente se torna muito pacífica e calma, livre de distrações e de pensamentos conceituais perturbadores. Essa experiência é grandemente superior à experiência do tranquilo-permanecer, descrita nos ensinamentos de Sutra. É unicamente por meio de obtermos essa realização que poderemos alcançar o corpo-vajra imortal. Meditar na mente residente-contínua é tanto uma coleção de mérito quanto uma coleção de sabedoria e, por essa razão, é uma causa para alcançar tanto o Corpo-Forma quanto o Corpo-Verdade de um Buda.

Há três canais principais, seis rodas-canais (ou chakras) e 72 mil canais secundários. Os canais principais, as rodas-canais e os canais secundários estão explicados nos livros *Clara-Luz de Êxtase* e *Budismo Moderno*.

As gotas vermelhas e as gotas brancas que fluem por nossos canais são a essência do sangue e do esperma, respectivamente. Durante a relação sexual, a extremidade inferior do canal central do homem e o da mulher unem-se e interpenetram-se, fazendo com que o calor dentro dos canais aumente. Isso faz com que as gotas brancas do homem e as gotas vermelhas da mulher derretam e desçam pelos canais, e isso induz êxtase. Por sua vez, praticantes experientes do estágio de conclusão conseguem penetrar o próprio canal central e, desse modo, aumentar o calor no interior do canal central. Devido ao aumento desse calor, as gotas brancas ou as gotas vermelhas derretem e fluem para baixo e para cima, dentro do canal central, fazendo com que o praticante experiencie grande êxtase espontâneo por um longo período. Esses praticantes conseguem, então, usar a mente residente-contínua para meditar na vacuidade e, por fim, unificar – de modo não dual – a mente residente-contínua com a vacuidade.

A gota vermelha original, da qual as gotas vermelhas e o calor interior se originam, está localizada principalmente no centro da roda-canal do umbigo. A gota branca original, da qual as gotas brancas e o vigor físico se originam, está localizada principalmente no centro da roda-canal da coroa. Às vezes, as gotas brancas e vermelhas são denominadas "bodhichittas". Neste contexto, a bodhichitta propriamente dita é o grande êxtase espontâneo, que é a causa principal para alcançar a iluminação. Aqui, as gotas brancas e vermelhas recebem o nome do efeito, pois o derretimento e o fluir dessas gotas no canal central são a causa principal para a experiência de grande êxtase espontâneo.

A gota quintessencial é a gota indestrutível – ela está localizada em nosso coração, dentro do canal central. Ela é do tamanho aproximado ao de uma ervilha muito pequena. Sua metade superior é branca, e a metade inferior é vermelha. Essa gota branca e vermelha é denominada "indestrutível" porque ela não se divide até a nossa morte. Durante o processo de morrer, nossos ventos se dissolvem nessa gota, causando sua abertura e, assim, permitindo que nossa mente muito sutil deixe-a e vá para a próxima vida.

Os ventos interiores são ventos-energia especiais relacionados à mente, que fluem por nossos canais. Nossa mente não consegue funcionar sem esses ventos. Nossa mente pode ser comparada a uma pessoa manca e nossos ventos, a um veículo. Assim como uma pessoa manca somente consegue ir de um lugar para outro utilizando um veículo, nossa mente consegue mover-se para um objeto novo somente na dependência de nossos ventos. É extremamente importante desenvolver ventos puros porque, se ventos puros predominam, a mente torna-se calma e pacífica, ao passo que, se ventos impuros predominam, pensamentos negativos e delusões surgem. Os ventos que fluem pelos canais direito e esquerdo são impuros. Esses ventos impuros são a raiz do samsara porque dão origem a muitos pensamentos conceituais, que obscurecem a clareza de nossa mente. Os ventos que fluem pelo canal central são puros. Esses ventos puros são os ventos que dão origem à sabedoria de grande êxtase.

O ponto principal da prática do Tantra Ioga Supremo é controlar os ventos por meio de trazê-los dos canais secundários, reuni-los e dissolvê-los no canal central. Todas as meditações do estágio de conclusão são métodos para controlar nossos ventos. Quando ganharmos controle sobre nossos ventos, teremos também pleno controle sobre a nossa mente. Je Tsongkhapa louvou o ioga dos ventos porque esse ioga é o método principal para controlar nossos ventos. Em *Luz que Ilumina Inteiramente as Cinco Etapas*, Je Tsongkhapa diz que todas as meditações do estágio de conclusão estão, direta ou indiretamente, incluídas no ioga dos ventos.

Há cinco ventos-raízes e cinco ventos secundários. As diversas funções, localização e características desses ventos estão descritas nos livros *Clara-Luz de Êxtase* e *Budismo Moderno*.

Qualquer vento que seja o veículo de uma mente densa é um vento denso, e qualquer vento que seja o veículo de uma mente sutil é um vento sutil. O vento muito sutil é o vento relacionado à mente muito sutil. O vento muito sutil e a mente muito sutil têm a mesma natureza, e ambos são denominados "indestrutível". É o nosso vento muito sutil que irá se transformar no corpo-ilusório, e é a nossa mente muito sutil que irá se transformar na clara-luz--significativa. Por fim, nosso vento muito sutil irá se transformar no Corpo-Forma de um Buda, e nossa mente muito sutil irá se transformar na mente de um Buda.

AS MEDITAÇÕES DO CAMINHO

Este tópico tem duas partes:

1. Como reunir os ventos interiores no canal central: uma explicação da meditação tummo;
2. Tendo centralizado os ventos interiores, como progredir pelos caminhos propriamente ditos.

COMO REUNIR OS VENTOS INTERIORES NO CANAL CENTRAL: UMA EXPLICAÇÃO DA MEDITAÇÃO TUMMO

Os métodos propriamente ditos para reunir os ventos interiores no canal central são: o ioga dos canais, o ioga das gotas e o ioga dos ventos. Esses três iogas estão incluídos na meditação tummo, a seguir. A explicação da meditação tummo tem cinco partes:

1. Visualizar o canal central;
2. Visualizar a letra tummo;
3. Meditar no arder do fogo tummo;
4. Purificar imperfeições;
5. Gerar a experiência de grande êxtase e vacuidade.

Essas cinco práticas da meditação tummo estão reveladas na prece dedicatória que consta da sadhana extensa:

Quando o RAM negro-avermelhado, que reside no centro
dos três canais no meu umbigo,
Tiver sido inflamado por meus ventos superiores e inferiores

> E seu fogo purificador tiver consumido os setenta e dois mil elementos impuros,
> Que o meu canal central seja completamente preenchido com gotas puras.

O primeiro verso explica como visualizar o canal central e a letra tummo; o segundo verso revela a meditação que faz o fogo tummo arder; o terceiro verso faz referência à purificação de impurezas por meio da meditação tummo; e o quarto verso refere-se a gerar a experiência de grande êxtase e vacuidade, experiência essa que depende de gotas puras fluindo pelo canal central.

Em cada sessão de meditação no tummo, ou fogo interior, começamos visualizando, diante de nós, nosso Guru-raiz no aspecto de Buda Vajradharma. Acreditamos firmemente que seu corpo é a síntese de todas as Joias Sangha, que sua fala é a síntese de todas as Joias Dharma, e que sua mente é a síntese de todas as Joias Buda. Buscamos então refúgio, geramos uma motivação especial de bodhichitta e, com forte fé em Guru Vajradharma, oferecemos o mandala com o seguinte pedido:

> Peço a ti, meu precioso Guru, a essência de todos os Budas,
> Por favor, abençoa-me, para que eu seja bem-sucedido na profunda prática da meditação tummo;
> Por favor, abençoa-me, para que eu gere a união do grande êxtase com a sabedoria que realiza a vacuidade, união essa obtida por reunir meus ventos interiores no canal central;
> Por favor, abençoa-me, para que todos os obstáculos exteriores, interiores e secretos sejam pacificados.

Imaginamos que Guru Vajradharma se dissolve em nosso coração e se torna *uno* conosco. Meditamos sobre a vacuidade de nosso corpo para impedir todas as aparências comuns e, então, geramo-nos como Vajrayogini. Imaginamos que nosso corpo é feito de luz pura e vermelha – ele é não obstrutivo, tal como um arco-íris – e meditamos estritamente focados nisso.

VISUALIZAR O CANAL CENTRAL

O canal central é da espessura de uma flecha. A partir de sua extremidade inferior, localizada no órgão sexual, ele sobe em linha reta até a coroa, passando entre as metades direita e esquerda de nosso corpo, ligeiramente mais próximo de nossas costas do que do peito. Na coroa, o canal central se encurva para a frente e termina entre nossas sobrancelhas.

Visualizamos o canal central como tendo quatro qualidades: (1) ele é reto como o tronco de uma bananeira; (2) por dentro é vermelho-oleoso, como sangue puro; (3) é muito claro e transparente, como uma chama de vela; e (4) ele é muito macio e flexível, como uma pétala de lótus.

O canal direito (denominado "*roma*" em tibetano) é vermelho, e o canal esquerdo (denominado "*kyangma*") é branco. Ambos são tão finos quanto canudos para beber. A partir do umbigo até a coroa, esses dois canais laterais sobem adjacentes ao canal central. Quando alcançam a coroa, os dois canais laterais se separam do canal central e se encurvam para baixo, até as duas narinas. As extremidades inferiores dos canais laterais unem-se ao canal central na altura do umbigo, formando um vacúolo dentro do canal central. Devemos contemplar a natureza, cor, formato, localização e qualidades do canal central até obtermos uma imagem mental aproximada dele e, então, meditarmos nessa imagem. Por contemplar e meditar repetidamente desse modo, iremos aperfeiçoar a clareza de nossa imagem do canal central.

VISUALIZAR A LETRA TUMMO

"Tummo", ou "fogo interior", refere-se à gota vermelha original, ou seja, a gota vermelha da qual todas as demais gotas vermelhas de nosso corpo provém. Ela está localizada no centro da roda-canal do umbigo e tem a natureza do calor; por essa razão, ela é a fonte de calor do nosso corpo. Visualizamos essa gota na forma de uma letra RAM vermelha, a letra-semente do elemento fogo, localizada no interior do vacúolo dentro do canal central, no centro de nossa roda-canal do umbigo. Essa letra RAM, que é do tamanho aproximado ao de uma semente de girassol, é vermelho-escura, irradia luz e está coroada por uma lua crescente, uma gota e um *nada*. Podemos visualizar a letra RAM tanto na forma da letra R de nosso alfabeto (coroada com a lua crescente, a gota e o *nada*) quanto na forma da letra tibetana, representada no Apêndice III. Primeiramente, formamos uma imagem mental aproximada do RAM e, então, imaginamos que nossa mente se dissolve nele. Depois, concentramo-nos nisso de modo estritamente focado, pelo maior tempo possível. Precisamos fazer essa meditação repetidamente durante um determinado período, até que nossa experiência dessa meditação se aperfeiçoe.

MEDITAR NO ARDER DO FOGO TUMMO

Primeiramente, contraímos ligeiramente os músculos das portas inferiores do corpo e encolhemos um pouco o estômago. Imaginamos então que todos os ventos inferiores entram no canal central e reúnem-se logo abaixo da letra RAM no umbigo. Em seguida, inspiramos gentilmente e engolimos o ar, imaginando que todos os ventos da parte superior do corpo entram no canal central e reúnem-se logo acima da letra RAM. Os ventos inferiores e superiores estão, agora, reunidos no umbigo.

Imaginamos que, em razão do movimento ascensional dos ventos inferiores dentro do canal central, a letra RAM no umbigo começa a incandescer, como ferro em brasa em uma fornalha, e o *nada* arde como um fogo intenso, porém muito diminuto. Enquanto seguramos nossa respiração e os ventos no umbigo, meditamos estritamente focados no minúsculo fogo do *nada*. Logo antes de sentirmos qualquer desconforto, exalamos suavemente por ambas as narinas, mas não pela boca. Repetimos esse processo sete, quatorze ou 21 vezes em cada sessão.

PURIFICAR IMPERFEIÇÕES

Enquanto meditamos no arder do fogo tummo, imaginamos que a luz desse fogo permeia gradualmente todos os canais de nosso corpo e que, devido a isso, todos os defeitos e imperfeições de nossos canais, gotas e ventos são purificados.

GERAR A EXPERIÊNCIA DE GRANDE ÊXTASE E VACUIDADE

Enquanto meditamos no arder do fogo tummo, imaginamos que todas as gotas puras vermelhas e brancas dos canais secundários fluem pelos canais direito e esquerdo para o canal central. Elas entram no canal central pelo ponto onde os dois canais laterais unem-se a ele no umbigo. Nosso canal central é preenchido com gotas puras vermelhas e brancas, e imaginamos que uma forte sensação de grande êxtase surge. Com essa mente de grande êxtase, meditamos na vacuidade de pessoas e de fenômenos.

Pela prática contínua e habilidosa da meditação tummo, nossos ventos irão entrar, permanecer e se dissolver no canal central sem dificuldade, e experienciaremos os oitos sinais mencionados anteriormente.

Se, como resultado da meditação, nossa respiração fluir simultaneamente por ambas as narinas e com igual intensidade quando inspiramos e exalamos, isso será um sinal de que nossos ventos entraram no canal central. Após isso, se tanto a respiração quanto o movimento do abdômen cessarem (como resultado de contínua meditação), isso será um sinal de que nossos ventos permanecem dentro do canal central. Em algum momento depois disso, experienciaremos gradualmente os oito sinais – isso irá indicar que os ventos realmente se dissolveram no canal central. Uma explicação mais detalhada desses sinais é apresentada nos livros *Clara-Luz de Êxtase* e *Budismo Moderno*.

Há vários sistemas de meditação tummo. Na meditação tummo descrita no livro *Clara-Luz de Êxtase*, utiliza-se o AH-curto em vez da letra RAM, e, em outros sistemas, a letra BAM é utilizada. No entanto, não há diferença essencial entre essas três letras. A meditação tummo apresentada aqui é mais simples que a apresentada em outras instruções, principalmente porque não é necessário visualizar as rodas-canais e assim por diante.

TENDO CENTRALIZADO OS VENTOS INTERIORES, COMO PROGREDIR PELOS CAMINHOS PROPRIAMENTE DITOS

Este tópico tem duas partes:

1. Como desenvolver e aperfeiçoar grande êxtase;
2. Como desenvolver e aperfeiçoar o corpo arco-íris.

Os principais caminhos à plena iluminação são: a sabedoria do grande êxtase que realiza a vacuidade; e o corpo-ilusório. Por aperfeiçoar esses dois caminhos, obteremos o Corpo-Verdade e o Corpo-Forma de um Buda.

COMO DESENVOLVER E APERFEIÇOAR GRANDE ÊXTASE

Visualizamos nosso canal central como anteriormente, mas, agora, sem os canais laterais e sem a letra RAM. Logo no interior da entrada da extremidade superior do canal central, localizada entre as sobrancelhas, visualizamos uma única e pequena fonte-fenômenos vermelha (ou seja, um único tetraedro). Ela está perfeitamente encaixada na entrada do canal central. A ponta longa e fina da fonte-fenômenos encontra-se dentro do canal central, e ela tem um orifício em sua extremidade. Com relação aos demais três vértices, que resplandecem avermelhados como nossa pele, um deles aponta para cima; outro, para a direita; e o terceiro, para a esquerda. Na extremidade inferior de nosso canal central, visualizamos uma fonte fenômenos similar, exceto que a ponta longa e fina dessa fonte-fenômenos (que também se encontra dentro da entrada do canal central) não possui orifício.

Dentro da fonte-fenômenos localizada entre as sobrancelhas, visualizamos uma pequena gota esférica feita de luzes de cinco cores e que tem a natureza da sabedoria de grande êxtase de todos os Budas. O centro da gota é branco; a porção leste da gota é azul; a porção sul, amarela; a oeste, vermelha; e a norte, verde. Luzes dessas cinco cores se irradiam da gota. Meditamos estritamente focados nessa gota, enquanto imaginamos que experienciamos êxtase. Imaginamos então que a gota de êxtase de cinco cores começa a subir por nosso canal central até alcançar o centro da nossa roda-canal da coroa.

Meditamos estritamente focados nessa gota em nossa coroa e, quando uma sensação de êxtase surgir, imaginamos que uma minúscula gotícula branca emerge da parte central e desce vagarosamente pelo nosso canal central. Quando alcança nossa garganta, retemos essa gotícula por um breve momento e imaginamos, com forte concentração, que experienciamos *alegria*. Depois, a gotícula desce até alcançar nosso coração. Quando alcança o coração, retemos essa diminuta gota por um breve momento, e experienciamos *suprema alegria*. Quando a gotícula desce para o nosso umbigo, concentramo-nos na experiência de *extraordinária alegria*. Permitimos, então, que essa minúscula gota desça até alcançar a extremidade inferior de nosso canal central. Quando ela alcança esse ponto, experienciamos *grande alegria espontânea*.

Mantemos a gotícula na extremidade inferior de nosso canal central por alguns momentos e, depois, imaginamos que ela começa a subir, elevando-se lentamente pelo nosso canal central. Quando ela alcança nosso umbigo, experienciamos a *alegria* da ordem reversa, que é mais intensa que a quarta alegria; quando a gotícula alcança nosso coração, experienciamos a *suprema alegria* da ordem reversa; quando ela alcança nossa garganta, experienciamos *extraordinária alegria* da ordem reversa; e quando a gotícula alcança nossa coroa, ela se dissolve na gota principal e experienciamos a *grande alegria espontânea* da ordem reversa. Nesse momento, meditamos na vacuidade de pessoas e de fenômenos, tentando impedir qualquer aparência convencional.

Podemos repetir essa meditação três, sete ou mais vezes em uma mesma sessão. Por fazer regularmente essa meditação, iremos aperfeiçoar nossa experiência de grande êxtase e vacuidade.

COMO DESENVOLVER E APERFEIÇOAR O CORPO ARCO-ÍRIS

Em nossa coroa, dentro do canal central, visualizamos uma gota de cinco cores – ela é, em essência, as Cinco Famílias Búdicas. A gota cintila com luzes de cinco cores. Meditamos nessa gota e experienciamos grande êxtase. Enquanto experienciamos grande êxtase, imaginamos que o brilho das luzes de cinco cores gradualmente se expande, até permear nosso corpo por inteiro. Nosso corpo se transforma em uma massa luminosa de arco-íris, que tem a natureza das Cinco Famílias Búdicas. As cinco luzes continuam a se expandir e gradualmente permeiam nossa casa, as imediações, o país, o mundo inteiro e, por fim, a totalidade dos três reinos, incluindo todos os seres vivos. Tudo se transforma em luzes de arco-íris, da natureza das Cinco Famílias Búdicas. Meditamos nessa crença com forte concentração pelo maior tempo possível.

Imaginamos então que essa vasta extensão de luz recolhe-se gradualmente a partir de suas bordas exteriores, de modo que todos os ambientes, prazeres e seres vivos dissolvem-se em nosso corpo. Nosso corpo gradualmente se dissolve a partir de nossos pés, até se dissolver totalmente na gota. A gota, então, dissolve-se na vacuidade e, com a mente de grande êxtase, meditamos na vacuidade.

Repetimos então a meditação inteira, exatamente como fizemos antes: desde visualizar a gota de cinco cores em nossa coroa até dissolver tudo nessa gota e meditar na vacuidade com uma mente de grande êxtase. Podemos fazer essa meditação sete, quatorze ou 21 vezes em cada sessão.

Como resultado de um treino sincero e contínuo nessa meditação, iremos experienciar sinais específicos de que, em pouco tempo, alcançaremos o corpo arco-íris. Iremos perceber que nosso corpo está se tornando mais leve que o habitual; ou que a nossa sombra, normalmente escura, aparece menos nítida, menos definida; ou que nossas pegadas ficam menos profundas; ou perceberemos que, em condições de extremo calor ou frio, não experienciamos nenhum desconforto físico e que nosso êxtase nunca diminui, mesmo que fiquemos expostos ao sol escaldante ou imersos em água gelada por um longo período. Podemos inclusive notar que, se alguém nos bater com uma vara, não experienciaremos dor. O corpo arco-íris autêntico é igual ao corpo-ilusório efetivo.

COMO OBTER OS RESULTADOS

O resultado último de praticar o estágio de geração e o estágio de conclusão é a União-do-Não-Mais-Aprender. Neste contexto, o termo "união" refere-se à união do corpo puro (o corpo-ilusório) e da mente pura (a clara-luz-significativa). Essa união é de dois tipos: a união-que-precisa-aprender e a União-do-Não-Mais-Aprender. Progredindo pelas cinco etapas do estágio de conclusão, alcançaremos, por fim, a União-do-Não-Mais-Aprender – ou Budeidade.

As cinco etapas do estágio de conclusão são: fala-isolada, mente-isolada, corpo-ilusório, clara-luz-significativa e união. Fazendo as meditações descritas acima, podemos aperfeiçoar nossa experiência dessas cinco etapas e, depois, por confiar em um mudra-ação, podemos levar essa experiência a sua conclusão.

Antes de sermos capazes de dissolver os ventos na gota indestrutível em nosso coração, podemos experienciar a união de grande êxtase e vacuidade por meio de dissolver os ventos no canal central na altura da roda-canal do umbigo ou utilizando qualquer outro dos pontos de entrada do canal central que não a roda-canal do coração. Essa realização de grande êxtase e vacuidade é denominada "fala-isolada" porque, com essa experiência, o praticante é isolado, ou libertado, da aparência e concepção comuns de seu próprio corpo e fala. A realização de grande êxtase e vacuidade obtida por dissolver os ventos na gota indestrutível no coração é denominada "mente-isolada" porque, com essa experiência, o praticante é isolado, ou libertado, da aparência e concepção comuns de sua mente.

Há duas etapas nas quais os ventos se dissolvem na gota indestrutível. A primeira etapa, na qual alguns dos dez ventos se dissolvem, pode ser alcançada por meio de meditação solitária. No entanto, para que alcancemos a segunda etapa, na qual todos os dez ventos – incluindo o vento que-permeia – dissolvem-se por completo na gota indestrutível, faz-se necessário confiar em um mudra-ação.

O momento correto para confiarmos em um mudra-ação é quando formos capazes de dissolver a maioria dos ventos na gota indestrutível por meio de meditação solitária. No momento em que dissolvermos todos os ventos na gota indestrutível por meio de confiarmos em um mudra-ação, teremos alcançado a "mente-isolada da clara-luz-exemplo última". Quando sairmos dessa concentração, teremos obtido o corpo-ilusório, a terceira das cinco etapas do estágio de conclusão. Esse corpo-ilusório é denominado corpo-ilusório "impuro" porque, nessa etapa, ainda não abandonamos todas as delusões por completo.

Tendo alcançado esse corpo-ilusório, meditamos na vacuidade com a mente de clara-luz de êxtase. No momento em que nossa mente de clara-luz de êxtase obtém uma realização direta da vacuidade, alcançamos a clara-luz-significativa e tornamo-nos um *ser superior*, que abandonou por completo todas as delusões.

Quando sairmos da concentração da clara-luz-significativa, teremos alcançado o corpo-ilusório *puro*, o corpo-vajra propriamente dito. Na próxima vez que manifestarmos a clara-luz-significativa, alcançaremos a união do corpo-ilusório puro com a clara-luz-significativa. Essa união é denominada "a união-que-precisa aprender" e é a quinta das cinco etapas do estágio de conclusão. Continuando a meditar na clara-luz-significativa, iremos, por fim, nos libertar totalmente das obstruções à onisciência – as aparências equivocadas sutis. Nosso corpo-ilusório irá se tornar, então, o corpo de um Buda, e a nossa clara-luz-significativa irá se tornar a mente de um Buda. Teremos então alcançado a Budeidade: a grande iluminação e a União-do-Não-Mais-Aprender. Essa é a união do corpo-ilusório último (o corpo de um Buda) com a clara-luz-significativa última (a mente de um Buda).

Dedicatória

Devemos rezar:

> Pelas virtudes que acumulei ao ler este livro,
> Que eu me torne um Buda para o benefício de todos
> os seres vivos;
> Que todos os seres vivos-mães sejam libertados do sofrimento
> da ignorância,
> E que todos eles alcancem a sabedoria onisciente de um Buda.

Apêndice I

O Sentido Condensado do Comentário

Os tópicos a seguir são um sumário condensado do sentido do comentário. Eles são como o texto-raiz, e as palavras do comentário são como os ramos que se desenvolvem a partir desses tópicos. Se possível, devemos tentar memorizá-los. Desse modo, iremos perceber que, mesmo que não consigamos relembrar todas as palavras do comentário, ainda assim seremos capazes de recordar seu significado essencial. Isso será de grande benefício se tivermos de explicar a prática para os outros, e também acharemos fácil aplicar o sentido do comentário a nossa prática propriamente dita. Por exemplo, se, quando fizermos a prática de buscar refúgio de acordo com a sadhana, recordarmos os tópicos relevantes, seremos capazes de relembrar todas as etapas essenciais de buscar refúgio (visualizar os objetos de refúgio, desenvolver renúncia, desenvolver compaixão, desenvolver convicção no poder das Três Joias, e recitar a prece de refúgio) e, então, seremos capazes de praticar adequadamente.

Os tópicos são apresentados da maneira tradicional, de modo a preservar as bênçãos da linhagem. Em geral, eles correspondem aos tópicos de cada comentário, embora algumas de suas divisões não estejam listadas separadamente no corpo do comentário. Além disso, a sequência dos tópicos nem sempre corresponde à sequência que está apresentada no comentário. Por exemplo, estritamente falando, a seção sobre a *meditação do estágio de geração propriamente dita* é o terceiro tópico do ioga da autogeração, e está listado desse modo neste *Sentido Condensado do Comentário*; mas, no comentário, ele é explicado posteriormente, pouco antes do ioga da recitação verbal e mental – a razão para isso é que esse é o lugar na sadhana onde, de fato, fazemos a meditação.

O Sentido Condensado do Comentário

O comentário à prática do Tantra Ioga Supremo da Venerável Vajrayogini tem três partes:

1. Explicação preliminar;
2. O comentário aos estágios de geração e de conclusão;
3. Dedicatória.

A *explicação preliminar* tem sete partes:

1. Gerar uma motivação correta;
2. A origem e a linhagem destas instruções;
3. Os benefícios destas instruções;
4. Biografias de praticantes budistas do passado que obtiveram realizações pela prática destas instruções;
5. As qualificações necessárias para praticar estas instruções;
6. As quatro causas especiais de aquisições rápidas;
7. O que são as Terras Dakinis exterior e interior?

Os benefícios destas instruções tem dez partes:

1. Por praticar estas instruções, recebemos rapidamente vastas e poderosas bênçãos;
2. Estas instruções são a síntese de todas as instruções essenciais;

3. Estas instruções são fáceis de praticar;
4. Por praticar estas instruções, podemos obter aquisições rapidamente;
5. Estas instruções incluem uma prática especial de mandala de corpo;
6. Estas instruções incluem um ioga incomum da inconceptibilidade;
7. Podemos praticar o estágio de geração e o estágio de conclusão simultaneamente;
8. Estas instruções são especialmente adequadas para aqueles com forte apego desejoso;
9. Estas instruções são particularmente apropriadas para esta era degenerada;
10. O mantra de Vajrayogini possui muitas qualidades especiais.

As quatro causas especiais de aquisições rápidas tem quatro partes:

1. Ter fé convicta e imperturbável;
2. Ter sabedoria que supera dúvidas e hesitações com relação à prática;
3. Integrar todo o nosso treino espiritual na prática de um único Yidam, ou Deidade iluminada;
4. Praticar em segredo.

O comentário aos estágios de geração e de conclusão tem duas partes:

1. O estágio de geração;
2. O estágio de conclusão.

O estágio de geração tem duas partes:

1. Os onze iogas do estágio de geração;
2. Como alcançar a Terra Dakini exterior pela prática do estágio de geração.

Os onze iogas do estágio de geração tem onze partes:

1. O ioga de dormir;
2. O ioga de acordar;
3. O ioga de experimentar néctar;
4. O ioga das incomensuráveis;
5. O ioga do Guru;
6. O ioga da autogeração;
7. O ioga de purificar os migrantes;
8. O ioga de ser abençoado por Heróis e Heroínas;
9. O ioga da recitação verbal e mental;
10. O ioga da inconceptibilidade;
11. O ioga das ações diárias.

O ioga de dormir tem duas partes:

1. Os benefícios de praticar o ioga de dormir;
2. A maneira de praticar o ioga de dormir.

Os benefícios de praticar o ioga de dormir tem sete partes:

1. Acumulamos grande mérito;
2. Todos os nossos impedimentos e obstáculos são eliminados;
3. Receberemos cuidados e orientações diretamente de Vajrayogini em todas as nossas vidas futuras;
4. Seremos abençoados pelas Heroínas dos 24 lugares sagrados de Heruka;
5. Nossa prática da meditação do estágio de geração será fortalecida e estabilizada;
6. Alcançaremos a Terra Dakini exterior e a Terra Dakini interior;
7. Alcançaremos rapidamente a iluminação.

A maneira de praticar o ioga de dormir tem duas partes:

1. O ioga de dormir de acordo com o estágio de geração;
2. O ioga de dormir de acordo com o estágio de conclusão.

O ioga de acordar tem duas partes:

1. O ioga de acordar de acordo com o estágio de geração;
2. O ioga de acordar de acordo com o estágio de conclusão.

O ioga das incomensuráveis tem sete partes:

1. Buscar refúgio;
2. Gerar o supremo bom coração, a bodhichitta;
3. Receber bênçãos;
4. Autogeração instantânea como Vajrayogini;
5. Abençoar a oferenda interior;
6. Abençoar as oferendas exteriores;
7. Meditação e recitação de Vajrasattva.

Buscar refúgio tem duas partes:

1. Explicação geral;
2. A prática de refúgio.

A prática de refúgio tem cinco partes:

1. Visualizar os objetos de refúgio;
2. Desenvolver renúncia;
3. Desenvolver compaixão;
4. Desenvolver convicção no poder das Três Joias;
5. Recitar a prece de refúgio.

Abençoar a oferenda interior tem cinco partes:

1. Os benefícios;
2. A base da oferenda interior;
3. O objeto visual da oferenda interior;
4. Como abençoar a oferenda interior;
5. A importância e o significado da oferenda interior.

Como abençoar a oferenda interior tem quatro partes:

1. Desobstrução;
2. Purificação;
3. Geração;
4. Transformação.

Geração tem duas partes:

1. Gerar o recipiente;
2. Gerar as substâncias contidas no recipiente.

Transformação tem três partes:

1. Purificar falhas;
2. Transformar em néctar;
3. Aumentar.

Abençoar as oferendas exteriores tem duas partes:

1. Explicação geral;
2. Como abençoar as oferendas exteriores.

Como abençoar as oferendas exteriores tem quatro partes:

1. Desobstrução;
2. Purificação;
3. Geração;
4. A bênção propriamente dita.

Meditação e recitação de Vajrasattva tem três partes:

1. Desenvolver a intenção de purificar;
2. Visualizar Vajrasattva;
3. Recitar o mantra.

Recitar o mantra tem três partes:

1. O mantra a ser recitado;
2. Como associar recitação com purificação;
3. Conclusão.

Como associar recitação com purificação tem duas partes:

1. Explicação geral;
2. Purificação em sete rodadas.

Purificação em sete rodadas tem sete partes:

1. Eliminar negatividade a partir de cima;
2. Eliminar negatividade a partir de baixo;
3. Destruir negatividade no coração;
4. Purificar por meio de receber a iniciação-vaso;
5. Purificar por meio de receber a iniciação secreta;
6. Purificar por meio de receber a iniciação mudra-sabedoria;
7. Purificar por meio de receber a iniciação da palavra.

O ioga do Guru tem duas partes:

1. Explicação geral;
2. A prática de Guru-Ioga.

A prática de Guru-Ioga tem seis partes:

1. Visualização;
2. Prostração;
3. Oferendas;
4. Pedir aos Gurus-linhagem;
5. Receber as bênçãos das quatro iniciações;
6. Absorver os Gurus.

Oferendas tem sete partes:

1. Oferendas exteriores;
2. Oferenda interior;

3. Oferenda secreta;
4. Oferenda da talidade;
5. Oferecer nossa prática espiritual;
6. Oferenda kusali tsog;
7. Oferecer o mandala.

O ioga da autogeração tem três partes:

1. Trazer os três corpos para o caminho;
2. A meditação de examinar o mandala e os seres que nele habitam;
3. A meditação do estágio de geração propriamente dita.

Trazer os três corpos para o caminho tem duas partes:

1. Explicação geral;
2. A prática de trazer os três corpos para o caminho.

A prática de trazer os três corpos para o caminho tem três partes:

1. Trazer a morte para o caminho do Corpo-Verdade;
2. Trazer o estado intermediário para o caminho do Corpo-de-Deleite;
3. Trazer o renascimento para o caminho do Corpo-Emanação.

A meditação do estágio de geração propriamente dita tem três partes:

1. O que é o estágio de geração?;
2. Treinar a meditação do estágio de geração denso;
3. Treinar a meditação do estágio de geração sutil.

Treinar a meditação do estágio de geração denso tem duas partes:

1. Treinar orgulho divino;
2. Treinar clara aparência.

Treinar clara aparência tem duas partes:

1. Treinar clara aparência no aspecto geral;
2. Treinar clara aparência em aspectos específicos.

O ioga de ser abençoado por Heróis e Heroínas tem seis partes:

1. Meditação sobre o mandala de corpo;
2. Absorver os seres-de-sabedoria e fundir os três mensageiros;
3. Vestir a armadura;
4. Conceder iniciação e adornar a coroa;
5. Fazer oferendas à autogeração;
6. Os oito versos de louvor à Mãe.

Meditação sobre o mandala de corpo tem duas partes:

1. Explicação geral;
2. A meditação propriamente dita.

Absorver os seres-de-sabedoria e fundir os três mensageiros tem duas partes:

1. Absorver os seres-de-sabedoria nos seres-de-compromisso;
2. Fundir os três mensageiros.

O ioga da recitação verbal e mental tem quatro partes:

1. O mantra a ser recitado;
2. Os benefícios de recitar esse mantra;
3. A recitação propriamente dita do mantra;
4. Explicação sobre o retiro-aproximador.

A recitação propriamente dita do mantra tem duas partes:

1. Recitação verbal;
2. Recitação mental com duas meditações do estágio de conclusão.

Recitação mental com duas meditações do estágio de conclusão tem três partes:

1. Primeira meditação do estágio de conclusão;
2. Recitação mental;
3. Segunda meditação do estágio de conclusão.

Explicação sobre o retiro-aproximador tem quatro partes:

1. O que é um retiro?;
2. Explicação sobre retiros-aproximadores de sinais, tempo e contagem;
3. Práticas preliminares para o retiro-aproximador;
4. O retiro-aproximador propriamente dito.

Práticas preliminares para o retiro-aproximador tem duas partes:

1. Preliminares distantes;
2. Preliminares próximas.

Preliminares distantes tem nove partes:

1. Buscar refúgio;
2. Recitação do mantra de Vajrasattva;
3. Prostrações;
4. Oferendas de mandala;
5. Guru-Ioga;
6. Recitação do mantra de Samayavajra;
7. Oferenda ardente de Vajradaka;
8. Fazer imagens do corpo ou da mente de um Buda;
9. Oferendas de água.

O ioga das ações diárias tem duas partes:

1. A prática principal;
2. As práticas complementares.

As práticas complementares tem seis partes:

1. O ioga de comer;
2. A oferenda tsog;
3. Oferendas ardentes;
4. Oferendas dos décimos-dias;
5. Oferendas de torma;
6. Ações do lado esquerdo.

Oferendas dos décimos-dias tem três partes:

1. Oferendas extensas dos décimos-dias;
2. Oferendas medianas dos décimos-dias;
3. Oferendas breves dos décimos-dias.

Oferendas extensas dos décimos-dias tem duas partes:

1. As preparações;
2. A oferenda propriamente dita.

Oferendas de torma tem duas partes:

1. As preparações;
2. A oferenda de torma propriamente dita.

Como alcançar a Terra Dakini exterior pela prática do estágio de geração tem três partes:

1. Como os praticantes de Vajrayogini que possuem grande fortuna, ou mérito, alcançam a Terra Dakini exterior, conhecida como Terra Pura de Keajra;
2. Como os praticantes de Vajrayogini que possuem fortuna mediana alcançam a Terra Dakini exterior;
3. Como os praticantes de Vajrayogini que possuem menor fortuna alcançam a Terra Dakini exterior.

Como os praticantes de Vajrayogini que possuem fortuna mediana alcançam a Terra Dakini exterior tem três partes:

1. Concluir um grande retiro-aproximador enfatizando a autogeração;
2. Realizar o mandala enfatizando a geração-em-frente;
3. Alcançar o efeito.

O estágio de conclusão tem duas partes:

1. O que é o estágio de conclusão?;
2. Como alcançar a Terra Dakini interior pela prática do estágio de conclusão.

Como alcançar a Terra Dakini interior pela prática do estágio de conclusão tem três partes:

1. Explicação dos três objetos básicos de conhecimento;
2. As meditações do caminho;
3. Como obter os resultados.

Explicação dos três objetos básicos de conhecimento tem três partes:

1. Objetos de conhecimento relacionados ao corpo;
2. Objetos de conhecimento relacionados à mente;
3. Objetos de conhecimento relacionados aos elementos.

As meditações do caminho tem duas partes:

1. Como reunir os ventos interiores no canal central: uma explicação da meditação tummo;
2. Tendo centralizado os ventos interiores, como progredir pelos caminhos propriamente ditos.

Como reunir os ventos interiores no canal central: uma explicação da meditação tummo tem cinco partes:

1. Visualizar o canal central;
2. Visualizar a letra tummo;
3. Meditar no arder do fogo tummo;
4. Purificar imperfeições;
5. Gerar a experiência de grande êxtase e vacuidade.

Tendo centralizado os ventos interiores, como progredir pelos caminhos propriamente ditos tem duas partes:

1. Como desenvolver e aperfeiçoar grande êxtase;
2. Como desenvolver e aperfeiçoar o corpo arco-íris.

Apêndice II
Sadhanas

CONTEÚDO

Prece Libertadora

LOUVOR A BUDA SHAKYAMUNI

Ó Abençoado, Shakyamuni Buda,
Precioso tesouro de compaixão,
Concessor de suprema paz interior,

Tu, que amas todos os seres sem exceção,
És a fonte de bondade e felicidade,
E nos guias ao caminho libertador.

Teu corpo é uma joia-que-satisfaz-os-desejos,
Tua fala é um néctar purificador e supremo
E tua mente, refúgio para todos os seres vivos.

Com as mãos postas, me volto para ti,
Amigo supremo e imutável,
E peço do fundo do meu coração:

Por favor, concede-me a luz de tua sabedoria
Para dissipar a escuridão da minha mente
E curar o meu continuum mental.

Por favor, me nutre com tua bondade,
Para que eu possa, por minha vez, nutrir todos os seres
Com um incessante banquete de deleite.

Por meio de tua compassiva intenção,
De tuas bênçãos e feitos virtuosos
E por meu forte desejo de confiar em ti,

Que todo o sofrimento rapidamente cesse,
Que toda a felicidade e alegria aconteçam
E que o sagrado Dharma floresça para sempre.

A **Prece Libertadora** *foi escrita por Venerável Geshe Kelsang Gyatso Rinpoche e é recitada no início de ensinamentos, meditações e preces nos Centros Budistas Kadampas em todo o mundo.*

Caminho de Êxtase

A SADHANA CONDENSADA
DE AUTOGERAÇÃO DE VAJRAYOGINI

Compilada por
Venerável Geshe Kelsang Gyatso Rinpoche

Guru Vajradharma

Caminho de Êxtase

A SADHANA CONDENSADA DE AUTOGERAÇÃO DE VAJRAYOGINI

Aqueles que desejam treinar a autogeração de Vajrayogini como uma prática diária, mas não têm tempo ou habilidade suficientes para praticar tanto a sadhana extensa quanto a mediana, podem realizar seu propósito praticando, com forte fé, esta breve sadhana. No entanto, toda vez que nos empenharmos na recitação, contemplação e meditação desta sadhana, Caminho de Êxtase, *devemos estar totalmente livres de distrações. Com distrações, não conseguimos realizar nada.*

A SADHANA PROPRIAMENTE DITA

AS QUATRO PRÁTICAS PREPARATÓRIAS

Visualizar os objetos de refúgio, a porta de entrada pela qual desenvolvemos e aumentamos a fé budista

Fé em Buda, Dharma e Sangha é fé budista em geral, e, nesta prática de Vajrayogini, fé em Guru Vajradharma Heruka Pai e Mãe é fé budista em particular. Guru Vajradharma Heruka Pai e Mãe não são pessoas diferentes, mas uma mesma pessoa com aspectos diferentes. Empenhamo-nos nessa prática, seguindo a contemplação apresentada na sadhana:

No espaço a minha frente, aparece meu Guru-raiz sob o aspecto de Buda Vajradharma, a manifestação da fala de todos os Budas, com Heruka Pai e Mãe em seu coração, rodeado pela assembleia de Gurus-linhagem; Yidams – as Deidades iluminadas; as Três Joias Preciosas – Buda, Dharma e Sangha, os praticantes espirituais puros; e Protetores do Dharma.

Meditamos, com forte fé, nessa magnífica assembleia de seres sagrados iluminados. Por visualizar nosso Guru-raiz dessa maneira, receberemos as bênçãos especiais da fala de todos os Budas. Por meio disso, podemos alcançar rapidamente as realizações de fala – as realizações das instruções de Dharma de Sutra e de Tantra. Somente pelas realizações de Dharma podemos cessar nossos problemas samsáricos, em geral, e nossos problemas humanos, em particular.

Treinar em buscar refúgio, a porta de entrada pela qual ingressamos no Budismo

Nessa prática, com o objetivo de libertar, permanentemente, a nós mesmos e a todos os seres vivos do sofrimento, fazemos a promessa, do fundo de nosso coração, de buscar refúgio na assembleia de Gurus, Budas, Dharma e Sangha, os praticantes espirituais puros, por toda a nossa vida. Essa promessa é o voto de refúgio, que abre a porta à libertação, a suprema paz mental permanente, conhecida como "nirvana". Empenhamo-nos nessa prática, seguindo a contemplação apresentada na sadhana:

Eu e todos os seres sencientes, os migrantes tão extensos quanto o espaço, doravante, até alcançarmos a iluminação,
Buscamos refúgio nos Gurus, os supremos Guias Espirituais,
Buscamos refúgio nos Budas, os seres plenamente iluminados,
Buscamos refúgio no Dharma, os preciosos ensinamentos de Buda,
Buscamos refúgio na Sangha, os praticantes espirituais puros.
(3x)

Como compromissos do nosso voto de refúgio, devemos aplicar esforço para receber as bênçãos de Buda, para colocar o Dharma em prática e para receber ajuda da Sangha, os praticantes espirituais puros. Praticantes espirituais puros nos conduzem ao caminho espiritual ao demonstrar um bom exemplo para seguir e, por essa razão, são objetos de refúgio.

Gerar o supremo bom coração, bodhichitta, a porta de entrada pela qual ingressamos no caminho à grande iluminação

Nessa prática, para alcançar a iluminação a fim de beneficiar todos e cada um dos seres vivos todos os dias, fazemos a promessa, do fundo de nosso coração, de praticar as etapas do caminho de Vajrayogini, o que significa praticar as etapas dos caminhos do estágio de geração e do estágio de conclusão de Vajrayogini. Essa promessa é o nosso voto bodhisattva, que abre a porta ao caminho rápido à grande iluminação. Empenhamo-nos nessa prática, seguindo a contemplação apresentada na sadhana:

Uma vez que eu tenha alcançado o estado da completa iluminação, a Budeidade, libertarei todos os seres sencientes do oceano de sofrimento do samsara e os levarei ao êxtase da plena iluminação. Com esse propósito, vou praticar as etapas do caminho de Vajrayogini. (3x)

Como compromissos do nosso voto bodhisattva, devemos aplicar esforço para praticar as seis perfeições: dar, disciplina moral, paciência, esforço, concentração e sabedoria. Uma explicação detalhada sobre essas práticas pode ser encontrada no livro Budismo Moderno.

Receber bênçãos, a porta de entrada pela qual podemos obter o corpo, a fala e a mente iluminados, por purificarmos a aparência comum de nosso corpo, fala e mente

Nessa prática, devemos, primeiro, fazer a oferenda breve de mandala:

O chão espargido com perfume e salpicado de flores,
A Grande Montanha, quatro continentes, sol e lua,
Percebidos como Terra de Buda e assim oferecidos,
Que todos os seres desfrutem dessas Terras Puras.

IDAM GURU RATNA MANDALAKAM NIRYATAYAMI

Fazemos, então, o seguinte pedido três vezes:

Eu me prostro e busco refúgio nos Gurus e nas Três Joias Preciosas.
Por favor, abençoai meu continuum mental. (3x)

Em seguida, empenhamo-nos na prática propriamente dita, seguindo a contemplação apresentada na sadhana:

Por ter feito pedidos dessa maneira, a magnífica assembleia de seres sagrados iluminados a minha frente se converte em raios de luz branca, vermelha e azul escura. Os raios de luz branca são da natureza dos corpos de todos os Budas, os raios de luz vermelha são da natureza da fala de todos os Budas, e os raios de luz azul são da natureza da mente de todos os Budas. Todos esses raios de luz se dissolvem em mim e recebo as bênçãos especiais do corpo, fala e mente de todos os Budas. A aparência comum de meu corpo, fala e mente é purificada, e meu corpo, fala e mente residente-contínuos transformam-se no corpo, fala e mente iluminados.

Meditamos nessa crença com concentração estritamente focada. Nossa percepção de nosso corpo, fala e mente que normalmente vemos é a aparência comum de nosso corpo, fala e mente.

A PRÁTICA DE AUTOGERAÇÃO PROPRIAMENTE DITA

Trazer a morte para o caminho do Corpo-Verdade, o corpo muito sutil de Buda

Nessa prática transformamos, por meio de imaginação correta, nossa clara-luz da morte no caminho espiritual da união de grande êxtase e vacuidade. Empenhamo-nos nessa prática, seguindo a contemplação apresentada na sadhana:

O mundo inteiro e seus habitantes se convertem em luz e se dissolvem em meu corpo. Meu corpo também se desfaz em luz e, lentamente, diminui de tamanho até, por fim, se dissolver na vacuidade, a mera ausência de todos os fenômenos que normalmente vejo. Isso se assemelha à maneira como todas as aparências desta vida se dissolvem no momento da morte. Eu experiencio a clara-luz da morte, que é da natureza de êxtase. Eu não percebo nada além que vacuidade. A minha mente, a clara-luz da morte, torna-se a união de grande êxtase e vacuidade.

Meditamos nessa crença, totalmente livres de distrações. Ao final da meditação, pensamos:

Eu sou o Corpo-Verdade Vajrayogini.

A clara-luz da morte é a mente muito sutil que se manifesta no momento da morte. Embora essa contemplação e meditação sejam imaginadas, sua natureza é sabedoria e têm um significado inconcebível. Por praticarmos essa contemplação e meditação continuamente e com sinceridade, iremos ganhar profunda familiaridade de transformar, por meio de imaginação, nossa clara-luz da morte na união de grande êxtase e vacuidade. Quando, no futuro, experienciarmos de fato o processo da morte, seremos capazes de reconhecer nosssa clara-luz da morte e de transformá-la na união de grande êxtase e vacuidade. Essa transformação é a realização da clara-luz-exemplo última, que irá nos proporcionar, diretamente, a aquisição do

Venerável Vajrayogini

corpo-ilusório, um corpo imortal. A partir desse momento, teremos nos tornado uma pessoa imortal e experienciaremos nosso mundo como a Terra Pura de Keajra, e a nós mesmos como Vajrayogini. Teremos, então, realizado nosso objetivo. Vajrayogini imputada, ou designada, ao Corpo-Verdade de Buda é o Corpo-Verdade Vajrayogini, Vajrayogini definitiva.

Trazer o estado intermediário para o caminho do Corpo-de-Deleite, o Corpo-Forma sutil de Buda

O estado entre esta vida e o próximo renascimento é o estado intermediário. Os seres que estão nesse estado são os seres do estado intermediário, também chamados de "seres-do-bardo". Nessa prática, transformamos a experiência de um ser do estado intermediário na experiência do Corpo-de-Deleite Vajrayogini. Vajrayogini imputada, ou designada, ao Corpo-Forma sutil de Buda é o Corpo-de-Deleite Vajrayogini. Empenhamo-nos nessa prática, seguindo a contemplação apresentada na sadhana:

Mantendo a experiência de que minha mente de clara-luz da morte se transformou na união de grande êxtase e vacuidade, eu me transformo instantaneamente – a partir da vacuidade do Corpo-Verdade, o Dharmakaya – no Corpo-de-Deleite Vajrayogini sob a forma de uma bola de luz vermelha, cuja natureza é grande êxtase inseparável da vacuidade. Isso se assemelha à maneira como o corpo de um ser do estado intermediário surge da clara-luz da morte. Eu sou o Corpo-de-Deleite Vajrayogini.

Permanecemos com concentração estritamente focada, pelo maior tempo possível, na experiência de nós mesmos como o Corpo-de-Deleite Vajrayogini.

Trazer o renascimento para o caminho do Corpo-Emanação, o Corpo-Forma denso de Buda

Nessa prática, transformamos nossa experiência de tomar um renascimento no samsara como um ser comum na experiência de tomar renascimento na Terra Pura de Keajra como o Corpo-Emanação Vajrayogini. Vajrayogini imputada, ou designada, ao Corpo-Forma denso de Buda é o Corpo-Emanação Vajrayogini. Empenhamo-nos nessa prática, seguindo a contemplação apresentada na sadhana:

No vasto espaço da vacuidade de todos os fenômenos, a natureza da minha aparência equivocada de todos os fenômenos purificada – que é a Terra Pura de Keajra –, eu apareço como Vajrayogini, a manifestação da sabedoria da clara-luz de todos os Budas. Eu tenho um corpo vermelho feito de luz, com uma face e duas mãos, e assumo a forma de uma jovem de dezesseis anos, na flor de minha juventude. Embora eu tenha essa aparência, ela não é algo além da vacuidade de todos os fenômenos. Eu sou o Corpo-Emanação Vajrayogini.

Meditamos nessa autogeração pelo maior tempo possível, com o reconhecimento de que a aparência de nós mesmos como Vajrayogini em nossa Terra Pura de Keajra e a vacuidade de todos os fenômenos são uma única entidade, e não duas. Nossa meditação na autogeração tem o poder de reduzir e cessar nosso agarramento ao em-si. Nessa prática, devemos aperfeiçoar nossa experiência de treinar em orgulho divino e de treinar em clara aparência pela contemplação e meditação contínuas das instruções sobre esses treinos, apresentadas neste livro (páginas 184-192).

Devemos saber que as quatro práticas preparatórias são como as quatro rodas de um veículo, e que a prática de autogeração propriamente dita é como o próprio veículo. Isso mostra que tanto as práticas preparatórias quanto a prática propriamente dita são igualmente importantes para a realização de nossa meta última.

Neste ponto, podemos treinar a meditação especial tummo. Uma explicação clara e detalhada sobre como fazer essa meditação pode ser encontrada neste livro (páginas 262-266).

Recitar o mantra

Em meu coração está o ser-de-sabedoria Vajrayogini – Vajrayogini definitiva – a síntese do corpo, fala e mente de todos os Budas.

Ó meu Guru-Deidade Vajrayogini,
Por favor, concede a mim e a todos os seres sencientes
As aquisições do corpo, fala e mente iluminados.
Por favor, pacifica nossos obstáculos exteriores, interiores e secretos.
Por favor, estabelece dentro de nós o fundamento básico para todas essas aquisições.

Com este pedido, recitamos o mantra tri-OM, pelo menos, o número de vezes que tenhamos prometido.

OM OM OM SARWA BUDDHA DAKINIYE VAJRA WARNANIYE VAJRA BEROTZANIYE HUM HUM HUM PHAT PHAT PHAT SÖHA

Obstáculos exteriores são danos recebidos de humanos e não-humanos, assim como de objetos inanimados – como fogo, água e assim por diante; obstáculos interiores são nossas delusões – como raiva, apego e ignorância; e o obstáculo secreto é a nossa aparência equivocada sutil de todos os fenômenos. Nossa percepção de todos os fenômenos que normalmente vemos é a nossa aparência equivocada sutil de todos os fenômenos.

Neste ponto, se desejarmos, podemos fazer uma oferenda tsog. A prece ritual para fazer a oferenda tsog pode ser encontrada neste livro (páginas 378-385).

Dedicatória

Pelas virtudes que acumulei por praticar essas instruções,
Que eu receba o cuidado especial da Venerável Vajrayogini e de suas Dakinis emanadas
E, por receber suas poderosas bênçãos sobre meu corpo, fala e mente muito sutis,
Que eu alcance, rapidamente, a iluminação para libertar todos os seres vivos.

Preces pela Tradição Virtuosa

Para que a tradição de Je Tsongkhapa,
O Rei do Dharma, floresça,
Que todos os obstáculos sejam pacificados
E todas as condições favoráveis sejam abundantes.

Pelas duas coleções, minhas e dos outros,
Reunidas ao longo dos três tempos,
Que a doutrina do Conquistador Losang Dragpa
Floresça para sempre.

Prece *Migtsema* de nove versos

Tsongkhapa, ornamento-coroa dos eruditos da Terra das Neves,
Tu és Buda Shakyamuni e Vajradhara, a fonte de todas as conquistas,
Avalokiteshvara, o tesouro de inobservável compaixão,
Manjushri, a suprema sabedoria imaculada,
E Vajrapani, o destruidor das hostes de maras.
Ó Venerável Guru Buda, síntese das Três Joias,
Com meu corpo, fala e mente, respeitosamente faço pedidos.
Peço, concede tuas bênçãos para amadurecer e libertar a mim e aos outros,
E confere-nos as aquisições comuns e a suprema. (3x)

Cólofon: *Esta sadhana, ou prece ritual, para obter as aquisições espirituais de Vajrayogini foi compilada por Venerável Geshe Kelsang Gyatso Rinpoche a partir de fontes tradicionais. 2012.*

Ioga da Dakini

A SADHANA MEDIANA DE AUTOGERAÇÃO DE VAJRAYOGINI

Compilada por
Venerável Geshe Kelsang Gyatso Rinpoche

Introdução

Todos os que receberam uma iniciação de Tantra Ioga Supremo têm o compromisso de praticar "o ioga em seis sessões". Este ioga em seis sessões foi organizado especialmente para os que receberam a iniciação de Vajrayogini.

O ioga em seis sessões pode ser praticado de diferentes maneiras, de acordo com nossa habilidade e de quanto tempo dispomos. Se formos novos na prática, ou se estivermos muito ocupados, podemos manter nossos compromissos básicos recitando o *Ioga Condensado em Seis Sessões*, de acordo com as instruções que estão nas páginas 326-329.

Se tivermos mais tempo à nossa disposição, podemos dedicar uma sessão para recitar a prática principal das seis sessões, *Ioga da Dakini*, e recitar o *Ioga Condensado em Seis Sessões* nas demais cinco sessões. Podemos também intensificar gradualmente nossa prática de acordo com nosso tempo e habilidade, até nos tornarmos capazes de recitar *Ioga da Dakini* em todas as seis sessões.

Sempre que tivermos tempo, é muito útil ler todos os votos e compromissos listados nas páginas 330-335.

Se possível, o ideal é fazer uma sessão a cada quatro horas ao longo do dia e da noite; porém, se isso não for possível, podemos integrar três sessões pela manhã e três sessões à noite. Se fizermos isso utilizando a prática principal do ioga em seis sessões, *Ioga da Dakini*, podemos abreviar as recitações da maneira como está explicado na página 324.

Geshe Kelsang Gyatso

1991

Guru Vajradharma

Ioga da Dakini

Buscar refúgio

Eu e todos os seres sencientes, até alcançarmos a iluminação,
Nos refugiamos em Buda, Dharma e Sangha. (3x)

Isto cumpre o primeiro dos três compromissos da Família de Buda Vairochana: buscar refúgio em Buda, buscar refúgio no Dharma e buscar refúgio na Sangha.

Gerar bodhichitta

Pelas virtudes que coleto, praticando o dar e as outras perfeições,
Que eu me torne um Buda para o benefício de todos. (3x)

Gerar as quatro incomensuráveis

Que cada um seja feliz,
Que cada um se liberte da dor,
Que ninguém jamais seja separado de sua felicidade,
Que todos tenham equanimidade, livres do ódio e do apego.

A primeira incomensurável cumpre o quarto compromisso da Família de Buda Ratnasambhava: dar amor. E a quarta incomensurável cumpre o terceiro compromisso da Família de Buda Ratnasambhava: dar destemor.

Dorjechang Trijang Rinpoche

Gerar a bodhichitta aspirativa por meio de ritual

Deste momento em diante, até que eu me torne um Buda,
Manterei, mesmo à custa da minha vida,
A mente que deseja alcançar a completa iluminação
Para libertar todos os seres vivos dos medos do samsara e da paz solitária.

Tomar os votos bodhisattva

Ó Gurus, Budas e Bodhisattvas,
Por favor, ouvi o que agora direi.
Assim como todos os anteriores Sugatas, os Budas,
Geraram a mente de iluminação – a bodhichitta –
E concluíram todas as etapas
Do treino do Bodhisattva,
Também eu, para o benefício de todos os seres,
Vou gerar a mente de iluminação
E concluir todas as etapas
Do treino do Bodhisattva. (3x)

Gerar alegria

Minha vida agora gerou magnífico fruto,
Minha vida humana alcançou extraordinário significado;
Hoje eu nasci na linhagem de Buda
E tornei-me um Bodhisattva.

Contemplar conscienciosidade

Todas as minhas ações, a partir de agora,
Estarão de acordo com essa nobre linhagem;
E a essa linhagem, pura e impecável,
Eu nunca trarei desonra.

Visualizar o Guru

No espaço a minha frente, surgindo a partir da aparência de excelsa sabedoria de pureza e clareza não duais, está uma mansão celestial quadrada com quatro portais, ornamentos e arcadas, e completa com todas as características essenciais. No centro, sobre um trono adornado com pedras preciosas e sustentado por oito grandes leões, num assento de lótus de várias cores, um sol e uma lua, senta-se meu bondoso Guru-raiz, no aspecto de Buda Vajradharma. Seu corpo é vermelho, tem uma face e duas mãos, que estão cruzadas na altura do coração e seguram um vajra e um sino. Seus cabelos estão presos, formando um coque no topo da cabeça, e senta-se com as pernas cruzadas em postura vajra. Ele aparece na forma de um jovem de dezesseis anos, na flor da juventude, adornado com sedas e todos os ornamentos de osso e pedras preciosas.

Em seu coração, está Vajrayogini; ela exibe uma postura sensual e um sorriso ligeiramente irado. No coração dela, está o ser-de-concentração – uma letra BAM vermelha – que irradia luz e convida os seres-de-sabedoria.

DZA HUM BAM HO
Eles se tornam não-duais.

Isto cumpre o quarto compromisso da Família de Buda Akshobya: confiar sinceramente em nosso Guia Espiritual.

Prostração

Detentor do Vajra, meu Guru, que és como uma joia,
Por cuja bondade posso realizar
O estado de grande êxtase num instante,
A teus pés de lótus, humildemente me prostro.

Ó Gloriosa Vajrayogini,
Rainha Dakini Chakravatin,
Que tens cinco sabedorias e três corpos,
A ti, Salvadora de todos, eu me prostro.

Deusas oferecedoras emanam de meu coração e fazem as oferendas.

Oferendas exteriores

OM AHRGHAM PARTITZA SÖHA
OM PADÄM PARTITZA SÖHA
OM VAJRA PUPE AH HUM SÖHA
OM VAJRA DHUPE AH HUM SÖHA
OM VAJRA DIWE AH HUM SÖHA
OM VAJRA GÄNDHE AH HUM SÖHA
OM VAJRA NEWIDE AH HUM SÖHA
OM VAJRA SHAPTA AH HUM SÖHA

OM AH VAJRA ADARSHE HUM
OM AH VAJRA WINI HUM
OM AH VAJRA GÄNDHE HUM
OM AH VAJRA RASE HUM
OM AH VAJRA PARSHE HUM
OM AH VAJRA DHARME HUM

Oferenda interior

OM GURU VAJRA YOGINI OM AH HUM

Oferenda secreta

Contemple que inumeráveis deusas-conhecimento, como Pemachen, emanam do seu coração {do praticante} e assumem a forma de Vajrayogini. Guru Pai e Mãe unem-se em abraço e experienciam êxtase incontaminado.

E ofereço os mais atraentes e ilusórios mudras,
Uma hoste de mensageiras nascidas em lugares, nascidas de mantra e espontaneamente nascidas,
Com esbeltos corpos, peritas nas 64 artes do amor
E com o esplendor da beleza juvenil.

Oferenda da talidade (*thatness*)

Lembre-se de que as três esferas da oferenda são êxtase e vacuidade indivisíveis.

E ofereço a ti a suprema bodhichitta última,
Uma perfeita, excelsa sabedoria de êxtase espontâneo, livre de obstruções,
Inseparável da natureza de todos os fenômenos, a esfera livre de elaboração,
Sem esforço e além de palavras, pensamentos e expressões.

Fazer as oferendas exteriores, a oferenda interior, a oferenda secreta e a oferenda da talidade cumpre o primeiro compromisso da Família de Buda Amoghasiddhi - fazer oferendas ao nosso Guia Espiritual.

Os oito versos de louvor à Mãe

OM Prostro-me a Vajravarahi, a Mãe Abençoada HUM HUM PHAT
OM À Superior e poderosa Senhora do Saber, inconquistada pelos três reinos HUM HUM PHAT
OM A ti, que destróis todos os medos de espíritos maléficos com teu grande vajra HUM HUM PHAT
OM A ti, com olhos controladores, que permaneces como o assento-vajra inconquistado por outros HUM HUM PHAT
OM A ti, cuja feroz forma irada desseca Brahma HUM HUM PHAT
OM A ti, que aterrorizas e exterminas demônios, conquistando aqueles de outras direções HUM HUM PHAT
OM A ti, que conquistas todos os que nos tornam obtusos, rígidos e confusos HUM HUM PHAT
OM Curvo-me a Vajravarahi, a Grande Mãe, a consorte Dakini que satisfaz todos os desejos HUM HUM PHAT

Oferenda kusali tsog

Minha própria mente, a poderosa Senhora da Terra Dakini, do tamanho de apenas um polegar, sai pela coroa da minha cabeça e fica face a face com meu Guru-raiz. Eu, então, retorno para onde está o meu antigo corpo, corto o seu crânio e o coloco num tripé de três cabeças humanas que surgiu instantaneamente. Retalho em pedaços o restante de minha carne, sangue e ossos, e os empilho na cuia de crânio. Olhando fixamente, com olhos muito abertos, purifico, transformo e aumento tudo isso num oceano de néctar.
OM AH HUM HA HO HRIH (3x)

Inumeráveis deusas oferecedoras, segurando cuias de crânio, emanam do meu coração. Com as cuias de crânio, elas extraem néctar e o oferecem aos convidados, que dele compartilham, sorvendo com línguas que são canudos de luz-vajra.

Ofereço esse néctar de substância-compromisso
A ti, meu Guru-raiz, a natureza dos quatro corpos [de Buda];
Para teu deleite.
OM AH HUM (7x)

Ofereço esse néctar de substância-compromisso
A vós, Gurus-linhagem, a fonte de conquistas;
Para vosso deleite.
OM AH HUM

Ofereço esse néctar de substância-compromisso
A vós, a assembleia de Gurus, Yidams, Três Joias e Protetores;
Para vosso deleite.
OM AH HUM

Ofereço esse néctar de substância-compromisso
A vós, guardiões que residem nas vizinhanças e nas regiões;
Para que me presteis assistência.
OM AH HUM

Ofereço esse néctar de substância-compromisso
A vós, todos os seres sencientes nos seis reinos e no estado intermediário;
Para que sejais libertados.
OM AH HUM

Por essa oferenda, todos os convidados são saciados com êxtase incontaminado,
E os seres sencientes alcançam o Corpo-Verdade, livre de obstruções.
As três esferas da oferenda são da natureza de êxtase e vacuidade não duais,
Além de palavras, pensamentos e expressões.

Concluir os sete membros

Com relação à prática dos sete membros, já havíamos feito os dois primeiros membros: prostrações e oferendas. Agora, praticamos brevemente os demais cinco membros:

Confesso meus erros em todos os tempos
E regozijo-me nas virtudes de todos.
Peço, permanece até o cessar do samsara
E gira a Roda do Dharma para nós.
Dedico todas as virtudes à grande iluminação.

Oferecer o mandala

Recite a oferenda do mandala longo e as duas estrofes breves que se seguem; se desejar, recite, apenas as duas estrofes breves:

OM VAJRA BHUMI AH HUM
Grande e poderoso solo dourado,
OM VAJRA REKHE AH HUM
Na fronteira, a cerca férrea rodeia o círculo exterior.
No centro, Monte Meru, o rei das montanhas,
Em torno do qual há quatro continentes:
A leste, Purvavideha, ao sul, Jambudipa,

A oeste, Aparagodaniya, ao norte, Uttarakuru.
Cada um tem dois subcontinentes:
Deha e Videha, Tsamara e Abatsamara,
Satha e Uttaramantrina, Kurava e Kaurava.
A montanha de joias, a árvore-que-concede-desejos,
A vaca-que-concede-desejos e a colheita não semeada.
A preciosa roda, a preciosa joia,
A preciosa rainha, o precioso ministro,
O precioso elefante, o precioso supremo cavalo,
O precioso general e o grande vaso-tesouro.
A deusa da beleza, a deusa das grinaldas,
A deusa da música, a deusa da dança,
A deusa das flores, a deusa do incenso,
A deusa da luz e a deusa do perfume.
O sol e a lua, o precioso guarda-sol,
O estandarte da vitória em cada direção.
No centro, os tesouros tanto de deuses quanto de homens,
Uma coleção de excelências que nada exclui.
Ofereço isso a vós, meus bondosos Guru-raiz e Gurus-linhagem,
A todos vós, sagrados e gloriosos Gurus;
Por favor, aceitai com compaixão pelos seres migrantes
E, uma vez aceito, por favor, concedei-nos vossas bênçãos.

Ó Tesouro de Compaixão, meu Refúgio e Protetor,
Ofereço a ti a montanha, continentes, objetos preciosos, vaso-tesouro, sol e lua,
Os quais surgiram dos meus agregados, fontes e elementos,
Como aspectos da excelsa sabedoria de êxtase espontâneo e vacuidade.

Ofereço, sem nenhum sentimento de perda,
Os objetos que fazem surgir meu apego, ódio e confusão,
Meus amigos, inimigos e estranhos, nossos corpos e prazeres;
Peço, aceita-os e abençoa-me, livrando-me diretamente dos três venenos.

IDAM GURU RATNA MANDALAKAM NIRYATAYAMI

Receber as bênçãos das quatro iniciações

Peço a ti, ó Guru, que incorporas todos os objetos de refúgio,
Por favor, concede-me tuas bênçãos,
Por favor, concede-me as quatro iniciações inteiramente,
E concede-me, por favor, o estado dos quatro corpos. (3x)

Contemple que, como resultado dos seus pedidos:

Raios de luz branca e néctares brancos irradiam-se do OM na testa do meu Guru.
Dissolvem-se em minha testa, purificando as negatividades e obstruções do meu corpo.
Recebo a iniciação-vaso, e as bênçãos do corpo do meu Guru entram em meu corpo.

Raios de luz vermelha e néctares vermelhos irradiam-se do AH na garganta do meu Guru.
Dissolvem-se em minha garganta, purificando as negatividades e obstruções da minha fala.
Recebo a iniciação secreta, e as bênçãos da fala do meu Guru entram em minha fala.

Raios de luz azul e néctares azuis irradiam-se do HUM no coração do meu Guru.
Dissolvem-se em meu coração, purificando as negatividades e obstruções da minha mente.
Recebo a iniciação mudra-sabedoria, e as bênçãos da mente do meu Guru entram em minha mente.

Raios de luz e néctares – brancos, vermelhos e azuis – irradiam-se das letras nos três lugares do meu Guru.
Dissolvem-se em meus três lugares, purificando as negatividades e obstruções do meu corpo, fala e mente.
Recebo a quarta iniciação, a iniciação da preciosa palavra, e as bênçãos de corpo, fala e mente do meu Guru entram em meu corpo, fala e mente.

Breve pedido

Meu precioso Guru, a essência de todos os Budas dos três tempos,
rogo a ti, por favor, abençoa meu continuum mental. (3x)

Absorver o Guru

Solicitado desse modo, meu Guru-raiz, por amor a mim, se dissolve na forma de luz vermelha e, entrando pela coroa da minha cabeça, mistura-se de modo inseparável com minha mente, no aspecto de uma letra BAM vermelha, em meu coração.

Trazer a morte para o caminho do Corpo-Verdade

Essa letra BAM se expande e se espalha até os confins do espaço, fazendo com que todos os mundos e seus seres se convertam na natureza de êxtase e vacuidade. Contraindo-se gradualmente a partir das bordas, ela se torna uma letra BAM extremamente diminuta, que se dissolve, por etapas, da base ao *nada*. Então, o próprio *nada* desaparece e se torna o Corpo-Verdade, de inseparável êxtase e vacuidade.
OM SHUNYATA GYANA VAJRA SÖBHAWA ÄMAKO HAM

Trazer o estado intermediário para o caminho do Corpo-de--Deleite

Do estado de vacuidade, onde toda aparência reuniu-se desse modo, aparece uma letra BAM vermelha aprumada no espaço; em essência, um aspecto da minha própria mente, a excelsa sabedoria de êxtase e vacuidade não duais.

Trazer o renascimento para o caminho do Corpo-Emanação

Do estado de vacuidade, do EH EH surge uma fonte-fenômenos vermelha, no formato de um duplo tetraedro. Dentro dela, do AH surge um mandala de lua branco, com um sombreado vermelho. Sobre ele, está o mantra OM OM OM SARWA BUDDHA DAKINIYE VAJRA WARNANIYE VAJRA BEROTZANIYE HUM HUM HUM PHAT PHAT PHAT SÖHA, em pé e descrevendo um círculo no

Venerável Vajrayogini

sentido anti-horário. Eu, a letra BAM no espaço, vejo a lua, e motivado a renascer em seu centro, ingresso no centro da lua.

Raios de luz se irradiam da lua, da letra BAM e do rosário de mantra, convertendo todos os mundos e seres do samsara e do nirvana na natureza da Venerável Vajrayogini. Os raios se recolhem e se dissolvem na letra BAM e no rosário de mantra, que se transformam por completo no mandala sustentado e sustentador de Vajrayogini, plena e instantaneamente.

A meditação de examinar o mandala e os seres que nele habitam

Ademais, há um solo, cerca, tenda e dossel feitos de vajra, fora dos quais arde uma massa de fogo de cinco cores a rodopiar em sentido anti-horário. Dentro, está o círculo dos oito grandes solos sepulcrais – "o Feroz", e assim por diante. No centro desse círculo, há uma fonte-fenômenos vermelha, no formato de um duplo tetraedro, com sua parte larga voltada para cima e a extremidade fina apontada para baixo. Excetuando os ângulos da frente e de trás, cada um dos outros quatro ângulos está marcado com um torvelinho-rosa de alegria, a rodopiar em sentido anti-horário.

Dentro da fonte-fenômenos, está um mandala de sol no centro de um lótus de oito pétalas de várias cores. Sobre ele, eu surjo na forma da Venerável Vajrayogini. Minha perna direita, esticada, pisa sobre o peito da vermelha Kalarati. Minha perna esquerda, dobrada, pisa sobre a cabeça de Bhairawa negro, vergada para trás. Tenho um corpo vermelho, que resplandece com o brilho igual ao do fogo do éon. Tenho uma face, duas mãos e três olhos, e meu olhar está voltado para a Terra Pura das Dakinis. Minha mão direita, esticada e apontando para baixo, segura uma faca curva marcada com um vajra. Minha mão esquerda segura, ao alto, uma cuia de crânio repleta de sangue, que compartilho e bebo com a boca voltada para o alto. Meu ombro esquerdo sustenta um khatanga marcado com um vajra, e do khatanga pendem um damaru, um sino e um triplo estandarte. Meus cabelos, pretos e soltos, cobrem minhas costas até a cintura. Na flor de minha juventude, meus desejáveis seios são fartos e mostro como gerar êxtase. Minha cabeça está adornada com cinco crânios humanos, e uso um colar de cinquenta crânios humanos. Nua, estou adornada com cinco mudras, e estou em pé no centro de um fogo flamejante de excelsa sabedoria. Minha coroa está adornada com Pai e Mãe, Vairochana-Heruka.

Praticar os três trazeres e meditar no mandala cumpre os três primeiros compromissos da Família de Buda Akshobya: manter um vajra para nos lembrarmos do grande êxtase; manter um sino para nos lembrarmos da vacuidade; e gerarmo-nos como a Deidade. Neste ponto, se você tiver tempo, você pode gerar instantaneamente o mandala de corpo. Medite brevemente no mandala de corpo *e, depois, na* meditação do estágio de geração propriamente dita, *de acordo com o comentário.*

Recitar o mantra

No centro de um mandala de lua, dentro de uma fonte-fenômenos vermelha no formato de um duplo tetraedro, em meu coração, está uma letra BAM rodeada por um rosário de mantra vermelho, em pé e no sentido anti-horário. Incomensuráveis raios de luz vermelha irradiam-se de tudo isso. Eles purificam as negatividades e obstruções de todos os seres sencientes e fazem oferendas a todos os Budas. Todo o poder e a força de suas bênçãos são invocados sob a forma de raios de luz vermelha, que se dissolvem na letra BAM e no rosário de mantra, abençoando meu continuum mental.

OM OM OM SARWA BUDDHA DAKINIYE VAJRA WARNANIYE VAJRA BEROTZANIYE HUM HUM HUM PHAT PHAT PHAT SÖHA

Recite, pelo menos, o número de mantras que você prometeu recitar todos os dias.

Praticar o dar

Deste momento em diante, sem nenhum sentimento de perda,
Darei meu corpo e, igualmente, minhas riquezas,
E minhas virtudes – reunidas ao longo dos três tempos –
Para ajudar todos os seres vivos, minhas mães.

Isto cumpre os dois primeiros compromissos da Família de Buda Ratnasambhava: dar ajuda material e dar Dharma.

Gerar a determinação de manter puramente todos os votos e compromissos

Nunca transgredirei, nem mesmo em sonhos,
A mais ínfima norma dos puros treinamentos morais
Dos votos Pratimoksha, bodhisattva e Vajrayana.
Praticarei de acordo com as palavras de Buda.

Isto cumpre o quarto compromisso da Família de Buda Vairochana – abstermo-nos de não-virtude – assim como o segundo compromisso da Família de Buda Amoghasiddhi: empenharmo-nos para manter puramente todos os votos que tomamos.

Prometer praticar todos os Dharmas

Manterei, de acordo com a intenção de Buda,
Todos os Dharmas de escritura e de realização
Contidos nos três veículos e nas quatro classes de Tantra.
Libertarei todos os seres pelos meios adequados.

Isto cumpre os três compromissos da Família de Buda Amitabha: confiar nos ensinamentos de Sutra; confiar nos ensinamentos das duas classes inferiores de Tantra; e confiar nos ensinamentos das duas classes superiores de Tantra. Cumpre também o quinto e o sexto compromissos da Família de Buda Vairochana: praticar virtude e beneficiar os outros.

Dedicatória

Por força da virtude branca que aqui reuni,
Que eu nunca transgrida, ao longo de todas as minhas vidas,
Os votos e compromissos estabelecidos por Vajradhara,
E que eu conclua as etapas do caminho duplo.

Por essa virtude, que eu rapidamente
Realize a verdadeira, efetiva Dakini
E, então, conduza cada ser vivo,
Sem exceção, a esse solo.

Na hora da minha morte, que os Protetores, Heróis, Heroínas e demais seres sagrados,
Portando flores, para-sóis e estandartes da vitória
E oferecendo a doce música de címbalos e assim por diante,
Conduzam-me à Terra das Dakinis.

Em resumo, que eu nunca esteja separado de ti, Venerável Guru Dakini,
Mas fique sempre sob teus cuidados,
E, por concluir rapidamente os solos e caminhos,
Que eu alcance o magnífico estado Dakini.

Se você desejar recitar Ioga da Dakini *três vezes em uma única sessão, você deve proceder como segue. Primeiramente, recite todas as partes da sadhana, desde* buscar refúgio *até o* breve pedido. *Depois, repita isso mais duas vezes, omitindo as partes: visualizar o Guru; os oito versos de louvor à Mãe; a oferenda kusali tsog; e a oferenda de mandala longo (porém, não omita as duas estrofes da oferenda breve de mandala). Nessas duas repetições, é necessário recitar apenas uma única vez (e não três vezes, como normalmente é feito) as seguintes partes: buscar refúgio; gerar bodhichitta; e tomar os votos bodhisattva.*

Recite, então, as demais partes, desde absorver o Guru *até* prometer praticar todos os Dharmas. *Depois, repita isso mais duas vezes, omitindo as seguintes partes:* meditação de examinar o mandala *e* recitar o mantra.

Por fim, recite as preces dedicatórias uma vez apenas.

Preces pela Tradição Virtuosa

Para que a tradição de Je Tsongkhapa,
O Rei do Dharma, floresça,
Que todos os obstáculos sejam pacificados
E todas as condições favoráveis sejam abundantes.

Pelas duas coleções, minhas e dos outros,
Reunidas ao longo dos três tempos,
Que a doutrina do Conquistador Losang Dragpa
Floresça para sempre.

Prece *Migtsema* de nove versos

Tsongkhapa, ornamento-coroa dos eruditos da Terra das Neves,
Tu és Buda Shakyamuni e Vajradhara, a fonte de todas as conquistas,
Avalokiteshvara, o tesouro de inobservável compaixão,
Manjushri, a suprema sabedoria imaculada,
E Vajrapani, o destruidor das hostes de maras.
Ó Venerável Guru Buda, síntese das Três Joias,
Com meu corpo, fala e mente, respeitosamente faço pedidos:
Peço, concede tuas bênçãos para amadurecer e libertar a mim
e aos outros,
E confere-nos as aquisições comuns e a suprema. (3x)

Cólofon: Esta sadhana, ou prece ritual, para obter as aquisições espirituais de Vajrayogini foi traduzida de fontes tradicionais por Venerável Geshe Kelsang Gyatso Rinpoche.

Ioga Condensado em Seis Sessões

Quando recebemos uma iniciação do Tantra Ioga Supremo, fizemos a promessa de manter os dezenove compromissos das Cinco Famílias Búdicas, libertar todos os seres vivos do renascimento inferior e do renascimento samsárico e de conduzi-los ao Caminho Vajrayana, que rapidamente conduz todos os seres ao estado da iluminação. Essa promessa é o nosso voto tântrico. Para cumprir nossa promessa, precisamos nos empenhar na prática dos dezenove compromissos.

Como Vajradhara disse, devemos relembrar esses dezenove compromissos seis vezes ao dia, todos os dias – isso significa que devemos fazê-lo a cada quatro horas. Isso é denominado "Ioga em Seis Sessões". Se estivermos muito atarefados, podemos cumprir nosso compromisso das seis sessões fazendo a seguinte prática, seis vezes por dia. Primeiramente, recordamos os dezenove compromissos das Cinco Famílias Búdicas (listados abaixo) e, depois, com forte determinação de manter puramente esses compromissos, recitamos, verbal ou mentalmente, o seguinte *Ioga Condensado em Seis Sessões*, enquanto nos concentramos em seu significado.

OS DEZENOVE COMPROMISSOS DAS CINCO FAMÍLIAS BÚDICAS

Os seis compromissos da Família de Buda Vairochana:

1. Buscar refúgio em Buda;
2. Buscar refúgio no Dharma;
3. Buscar refúgio na Sangha;
4. Abster-se de não-virtude;
5. Praticar virtude;
6. Beneficiar os outros.

Os quatro compromissos da Família de Buda Akshobya:

1. Manter um vajra para nos lembrar de enfatizar o desenvolvimento de grande êxtase por meio da meditação no canal central;
2. Manter um sino para nos lembrar de enfatizar a meditação na vacuidade;
3. Gerarmo-nos como a Deidade, ao mesmo tempo que compreendemos que todas as coisas que normalmente vemos não existem;
4. Confiar sinceramente em nosso Guia Espiritual, que nos conduz à prática da pura disciplina moral dos votos Pratimoksha, bodhisattva e tântricos.

Os quatro compromissos da Família de Buda Ratnasambhava:

1. Dar ajuda material;
2. Dar Dharma;
3. Dar destemor;
4. Dar amor.

Os três compromissos da Família de Buda Amitabha:

1. Confiar nos ensinamentos de Sutra;
2. Confiar nos ensinamentos das duas classes inferiores de Tantra;
3. Confiar nos ensinamentos das duas classes superiores de Tantra.

Os dois compromissos da Família de Buda Amoghasiddhi:

1. Fazer oferendas a nosso Guia Espiritual;
2. Empenharmo-nos para manter puramente todos os votos que tomamos.

IOGA CONDENSADO EM SEIS SESSÕES

Eu busco refúgio no Guru e nas Três Joias.
Segurando vajra e sino, gero-me como a Deidade e faço oferendas.
Confio nos Dharmas de Sutra e de Tantra e abstenho-me de todas as ações não virtuosas.
Reunindo todos os Dharmas virtuosos, ajudo todos os seres vivos por meio das quatro práticas de dar.

Todos os dezenove compromissos estão incluídos nessa estrofe. As palavras "Eu busco refúgio no Guru e nas Três Joias" *referem-se aos três primeiros compromissos da Família de Buda Vairochana: buscar refúgio em Buda, buscar refúgio no Dharma e buscar refúgio na Sangha. A palavra* "Guru" *refere-se ao quarto compromisso da Família de Buda Akshobya: confiar sinceramente em nosso Guia Espiritual.*

As palavras "Segurando vajra e sino, gero-me como a Deidade" *referem-se aos três primeiros compromissos da Família de Buda Akshobya: manter um vajra para nos lembrar do grande êxtase, manter um sino para nos lembrar da vacuidade, e gerarmo-nos como a Deidade. As palavras* "e faço oferendas" *referem-se ao primeiro compromisso da Família de Buda Amoghasiddhi: fazer oferendas a nosso Guia Espiritual.*

As palavras "Confio nos Dharmas de Sutra e de Tantra" *referem-se aos três compromissos da Família de Buda Amitabha: confiar nos ensinamentos de Sutra, confiar nos ensinamentos das duas classes inferiores de Tantra e confiar nos ensinamentos das duas classes superiores de Tantra. As palavras* "e abstenho-me de todas as ações não virtuosas" *referem-se ao quarto compromisso da Família de Buda Vairochana: abster-se de não-virtude.*

As palavras "Reunindo todos os Dharmas virtuosos" *referem-se ao quinto compromisso da Família de Buda Vairochana: praticar virtude. As palavras* "ajudo todos os seres vivos" *referem-se ao sexto compromisso da Família de Buda Vairochana: beneficiar os outros. As palavras* "por meio das quatro práticas de dar" *referem-se aos quatro compromissos da Família de Buda Ratnasambhava: dar ajuda material, dar Dharma, dar destemor e dar amor.*

Finalmente, a estrofe inteira refere-se ao segundo compromisso da Família de Buda Amoghasiddhi: empenharmo-nos para manter puramente todos os votos que tomamos.

Mais detalhes sobre os votos e compromissos do Mantra Secreto podem ser encontrados no livro Solos e Caminhos Tântricos.

Cólofon: Esta prece e sua explicação foram compiladas de fontes tradicionais por Venerável Geshe Kelsang Gyatso Rinpoche.

Votos e Compromissos

AS QUEDAS MORAIS RAÍZES DOS VOTOS BODHISATTVA

1. Louvar a si mesmo e desprezar os outros;
2. Não dar riqueza ou Dharma;
3. Não aceitar pedidos de desculpas;
4. Abandonar o Mahayana;
5. Roubar o que pertence às Três Joias;
6. Abandonar o Dharma;
7. Tomar de volta vestes açafroadas;
8. Cometer as cinco ações hediondas;
9. Sustentar visões errôneas;
10. Destruir locais, tais como cidades;
11. Explicar a vacuidade para aqueles que provavelmente irão compreendê-la mal;
12. Fazer com que os outros abandonem o Mahayana;
13. Fazer com que os outros abandonem o Pratimoksha;
14. Depreciar o Hinayana;
15. Falar falsamente sobre a vacuidade profunda;
16. Aceitar posses que foram roubadas das Três Joias;
17. Estabelecer más regras;
18. Desistir da bodhichitta.

AS QUEDAS MORAIS SECUNDÁRIAS DOS VOTOS BODHISATTVA

Quedas morais que obstruem a perfeição de dar

1. Não fazer oferendas às Três Joias todos os dias;
2. Entregar-se a prazeres mundanos por apego;
3. Ser desrespeitoso com aqueles que receberam os votos bodhisattva antes de nós;
4. Não responder quando os outros se dirigem a nós;
5. Não aceitar convites;
6. Não aceitar presentes;
7. Não dar Dharma àqueles que o desejam.

Quedas morais que obstruem a perfeição de disciplina moral

8. Desamparar aqueles que quebraram sua disciplina moral;
9. Agir de maneira que faça com que os outros não gerem fé;
10. Fazer pouco para beneficiar os outros;
11. Não acreditar que a compaixão dos Bodhisattvas garanta que todas as suas ações sejam puras;
12. Obter riqueza ou fama por meio de um modo de vida errôneo;
13. Entregar-se a frivolidades;
14. Afirmar e sustentar que os Bodhisattvas não precisam abandonar o samsara;
15. Não evitar má reputação;
16. Não ajudar os outros a evitarem negatividade.

Quedas morais que obstruem a perfeição de paciência

17. Retaliar dano ou abuso;
18. Não pedir desculpas quando tivermos a oportunidade;
19. Não aceitar pedidos de desculpas;
20. Não se esforçar para controlar a própria raiva.

Quedas morais que obstruem a perfeição de esforço

21. Motivado pelo desejo de lucro ou respeito, reunir um círculo de seguidores;
22. Não tentar superar a preguiça;
23. Motivado por apego, entregar-se a conversas vãs, sem sentido.

Quedas morais que obstruem a perfeição de estabilização mental

24. Negligenciar o treino de estabilização mental;
25. Não superar obstáculos à estabilização mental;
26. Ficar absorto, ou entretido, com o "sabor" da estabilização mental.

Quedas morais que obstruem a perfeição de sabedoria

27. Abandonar o Hinayana;
28. Estudar o Hinayana em detrimento de nossa prática Mahayana;
29. Estudar assuntos de não-Dharma sem uma boa razão;
30. Ficar absorto ou ocupado com assuntos de não-Dharma em função de nosso próprio interesse;
31. Criticar outras tradições Mahayana;
32. Louvar a si mesmo e desprezar os outros;
33. Não fazer esforço para estudar o Dharma;
34. Preferir confiar em livros em vez de confiar em nosso Guia Espiritual.

Quedas morais que obstruem a disciplina moral de beneficiar os outros

35. Não prestar auxílio aos que precisam de ajuda;
36. Negligenciar cuidados aos doentes;
37. Não agir para afastar ou eliminar sofrimento;
38. Não ajudar os outros a superarem maus hábitos;

39. Não retribuir ajuda aos que nos beneficiam;
40. Não aliviar a angústia ou infortúnio dos outros;
41. Não dar caridade aos que a buscam;
42. Não conceder cuidados especiais aos discípulos;
43. Não agir de acordo com as inclinações dos outros;
44. Não elogiar as boas qualidades dos outros;
45. Não fazer ações iradas quando apropriado;
46. Não se utilizar de poderes miraculosos, ações ameaçadoras, e assim por diante.

Mais detalhes sobre os votos bodhisattva podem ser encontrados no livro O Voto Bodhisattva.

OS PRECEITOS DA BODHICHITTA ASPIRATIVA

1. Relembrar os benefícios da bodhichitta seis vezes por dia;
2. Gerar a bodhichitta seis vezes por dia;
3. Não abandonar nenhum ser vivo;
4. Acumular mérito e sabedoria;
5. Não trapacear ou enganar nossos Preceptores ou Guias Espirituais;
6. Não criticar os que ingressaram no Mahayana;
7. Não fazer com que os outros se arrependam de suas ações virtuosas;
8. Não fingir ter boas qualidades nem esconder nossas falhas sem uma intenção pura e especial.

Mais detalhes sobre os preceitos da bodhichitta aspirativa podem ser encontrados no livro Oito Passos para a Felicidade.

AS QUATORZE QUEDAS MORAIS RAÍZES
DOS VOTOS DO MANTRA SECRETO

1. Desprezar ou usar de aspereza com nosso Guia Espiritual;
2. Mostrar menosprezo ou desrespeito pelos preceitos;
3. Criticar nossos irmãos e irmãs vajra;

4. Abandonar o amor por qualquer ser;
5. Desistir da bodhichitta aspirativa ou da bodhichitta de compromisso;
6. Desprezar o Dharma de Sutra ou de Tantra;
7. Revelar segredos a pessoas impróprias;
8. Maltratar nosso corpo;
9. Desistir da vacuidade;
10. Confiar em amigos malevolentes;
11. Não manter, por meio de lembrança, a visão da vacuidade;
12. Destruir a fé dos outros;
13. Não manter os objetos de compromisso;
14. Desprezar as mulheres.

OS COMPROMISSOS SECUNDÁRIOS DO MANTRA SECRETO

1. Abandonar ações negativas – em especial, as ações de matar, roubar, má conduta sexual, mentir e ingerir intoxicantes;
2. Confiar sinceramente em nosso Guia Espiritual; ser respeitoso com nossos irmãos e irmãs vajra; e observar as dez ações virtuosas;
3. Abandonar as causas de desviar-se ou de rejeitar o Mahayana; evitar desprezar os deuses; e evitar pisar sobre objetos sagrados.

AS QUEDAS MORAIS GRAVES DOS VOTOS DO MANTRA SECRETO

1. Confiar em um mudra não qualificado;
2. Praticar união sem os três reconhecimentos;
3. Mostrar substâncias secretas para uma pessoa imprópria;
4. Brigar ou discutir durante uma cerimônia de oferenda tsog;
5. Dar respostas falsas a perguntas formuladas com fé;
6. Permanecer sete dias na casa de uma pessoa que rejeita o Vajrayana;

7. Fingir ser um iogue enquanto se permanece imperfeito;
8. Revelar o sagrado Dharma àqueles que não têm fé;
9. Praticar ações de mandala sem ter concluído um retiro-aproximador;
10. Transgredir desnecessariamente os preceitos Pratimoksha ou bodhisattva;
11. Agir em contradição com as *Cinquenta Estrofes Sobre o Guia Espiritual.*

OS COMPROMISSOS INCOMUNS DO TANTRA-MÃE

1. Executar todas as ações físicas primeiramente com o nosso lado esquerdo; fazer oferendas ao nosso Guia Espiritual e jamais tratá-lo de modo áspero ou abusivo;
2. Abandonar união com aqueles que não são qualificados;
3. Enquanto estiver em união, não se separar da visão da vacuidade;
4. Nunca perder o apreço pelo caminho do apego;
5. Nunca desistir dos dois tipos de mudra;
6. Empenhar-se, principalmente, no método exterior e no método interior;
7. Nunca soltar fluido seminal; confiar em comportamento puro;
8. Abandonar repulsa quando provar a bodhichitta.

Mais detalhes sobre os votos tântricos podem ser encontrados no livro Solos e Caminhos Tântricos.

Cólofon: Estes votos e compromissos foram traduzidos de fontes tradicionais por Venerável Geshe Kelsang Gyatso Rinpoche.

Caminho Rápido ao Grande Êxtase

A SADHANA EXTENSA DE AUTOGERAÇÃO
DE VAJRAYOGINI

por
Je Phabongkhapa

Guru Vajradharma

Caminho Rápido ao Grande Êxtase

O IOGA DAS INCOMENSURÁVEIS

Buscar refúgio

No espaço a minha frente, aparecem Guru Chakrasambara Pai e Mãe, rodeados pela assembleia de Gurus-raiz e linhagem, Yidams, Três Joias, Assistentes e Protetores.

Imagine que você e todos os seres sencientes buscam refúgio, e recite três vezes:

Eu e todos os seres sencientes, os migrantes tão extensos quanto o espaço, doravante, até alcançarmos a essência da iluminação,
Buscamos refúgio nos gloriosos, sagrados Gurus,
Buscamos refúgio nos perfeitos Budas, os Abençoados,
Buscamos refúgio nos Dharmas sagrados,
Buscamos refúgio nas Sanghas superiores. (3x)

Gerar a bodhichitta

Gere a bodhichitta e as quatro incomensuráveis, enquanto você recita três vezes:

Uma vez que eu tenha alcançado o estado de um perfeito Buda, libertarei todos os seres sencientes do oceano de sofrimento do samsara e os levarei ao êxtase da plena iluminação. Com esse propósito, vou praticar as etapas do caminho de Vajrayogini. (3x)

Receber bênçãos

Agora, com as palmas das mãos unidas, recite:

Eu me prostro e busco refúgio nos Gurus e nas Três Joias Preciosas. Por favor, abençoai meu continuum mental.

Por ter assim recitado:

Os objetos de refúgio a minha frente se convertem em raios de luz branca, vermelha e azul escura. Eles se dissolvem em mim e recebo suas bênçãos de corpo, fala e mente.

Autogeração instantânea

Em um instante, eu me torno a Venerável Vajrayogini.

Abençoar a oferenda interior

Purifique a oferenda interior, seja com o "mantra-que-emana--das-quatro-bocas", seja com a seguinte recitação:

OM KHANDAROHI HUM HUM PHAT
OM SÖBHAWA SHUDDHA SARWA DHARMA SÖBHAWA
SHUDDHO HAM
Tudo se torna vacuidade.

Do estado de vacuidade, do YAM vem vento; do RAM vem fogo; do AH, um tripé de três cabeças humanas. Sobre ele, do AH aparece uma ampla e vasta cuia de crânio. Dentro dela, do OM, KHAM, AM, TRAM, HUM vêm os cinco néctares; e do LAM, MAM, PAM, TAM, BAM vêm as cinco carnes, cada qual marcado por uma das letras. O vento sopra, o fogo arde e as substâncias dentro da cuia de crânio derretem e se fundem. Acima delas, do HUM surge um khatanga branco de cabeça para baixo, que cai e se derrete na cuia de crânio, fazendo com que as substâncias assumam cor de mercúrio. Acima disso, três fileiras sobrepostas de vogais e consoantes transformam--se em OM AH HUM. Deles, raios de luz atraem o néctar de excelsa sabedoria do coração de todos os Tathagatas, Heróis e Ioguines das

dez direções. Quando isso é adicionado, o conteúdo aumenta e se torna vasto.
OM AH HUM (3x)

Abençoar as oferendas exteriores

Agora, abençoe as duas águas, flores, incenso, luzes, perfume, alimentos e música.

OM KHANDAROHI HUM HUM PHAT
OM SÖBHAWA SHUDDHA SARWA DHARMA SÖBHAWA
SHUDDHO HAM
Tudo se torna vacuidade.

Do estado de vacuidade, do KAM vêm vasilhas de crânio, dentro das quais, do HUM surgem substâncias de oferenda. Por sua natureza, vacuidade, cada uma delas tem o aspecto individual de uma das substâncias de oferenda, e servem como objetos de prazer dos seis sentidos para proporcionar especial êxtase incontaminado.

OM AHRGHAM AH HUM
OM PADÄM AH HUM
OM VAJRA PUPE AH HUM
OM VAJRA DHUPE AH HUM
OM VAJRA DIWE AH HUM
OM VAJRA GÄNDHE AH HUM
OM VAJRA NEWIDE AH HUM
OM VAJRA SHAPTA AH HUM

Meditação e recitação de Vajrasattva

Na minha coroa, sobre um lótus e um assento de lua, sentam-se Vajrasattva Pai e Mãe abraçados um ao outro. Eles têm corpos de cor branca, uma face e duas mãos, e seguram vajra e sino, faca curva e cuia de crânio. O Pai está adornado com seis mudras, a Mãe, com cinco. Sentam-se em postura vajra e de lótus. Sobre uma lua, no coração dele, está um HUM rodeado pelo rosário de mantra. Deste, uma corrente de néctar branco desce, purgando todas as doenças, espíritos, negatividades e obstruções.

OM VAJRA HERUKA SAMAYA, MANU PALAYA, HERUKA TENO PATITA, DRIDHO ME BHAWA, SUTO KAYO ME BHAWA, SUPO KAYO ME BHAWA, ANURAKTO ME BHAWA, SARWA SIDDHI ME PRAYATZA, SARWA KARMA SUTZA ME, TZITAM SHRIYAM KURU HUM, HA HA HA HA HO BHAGAWÄN, VAJRA HERUKA MA ME MUNTSA, HERUKA BHAWA, MAHA SAMAYA SATTÖ AH HUM PHAT

Recite o mantra 21 vezes e, depois, contemple:

Vajrasattva Pai e Mãe dissolvem-se em mim, e minhas três portas tornam-se inseparáveis do corpo, fala e mente de Vajrasattva.

O IOGA DO GURU

Visualização

No espaço a minha frente, surgindo a partir da aparência de excelsa sabedoria de pureza e clareza não duais, está uma mansão celestial quadrada com quatro portais, ornamentos e arcadas, e completa com todas as características essenciais. No centro, sobre um trono adornado com pedras preciosas e sustentado por oito grandes leões, num assento de lótus de várias cores, um sol e uma lua, senta-se meu bondoso Guru-raiz, no aspecto de Buda Vajradharma. Seu corpo é vermelho, tem uma face e duas mãos, que estão cruzadas na altura do coração e seguram um vajra e um sino. Seus cabelos estão presos, formando um coque no topo da cabeça, e senta-se com as pernas cruzadas em postura vajra. Ele aparece na forma de um jovem de dezesseis anos, na flor da juventude, adornado com sedas e todos os ornamentos de osso e pedras preciosas.

Começando da frente dele e rodeando-o em sentido anti-horário, estão todos os Gurus-linhagem, desde Buda Vajradhara até o meu Guru-raiz. Eles estão no aspecto do Herói Vajradharma, com corpos vermelhos, uma face e duas mãos. Com a mão direita tocam damarus, que ressoam com o som de êxtase e vacuidade. Com a mão esquerda, na altura do coração, seguram cuias de crânio repletas de néctar, e no cotovelo esquerdo sustentam khatangas.

Sentam-se com as pernas cruzadas em postura vajra. Estão na flor da juventude e adornados com seis ornamentos de osso.

O Principal e todo o seu séquito têm na testa OM, na garganta AH e no coração HUM. Do HUM no coração do Principal, raios de luz se irradiam e convidam, para que venham de suas moradas naturais, os Gurus, Yidams, hostes de Deidades do mandala, e a assembleia de Budas, Bodhisattvas, Heróis, Dakinis, Dharmapalas e Protetores.

OM VAJRA SAMADZA DZA HUM BAM HO
Cada um se torna uma natureza que é a síntese de todos os objetos de refúgio.

Prostração

Com as palmas das mãos unidas, recite:

Detentor do Vajra, meu Guru, que és como uma joia,
Por cuja bondade posso realizar
O estado de grande êxtase num instante,
A teus pés de lótus, humildemente me prostro.

Deusas oferecedoras emanam de meu coração e fazem as oferendas.

Oferendas exteriores

OM AHRGHAM PARTITZA SÖHA
OM PADÄM PARTITZA SÖHA
OM VAJRA PUPE AH HUM SÖHA
OM VAJRA DHUPE AH HUM SÖHA
OM VAJRA DIWE AH HUM SÖHA
OM VAJRA GÄNDHE AH HUM SÖHA
OM VAJRA NEWIDE AH HUM SÖHA
OM VAJRA SHAPTA AH HUM SÖHA

OM AH VAJRA ADARSHE HUM
OM AH VAJRA WINI HUM
OM AH VAJRA GÄNDHE HUM
OM AH VAJRA RASE HUM
OM AH VAJRA PARSHE HUM
OM AH VAJRA DHARME HUM

Oferenda interior

OM GURU VAJRA DHARMA SAPARIWARA OM AH HUM

Oferenda secreta

Contemple que inumeráveis deusas-conhecimento, como Pemachen, emanam do seu coração {do praticante} e assumem a forma de Vajrayogini. Guru Pai e Mãe unem-se em abraço e experienciam êxtase incontaminado.

E ofereço os mais atraentes e ilusórios mudras,
Uma hoste de mensageiras nascidas em lugares, nascidas de mantra e espontaneamente nascidas,
Com esbeltos corpos, peritas nas 64 artes do amor
E com o esplendor da beleza juvenil.

Oferenda da talidade (*thatness*)

Lembre-se de que as três esferas da oferenda são êxtase e vacuidade indivisíveis.

E ofereço a ti a suprema bodhichitta última,
Uma perfeita, excelsa sabedoria de êxtase espontâneo, livre de obstruções,
Inseparável da natureza de todos os fenômenos, a esfera livre de elaboração,
Sem esforço e além de palavras, pensamentos e expressões.

Oferecer nossa prática espiritual

Busco refúgio nas Três Joias
E confesso todas e cada uma das minhas ações negativas.
Regozijo-me nas virtudes de todos os seres
E prometo realizar a iluminação de um Buda.

Até que eu me torne um ser iluminado, vou buscar refúgio
Em Buda, no Dharma e na Suprema Assembleia,
E, para cumprir todas as metas, as minhas e as dos outros,
Vou gerar a mente de iluminação.

Tendo gerado a mente de suprema iluminação,
Chamarei todos os seres sencientes para serem meus convidados
E irei me empenhar nas agradáveis, supremas práticas
da iluminação.
Que eu alcance a Budeidade para beneficiar os migrantes.

Oferenda kusali tsog

Minha própria mente, a poderosa Senhora da Terra Dakini, do tamanho de apenas um polegar, sai pela coroa da minha cabeça e fica face a face com meu Guru-raiz. Eu, então, retorno para onde está o meu antigo corpo, corto o seu crânio e o coloco num tripé de três cabeças humanas que surgiu instantaneamente. Retalho em pedaços o restante de minha carne, sangue e ossos, e os empilho na cuia de crânio. Olhando fixamente, com olhos muito abertos, purifico, transformo e aumento tudo isso num oceano de néctar.
OM AH HUM HA HO HRIH (3x)

Inumeráveis deusas oferecedoras, segurando cuias de crânio, emanam do meu coração. Com as cuias de crânio, elas extraem néctar e o oferecem aos convidados, que dele compartilham, sorvendo com línguas que são canudos de luz-vajra.

Ofereço esse néctar de substância-compromisso
A ti, meu Guru-raiz, a natureza dos quatro corpos [de Buda];
Para teu deleite.
OM AH HUM (7x)

Ofereço esse néctar de substância-compromisso
A vós, Gurus-linhagem, a fonte de conquistas;
Para vosso deleite.
OM AH HUM

Ofereço esse néctar de substância-compromisso
A vós, a assembleia de Gurus, Yidams, Três Joias e Protetores;
Para vosso deleite.
OM AH HUM

Ofereço esse néctar de substância-compromisso
A vós, guardiões que residem nas vizinhanças e nas regiões;
Para que me presteis assistência.
OM AH HUM

Ofereço esse néctar de substância-compromisso
A vós, todos os seres sencientes nos seis reinos e no estado intermediário;
Para que sejais libertados.
OM AH HUM

Por essa oferenda, todos os convidados são saciados com êxtase incontaminado,
E os seres sencientes alcançam o Corpo-Verdade, livre de obstruções.
As três esferas da oferenda são da natureza de êxtase e vacuidade não duais,
Além de palavras, pensamentos e expressões.

Oferecer o mandala

OM VAJRA BHUMI AH HUM
Grande e poderoso solo dourado,
OM VAJRA REKHE AH HUM
Na fronteira, a cerca férrea rodeia o círculo exterior.
No centro, Monte Meru, o rei das montanhas,
Em torno do qual há quatro continentes:
A leste, Purvavideha, ao sul, Jambudipa,
A oeste, Aparagodaniya, ao norte, Uttarakuru.
Cada um tem dois subcontinentes:
Deha e Videha, Tsamara e Abatsamara,
Satha e Uttaramantrina, Kurava e Kaurava.
A montanha de joias, a árvore-que-concede-desejos,
A vaca-que-concede-desejos e a colheita não semeada.
A preciosa roda, a preciosa joia,
A preciosa rainha, o precioso ministro,
O precioso elefante, o precioso supremo cavalo,

O precioso general e o grande vaso-tesouro.
A deusa da beleza, a deusa das grinaldas,
A deusa da música, a deusa da dança,
A deusa das flores, a deusa do incenso,
A deusa da luz e a deusa do perfume.
O sol e a lua, o precioso guarda-sol,
O estandarte da vitória em cada direção.
No centro, os tesouros tanto de deuses quanto de homens,
Uma coleção de excelências que nada exclui.
Ofereço isso a vós, meus bondosos Guru-raiz e Gurus-linhagem,
A todos vós, sagrados e gloriosos Gurus;
Por favor, aceitai com compaixão pelos seres migrantes
E, uma vez aceito, por favor, concedei-nos vossas bênçãos.

Ó Tesouro de Compaixão, meu Refúgio e Protetor,
Ofereço a ti a montanha, continentes, objetos preciosos, vaso-tesouro, sol e lua,
Os quais surgiram dos meus agregados, fontes e elementos,
Como aspectos da excelsa sabedoria de êxtase espontâneo e vacuidade.

Ofereço, sem nenhum sentimento de perda,
Os objetos que fazem surgir meu apego, ódio e confusão,
Meus amigos, inimigos e estranhos, nossos corpos e prazeres;
Peço, aceita-os e abençoa-me, livrando-me diretamente dos três venenos.

IDAM GURU RATNA MANDALAKAM NIRYATAYAMI

Herói Vajradharma

Pedir aos Gurus-linhagem

Vajradharma, Senhor da família do oceano de Conquistadores,
Vajrayogini, suprema Mãe dos Conquistadores,
Naropa, poderoso Filho dos Conquistadores,
Peço a vós, por favor, concedei a excelsa sabedoria espontaneamente nascida.

Pamtingpa, detentor das explicações dos grandes segredos para os discípulos,
Sherab Tseg, és um tesouro de todos os segredos preciosos,
Malgyur Lotsawa, senhor do oceano do Mantra Secreto,
Peço a vós, por favor, concedei a excelsa sabedoria espontaneamente nascida.

Grande Lama Sakya, és o poderoso Vajradhara,
Venerável Sonam Tsemo, supremo filho-vajra,
Dragpa Gyaltsen, ornamento-coroa dos detentores do vajra,
Peço a vós, por favor, concedei a excelsa sabedoria espontaneamente nascida.

Grande Pândita Sakya, mestre erudito da Terra das Neves,
Drogon Chogyel Pagpa, ornamento-coroa de todos os seres dos três solos,
Shangton Choje, detentor da doutrina Sakya,
Peço a vós, por favor, concedei a excelsa sabedoria espontaneamente nascida.

Nasa Dragpugpa, o poderoso realizado,
Sonam Gyaltsen, navegador dos eruditos e supremamente realizados,
Yarlungpa, senhor da linhagem sussurrada da família dos realizados,
Peço a vós, por favor, concedei a excelsa sabedoria espontaneamente nascida.

Gyalwa Chog, refúgio e protetor de todos os migrantes, eu e os outros,
Jamyang Namka, és um grande ser,
Lodro Gyaltsen, grande ser e senhor do Dharma,
Peço a vós, por favor, concedei a excelsa sabedoria espontaneamente nascida.

Jetsun Doringpa, és inigualável em bondade,
Tenzin Losel, praticaste de acordo com as palavras [do Guru],
Kyentse, o expositor da grande, secreta linhagem de palavras,
Peço a vós, por favor, concedei a excelsa sabedoria espontaneamente nascida.

Labsum Gyaltsen, detentor das famílias mântricas,
Glorioso Wangchug Rabten, senhor que-tudo-permeia e senhor da centena de famílias,
Jetsun Kangyurpa, principal das famílias,
Peço a vós, por favor, concedei a excelsa sabedoria espontaneamente nascida.

Shaluwa, senhor que-tudo-permeia e senhor do oceano de mandalas,
Kyenrabje, principal de todos os mandalas,
Morchenpa, senhor do círculo de mandalas,
Peço a vós, por favor, concedei a excelsa sabedoria espontaneamente nascida.

Nesarpa, navegador do oceano das linhagens sussurradas,
Losel Phuntsog, senhor das linhagens sussurradas,
Tenzin Trinlay, erudito que promoveu as linhagens sussurradas,
Peço a vós, por favor, concedei a excelsa sabedoria espontaneamente nascida.

Kangyurpa, senhor que-tudo-permeia, sustentáculo da doutrina Ganden,
Ganden Dargyay, amigo dos migrantes em tempos degenerados,
Dharmabhadra, detentor da tradição Ganden,
Peço a vós, por favor, concedei a excelsa sabedoria espontaneamente nascida.

Losang Chopel, senhor dos Sutras e Tantras,
Concluíste a essência dos caminhos de todos os Sutras e Tantras,
Jigme Wangpo, erudito que promoveu os Sutras e Tantras,
Peço a vós, por favor, concedei a excelsa sabedoria espontaneamente nascida.

Dechen Nyingpo, tens as bênçãos de Naropa
Para explicar, perfeitamente de acordo com Naropa,
A essência dos excelentes caminhos maturadores e libertadores da Naro Dakini,
Peço a ti, por favor, concede a excelsa sabedoria espontaneamente nascida.

Losang Yeshe, Vajradhara,
És um tesouro de instruções sobre os [caminhos] maturadores e libertadores da Rainha-Vajra,
O supremo caminho rápido para alcançar o estado vajra,
Peço a ti, por favor, concede a excelsa sabedoria espontaneamente nascida.

Kelsang Gyatso, concluíste todos os excelsos estados profundos e essenciais,
És o compassivo Refúgio e Protetor dos seres sencientes-mães,
Revelas o caminho inequívoco,
Peço a ti, por favor, concede a excelsa sabedoria espontaneamente nascida. (3x)

Meu bondoso Guru-raiz, Vajradharma,
És a corporificação de todos os Conquistadores,
Que concedes as bênçãos da fala de todos os Budas,
Peço a ti, por favor, concede a excelsa sabedoria espontaneamente nascida.

Por favor, abençoa-me para que, por força da meditação
No ioga da Dakini do profundo estágio de geração,
E no ioga do canal central do estágio de conclusão,
Eu gere a excelsa sabedoria do grande êxtase espontâneo, e alcance o estado iluminado Dakini.

Receber as bênçãos das quatro iniciações

Peço a ti, ó Guru, que incorporas todos os objetos de refúgio,
Por favor, concede-me tuas bênçãos,
Por favor, concede-me as quatro iniciações inteiramente,
E concede-me, por favor, o estado dos quatro corpos. (3x)

Contemple que, como resultado dos seus pedidos:

Raios de luz branca e néctares brancos irradiam-se do OM
na testa do meu Guru.
Dissolvem-se em minha testa, purificando as negatividades
e obstruções do meu corpo.
Recebo a iniciação-vaso, e as bênçãos do corpo do meu Guru
entram em meu corpo.

Raios de luz vermelha e néctares vermelhos irradiam-se do AH
na garganta do meu Guru.
Dissolvem-se em minha garganta, purificando as negatividades
e obstruções da minha fala.
Recebo a iniciação secreta, e as bênçãos da fala do meu Guru
entram em minha fala.

Raios de luz azul e néctares azuis irradiam-se do HUM
no coração do meu Guru.
Dissolvem-se em meu coração, purificando as negatividades
e obstruções da minha mente.
Recebo a iniciação mudra-sabedoria, e as bênçãos da mente
do meu Guru entram em minha mente.

Raios de luz e néctares – brancos, vermelhos e azuis – irradiam-se
das letras nos três lugares do meu Guru.
Dissolvem-se em meus três lugares, purificando as negatividades
e obstruções do meu corpo, fala e mente.
Recebo a quarta iniciação, a iniciação da preciosa palavra,
e as bênçãos de corpo, fala e mente do meu Guru entram em
meu corpo, fala e mente.

Breve Pedido

Meu precioso Guru, a essência de todos os Budas dos três tempos, rogo a ti, por favor, abençoa meu continuum mental. (3x)

Absorver os Gurus

Solicitado desse modo, os Gurus-linhagem ao redor de meu Guru-raiz se dissolvem nele. Por amor a mim, meu Guru-raiz também se dissolve na forma de luz vermelha e, entrando pela coroa da minha cabeça, mistura-se de modo inseparável com minha mente, no aspecto de uma letra BAM vermelha, em meu coração.

O IOGA DE AUTOGERAÇÃO

Trazer a morte para o caminho do Corpo-Verdade

Essa letra BAM se expande e se espalha até os confins do espaço, fazendo com que todos os mundos e seus seres se convertam na natureza de êxtase e vacuidade. Contraindo-se gradualmente a partir das bordas, ela se torna uma letra BAM extremamente diminuta, que se dissolve, por etapas, da base ao *nada*. Então, o próprio *nada* desaparece e se torna o Corpo-Verdade, de inseparável êxtase e vacuidade.
OM SHUNYATA GYANA VAJRA SÖBHAWA ÄMAKO HAM

Trazer o estado intermediário para o caminho do Corpo-de-Deleite

Do estado de vacuidade, onde toda aparência reuniu-se desse modo, aparece uma letra BAM vermelha aprumada no espaço; em essência, um aspecto da minha própria mente, a excelsa sabedoria de êxtase e vacuidade não duais.

Trazer o renascimento para o caminho do Corpo-Emanação

Do estado de vacuidade, do EH EH surge uma fonte-fenômenos vermelha, no formato de um duplo tetraedro. Dentro dela, do AH surge um mandala de lua branco, com um sombreado vermelho.

Venerável Vajrayogini

Sobre ele, está o mantra OM OM OM SARWA BUDDHA DAKINIYE VAJRA WARNANIYE VAJRA BEROTZANIYE HUM HUM HUM PHAT PHAT PHAT SÖHA, em pé e descrevendo um círculo no sentido anti-horário. Eu, a letra BAM no espaço, vejo a lua, e motivado a renascer em seu centro, ingresso no centro da lua.

Raios de luz se irradiam da lua, da letra BAM e do rosário de mantra, convertendo todos os mundos e seres do samsara e do nirvana na natureza da Venerável Vajrayogini. Os raios se recolhem e se dissolvem na letra BAM e no rosário de mantra, que se transformam por completo no mandala sustentado e sustentador, plena e instantaneamente.

A meditação de examinar o mandala e os seres que nele habitam

Ademais, há um solo, cerca, tenda e dossel feitos de vajra, fora dos quais arde uma massa de fogo de cinco cores a rodopiar em sentido anti-horário. Dentro, está o círculo dos oito grandes solos sepulcrais – "o Feroz", e assim por diante. No centro desse círculo, há uma fonte-fenômenos vermelha no formato de um duplo tetraedro, com sua parte larga voltada para cima e a extremidade fina apontada para baixo. Excetuando os ângulos da frente e de trás, cada um dos outros quatro ângulos está marcado com um torvelinho-rosa de alegria, a rodopiar em sentido anti-horário.

Dentro da fonte-fenômenos, está um mandala de sol no centro de um lótus de oito pétalas de várias cores. Sobre ele, eu surjo na forma da Venerável Vajrayogini. Minha perna direita, esticada, pisa sobre o peito da vermelha Kalarati. Minha perna esquerda, dobrada, pisa sobre a cabeça de Bhairawa negro, vergada para trás. Tenho um corpo vermelho, que resplandece com o brilho igual ao do fogo do éon. Tenho uma face, duas mãos e três olhos, e meu olhar está voltado para a Terra Pura das Dakinis. Minha mão direita, esticada e apontando para baixo, segura uma faca curva marcada com um vajra. Minha mão esquerda segura, ao alto, uma cuia de crânio repleta de sangue, que compartilho e bebo com a boca voltada para o alto. Meu ombro esquerdo sustenta um khatanga marcado com um vajra, e do khatanga pendem um damaru, um sino e um triplo estandarte. Meus cabelos, pretos e soltos, cobrem minhas costas até a cintura. Na flor de minha juventude, meus desejáveis seios são fartos e mostro como gerar êxtase. Minha cabeça está adornada com cinco crânios humanos, e uso um colar de cinquenta crânios humanos. Nua, estou adornada com cinco mudras, e estou em pé no centro de um fogo flamejante de excelsa sabedoria.

O IOGA DE PURIFICAR OS MIGRANTES

No interior de uma fonte-fenômenos vermelha no formato de um duplo tetraedro, em meu coração, está um mandala de lua. Em seu centro, está uma letra BAM rodeada por um rosário de mantra. Deles, raios de luz se irradiam e saem pelos poros de minha pele. Ao tocar todos os seres sencientes dos seis reinos, purificam suas negatividades e obstruções, juntamente com suas marcas, e os transformam, todos, na forma de Vajrayogini.

O IOGA DE SER ABENÇOADO POR HERÓIS E HEROÍNAS

Meditação no mandala de corpo

No centro de uma fonte-fenômenos e um assento de lua, em meu coração, está uma letra BAM, que é a natureza dos quatro elementos. Dividindo-se, ela se transforma nas quatro letras YA, RA, LA, WA – as sementes dos quatro elementos. Elas são a natureza das pétalas das quatro direções da roda-canal do coração, tal como "a Desejante". Elas se transformam, começando a partir da esquerda, em Lama, Khandarohi, Rupini e Dakini. No centro, a lua crescente, a gota e o *nada* da letra BAM, cuja natureza é a união das minhas gotas muito sutis, a vermelha e a branca, transformam-se na Venerável Vajrayogini.

Fora delas, em sequência, estão os canais (como "o Imutável"), dos 24 lugares do corpo (como o contorno do couro cabeludo e a coroa), e os 24 elementos dos quais vêm as unhas, os dentes, e assim por diante. Esses canais e elementos, por natureza inseparáveis, tornam-se a natureza das 24 letras do mantra OM OM e assim por diante, em pé e formando um círculo em sentido anti-horário a partir do leste. As letras se transformam nas oito Heroínas da família-coração: Partzandi, Tzändriakiya, Parbhawatiya, Mahanasa, Biramatiya, Karwariya, Lamkeshöriya e Drumatzaya; nas oito Heroínas da família-fala: Airawatiya, Mahabhairawi, Bayubega, Surabhakiya, Shamadewi, Suwatre, Hayakarne e Khaganane; e nas oito Heroínas da família-corpo: Tzatrabega, Khandarohi, Shaundini, Tzatrawarmini, Subira, Mahabala, Tzatrawartini e Mahabire. Essas são as efetivas Ioguines não duais com os Heróis dos 24 lugares exteriores, tal como "Puliramalaya". Os canais e elementos das oito portas (tal como a boca), por natureza inseparáveis das oito letras HUM HUM e assim por diante, se transformam em Kakase, Ulukase, Shönase, Shukarase, Yamadhathi, Yamaduti, Yamadangtrini e Yamamatani. Todas elas têm a forma corporal da Venerável Senhora, completas com ornamentos e detalhes.

Absorver os seres-de-sabedoria e fundir os três mensageiros

Faça o mudra fulgurante e recite:

PHAIM
Raios de luz se irradiam da letra BAM em meu coração, saem por entre minhas sobrancelhas e se espalham para as dez direções. Eles convidam todos os Tathagatas, Heróis e Ioguines das dez direções, todos sob o aspecto de Vajrayogini.
DZA HUM BAM HO

Os seres-de-sabedoria são chamados, dissolvem-se, permanecem firmes e ficam deleitados. Agora, com o mudra "lótus-que-gira", seguido do mudra abraço, recite:

OM YOGA SHUDDHA SARWA DHARMA YOGA SHUDDHO HAM
Eu sou a natureza do ioga de todos os fenômenos completamente purificados.

Contemple orgulho divino.

Vestir a armadura

Em lugares de meu corpo, surgem mandalas de lua, sobre os quais, em meu umbigo estão OM BAM vermelhos, Vajravarahi; em meu coração, HAM YOM azuis, Yamani; em minha garganta, HRIM MOM brancos, Mohani; em minha testa, HRIM HRIM amarelos, Sachalani; em minha coroa, HUM HUM verdes, Samtrasani; e em todos os meus membros, PHAT PHAT cor-de-fumaça, essência de Chandika.

Conceder a iniciação e adornar a coroa

PHAIM
Raios de luz se irradiam da letra BAM em meu coração e convidam as Deidades Que-Concedem-Iniciação, o mandala sustentado e sustentador do Glorioso Chakrasambara.

Ó, todos vós, Tathagatas, por favor, concedei a iniciação.

Solicitados desse modo, as oito Deusas dos portais afastam os impedimentos, os Heróis recitam versos auspiciosos, as Heroínas cantam canções-vajra, e as Rupavajras e as demais fazem oferendas. O Principal decide mentalmente conceder a iniciação, e as Quatro Mães, juntamente com Varahi, segurando vasos adornados com joias e repletos com os cinco néctares, conferem a iniciação pela coroa de minha cabeça.

"Assim como todos os Tathagatas concederam ablução
No momento do nascimento [de Buda],
Também nós, agora, concedemos ablução
Com a água pura dos deuses.

OM SARWA TATHAGATA ABHIKEKATA SAMAYA SHRIYE HUM"

Dizendo isso, elas concedem a iniciação. Meu corpo é preenchido por inteiro, todas as máculas são purificadas, e o excesso de água remanescente em minha coroa transforma-se em Vairochana--Heruka com a Mãe, os quais adornam minha coroa.

Oferendas à autogeração

Se você estiver fazendo a autogeração em associação com a autoiniciação, é necessário abençoar as oferendas exteriores neste ponto.

Deusas oferecedoras emanam de meu coração e fazem as oferendas.

Oferendas exteriores

OM AHRGHAM PARTITZA SÖHA
OM PADÄM PARTITZA SÖHA
OM VAJRA PUPE AH HUM SÖHA
OM VAJRA DHUPE AH HUM SÖHA
OM VAJRA DIWE AH HUM SÖHA
OM VAJRA GÄNDHE AH HUM SÖHA
OM VAJRA NEWIDE AH HUM SÖHA
OM VAJRA SHAPTA AH HUM SÖHA

OM AH VAJRA ADARSHE HUM
OM AH VAJRA WINI HUM
OM AH VAJRA GÄNDHE HUM
OM AH VAJRA RASE HUM
OM AH VAJRA PARSHE HUM
OM AH VAJRA DHARME HUM

Oferenda interior

OM OM OM SARWA BUDDHA DAKINIYE VAJRA WARNANIYE VAJRA BEROTZANIYE HUM HUM HUM PHAT PHAT PHAT SÖHA OM AH HUM

Oferenda secreta e oferenda da talidade (*thatness*)

Para fazer a oferenda secreta e a oferenda da talidade, imagine:

Eu, Vajrayogini, estou em união com Chakrasambara, que se transformou a partir do meu khatanga, e gero êxtase espontâneo e vacuidade.

ou imagine que, estando na forma de Vajrayogini, você se transforma em Heruka e, com orgulho divino, efetua a oferenda secreta e a oferenda da talidade, do seguinte modo:

Com a clareza de Vajrayogini, meus seios desaparecem e desenvolvo um pênis. No ponto exato do centro de minha vagina, os dois lados se convertem em dois testículos semelhantes a sinos, e o estame se transforma no próprio pênis. Desse modo, assumo a forma do Grande Alegre Heruka em união com a Mãe Secreta Vajrayogini, que é, por natureza, a síntese de todas as Dakinis.

Da esfera da inobservabilidade do lugar secreto do Pai, a partir de um HUM branco surge, ali, um vajra branco de cinco hastes, ou dentes, e de um BÄ vermelho surge, ali, uma joia vermelha com um BÄ amarelo marcando seu topo.

Da esfera da inobservabilidade do lugar secreto da Mãe, a partir de um AH surge, ali, um lótus vermelho de três pétalas, e de um DÄ branco surge, ali, um estame branco, que representa a bodhichitta branca, com um DÄ amarelo marcando seu topo.

OM SHRI MAHA SUKHA VAJRA HE HE RU RU KAM AH HUM HUM PHAT SÖHA

Devido ao Pai e à Mãe estarem absortos em-união, a bodhichitta derrete. Quando, ao descer da minha coroa, ela alcança minha garganta, [experiencio] alegria. Quando, ao descer da minha garganta, ela alcança o meu coração, [experiencio] suprema alegria. Quando, ao descer do meu coração, ela alcança o meu umbigo, [experiencio] extraordinária alegria. Quando, ao descer do meu umbigo, ela alcança a ponta da minha joia, gero excelsa sabedoria espontânea, por meio da qual permaneço absorto na concentração de êxtase e vacuidade inseparáveis. Desse modo, por meio desse êxtase inseparavelmente unido com a vacuidade, que permanece em absorção estritamente focada na talidade (*thatness*) - que é a ausência de existência inerente das três esferas da oferenda - eu me deleito com a oferenda secreta e a oferenda da talidade (*thatness*).

Então, contemple:

Uma vez mais, eu me torno a Venerável Vajrayogini.

Os oito versos de louvor à Mãe

OM NAMO BHAGAWATI VAJRA VARAHI BAM HUM HUM PHAT
OM NAMO ARYA APARADZITE TRE LOKYA MATI BIYE SHÖRI HUM HUM PHAT
OM NAMA SARWA BUTA BHAYA WAHI MAHA VAJRE HUM HUM PHAT
OM NAMO VAJRA SANI ADZITE APARADZITE WASHAM KARANITRA HUM HUM PHAT
OM NAMO BHRAMANI SHOKANI ROKANI KROTE KARALENI HUM HUM PHAT
OM NAMA DRASANI MARANI PRABHE DANI PARADZAYE HUM HUM PHAT
OM NAMO BIDZAYE DZAMBHANI TAMBHANI MOHANI HUM HUM PHAT
OM NAMO VAJRA VARAHI MAHA YOGINI KAME SHÖRI KHAGE HUM HUM PHAT

O IOGA DA RECITAÇÃO VERBAL E MENTAL

Recitação verbal

No centro de um mandala de lua, dentro de uma fonte-fenômenos vermelha no formato de um duplo tetraedro, em meu coração, está uma letra BAM rodeada por um rosário de mantra vermelho, em pé e no sentido anti-horário. Incomensuráveis raios de luz vermelha irradiam-se de tudo isso. Eles purificam as negatividades e obstruções de todos os seres sencientes e fazem oferendas a todos os Budas. Todo o poder e a força de suas bênçãos são invocados sob a forma de raios de luz vermelha, que se dissolvem na letra BAM e no rosário de mantra, abençoando meu continuum mental.

OM OM OM SARWA BUDDHA DAKINIYE VAJRA WARNANIYE VAJRA BEROTZANIYE HUM HUM HUM PHAT PHAT PHAT SÖHA

Recite, pelo menos, o número de mantras que você prometeu recitar todos os dias.

Recitação Mental

(1) Sente-se na postura dos sete gestos e, se quiser gerar êxtase, traga, do coração para o local secreto, a fonte-fenômenos, a lua e as letras do mantra; ou, se você quiser gerar uma mente não conceitual, traga-os do coração para o umbigo e, então, envolva-os com os ventos. Como se estivesse lendo mentalmente o rosário de mantra, que se encontra em sentido anti-horário formando um círculo, colete apenas três, cinco ou sete recitações. Depois, enquanto prende a respiração, concentre sua mente nos torvelinhos-rosa de alegria girando em sentido anti-horário nos quatro ângulos da fonte-fenômenos, exceto nos ângulos da frente e de trás, e concentre-se especialmente no nada *da letra BAM, ao centro, e que está prestes a arder.*

(2) O torvelinho-vermelho de alegria, na extremidade superior do canal central, e o torvelinho-branco de alegria, na extremidade inferior, cada um do tamanho de um grão de cevada, rumam para o coração, enquanto rodopiam energicamente em sentido anti-horário. No coração, eles se misturam e diminuem gradualmente até se dissolverem na vacuidade. Posicione sua mente em absorção no êxtase e vacuidade.

O IOGA DA INCONCEPTIBILIDADE

Da letra BAM e do rosário de mantra em meu coração, raios de luz irradiam-se e permeiam os três reinos. O reino da sem-forma dissolve-se na parte superior do meu corpo, no aspecto de raios de luz azul. O reino da forma dissolve-se na parte mediana do meu corpo, no aspecto de raios de luz vermelha. O reino do desejo dissolve-se na parte inferior do meu corpo, no aspecto de raios de luz branca. Eu, por minha vez, gradualmente me converto em luz a partir de baixo e de cima, e dissolvo-me na fonte-fenômenos. Que se dissolve na lua. Que se dissolve nas 32 Ioguines. Elas se dissolvem nas quatro Ioguines; e estas se dissolvem na Principal Senhora do mandala de corpo. A Principal Senhora, por sua vez, converte-se gradualmente em luz a partir de baixo e de cima, e dissolve-se na fonte-fenômenos. Que se dissolve na lua. Que se dissolve no rosário de mantra. Que se dissolve na letra BAM. Que se dissolve na cabeça do BAM. Que se dissolve na lua crescente. Que se dissolve na gota. Que se dissolve no *nada*; e este, diminuindo cada vez mais, se dissolve na clara-luz-vacuidade.

O IOGA DAS AÇÕES DIÁRIAS

Do estado de vacuidade, eu surjo instantaneamente como a Venerável Vajrayogini. Em lugares de meu corpo, surgem mandalas de lua, sobre os quais, em meu umbigo estão OM BAM vermelhos, Vajravarahi; em meu coração, HAM YOM azuis, Yamani; em minha garganta, HRIM MOM brancos, Mohani; em minha testa, HRIM HRIM amarelos, Sachalani; em minha coroa, HUM HUM verdes, Samtrasani; e em todos os meus membros, PHAT PHAT cor-de-fumaça, essência de Chandika.

Para proteger as direções principais e as direções intermediárias, recite 2 vezes:

OM SUMBHANI SUMBHA HUM HUM PHAT
OM GRIHANA GRIHANA HUM HUM PHAT
OM GRIHANA PAYA GRIHANA PAYA HUM HUM PHAT
OM ANAYA HO BHAGAWÄN VAJRA HUM HUM PHAT

O ioga das tormas

Disponha oferendas de modo tradicional e, então, purifique-as da seguinte maneira:

OM KHANDAROHI HUM HUM PHAT
OM SÖBHAWA SHUDDHA SARWA DHARMA SÖBHAWA SHUDDHO HAM
Tudo se torna vacuidade.

Do estado de vacuidade, do KAM vêm vasilhas de crânio, dentro das quais, do HUM surgem substâncias de oferenda. Por sua natureza, vacuidade, cada uma delas tem o aspecto individual de uma das substâncias de oferenda, e servem como objetos de prazer dos seis sentidos para proporcionar especial êxtase incontaminado.

OM AHRGHAM AH HUM
OM PADÄM AH HUM
OM VAJRA PUPE AH HUM
OM VAJRA DHUPE AH HUM
OM VAJRA DIWE AH HUM
OM VAJRA GÄNDHE AH HUM
OM VAJRA NEWIDE AH HUM
OM VAJRA SHAPTA AH HUM

Abençoar as tormas

OM KHANDAROHI HUM HUM PHAT
OM SÖBHAWA SHUDDHA SARWA DHARMA SÖBHAWA SHUDDHO HAM
Tudo se torna vacuidade.

Do estado de vacuidade, do YAM vem vento; do RAM vem fogo; do AH, um tripé de três cabeças humanas. Sobre ele, do AH aparece uma ampla e vasta cuia de crânio. Dentro dela, do OM, KHAM, AM, TRAM, HUM vêm os cinco néctares; e do LAM, MAM, PAM, TAM, BAM vêm as cinco carnes, cada qual marcado por uma das letras. O vento sopra, o fogo arde e as substâncias dentro da cuia de crânio derretem e se fundem. Acima delas, do HUM surge um khatanga branco de cabeça para baixo, que cai e se derrete na cuia de crânio, fazendo com que as substâncias assumam cor de mercúrio. Acima disso, três fileiras sobrepostas de vogais e consoantes transformam-se em OM AH HUM. Deles, raios de luz atraem o néctar de excelsa sabedoria do coração de todos os Tathagatas, Heróis e Ioguines das dez direções. Quando isso é adicionado, o conteúdo aumenta e se torna vasto.

OM AH HUM (3x)

Fazer o convite aos convidados da torma

PHAIM

Raios de luz se irradiam da letra BAM em meu coração e convidam a Venerável Vajrayogini, rodeada pela assembleia de Gurus, Yidams, Budas, Bodhisattvas, Heróis, Dakinis, Protetores do Dharma e Protetores mundanos, para virem de Akanishta ao espaço a minha frente. De um HUM, na língua de cada convidado, surge um vajra tridentado, através do qual eles compartilham da essência da torma, sorvendo-a por canudos de luz da espessura de apenas um grão de cevada.

Oferecer a torma principal

Ofereça a torma, enquanto você recita três ou sete vezes:

OM VAJRA AH RA LI HO: DZA HUM BAM HO: VAJRA DAKINI SAMAYA TÖN TRISHAYA HO

Oferecer a torma às Dakinis mundanas

Ofereça a torma, enquanto você recita duas vezes:

OM KHA KHA, KHAHI KHAHI, SARWA YAKYA RAKYASA, BHUTA, TRETA, PISHATSA, UNATA, APAMARA, VAJRA DAKA, DAKI NÄDAYA, IMAM BALING GRIHANTU, SAMAYA RAKYANTU, MAMA SARWA SIDDHI METRA YATZANTU, YATIPAM, YATETAM, BHUDZATA, PIWATA, DZITRATA, MATI TRAMATA, MAMA SARWA KATAYA, SÄDSUKHAM BISHUDHAYE, SAHAYEKA BHAWÄNTU, HUM HUM PHAT PHAT SÖHA

Oferendas exteriores

OM VAJRA YOGINI SAPARIWARA AHRGHAM, PADÄM, PUPE, DHUPE, ALOKE, GÄNDHE, NEWIDE, SHAPTA AH HUM

Oferenda interior

OM VAJRA YOGINI SAPARIWARA OM AH HUM

Louvor

Ó Gloriosa Vajrayogini,
Rainha Dakini Chakravatin,
Que tens cinco sabedorias e três corpos,
A ti, Salvadora de todos, eu me prostro.

Às muitas Dakinis Vajra,
Que, como Senhoras das ações mundanas,
Cortais nossas amarras aos preconceitos,
A todas vós, Senhoras, eu me prostro.

Prece para contemplar a linda face de Vajrayogini

Êxtase e vacuidade de infinitos Conquistadores que, como num drama,
Aparecem como tantas diferentes visões no samsara e no nirvana;
Dentre todas, tu és agora a bela e poderosa Senhora da Terra Dakini,
Lembro-me sinceramente de ti; por favor, cuida de mim com teu divertido abraço.

Dos Conquistadores em Akanishta, tu és a mãe espontaneamente nascida,
És as Dakinis nascidas em campo nos 24 lugares;
Tu és os mudras-ação que cobrem toda a terra,
Ó Venerável Senhora, és o supremo refúgio para mim, o iogue.

Tu que és a manifestação da vacuidade da mente, ela própria,
És o efetivo BAM, a esfera do EH, na cidade do vajra.
Na terra da ilusão, mostra-te como uma terrível canibal
E como uma sorridente, vibrante e encantadora jovem senhora.

Mas, por mais que tenha procurado, ó Nobre Senhora,
Não pude encontrar certeza alguma de que és verdadeiramente existente.
Então, a juventude da minha mente, exausta por suas elaborações,
Veio para repousar no abrigo da floresta, que está além de toda e qualquer expressão.

Que maravilhoso, por favor, surge da esfera do Dharmakaya
E cuida de mim pela verdade do que é dito
No glorioso Heruka, Rei dos Tantras –
Que aquisições vêm de recitar o supremo mantra-essência-aproximador da Rainha-Vajra.

Na isolada floresta de Odivisha,
Tu cuidaste de Vajra Ghantapa, o poderoso Siddha,
Que, com o êxtase do teu beijo e abraço, veio a desfrutar do abraço supremo.
Ó, por favor, cuida de mim da mesma maneira.

Assim como o Venerável Kusali foi diretamente levado
De uma ilha no Ganges à esfera do espaço,
E, assim como cuidaste do glorioso Naropa,
Por favor, leva-me também à cidade da alegre Dakini.

Pela força da compaixão de meus supremos Guru-raiz e Gurus-linhagem,
Pelo caminho especialmente profundo e rápido do magnífico Tantra último e secreto
E pela pura intenção superior, minha, o iogue,
Possa eu logo contemplar tua sorridente face, ó alegre Senhora Dakini.

Pedir a satisfação dos desejos

Ó Venerável Vajrayogini, por favor, conduz a mim e a todos os seres sencientes à Terra Pura das Dakinis. Por favor, concede-nos cada uma das aquisições mundanas e supramundanas. (3x)

Kinkara

Se deseja fazer uma oferenda tsog, você deve incluí-la neste ponto. A oferenda tsog compreende as páginas 378-385.

Oferecer a torma aos Protetores do Dharma em geral

OM AH HUM HA HO HRIH (3x)

HUM
Do teu puro palácio de grande êxtase em Akanishta,
Grande poderoso que emana do coração de Vairochana,
Dorje Gur, chefe soberano de todos os Protetores da doutrina,
Ó glorioso Mahakala, por favor, vem a nós e compartilha desta oferenda e torma.

De Yongdui Tsel e do palácio de Yama
E do lugar supremo de Devikoti em Jambudipa,
Namdru Remati, principal Senhora do reino do desejo,
Ó Palden Lhamo, por favor, vem a nós e compartilha desta oferenda e torma.

Do mandala da esfera bhaga de aparência e existência,
Mãe Yingchugma, principal Senhora de todo o samsara e nirvana,
Chefe de Dakinis e demônios, feroz protetora dos mantras,
Ó Grande Mãe Ralchigma, por favor, vem a nós e compartilha desta oferenda e torma.

De Silwa Tsel e Haha Gopa,
De Singaling e da montanha nevada de Ti Se,
E de Darlungne e Kaui Dragdzong,
Ó Zhingkyong Wangpo, por favor, vem a nós e compartilha desta oferenda e torma.

Dos oito solos sepulcrais e de Risul no sul,
De Bodhgaya e do glorioso Samye,
E de Nalatse e do glorioso Sakya,
Ó Legon Pomo, por favor, vem a nós e compartilha desta oferenda e torma.

Dorje Shugden

Dos solos sepulcrais de Marutse no nordeste,
Das colinas vermelhas e rochosas de Bangso na Índia
E dos lugares supremos de Darlung Dagram e assim por diante,
Ó Yakya Chamdrel, por favor, vem a nós e compartilha desta oferenda e torma.

Especialmente de Odiyana, Terra das Dakinis,
E de tua morada natural,
Completamente rodeado por Dakinis mundanas e supramundanas,
Ó Pai-e-Mãe Senhor dos Solos Sepulcrais, por favor, vem a nós e compartilha desta oferenda e torma.

Dos lugares supremos, como Tushita, Keajra e assim por diante,
Grande Protetor da doutrina do segundo Conquistador,
Dorje Shugden, Cinco Linhagens, juntamente com vossos séquitos,
Por favor, vinde a nós e compartilhai desta oferenda e torma.

Peço e faço oferendas a vós, ó Hoste de Protetores da doutrina do Conquistador,
Eu vos propicio e confio em vós, ó Grandes Protetores das palavras do Guru,
Clamo a vós e rogo, ó Hoste de Destruidores dos obstrutores dos iogues,
Por favor, vinde a nós rapidamente e compartilhai desta oferenda e torma.

Ofereço uma torma adornada com carne vermelha e sangue.
Ofereço bebidas alcoólicas, néctares medicinais e sangue.
Ofereço o som de grandes tambores, trombetas de fêmur e címbalos.
Ofereço grandes flâmulas de seda negra, que ondulam como nuvens.

Ofereço atrações surpreendentemente belas, semelhantes ao espaço.
Ofereço cantos fortes que são poderosos e melodiosos.
Ofereço um oceano de substâncias-compromisso exteriores, interiores e secretas.
Ofereço o jogo da excelsa sabedoria de êxtase e vacuidade inseparáveis.

Protegei a preciosa doutrina de Buda.
Aumentai o renome das Três Joias.
Levai adiante os feitos dos gloriosos Gurus,
E satisfazei quaisquer pedidos que eu vos faça.

Pedir indulgência

Agora, recite o mantra de cem letras de Heruka:

OM VAJRA HERUKA SAMAYA, MANU PALAYA, HERUKA TENO PATITA, DRIDHO ME BHAWA, SUTO KAYO ME BHAWA, SUPO KAYO ME BHAWA, ANURAKTO ME BHAWA, SARWA SIDDHI ME PRAYATZA, SARWA KARMA SUTZA ME, TZITAM SHRIYAM KURU HUM, HA HA HA HA HO BHAGAWÄN, VAJRA HERUKA MA ME MUNTSA, HERUKA BHAWA, MAHA SAMAYA SATTÖ AH HUM PHAT

Peça indulgência, recitando:

Quaisquer erros que eu tenha cometido
Por não encontrar, não entender
Ou não ter a habilidade,
Por favor, ó Protetor, sê paciente com tudo isso.

OM VAJRA MU Os seres-de-sabedoria, convidados da torma, dissolvem-se em mim, e os seres mundanos retornam aos seus próprios locais.

Preces dedicatórias

Por essa virtude, que eu rapidamente
Realize a verdadeira, efetiva Dakini
E, então, conduza cada ser vivo,
Sem exceção, a esse solo.

Na hora da minha morte, que os Protetores, Heróis, Heroínas
e demais seres sagrados,
Portando flores, para-sóis e estandartes da vitória
E oferecendo a doce música de címbalos e assim por diante,
Conduzam-me à Terra das Dakinis.

Pela verdade das válidas Deusas,
Por seus válidos compromissos
E pelas palavras supremamente válidas que falaram,
Que [as minhas virtudes] sejam a causa para que eu seja cuidado
pelas Deusas.

Dedicatória extensa

Se tiver tempo e desejo, você pode concluir com estas preces, escritas por Tsarpa Dorjechang:

Na grande embarcação de liberdade e dote,
Hasteada a vela branca da contínua-lembrança da impermanência
E soprada pelo vento favorável de aceitar e abandonar ações e efeitos,
Que eu seja libertado do terrível e assustador oceano do samsara.

Confiando na joia-coroa dos objetos não enganosos de refúgio,
Tomando sobre mim a responsabilidade do grande propósito
dos migrantes – minhas mães –
E limpando minhas máculas e falhas com o néctar de Vajrasattva,
Que eu seja cuidado pelos compassivos, Veneráveis Gurus.

A bela Mãe dos Conquistadores é a Ioguine exterior,
A letra BAM é a suprema Rainha-Vajra interior,
A clareza e a vacuidade da mente, ela própria, é a secreta Mãe
Dakini;
Que eu desfrute o divertimento de ver a natureza própria
de cada uma.

O ambiente mundano é a mansão celestial da letra EH,
E seus habitantes – os seres sencientes – são as Ioguines da letra BAM;
Pela concentração do grande êxtase da união deles,
Que qualquer aparência que surja seja uma aparência pura.

Assim, pelos iogas [que enumeram] as direções e a lua,
Que eu seja, por fim, conduzido diretamente à cidade dos
Detentores do Saber
Pela Senhora de alegria, cor-de-coral,
De cabelos ruivos livremente soltos e dardejantes olhos alaranjados.

Tendo praticado num local de cadáveres, com sindhura e uma haste de langali
E tendo vagado por terras afora,
Que a linda Senhora a quem o torvelinho de minha testa se transferir
Conduza-me à Terra das Dakinis.

Quando a Varahi interior tiver destruído a videira escandente do apreendedor e do apreendido,
E a Senhora dançante, que reside no meu supremo canal central,
Tiver emergido pela porta de Brahma para a esfera do caminho de nuvens,
Que ela se una em abraço e brinque com o Herói, Bebedor de Sangue.

Pelo ioga de unificar [os dois ventos], meditando de modo estritamente focado
Na minúscula semente dos cinco ventos no lótus do meu umbigo,
Que meu continuum mental seja saciado pelo supremo êxtase
Que vem das perfumadas gotas permeando os canais do meu corpo-mente.

Quando, pelo brincar risonho e alegre da bela Senhora
De luz tummo ardente dentro do meu canal central,
A jovem letra HAM tiver sido completamente amolecida,
Que eu alcance o solo do grande êxtase da união.

Quando o RAM negro-avermelhado, que reside no centro dos três canais no meu umbigo,
Tiver sido inflamado por meus ventos superiores e inferiores
E seu fogo purificador tiver consumido os setenta e dois mil elementos impuros,
Que o meu canal central seja completamente preenchido com gotas puras.

Quando a gota de cinco cores entre minhas sobrancelhas tiver ido para a minha coroa,
E o fluxo de líquido-lua dela originado
Tiver alcançado o estame do meu lótus secreto,
Que eu seja saciado pelas quatro alegrias do descer e ascender.

Quando, por serem tocados pelos raios de cinco luzes que se irradiam dessa gota,
Todos os fenômenos estáveis e móveis, meu corpo, e assim por diante,
Tiverem sido transformados numa massa de brilhantes e claros arco-íris,
Que eu ingresse uma vez mais na morada natural, a esfera de êxtase e vacuidade.

Quando a Ioguine da minha própria mente, a união além do intelecto,
O estado primordial de vacuidade e clareza inexprimíveis,
A natureza original - livre de surgir, cessar e permanecer -
Reconhecer sua própria entidade, que eu seja para sempre nutrido.

Quando os meus canais, ventos e gotas tiverem se dissolvido na esfera de EVAM,
E a mente, ela própria, tiver alcançado a glória do Corpo-Verdade de grande êxtase,
Que eu cuide desses migrantes, tão extensos como o espaço,
Com incomensuráveis manifestações de incontáveis Corpos-Forma.

Pelas bênçãos dos Conquistadores e de seus maravilhosos Filhos,
Pela verdade da relação-dependente não enganosa
E pelo poder e força de minha pura intenção superior,
Que todos os pontos de minhas sinceras preces se realizem.

Preces auspiciosas

Que haja a auspiciosidade de velozmente receber as bênçãos
Das hostes de gloriosos, sagrados Gurus,
Vajradhara, Pândita Naropa, e assim por diante,
Os gloriosos Senhores de toda virtude e excelência.

Que haja a auspiciosidade do Corpo-Verdade Dakini,
Perfeição de sabedoria, a suprema Mãe dos Conquistadores,
Clara-luz natural, desde o princípio livre de elaboração,
A Senhora que emana e reúne todas as coisas, estáveis e móveis.

Que haja a auspiciosidade do Perfeito Corpo-de-Deleite,
espontaneamente nascido,
Um corpo radiante e belo, resplandecente com a glória das marcas
maiores e menores,
Uma fala que proclama o supremo veículo, com sessenta melodias,
E uma mente de êxtase e clareza não conceituais, que possui
as cinco excelsas sabedorias.

Que haja a auspiciosidade do Corpo-Emanação, nascido nos locais,
Senhoras que, com diversos Corpos-Forma em numerosos locais,
Realizam, por diversos meios, as metas dos muitos a serem
domados,
De acordo com os seus numerosos desejos.

Que haja a auspiciosidade da suprema Dakini, nascida de mantra,
Uma Venerável Senhora com uma cor similar à de um rubi,
Com um modo sorridente e irado, uma face e duas mãos que
seguram faca curva e cuia de crânio,
E duas pernas, nas posições dobrada e esticada.

Que haja a auspiciosidade dos teus incontáveis milhões de
emanações,
E das hostes de setenta e duas mil [Dakinis],
Eliminando todas as obstruções dos praticantes
E concedendo as aquisições tão grandemente almejadas.

Preces pela Tradição Virtuosa

Para que a tradição de Je Tsongkhapa,
O Rei do Dharma, floresça,
Que todos os obstáculos sejam pacificados
E todas as condições favoráveis sejam abundantes.

Pelas duas coleções, minhas e dos outros,
Reunidas ao longo dos três tempos,
Que a doutrina do Conquistador Losang Dragpa
Floresça para sempre.

Prece *Migtsema* de nove versos

Tsongkhapa, ornamento-coroa dos eruditos da Terra das Neves,
Tu és Buda Shakyamuni e Vajradhara, a fonte de todas as conquistas,
Avalokiteshvara, o tesouro de inobservável compaixão,
Manjushri, a suprema sabedoria imaculada,
E Vajrapani, o destruidor das hostes de maras.
Ó Venerável Guru Buda, síntese das Três Joias,
Com meu corpo, fala e mente, respeitosamente faço pedidos:
Peço, concede tuas bênçãos para amadurecer e libertar a mim
e aos outros,
E confere-nos as aquisições comuns e a suprema. (3x)

A OFERENDA TSOG

Abençoar a oferenda tsog

OM KHANDAROHI HUM HUM PHAT
OM SÖBHAWA SHUDDHA SARWA DHARMA SÖBHAWA
SHUDDHO HAM
Tudo se torna vacuidade.

Do estado de vacuidade, do AH surge uma ampla e vasta cuia de crânio, dentro da qual as cinco carnes, os cinco néctares e as cinco excelsas sabedorias derretem e se fundem, e de onde surge um vasto oceano de néctar de excelsa sabedoria.
OM AH HUM HA HO HRIH (3x)

Contemple que isso se torna um inesgotável oceano de néctar de excelsa sabedoria.

Oferecer os néctares medicinais

Ofereço esse néctar supremo,
Que, incomparavelmente, transcende os objetos vulgares;
O supremo compromisso de todos os Conquistadores
E o fundamento de todas as aquisições.

Que tu te deleites com o grande êxtase
Da insuperável bodhichitta,
Purificada de todas as máculas das obstruções
E completamente livre de todas as concepções.

Fazer a oferenda tsog

HO Esse oceano de oferenda tsog de incontaminado néctar,
Abençoado por concentração, mantra e mudra,
Ofereço para agradar a assembleia de Guru-raiz e Gurus-linhagem
OM AH HUM
Deleitados pelo desfrute desses magníficos objetos de desejo,

EH MA HO
Por favor, concedei uma grande chuva de bênçãos.

HO Esse oceano de oferenda tsog de incontaminado néctar,
Abençoado por concentração, mantra e mudra,
Ofereço para agradar a divina assembleia de Poderosas Dakinis.
OM AH HUM
Deleitadas pelo desfrute desses magníficos objetos de desejo,
EH MA HO
Por favor, concedei a aquisição Dakini.

HO Esse oceano de oferenda tsog de incontaminado néctar,
Abençoado por concentração, mantra e mudra,
Ofereço para agradar a divina assembleia de Yidams e seus séquitos.
OM AH HUM
Deleitados pelo desfrute desses magníficos objetos de desejo,
EH MA HO
Por favor, concedei uma grande chuva de aquisições.

HO Esse oceano de oferenda tsog de incontaminado néctar,
Abençoado por concentração, mantra e mudra,
Ofereço para agradar a assembleia das Três Joias Preciosas.
OM AH HUM
Deleitadas pelo desfrute desses magníficos objetos de desejo,
EH MA HO
Por favor, concedei uma grande chuva de Dharmas sagrados.

HO Esse oceano de oferenda tsog de incontaminado néctar,
Abençoado por concentração, mantra e mudra,
Ofereço para agradar a assembleia de Dakinis e Protetores do Dharma.
OM AH HUM
Deleitados pelo desfrute desses magníficos objetos de desejo,
EH MA HO
Por favor, concedei uma grande chuva de feitos virtuosos.

HO Esse oceano de oferenda tsog de incontaminado néctar,
Abençoado por concentração, mantra e mudra,
Ofereço para agradar a assembleia dos seres sencientes-mães.
OM AH HUM
Deleitados pelo desfrute desses magníficos objetos de desejo,
EH MA HO
Que o sofrimento e a aparência equivocada sejam apaziguados.

Oferendas exteriores

OM VAJRA YOGINI SAPARIWARA AHRGHAM, PADÄM, PUPE, DHUPE, ALOKE, GÄNDHE, NEWIDE, SHAPTA AH HUM

Oferenda interior

OM VAJRA YOGINI SAPARIWARA OM AH HUM

Os oito versos de louvor à Mãe

OM Prostro-me a Vajravarahi, a Mãe Abençoada HUM HUM PHAT
OM À Superior e poderosa Senhora do Saber, inconquistada pelos três reinos HUM HUM PHAT
OM A ti, que destróis todos os medos de espíritos maléficos com teu grande vajra HUM HUM PHAT
OM A ti, com olhos controladores, que permaneces como o assento-vajra inconquistado por outros HUM HUM PHAT
OM A ti, cuja feroz forma irada desseca Brahma HUM HUM PHAT
OM A ti, que aterrorizas e exterminas demônios, conquistando aqueles de outras direções HUM HUM PHAT
OM A ti, que conquistas todos os que nos tornam obtusos, rígidos e confusos HUM HUM PHAT
OM Curvo-me a Vajravarahi, a Grande Mãe, a consorte Dakini que satisfaz todos os desejos HUM HUM PHAT

Fazer a oferenda tsog ao Guia Espiritual Vajrayana

Detentor do Vajra, por favor, ouve-me:
Essa minha oferenda tsog especial,
Eu ofereço a ti, com uma mente de fé;
Por favor, compartilha conforme te aprouver.

EH MA, grande paz.
Essa vasta e ardente oferenda tsog queima as delusões
E, desse modo, traz grande êxtase.
AH HO Tudo é grande êxtase.
AH HO MAHA SUKHA HO

A esse respeito, todos os fenômenos são percebidos como puros –
Sobre isso, a assembleia não deve ter dúvidas.
Já que brâmanes, párias, porcos e cães
São uma única natureza, por favor, queira desfrutar.

O Dharma dos Sugatas é inestimável,
Livre das máculas do apego e assim por diante,
A renúncia ao apreendedor e ao apreendido;
Respeitosamente, prostro-me à talidade.
AH HO MAHA SUKHA HO

Canção da Rainha da Primavera

HUM A todos vós, Tathagatas,
Heróis, Ioguines,
Dakas e Dakinis,
A todos vós eu faço este pedido:
Ó Heruka, que te deleitas em grande êxtase,
Tu te envolves na União de espontâneo êxtase,
Acompanhando a Senhora inebriada de êxtase
E deleitando-te de acordo com os rituais.
AH LA LA, LA LA HO, AH I AH, AH RA LI HO
Que a assembleia de imaculadas Dakinis
Olhe com amorosa afeição e cumpra todos os feitos.

HUM A todos vós, Tathagatas,
Heróis, Ioguines,
Dakas e Dakinis,
A todos vós eu faço este pedido:
Com uma mente completamente desperta por grande êxtase
E um corpo numa dança de constante meneio,
Ofereço às hostes de Dakinis
O grande êxtase de desfrutar do lótus do mudra.
AH LA LA, LA LA HO, AH I AH, AH RA LI HO
Que a assembleia de imaculadas Dakinis
Olhe com amorosa afeição e cumpra todos os feitos.

HUM A todos vós, Tathagatas,
Heróis, Ioguines,
Dakas e Dakinis,
A todos vós eu faço este pedido:
Vós, que dançais de maneira linda e pacífica,
Ó Protetor, Pleno de Êxtase, e hostes de Dakinis,
Por favor, vinde à minha frente e concedei-me vossas bênçãos,
E conferi-me grande êxtase espontâneo.
AH LA LA, LA LA HO, AH I AH, AH RA LI HO
Que a assembleia de imaculadas Dakinis
Olhe com amorosa afeição e cumpra todos os feitos.

HUM A todos vós, Tathagatas,
Heróis, Ioguines,
Dakas e Dakinis,
A todos vós eu faço este pedido:
Vós, que tendes a característica da libertação de grande êxtase,
Não dizeis que, numa única vida, a libertação possa ser alcançada
Por meio de várias práticas ascéticas de abandono do grande êxtase,
Mas que o grande êxtase reside no centro do supremo lótus.
AH LA LA, LA LA HO, AH I AH, AH RA LI HO
Que a assembleia de imaculadas Dakinis
Olhe com amorosa afeição e cumpra todos os feitos.

HUM A todos vós, Tathagatas,
Heróis, Ioguines,
Dakas e Dakinis,
A todos vós eu faço este pedido:
Qual lótus nascido no centro de um pântano,
Este método, embora nascido do apego, é impoluto pelas falhas do apego.
Ó Suprema Dakini, pelo êxtase de teu lótus,
Por favor, traz rapidamente a libertação das amarras do samsara.
AH LA LA, LA LA HO, AH I AH, AH RA LI HO
Que a assembleia de imaculadas Dakinis
Olhe com amorosa afeição e cumpra todos os feitos.

HUM A todos vós, Tathagatas,
Heróis, Ioguines,
Dakas e Dakinis,
A todos vós eu faço este pedido:
Assim como a essência do mel, na fonte do mel,
É bebida por enxames de abelhas de todas as direções,
Do mesmo modo, por vosso amplo lótus com seis características,
Por favor, satisfazei-nos com o gosto do grande êxtase.
AH LA LA, LA LA HO, AH I AH, AH RA LI HO
Que a assembleia de imaculadas Dakinis
Olhe com amorosa afeição e cumpra todos os feitos.

Abençoar as oferendas para os espíritos

OM KHANDAROHI HUM HUM PHAT
OM SÖBHAWA SHUDDHA SARWA DHARMA SÖBHAWA SHUDDHO HAM
Tudo se torna vacuidade.

Do estado de vacuidade, do AH surge uma ampla e vasta cuia de crânio, dentro da qual as cinco carnes, os cinco néctares e as cinco excelsas sabedorias derretem e se fundem, e de onde surge um vasto oceano de néctar de excelsa sabedoria.
OM AH HUM HA HO HRIH (3x)

Oferenda para os espíritos propriamente dita

PHAIM
UTSIKTRA BALINGTA BHAKYÄSI SÖHA

HO Esse oceano de oferenda tsog remanescente de
incontaminado néctar,
Abençoado por concentração, mantra e mudra,
Ofereço para agradar a assembleia de guardiões sob jura.
OM AH HUM
Deleitados pelo desfrute desses magníficos objetos de desejo,
EH MA HO
Por favor, executai ações perfeitas para ajudar os praticantes.

Com o acompanhamento de música, sair com o que restou da oferenda tsog para os espíritos.

Que eu e os demais praticantes
Tenhamos boa saúde, vida longa, poder,
Glória, fama, fortuna
E extensos prazeres.
Por favor, concedei-me as aquisições
Das ações pacificadoras, crescentes, controladoras e iradas.
Vós, que estais comprometidos por juramento, por favor,
protegei-me,
E ajudai-me a realizar todas as aquisições.
Erradicai toda morte prematura, doenças,
Danos causados por espíritos e obstruções.
Eliminai sonhos ruins,
Maus presságios e más ações.

Que haja felicidade no mundo e os anos por vir sejam bons,
Que as colheitas aumentem e o Dharma floresça.
Que toda bondade e felicidade aconteçam
E todos os desejos sejam realizados.

Por força dessa farta doação,
Que eu me torne um Buda para o benefício dos seres vivos,
E que, por minha generosidade, liberte
Todos os que não foram libertados pelos Budas anteriores.

Cólofon: Esta sadhana, ou prece ritual, para obter as aquisições espirituais de Vajrayogini foi traduzida sob a compassiva orientação de Venerável Geshe Kelsang Gyatso Rinpoche. A estrofe dedicada a Venerável Geshe Kelsang Gyatso Rinpoche, em *Pedidos aos Gurus-linhagem*, foi escrita pelo glorioso Protetor do Dharma, Duldzin Dorje Shugden, e incluída na sadhana a pedido dos fiéis e devotados discípulos de Geshe Kelsang. A estrofe dedicada a Dorje Shugden, em *Oferecer a torma aos Protetores do Dharma em geral*, foi escrita por Venerável Geshe Kelsang Gyatso Rinpoche, e incluída na sadhana a pedido de seus fiéis e devotados discípulos.

O Ioga Incomum da Inconceptibilidade

A INSTRUÇÃO ESPECIAL SOBRE
COMO ALCANÇAR A TERRA PURA DE KEAJRA
COM ESTE CORPO HUMANO

Compilada por

Venerável Geshe Kelsang Gyatso Rinpoche

Guru Sumati Buda Heruka

Introdução

Esta sadhana, ou prece ritual, para alcançar a Terra Pura de Keajra está fundamentada na sadhana escrita por Je Phabongkhapa. Apresento-a de um modo simples para torná-la fácil de ser compreendida e praticada.

A instrução tem duas etapas:

1. As práticas preparatórias;
2. A prática propriamente dita do ioga incomum da inconceptibilidade.

Frequentemente, as práticas preparatórias parecem ser mais difíceis do que a prática propriamente dita. Isso é muito comum. Por exemplo, cozinhar é mais difícil que comer, e preparar uma festa é mais difícil do que a festa propriamente dita!

Esta prática de ioga incomum é superior à prática de *powa*, a prática de transferência de consciência para uma Terra Pura. Para que esta prática profunda seja efetiva, devemos receber, de um Guia Espiritual qualificado, as iniciações do mandala de corpo de Heruka e Vajrayogini e a instrução especial sobre o ioga incomum da inconceptibilidade. Em seguida, precisamos aplicar esforço para praticar essa instrução continuamente, pensando: "Com esforço, posso realizar qualquer coisa". Desse modo, nós nos conduziremos ao estado de Heruka Pai e Mãe.

Geshe Kelsang Gyatso
10 de janeiro de 2012
Dia de Vajrayogini

Venerável Vajrayogini

O Ioga Incomum da Inconceptibilidade

AS PRÁTICAS PREPARATÓRIAS

Buscar refúgio

Eu e todos os seres sencientes, os migrantes tão extensos quanto o espaço, doravante, até alcançarmos a essência da iluminação,
Buscamos refúgio nos gloriosos, sagrados Gurus,
Buscamos refúgio nos perfeitos Budas, os Abençoados,
Buscamos refúgio nos Dharmas sagrados,
Buscamos refúgio nas Sanghas superiores. (3x)

Gerar a bodhichitta

Uma vez que eu tenha alcançado o estado da completa iluminação, a Budeidade, libertarei todos os seres sencientes do oceano de sofrimento do samsara e os levarei ao êxtase da plena iluminação. Com esse propósito, vou praticar as etapas do caminho de Vajrayogini. (3x)

Gerar uma motivação especial

Não há garantia de que não morrerei hoje. A morte destrói minha preciosa oportunidade de alcançar a meta suprema da iluminação e de beneficiar todos os seres vivos. Portanto, preciso transformar meu corpo em um corpo imortal por meio de alcançar a Terra Dakini, a Terra Pura de Keajra.

Meditamos nessa determinação por um breve período.

Purificar a aparência comum de nós mesmos

Quando procuro por meu *self* com sabedoria, em vez de encontrar meu *self*, eu desapareço. Isso é uma indicação clara de que meu *self* que normalmente vejo não existe de modo algum.

Meditamos sobre a mera ausência do nosso self que normalmente vemos.

Gerarmo-nos como a Vajrayogini exterior

No vasto espaço da vacuidade, apareço como a Venerável Vajrayogini, com as características habituais, mas sem a fonte fenômenos e a almofada. Tenho um corpo vermelho feito de luz e assumo a forma de uma jovem de dezesseis anos, na flor da minha juventude.

Meditamos nessa crença.

Visualizar os canais

Bem no centro de meu corpo, que é da natureza da luz, está o meu canal central. Ele é fino como um fio de linha e é reto, vermelho-oleoso, claro e transparente. A ponta inferior do canal central fica na altura de meu umbigo, de onde ele sobe em linha reta, até que sua parte superior toque a coroa de minha cabeça. De cada lado do canal central, sem nenhum espaço entre eles, estão os canais direito e esquerdo. O canal direito é vermelho e o esquerdo é branco. O canal direito começa na ponta de minha narina direita e o canal esquerdo, na ponta de minha narina esquerda. Dali, ambos sobem, formando um arco, até a coroa de minha cabeça e, da coroa, descem até dois centímetros e meio abaixo de meu umbigo, com suas pontas viradas para cima.

Gerar nossa mente-Vajrayogini

Em meu umbigo, entre a ponta inferior do canal central e as pontas inferiores dos canais direito e esquerdo, que estão voltadas para cima, há um pequeno espaço vazio. Nesse lugar está minha mente, na forma de Vajrayogini, tão pequena quanto o tamanho de um polegar, com suas características habituais, mas sem a fonte fenômenos e a almofada. Suas duas pernas estão estendidas, e ela encontra-se de pé sobre as pontas inferiores dos canais direito e esquerdo, que estão voltadas para cima, e sua coroa toca a ponta inferior do canal central. Essa Vajrayogini interior é a minha mente. Eu sou minha mente-Vajrayogini.

Meditamos nessa crença.

Purificar e transformar o mundo e os seres

Do coração da minha mente-Vajrayogini, localizada no umbigo, irradiam-se incomensuráveis raios de luz de cinco cores, da natureza das cinco sabedorias oniscientes. Eles purificam o mundo inteiro e todos os seres que nele habitam. O mundo transforma-se na Terra Pura de Keajra, e todos os seres transformam-se em Vajrayogini. Todos eles dissolvem-se em luz e transformam-se numa única bola de luz. Essa bola de luz dissolve-se no coração da minha mente-Vajrayogini em meu umbigo.

Neste ponto, devemos praticar a seguinte meditação. Inspiramos suavemente e imaginamos que todos os ventos da parte superior do nosso corpo reúnem-se, fluem para baixo e alcançam o ponto logo acima da nossa mente-Vajrayogini em nosso umbigo. Então, contraímos ligeiramente os músculos da parte inferior do nosso corpo e deslocamos todos os ventos inferiores para cima. Eles sobem e alcançam o ponto logo abaixo da nossa mente-Vajrayogini, em nosso umbigo. Ambos os ventos superiores e inferiores do nosso corpo estão, agora, unidos e sendo mantidos em nosso umbigo. Isso é denominado "respiração-vaso" porque o formato da união dos ventos superiores e inferiores é semelhante ao formato de um vaso. Enquanto sustentamos a respiração-vaso em nosso umbigo prendendo o ar, concentramo-nos em nossa mente-Vajrayogini e pensamos fortemente: "eu sou minha mente-Vajrayogini". Meditamos nessa crença. Logo antes de começarmos a sentir desconforto, exalamos devagar e suavemente pelas narinas. Sustentar a respiração--vaso prendendo a respiração nos ajuda a impedir distrações e torna nossa concentração clara. No começo, seremos incapazes de prender nossa respiração por muito tempo; por essa razão, precisamos repetir essa prática muitas e muitas vezes.

A PRÁTICA PROPRIAMENTE DITA DO IOGA INCOMUM DA INCONCEPTIBILIDADE

Tendo obtido profunda familiaridade com o pensamento "eu sou minha mente-Vajrayogini", por meio do qual mudamos a base de imputação do nosso self, praticamos então a seguinte contemplação e meditação:

Quando eu alcançar a Terra Pura de Keajra, serei permanentemente livre de doenças, envelhecimento, morte e renascimento samsárico e serei capaz de beneficiar incontáveis seres vivos por meio de minhas emanações. Preciso alcançá-la agora.

As duas pernas e os dois braços da Vajrayogini exterior dissolvem-se em seu tronco. A parte inferior do tronco da Vajrayogini exterior, abaixo do umbigo, dissolve-se em minha mente-Vajrayogini, que está no umbigo. Minha mente-Vajrayogini sobe até o coração da Vajrayogini exterior. O tronco da Vajrayogini exterior, abaixo do coração, dissolve-se em minha mente-Vajrayogini, que está no coração. Minha mente-Vajrayogini sobe até a coroa da Vajrayogini exterior. O tronco da Vajrayogini exterior, abaixo da coroa, dissolve-se em minha mente-Vajrayogini, que está na coroa. Então, a coroa da Vajrayogini exterior dissolve-se em minha mente-Vajrayogini, e minha mente-Vajrayogini voa, instantaneamente, através do mais elevado céu do Dharmakaya e alcança a Terra Pura de Keajra.

Meditamos de modo estritamente focado nessa crença, sem distração.

O corpo de minha mente-Vajrayogini torna-se menor e menor e dissolve-se na vacuidade, que é inseparável de grande êxtase.

Meditamos na união de grande êxtase e vacuidade, que é a inconceptibilidade propriamente dita. Devemos repetir a prática propriamente dita do ioga incomum da inconceptibilidade três ou sete vezes em cada sessão.

Os praticantes irão alcançar a Terra Pura de Keajra com este corpo humano pela profunda familiaridade obtida com as práticas preparatórias e com a prática propriamente dita deste ioga incomum, bem como por aplicarem esforço de modo contínuo e de receberem as poderosas bênçãos de Heruka e Vajrayogini. Isso não acontecerá de acordo com a aparência comum, mas com a aparência e a experiência incomuns dos praticantes afortunados. Se um praticante com cerca de oitenta anos de idade alcançar a Terra Pura de Keajra, seu corpo irá se transformar no corpo de um jovem de dezesseis anos, na flor de sua juventude, e irá se tornar um corpo incontaminado. Assim, ele (ou ela) será permanentemente livre de doenças, envelhecimento, morte e renascimento samsárico e, por praticar continuamente o Tantra Ioga Supremo, alcançará a plena iluminação nessa vida.

Dedicatória

Por meio da prática deste Ioga da Inconceptibilidade,
Que a porta do Paraíso de Keajra esteja aberta para todos,
Para que todos os seres vivos alcancem
O estado de Heruka Pai e Mãe.

Pelas virtudes que aqui acumulei,
Que a doutrina do Conquistador Losang Dragpa –
A verdadeira essência do Budadharma –
Floresça para sempre.

Preces pela Tradição Virtuosa

Para que a tradição de Je Tsongkhapa,
O Rei do Dharma, floresça,
Que todos os obstáculos sejam pacificados
E todas as condições favoráveis sejam abundantes.

Pelas duas coleções, minhas e dos outros,
Reunidas ao longo dos três tempos,
Que a doutrina do Conquistador Losang Dragpa
Floresça para sempre.

Prece *Migtsema* de nove versos

Tsongkhapa, ornamento-coroa dos eruditos da Terra das Neves,
Tu és Buda Shakyamuni e Vajradhara, a fonte de todas as conquistas,
Avalokiteshvara, o tesouro de inobservável compaixão,
Manjushri, a suprema sabedoria imaculada,
E Vajrapani, o destruidor das hostes de maras.
Ó Venerável Guru Buda, síntese das Três Joias,
Com meu corpo, fala e mente, respeitosamente faço pedidos.
Peço, concede tuas bênçãos para amadurecer e libertar a mim e
aos outros,
E confere-nos as aquisições comuns e a suprema. (3x)

Cólofon: Esta sadhana, ou prece ritual, para obter aquisições espirituais foi compilada por Venerável Geshe Kelsang Gyatso Rinpoche a partir de fontes tradicionais. 2012.

Paraíso de Keajra

O comentário essencial à prática do
Ioga Incomum da Inconceptibilidade

por
Venerável Geshe Kelsang Gyatso Rinpoche

Guru Sumati Buda Heruka

Paraíso de Keajra

O comentário essencial à prática
do *Ioga Incomum da Inconceptibilidade*

O treino na transferência superior de consciência, que está apresentado na sadhana intitulada *O Ioga Incomum da Inconceptibilidade*, é o ioga incomum da inconceptibilidade propriamente dito. Esse treino é denominado "ioga incomum" por ser uma prática incomum do Tantra de Vajrayogini. Os Tantras de outras Deidades não contêm esse treino. Esse treino é denominado "inconceptibilidade" porque possui um significado inconcebível e nos dá significado inconcebível nesta vida e vida após vida. No entanto, toda vez que nos empenharmos na recitação, contemplação e meditação dessa sadhana, devemos estar totalmente livres de distrações. Com distrações, não conseguimos realizar nada.

A efetividade desse treino na transferência superior de consciência depende de oito etapas de práticas preparatórias, que estão apresentadas nesta sadhana.

Primeira etapa - Buscar refúgio

Nessa prática, com o objetivo de libertar, permanentemente, a nós mesmos e a todos os seres vivos do sofrimento, fazemos a promessa, do fundo de nosso coração, de buscar refúgio na assembleia de Gurus, Budas, Dharma e Sangha - os praticantes espirituais puros - por toda a nossa vida. Essa promessa é o nosso voto de refúgio, pelo qual ingressamos no Budismo e que abre a porta à libertação, a suprema paz mental permanente, conhecida como "nirvana". Como compromissos do nosso voto de refúgio, aplicamos esforço para receber as bênçãos de Buda, para colocar o Dharma em prática e para receber ajuda da Sangha – os praticantes espirituais puros. Praticantes espirituais puros nos conduzem ao caminho espiritual ao demonstrar um bom exemplo para seguir e, por essa razão, são objetos de refúgio. Empenhamo-nos nessa prática, seguindo a sadhana:

Eu e todos os seres sencientes, os migrantes tão extensos quanto o espaço, doravante, até alcançarmos a essência da iluminação,
Buscamos refúgio nos gloriosos, sagrados Gurus,
Buscamos refúgio nos perfeitos Budas, os Abençoados,
Buscamos refúgio nos Dharmas sagrados,
Buscamos refúgio nas Sanghas superiores.

Segunda etapa – Gerar a bodhichitta

Nessa prática, para alcançar a iluminação a fim de beneficiar todos e cada um dos seres vivos todos os dias, fazemos a promessa, do fundo de nosso coração, de praticar as etapas dos caminhos do estágio de geração e do estágio de conclusão de Vajrayogini. Essa promessa é o nosso voto bodhisattva, pelo qual abrimos a porta ao caminho rápido à iluminação. Como compromissos de nosso voto bodhisattva, aplicamos esforço para praticar o estágio de geração e o estágio de conclusão em associação com as seis perfeições: dar, disciplina moral, paciência, esforço, concentração e sabedoria. Empenhamo-nos nessa prática, seguindo a sadhana:

Uma vez que eu tenha alcançado o estado da completa iluminação, a Budeidade, libertarei todos os seres sencientes do oceano de sofrimento do samsara e os levarei ao êxtase da plena iluminação. Com esse propósito, vou praticar as etapas do caminho de Vajrayogini.

Terceira etapa – Gerar uma motivação especial

Empenhamo-nos nessa prática, seguindo a contemplação apresentada na sadhana:

Não há garantia de que não morrerei hoje. A morte destrói minha preciosa oportunidade de alcançar a meta suprema da iluminação e de beneficiar todos os seres vivos. Portanto, preciso transformar meu corpo em um corpo imortal por meio de alcançar a Terra Dakini, a Terra Pura de Keajra.

Meditamos nessa determinação por um breve período.

Quarta etapa – Purificar a aparência comum de nós mesmos

Nossa percepção de nosso *self* (ou seja, a percepção de nós mesmos) que normalmente vemos é a *aparência comum* de nosso *self*. Como essa aparência comum é o principal obstáculo para gerarmo-nos como Vajrayogini, precisamos purificar esse obstáculo por meio de compreender e meditar sobre a mera ausência do nosso *self* (ou seja, de nós mesmos) que normalmente vemos. Empenhamo-nos nessa prática, seguindo a contemplação apresentada na sadhana:

Quando procuro por meu *self* com sabedoria, em vez de encontrar meu *self*, eu desapareço. Isso é uma indicação clara de que meu *self* que normalmente vejo não existe de modo algum.

Meditamos sobre essa mera ausência do nosso self que normalmente vemos.

Quinta etapa – Gerarmo-nos como a Vajrayogini exterior

Enquanto percebemos nada além que a mera ausência de nosso *self* (isto é, de nós mesmos) que normalmente vemos, empenhamo-nos nessa prática, seguindo a contemplação apresentada na sadhana:

No vasto espaço da vacuidade, apareço como a Venerável Vajrayogini, com as características habituais, mas sem a fonte fenômenos e a almofada. Tenho um corpo vermelho feito de

Venerável Vajrayogini

luz e assumo a forma de uma jovem de dezesseis anos, na flor da minha juventude.

Meditamos nessa crença.

Sexta etapa - Visualizar os canais

Praticamos essa visualização com dois propósitos:

1) Reconhecer a localização onde geramos nossa mente Vajrayogini; e
2) Receber bênçãos sobre nossos canais, gotas e ventos, de modo que nossa contemplação e meditação na prática propriamente dita do ioga incomum da inconceptibilidade seja bem-sucedida.

Empenhamo-nos nessa prática, seguindo a contemplação apresentada na sadhana:

Bem no centro de meu corpo, que é da natureza da luz, está o meu canal central. Ele é fino como um fio de linha e é reto, vermelho-oleoso, claro e transparente. A ponta inferior do canal central fica na altura de meu umbigo, de onde ele sobe em linha reta, até que sua parte superior toque a coroa de minha cabeça. De cada lado do canal central, sem nenhum espaço entre eles, estão os canais direito e esquerdo. O canal direito é vermelho e o esquerdo é branco. O canal direito começa na ponta de minha narina direita e o canal esquerdo, na ponta de minha narina esquerda. Dali, ambos sobem, formando um arco, até a coroa de minha cabeça e, da coroa, descem até dois centímetros e meio abaixo de meu umbigo, com suas pontas viradas para cima.

Sétima etapa - Gerar nossa mente-Vajrayogini

Nessa prática, transformamos nossa mente em Vajrayogini. Essa transformação é denominada "nossa mente-Vajrayogini" e é a prática especial de autogeração. O propósito de fazer isso é para que alcancemos, diretamente, a Terra Pura de Keajra sem abandonar este corpo humano. Empenhamo-nos nessa prática, seguindo a contemplação apresentada na sadhana:

Em meu umbigo, entre a ponta inferior do canal central e as pontas inferiores dos canais direito e esquerdo, que estão voltadas para cima, há um pequeno espaço vazio. Nesse lugar está minha mente, na forma de Vajrayogini, tão pequena quanto o tamanho de um polegar, com suas características habituais, mas sem a fonte fenômenos e a almofada. Suas duas pernas estão estendidas, e ela encontra-se de pé sobre as pontas inferiores dos canais direito e esquerdo, que estão voltadas para cima, e sua coroa toca a ponta inferior do canal central. Essa Vajrayogini interior é a minha mente. Eu sou minha mente-Vajrayogini.

Meditamos nessa crença.

Oitava etapa – Purificar e transformar o mundo e seus seres

Com a motivação de apreciar todos os seres vivos, empenhamo-nos sinceramente nessa prática para que possamos cumprir com os compromissos de nossos votos tântricos, os quais irão fazer com que nossas ações e nossa mente tornem-se puras. Assim, experienciaremos nosso mundo, prazeres, os seres ao nosso redor e tudo como puro. Podemos fazer essa prática seguindo a contemplação apresentada na sadhana:

Do coração da minha mente-Vajrayogini, localizada no umbigo, irradiam-se incomensuráveis raios de luz de cinco cores, da natureza das cinco sabedorias oniscientes. Eles purificam o mundo inteiro e todos os seres que nele habitam. O mundo transforma-se na Terra Pura de Keajra, e todos os seres transformam-se em Vajrayogini. Todos eles dissolvem-se em luz e transformam-se numa única bola de luz. Essa bola de luz dissolve-se no coração da minha mente-Vajrayogini em meu umbigo.

É muito importante obter profunda familiaridade com o pensamento "Eu sou minha mente-Vajrayogini" para a meditação propriamente dita do ioga incomum da inconceptibilidade. Portanto, devemos enfatizar a prática desse orgulho divino, pensando "Eu sou minha mente-Vajrayogini" em associação com a meditação da respiração-vaso. Na sadhana, está dito:

> ***Neste ponto, devemos praticar a seguinte meditação. Inspiramos suavemente e imaginamos que todos os ventos da parte superior do nosso corpo reúnem-se, fluem para baixo e alcançam o ponto logo acima da nossa mente-Vajrayogini em nosso umbigo. Então, contraímos ligeiramente os músculos da parte inferior do nosso corpo e deslocamos todos os ventos inferiores para cima. Eles sobem e alcançam o ponto logo abaixo da nossa mente-Vajrayogini, em nosso umbigo. Ambos os ventos superiores e inferiores do nosso corpo estão, agora, unidos e sendo mantidos em nosso umbigo. Isso é denominado "respiração-vaso" porque o formato da união dos ventos superiores e inferiores é semelhante ao formato de um vaso. Enquanto sustentamos a respiração-vaso em nosso umbigo prendendo o ar, concentramo-nos em nossa mente-Vajrayogini e pensamos fortemente: "eu sou minha mente-Vajrayogini". Meditamos nessa crença. Logo antes de começarmos a sentir desconforto, exalamos devagar e suavemente pelas narinas. Sustentar a respiração-vaso prendendo a respiração nos ajuda a impedir distrações e torna nossa concentração clara. No começo, seremos incapazes de prender nossa respiração por muito tempo; por essa razão, precisamos repetir essa prática muitas e muitas vezes.***

A PRÁTICA PROPRIAMENTE DITA DO IOGA INCOMUM DA INCONCEPTIBILIDADE

Sabemos ser impossível que o nosso corpo alcance a lua pelo seu próprio poder e capacidade, mas nossa mente pode alcançar a lua instantaneamente, simplesmente pensando nela. Isso mostra que, ao obtermos profunda familiaridade com o pensamento "Eu sou minha mente-Vajrayogini", iremos alcançar, com facilidade, a Terra Pura de Keajra simplesmente por nos empenharmos na prática do ioga incomum da inconceptibilidade. Empenhamo-nos nessa prática, seguindo a contemplação e meditação apresentadas na sadhana:

Quando eu alcançar a Terra Pura de Keajra, serei permanentemente livre de doenças, envelhecimento, morte e renascimento samsárico e serei capaz de beneficiar incontáveis seres vivos por meio de minhas emanações. Preciso alcançá-la agora.

As duas pernas e os dois braços da Vajrayogini exterior dissolvem-se em seu tronco. A parte inferior do tronco da Vajrayogini exterior, abaixo do umbigo, dissolve-se em minha mente-Vajrayogini, que está no umbigo. Minha mente-Vajrayogini sobe até o coração da Vajrayogini exterior. O tronco da Vajrayogini exterior, abaixo do coração, dissolve-se em minha mente-Vajrayogini, que está no coração. Minha mente-Vajrayogini sobe até a coroa da Vajrayogini exterior. O tronco da Vajrayogini exterior, abaixo da coroa, dissolve-se em minha mente-Vajrayogini, que está na coroa. Então, a coroa da Vajrayogini exterior dissolve-se em minha mente-Vajrayogini, e minha mente-Vajrayogini voa, instantaneamente, através do mais elevado céu do Dharmakaya e alcança a Terra Pura de Keajra.

Meditamos de modo estritamente focado nessa crença, sem distração.

O corpo de minha mente-Vajrayogini torna-se menor e menor e dissolve-se na vacuidade, que é inseparável de grande êxtase.

Meditamos na união de grande êxtase e vacuidade, que é a inconceptibilidade propriamente dita. Devemos repetir a prática propriamente dita do ioga incomum da inconceptibilidade três ou sete vezes em cada sessão.

Os praticantes irão alcançar a Terra Pura de Keajra com este corpo humano pela profunda familiaridade obtida com as práticas preparatórias e com a prática propriamente dita deste ioga incomum, bem como por aplicarem esforço de modo contínuo e de receberem as poderosas bênçãos de Heruka e Vajrayogini. Isso não acontecerá de acordo com a aparência comum, mas com a aparência e a experiência incomuns dos praticantes afortunados. Se um praticante com cerca de oitenta anos de idade alcançar a Terra Pura de Keajra, seu corpo irá se transformar no corpo de um jovem de dezesseis anos, na flor de sua juventude, e irá se tornar um corpo incontaminado. Assim, ele (ou ela) será permanentemente livre de doenças, envelhecimento, morte e renascimento samsárico e, por praticar continuamente o Tantra Ioga Supremo, alcançará a plena iluminação nessa vida.

Dedicatória

Por meio da prática deste Ioga da Inconceptibilidade,
Que a porta do Paraíso de Keajra esteja aberta para todos,
Para que todos os seres vivos alcancem
O estado de Heruka Pai e Mãe.

Pelas virtudes que aqui acumulei,
Que a doutrina do Conquistador Losang Dragpa –
A verdadeira essência do Budadharma –
Floresça para sempre.

Festa de Grande Êxtase

A SADHANA DE AUTOINICIAÇÃO DE VAJRAYOGINI

por
Je Phabongkhapa

Guru Vajradharma

Festa de Grande Êxtase

Como preparação, limpe, primeiramente, uma sala de meditação que seja adequada e então, à frente de estátuas ou figuras de seu Guru, de Vajrayogini e assim por diante, coloque uma mesa limpa. Sobre a mesa, disponha o mandala sobreposto de corpo, o mandala de néctar da fala e o mandala sindhura da mente, bem como as tormas, oferendas exteriores e assim por diante.

Sobre uma mesa diante de você, coloque, da maneira tradicional: o vaso, a oferenda interior, o vajra e sino, o damaru e um pequeno recipiente com arroz ou flores para espargir.

No que diz respeito à prática, ela é constituída de três partes:

1. *As preliminares;*
2. *A prática propriamente dita;*
3. *Conclusão.*

AS PRELIMINARES

As preliminares começam com a sadhana de autogeração, desde buscar refúgio *até* abençoar as oferendas exteriores, *inclusive (páginas 339-341). Isto é seguido por abençoar a torma preliminar, como está a seguir:*

Abençoar a torma preliminar

OM KHANDAROHI HUM HUM PHAT
OM SÖBHAWA SHUDDHA SARWA DHARMA SÖBHAWA SHUDDHO HAM
Tudo se torna vacuidade.

Do estado de vacuidade, do YAM vem vento; do RAM vem fogo; do AH, um tripé de três cabeças humanas. Sobre ele, do AH aparece uma ampla e vasta cuia de crânio. Dentro dela, do OM, KHAM, AM, TRAM, HUM vêm os cinco néctares; e do LAM, MAM, PAM, TAM, BAM vêm as cinco carnes, cada qual marcado por uma das letras. O vento sopra, o fogo arde e as substâncias dentro da cuia de crânio derretem e se fundem. Acima delas, do HUM surge um khatanga branco de cabeça para baixo, que cai e se derrete na cuia de crânio, fazendo com que as substâncias assumam cor de mercúrio. Acima disso, três fileiras sobrepostas de vogais e consoantes transformam-se em OM AH HUM. Deles, raios de luz atraem o néctar de excelsa sabedoria do coração de todos os Tathagatas, Heróis e Ioguines das dez direções. Quando isso é adicionado, o conteúdo aumenta e se torna vasto.
OM AH HUM (3x)

Fazer o convite aos convidados da torma

Faça o mudra fulgurante e recite:

PHAIM
Raios de luz se irradiam da letra BAM no assento de lua em meu coração, e convidam os guardiões direcionais, guardiões regionais, nagas e assim por diante, que residem nos oito grandes solos sepulcrais. Eles vêm até as fronteiras nas oito direções, ingressam instantaneamente na clara-luz e surgem na forma da Venerável Vajrayogini. De um HUM branco na língua de cada convidado, surge um vajra branco tridentado, através do qual eles compartilham da essência da torma, sorvendo-a por canudos de luz da espessura de apenas um grão de cevada.

Oferecer a torma

OM KHA KHA, KHAHI KHAHI, SARWA YAKYA RAKYASA, BHUTA, TRETA, PISHATSA, UNATA, APAMARA, VAJRA DAKA, DAKI NÄDAYA, IMAM BALING GRIHANTU, SAMAYA RAKYANTU, MAMA SARWA SIDDHI METRA YATZANTU, YATIPAM, YATETAM, BHUDZATA, PIWATA, DZITRATA, MATI TRAMATA, MAMA SARWA KATAYA, SÄDSUKHAM BISHUDHAYE, SAHAYEKA BHAWÄNTU, HUM HUM PHAT PHAT SÖHA (3x)

Oferendas exteriores

OM AHRGHAM PARTITZA SÖHA
OM PADÄM PARTITZA SÖHA
OM VAJRA PUPE AH HUM SÖHA
OM VAJRA DHUPE AH HUM SÖHA
OM VAJRA DIWE AH HUM SÖHA
OM VAJRA GÄNDHE AH HUM SÖHA
OM VAJRA NEWIDE AH HUM SÖHA
OM VAJRA SHAPTA AH HUM SÖHA

Oferenda interior

Às bocas dos guardiões direcionais, guardiões regionais, nagas, e assim por diante, OM AH HUM

Pedidos

Toque o damaru e o sino, enquanto você recita:

Vós, a completa reunião de deuses,
A completa reunião de nagas,
A completa reunião de causadores de mal,
A completa reunião de canibais,
A completa reunião de espíritos maléficos,
A completa reunião de fantasmas famintos,
A completa reunião de comedores-de-carne,
A completa reunião de fazedores-de-loucura,
A completa reunião de fazedores-de-esquecimento,

A completa reunião de dakas,
A completa reunião de espíritos femininos,
Todos vós, sem exceção,
Por favor, vinde aqui e ouvi-me.
Ó Gloriosos atendentes, velozes como o pensamento,
Que tomastes juramentos e compromissos-coração
De proteger a doutrina e beneficiar os seres vivos,
Vós que, com formas aterrorizantes e ira inesgotável,
Subjugais os malevolentes e destruís as forças das trevas,
Vós, que concedeis resultados às ações ióguicas
E tendes poderes e bênçãos inconcebíveis,
A vós, oito tipos de convidados, eu me prostro.

A todos vós, juntamente com vossas consortes, filhos e servos,
Peço, concedei-me a boa fortuna de todas as realizações.
Que eu e os demais praticantes
Tenhamos boa saúde, vida longa, poder,
Glória, fama, fortuna
E extensos prazeres.
Por favor, concedei-me as aquisições
Das ações pacificadoras, crescentes, controladoras e iradas.
Ó Guardiões, auxiliai-me sempre.
Erradicai toda morte prematura, doenças,
Danos causados por espíritos e obstruções.
Eliminai sonhos ruins,
Maus presságios e más ações.

Que haja felicidade no mundo e os anos por vir sejam bons,
Que as colheitas aumentem e o Dharma floresça.
Que toda bondade e felicidade aconteçam
E todos os desejos sejam realizados.

Para satisfazer as intenções dos gloriosos e sagrados Gurus, e realizar o bem-estar de todos os seres vivos, tão extensos quanto o espaço, eu preciso alcançar o estado da Venerável Vajrayogini – a suprema conquista do Mahamudra. Com esse propósito, vou realizar o mandala sindhura da Venerável Vajrayogini, fazer as oferendas, ingressar no mandala e receber as iniciações. Todos vós, guardiões especiais que se deleitam com ações brancas, por favor, aceitai essa vasta torma que ofereço a vós, e protegei-me de todas as obstruções que possam me impedir de concluir as ações do grande mandala. Por favor, ajudai-me a alcançar a iluminação. E todos vós – forças das trevas, espíritos maléficos e obstruções – que não estão autorizados a ver as práticas secretas, não permaneçais aqui, mas ide para outro lugar.

Toque vigorosamente o damaru e o sino, enquanto você recita:

OM SUMBHANI SUMBHA HUM HUM PHAT
OM GRIHANA GRIHANA HUM HUM PHAT
OM GRIHANA PAYA GRIHANA PAYA HUM HUM PHAT
OM ANAYA HO BHAGAWÄN VAJRA HUM HUM PHAT

Leve a torma para fora.

Abençoar o local de meditação e as substâncias de oferenda

OM KHANDAROHI HUM HUM PHAT
OM SÖBHAWA SHUDDHA SARWA DHARMA SÖBHAWA
SHUDDHO HAM
Tudo se torna vacuidade.

Do estado de vacuidade, do DHRUM surge uma mansão celestial feita de joias de várias cores. Ela é quadrada, com quatro portais e adornada com quatro arcadas. A mansão é adornada com todos os ornamentos e está completa, com todas as características essenciais. Em seu interior, do AH vêm amplas e vastas cuias-de-crânio-sabedoria. Dentro de cada cuia há um HUM. Os HUMs derretem e, em cada uma das cuias, surge uma substância de oferenda celestial: oferendas de beber, oferendas de banhar, flores, incenso, luzes, águas perfumadas, alimentos e música, todas puras e abundantes. Elas brilham e se espalham, cobrindo todo o solo e preenchendo todo o espaço, como as ondulantes nuvens de oferendas emanadas pelo

Superior Samantabhadra. Além de toda concepção, elas surgem em profusão diante de meus Gurus, da divina assembleia da Venerável Vajrayogini, e de todos os Budas e Bodhisattvas.

Agora, abençoe as oferendas com os mudras:

OM AHRGHAM AH HUM
OM PADÄM AH HUM
OM VAJRA PUPE AH HUM
OM VAJRA DHUPE AH HUM
OM VAJRA DIWE AH HUM
OM VAJRA GÄNDHE AH HUM
OM VAJRA NEWIDE AH HUM
OM VAJRA SHAPTA AH HUM

Agora, faça o mudra espaço-tesouro na altura de suas sobrancelhas e recite:

OM VAJRA PARANA KAM

Desse modo, as oferendas multiplicam-se, muitas e muitas vezes. Agora, recite três vezes:

OM VAJRA GHÄNDE RANITA, PARANITA, SAMPARANITA, SARWA BUDDHA KHYETRA PATZALINI PENJA PARAMITA NADA SÖBHA WI, VAJRA DHARMA HRIDAYA, SANTO KHANI HUM HUM HUM HO HO HO AH KAM SÖHA

A primeira recitação faz o convite aos convidados das oferendas para que venham ao espaço a nossa frente. Com a segunda recitação, o local de meditação é abençoado por eles, e, com a terceira recitação, as oferendas são abençoadas por eles. Toque os grandes címbalos [ou toque o sino e o damaru].

A PRÁTICA PROPRIAMENTE DITA

A prática propriamente dita tem quatro partes:

1. *Meditação na autogeração;*
2. *Realizar o vaso;*

3. *Realizar o mandala-em-frente e fazer oferendas;*
4. *Receber as iniciações.*

MEDITAÇÃO NA AUTOGERAÇÃO

A meditação na autogeração é executada de acordo com a seção que está na sadhana de autogeração: desde a meditação e recitação de Vajrasattva *até* o ioga das ações diárias, *inclusive (pág. 341-363).*

REALIZAR O VASO

Gerar o vaso e a Deidade dentro dele

OM KHANDAROHI HUM HUM PHAT
OM SÖBHAWA SHUDDHA SARWA DHARMA SÖBHAWA
SHUDDHO HAM
Tudo se torna vacuidade.

Do estado de vacuidade, do PAM vem um lótus, e do AH vem uma lua. Sobre isso, do DHRUM aparece um vaso adornado com joias e que possui todas as características essenciais. Dentro dele, do EH EH surge uma fonte-fenômenos vermelha no formato de um duplo tetraedro, dentro da qual, do AH, surge um mandala de lua branco com um sombreado vermelho. Sobre o mandala de lua, está uma letra BAM vermelha em posição vertical, rodeada por OM OM OM SARWA BUDDHA DAKINIYE VAJRA WARNANIYE VAJRA BEROTZANIYE HUM HUM HUM PHAT PHAT PHAT SÖHA - um rosário de mantra vermelho em pé, disposto em sentido anti-horário. Deles, raios de luz se irradiam, fazem oferendas aos seres superiores e realizam o bem-estar dos seres sencientes. Recolhendo-se, os raios de luz se transformam em um lótus de oito pétalas de várias cores, com um mandala de sol em seu centro. Sobre ele, surge a Venerável Vajrayogini. A perna direita dela, esticada, pisa sobre o peito da vermelha Kalarati. A perna esquerda, dobrada, pisa sobre a cabeça de Bhairawa negro, vergada para trás. Ela tem um corpo vermelho, que resplandece com o brilho igual ao do fogo do éon.

Tem uma face, duas mãos e três olhos, e seu olhar está voltado para a Terra Pura das Dakinis. A mão direita dela, esticada e apontando para baixo, segura uma faca curva marcada com um vajra. A mão esquerda segura, ao alto, uma cuia de crânio repleta de sangue, que ela compartilha e bebe com a boca voltada para o alto. O ombro esquerdo sustenta um khatanga marcado com um vajra, e do khatanga pendem um damaru, um sino e um triplo estandarte. Os cabelos, pretos e soltos, cobrem suas costas até a cintura. Na flor da juventude, seus desejáveis seios são fartos e ela mostra como gerar êxtase. A cabeça está adornada com cinco crânios humanos, e usa um colar de cinquenta crânios humanos. Nua, adornada com cinco mudras, ela está em pé no centro de um fogo flamejante de excelsa sabedoria.

Absorver os seres-de-sabedoria

Faça, agora, o mudra fulgurante e recite:

PHAIM
Raios de luz se irradiam da letra BAM em meu coração, saem por entre minhas sobrancelhas e se espalham para as dez direções. Eles convidam todos os Tathagatas, Heróis e Ioguines das dez direções, todos sob o aspecto de Vajrayogini.
DZA HUM BAM HO

Os seres-de-sabedoria são chamados, dissolvem-se, permanecem firmes e ficam deleitados. Agora, com o mudra "lótus-que-gira", seguido do mudra-abraço, recite:

OM YOGA SHUDDHA SARWA DHARMA YOGA SHUDDHO HAM

Vestir a armadura

Em lugares do corpo dela, surgem mandalas de lua, sobre os quais, no umbigo estão OM BAM vermelhos, Vajravarahi; no coração, HAM YOM azuis, Yamani; na garganta, HRIM MOM brancos, Mohani; na testa, HRIM HRIM amarelos, Sachalani; na coroa, HUM HUM verdes, Samtrasani; e em todos os membros, PHAT PHAT cor-de-fumaça, essência de Chandika.

Conceder a iniciação e adornar a coroa

PHAIM
Raios de luz se irradiam da letra BAM em meu coração e convidam, ao espaço a minha frente, as Deidades Que-Concedem-Iniciação, o mandala sustentado e sustentador do Glorioso Chakrasambara.

Ó, todos vós, Tathagatas, por favor, concedei a iniciação.

Solicitados desse modo, as oito Deusas dos portais afastam os impedimentos, os Heróis recitam versos auspiciosos, as Heroínas cantam canções-vajra, e as Rupavajras e as demais fazem oferendas. O Principal decide mentalmente conceder a iniciação, e as Quatro Mães, juntamente com Varahi, segurando vasos adornados com joias e repletos com os cinco néctares, conferem a iniciação pela coroa da cabeça dela.

"Assim como todos os Tathagatas concederam ablução
No momento do nascimento [de Buda],
Também nós, agora, concedemos ablução
Com a água pura dos deuses.

OM SARWA TATHAGATA ABHIKEKATA SAMAYA SHRIYE HUM"

Dizendo isso, elas concedem a iniciação. O corpo dela é preenchido por inteiro, todas as máculas são purificadas, e o excesso de água remanescente na coroa transforma-se em Vairochana-Heruka com a Mãe, os quais adornam sua coroa.

Abençoar as oferendas exteriores

OM KHANDAROHI HUM HUM PHAT
OM SÖBHAWA SHUDDHA SARWA DHARMA SÖBHAWA
SHUDDHO HAM
Tudo se torna vacuidade.

Do estado de vacuidade, do KAM vêm vasilhas de crânio, dentro das quais, do HUM surgem substâncias de oferenda. Por sua natureza, vacuidade, cada uma delas tem o aspecto individual de uma das substâncias de oferenda, e servem como objetos de prazer dos seis sentidos para proporcionar especial êxtase incontaminado.

OM AHRGHAM AH HUM
OM PADÄM AH HUM
OM VAJRA PUPE AH HUM
OM VAJRA DHUPE AH HUM
OM VAJRA ALOKE AH HUM
OM VAJRA GÄNDHE AH HUM
OM VAJRA NEWIDE AH HUM
OM VAJRA SHAPTA AH HUM

Deusas oferecedoras emanam de meu coração e fazem as oferendas.

Oferendas exteriores

OM VAJRA YOGINI SAPARIWARA AHRGHAM, PADÄM, PUPE, DHUPE, ALOKE, GÄNDHE, NEWIDE, SHAPTA PARTITZA HUM PHAT SÖHA

Oferenda interior

OM OM OM SARWA BUDDHA DAKINIYE VAJRA WARNANIYE VAJRA BEROTZANIYE HUM HUM HUM PHAT PHAT PHAT SÖHA OM AH HUM

Louvor

Ó Gloriosa Vajrayogini,
Rainha Dakini Chakravatin,
Que tens cinco sabedorias e três corpos,
A ti, Salvadora de todos, eu me prostro.

Às muitas Dakinis Vajra,
Que, como Senhoras das ações mundanas,
Cortais nossas amarras aos preconceitos,
A todas vós, Senhoras, eu me prostro.

Abençoar a água do vaso

Primeiro, faça o mudra lótus-que-gira e recite:

HUM

Agora, segure o fio de mantra com sua mão esquerda e o mala com a direita. Contemple:

O rosário de mantra, em meu coração, sai pelo fio de mantra, enrolando-se em torno dele. O rosário de mantra toca o corpo da Venerável Senhora, fazendo com que torrentes de néctar fluam de seus poros e encham o vaso.

OM OM OM SARWA BUDDHA DAKINIYE VAJRA WARNANIYE VAJRA BEROTZANIYE HUM HUM HUM PHAT PHAT PHAT SÖHA (108x)

OM SUMBHANI SUMBHA HUM HUM PHAT
OM GRIHANA GRIHANA HUM HUM PHAT
OM GRIHANA PAYA GRIHANA PAYA HUM HUM PHAT
OM ANAYA HO BHAGAWÄN VAJRA HUM HUM PHAT (21x)

OM KHANDAROHI HUM HUM PHAT (21x)

OM SARWA TATHAGATA ABHIKEKATA SAMAYA SHRIYE HUM (21x)

Oferendas exteriores

OM VAJRA YOGINI SAPARIWARA AHRGHAM, PADÄM, PUPE, DHUPE, ALOKE, GÄNDHE, NEWIDE, SHAPTA PARTITZA HUM PHAT SÖHA

Oferenda interior

OM OM OM SARWA BUDDHA DAKINIYE VAJRA WARNANIYE VAJRA BEROTZANIYE HUM HUM HUM PHAT PHAT PHAT SÖHA OM AH HUM

Louvor

Ó Gloriosa Vajrayogini,
Rainha Dakini Chakravatin,
Que tens cinco sabedorias e três corpos,
A ti, Salvadora de todos, eu me prostro.

Às muitas Dakinis Vajra,
Que, como Senhoras das ações mundanas,
Cortais nossas amarras aos preconceitos,
A todas vós, Senhoras, eu me prostro.

Pedir indulgência

OM VAJRA HERUKA SAMAYA, MANU PALAYA, HERUKA TENO PATITA, DRIDHO ME BHAWA, SUTO KAYO ME BHAWA, SUPO KAYO ME BHAWA, ANURAKTO ME BHAWA, SARWA SIDDHI ME PRAYATZA, SARWA KARMA SUTZA ME, TZITAM SHRIYAM KURU HUM, HA HA HA HA HO BHAGAWÄN, VAJRA HERUKA MA ME MUNTSA, HERUKA BHAWA, MAHA SAMAYA SATTÖ AH HUM PHAT

Tudo o que foi falho ou não tenha sido válido
E quaisquer ações feitas com mente deludida,
Por favor, ó Protetor,
Sê paciente com tudo isso.

Agora, verta no vaso a oferenda de beber que está na concha.

OM AH HUM (3x)

A Venerável Senhora, dentro do vaso, dissolve-se na forma de luz, e a água do vaso torna-se poderosa.

REALIZAR O MANDALA-EM-FRENTE
E FAZER OFERENDAS

Abençoar o mandala de néctar da fala

Foque e concentre-se no mandala de néctar da fala, contemplando o que segue:

OM KHANDAROHI HUM HUM PHAT
OM SÖBHAWA SHUDDHA SARWA DHARMA SÖBHAWA
SHUDDHO HAM
Tudo se torna vacuidade.

Do estado de vacuidade, do AH surge uma ampla e vasta cuia de crânio, dentro da qual as cinco carnes, os cinco néctares e as cinco excelsas sabedorias derretem e se fundem, e de onde surge um vasto oceano de néctar de excelsa sabedoria.

Com os mudras, recite três vezes:

OM AH HUM HA HO HRIH

A prática propriamente dita de realizar o mandala

Agora, foque e concentre-se nos três mandalas:

OM KHANDAROHI HUM HUM PHAT
OM SÖBHAWA SHUDDHA SARWA DHARMA SÖBHAWA
SHUDDHO HAM
Tudo se torna vacuidade.

Do estado de vacuidade, do YAM vem um mandala de vento; do RAM, um mandala de fogo; do WAM, um mandala de água; do LAM, um mandala de terra; e do SUM, Monte Meru. Sobre este, do AH aparece uma ampla e vasta cuia-de-crânio-sabedoria repleta de néctar. Acima dela, do HUM aparece um vajra de várias cores, com um HUM marcando seu centro. Disso, raios de luz se irradiam para as dez direções e, abaixo, aparece o solo--vajra; ao redor, a cerca-vajra; e acima, a tenda e dossel vajras. Do lado de fora, estão a impenetrável saraivada de flechas e o fogo de excelsa sabedoria com chamas tão altas quanto o Monte Meru. Dentro, está o círculo dos oito grandes solos sepulcrais. No centro desse círculo, do EH EH surge uma fonte-fenômenos vermelha no formato de um duplo tetraedro, dentro da qual, do AH, surge um mandala de lua branco com um sombreado vermelho. No centro do mandala de lua, está uma letra BAM vermelha rodeada por OM OM OM SARWA BUDDHA DAKINIYE

VAJRA WARNANIYE VAJRA BEROTZANIYE HUM HUM HUM PHAT PHAT PHAT SÖHA – um rosário de mantra vermelho em pé, disposto em sentido anti-horário. Deles, raios de luz se irradiam, fazem oferendas aos seres superiores e realizam o bem-estar dos seres sencientes. Recolhendo-se, os raios de luz se transformam em um lótus de oito pétalas de várias cores, com um mandala de sol em seu centro. Sobre ele, surge a Venerável Vajrayogini. A perna direita dela, esticada, pisa sobre o peito da vermelha Kalarati. A perna esquerda, dobrada, pisa sobre a cabeça de Bhairawa negro, vergada para trás. Ela tem um corpo vermelho, que resplandece com o brilho igual ao do fogo do éon. Tem uma face, duas mãos e três olhos, e seu olhar está voltado para a Terra Pura das Dakinis. A mão direita dela, esticada e apontando para baixo, segura uma faca curva marcada com um vajra. A mão esquerda segura, ao alto, uma cuia de crânio repleta de sangue, que ela compartilha e bebe com a boca voltada para o alto. O ombro esquerdo sustenta um khatanga marcado com um vajra, e do khatanga pendem um damaru, um sino e um triplo estandarte. Os cabelos, pretos e soltos, cobrem suas costas até a cintura. Na flor da juventude, seus desejáveis seios são fartos e ela mostra como gerar êxtase. A cabeça está adornada com cinco crânios humanos, e usa um colar de cinquenta crânios humanos. Nua, adornada com cinco mudras, ela está em pé no centro de um fogo flamejante de excelsa sabedoria.

Absorver os seres-de-sabedoria

PHAIM
Raios de luz se irradiam da letra BAM em meu coração, saem por entre minhas sobrancelhas e se espalham para as dez direções. Eles convidam todos os Tathagatas, Heróis e Ioguines das dez direções, todos sob o aspecto de Vajrayogini.
DZA HUM BAM HO
OM YOGA SHUDDHA SARWA DHARMA YOGA SHUDDHO HAM

Vestir a armadura

Em lugares do corpo dela, surgem mandalas de lua, sobre os quais, no umbigo estão OM BAM vermelhos, Vajravarahi; no coração, HAM YOM azuis, Yamani; na garganta, HRIM MOM brancos, Mohani; na testa, HRIM HRIM amarelos, Sachalani; na coroa, HUM HUM verdes, Samtrasani; e em todos os membros, PHAT PHAT cor-de-fumaça, essência de Chandika.

Conceder a iniciação e adornar a coroa

PHAIM
Raios de luz se irradiam da letra BAM em meu coração e convidam as Deidades Que-Concedem-Iniciação, o mandala sustentado e sustentador do Glorioso Chakrasambara.

Ó, todos vós, Tathagatas, por favor, concedei a iniciação.

Solicitados desse modo, as oito Deusas dos portais afastam os impedimentos, os Heróis recitam versos auspiciosos, as Heroínas cantam canções-vajra, e as Rupavajras e as demais fazem oferendas. O Principal decide mentalmente conceder a iniciação, e as Quatro Mães, juntamente com Varahi, segurando vasos adornados com joias e repletos com os cinco néctares, conferem a iniciação pela coroa da cabeça dela.

"Assim como todos os Tathagatas concederam ablução
No momento do nascimento [de Buda],
Também nós, agora, concedemos ablução
Com a água pura dos deuses.

OM SARWA TATHAGATA ABHIKEKATA SAMAYA SHRIYE HUM"

Dizendo isso, elas concedem a iniciação. O corpo dela é preenchido por inteiro, todas as máculas são purificadas, e o excesso de água remanescente na coroa transforma-se em Vairochana-Heruka com a Mãe, os quais adornam sua coroa.

Fazer o convite aos convidados das oferendas

Com o mudra, recite:

PHAIM
Raios de luz se irradiam da letra BAM em meu coração e convidam a Venerável Vajrayogini, rodeada pela assembleia de Gurus, Yidams, Budas, Bodhisattvas, Heróis, Dakinis, Protetores do Dharma e Protetores mundanos, para virem de Akanishta ao espaço a minha frente.

Abençoar as oferendas

OM KHANDAROHI HUM HUM PHAT
OM SÖBHAWA SHUDDHA SARWA DHARMA SÖBHAWA SHUDDHO HAM
Tudo se torna vacuidade.

Do estado de vacuidade, do KAM vêm vasilhas de crânio, dentro das quais, do HUM surgem substâncias de oferenda. Por sua natureza, vacuidade, cada uma delas tem o aspecto individual de uma das substâncias de oferenda, e servem como objetos de prazer dos seis sentidos para proporcionar especial êxtase incontaminado.

OM AHRGHAM AH HUM
OM PADÄM AH HUM
OM ÄNTZAMANAM AH HUM
OM PROKYANAM AH HUM
OM PUPE AH HUM
OM DHUPE AH HUM
OM DIWE AH HUM
OM GÄNDHE AH HUM
OM NEWIDE AH HUM
OM SHAPTA AH HUM

OM RUWA AH HUM
OM SHAPTA AH HUM
OM GÄNDHE AH HUM
OM RASE AH HUM
OM PARSHE AH HUM

Deusas oferecedoras emanam de meu coração e fazem as oferendas.

Oferendas exteriores

Execute os mudras apropriados e faça as oferendas:

Oferecer as quatro águas

Esta suprema oferenda tântrica de água para beber,
Agradável, pura e livre de máculas,
Eu ofereço a ti, com uma mente de fé.
Por favor, aceita e concede-me tua bondade.
OM AH HRIH PRAVARA SÄKARAM AHRGHAM PARTITZA
HUM SÖHA

Esta suprema oferenda tântrica de água para os pés,
Agradável, pura e livre de máculas,
Eu ofereço a ti, com uma mente de fé.
Por favor, aceita e concede-me tua bondade.
OM AH HRIH PRAVARA SÄKARAM PADÄM PARTITZA HUM SÖHA

Esta suprema oferenda tântrica de água para a boca,
Agradável, pura e livre de máculas,
Eu ofereço a ti, com uma mente de fé.
Por favor, aceita e concede-me tua bondade.
OM AH HRIH PRAVARA SÄKARAM ÄNTZAMANAM PARTITZA
HUM SÖHA

Esta suprema oferenda tântrica de água para espargir,
Agradável, pura e livre de máculas,
Eu ofereço a ti, com uma mente de fé.
Por favor, aceita e concede-me tua bondade.
OM AH HRIH PRAVARA SÄKARAM PROKYANAM PARTITZA
HUM SÖHA

Oferecer flores, incenso, luzes, perfume e alimento

Com formas que surgem do pincel do samadhi,
Seus corpos tão esbeltos quanto árvores jovens;

Com faces radiantes que excedem o brilho da lua,
Lábios vermelhos e olhos tão azuis quanto flores de upali,
Essas numerosas jovens surgem de minha mente,
Segurando lindas guirlandas de flores.
Elas são capturadas pelo êxtase do desejo
Como deusas que concedem prazer.
Para gerar alegria nos seres do mandala,
Ofereço a ti o êxtase dessas jovens.
OM VAJRA PUPE PARTITZA AH HUM

Com formas que surgem do pincel do samadhi,
Seus corpos tão esbeltos quanto árvores jovens;
Com faces radiantes que excedem o brilho da lua,
Lábios vermelhos e olhos tão azuis quanto flores de upali,
Essas numerosas jovens surgem de minha mente,
Segurando vasilhas de incenso de doce aroma.
Elas são capturadas pelo êxtase do desejo
Como deusas que concedem prazer.
Para gerar alegria nos seres do mandala,
Ofereço a ti o êxtase dessas jovens.
OM VAJRA DHUPE PARTITZA AH HUM

Com formas que surgem do pincel do samadhi,
Seus corpos tão esbeltos quanto árvores jovens;
Com faces radiantes que excedem o brilho da lua,
Lábios vermelhos e olhos tão azuis quanto flores de upali,
Essas numerosas jovens surgem de minha mente,
Segurando luzes de joias cintilantes.
Elas são capturadas pelo êxtase do desejo
Como deusas que concedem prazer.
Para gerar alegria nos seres do mandala,
Ofereço a ti o êxtase dessas jovens.
OM VAJRA DIWE PARTITZA AH HUM

Com formas que surgem do pincel do samadhi,
Seus corpos tão esbeltos quanto árvores jovens;
Com faces radiantes que excedem o brilho da lua,

Lábios vermelhos e olhos tão azuis quanto flores de upali,
Essas numerosas jovens surgem de minha mente,
Segurando perfumes cuja fragrância permeia todos os mundos.
Elas são capturadas pelo êxtase do desejo
Como deusas que concedem prazer.
Para gerar alegria nos seres do mandala,
Ofereço a ti o êxtase dessas jovens.
OM VAJRA GÄNDHE PARTITZA AH HUM

Com formas que surgem do pincel do samadhi,
Seus corpos tão esbeltos quanto árvores jovens;
Com faces radiantes que excedem o brilho da lua,
Lábios vermelhos e olhos tão azuis quanto flores de upali,
Essas numerosas jovens surgem de minha mente,
Segurando alimentos dotados com uma centena de sabores.
Elas são capturadas pelo êxtase do desejo
Como deusas que concedem prazer.
Para gerar alegria nos seres do mandala,
Ofereço a ti o êxtase dessas jovens.
OM VAJRA NEWIDE PARTITZA AH HUM

Oferecer música

Eu ofereço o som da linda música
De incontáveis instrumentos celestiais.
Por ouvir o som dessas várias melodias,
Todos os tormentos de corpo e mente são removidos.
OM VAJRA SHAPTA PARTITZA HUM SÖHA

Oferecer as dezesseis deusas-conhecimento

Essas deusas oferecedoras, na flor da juventude,
Com lindos corpos, tão finamente adornados,
Dançando e cantando, dão origem a todas as alegrias
E concedem perfeito êxtase aos sentidos.
Com violino, flauta, tambores pequenos e grandes,
Elas trazem alegria aos ouvidos com sua música –

Herói Vajradharma

Essas vastas nuvens de oferendas, eu as envio a ti;
Deleita-te ao aceitá-las, e concede as supremas aquisições.
OM VAJRA WINI HUM HUM PHAT
OM VAJRA WAMSHE HUM HUM PHAT
OM VAJRA MITAMGI HUM HUM PHAT
OM VAJRA MURANDZE HUM HUM PHAT

Essas deusas oferecedoras, na flor da juventude,
Com lindos corpos, tão finamente adornados,
Dançando e cantando, dão origem a todas as alegrias
E concedem perfeito êxtase aos sentidos.
Com encantador sorriso, postura sensual,
Canção melodiosa e uma bela dança –
Essas vastas nuvens de oferendas, eu as envio a ti;
Deleita-te ao aceitá-las, e concede as supremas aquisições.
OM VAJRA HÄSA HUM HUM PHAT
OM VAJRA LASÄ HUM HUM PHAT
OM VAJRA GIRTI HUM HUM PHAT
OM VAJRA NIRTÄ HUM HUM PHAT

Essas deusas oferecedoras, na flor da juventude,
Com lindos corpos, tão finamente adornados,
Dançando e cantando, dão origem a todas as alegrias
E concedem perfeito êxtase aos sentidos.
Segurando guirlandas de flores, incenso de doce aroma,
Luzes cintilantes e conchas com perfumes –
Essas vastas nuvens de oferendas, eu as envio a ti;
Deleita-te ao aceitá-las, e concede as supremas aquisições.
OM VAJRA PUPE HUM HUM PHAT
OM VAJRA DHUPE HUM HUM PHAT
OM VAJRA DIWE HUM HUM PHAT
OM VAJRA GÄNDHE HUM HUM PHAT

Essas deusas oferecedoras, na flor da juventude,
Com lindos corpos, tão finamente adornados,
Dançando e cantando, dão origem a todas as alegrias
E concedem perfeito êxtase aos sentidos.

Segurando espelhos imaculados, vasilhas de mel,
Variadas vestes e fontes-fenômenos,
Essas vastas nuvens de oferendas, eu as envio a ti;
Deleita-te ao aceitá-las, e concede as supremas aquisições.
OM RUPA BENZ HUM HUM PHAT
OM RASE BENZ HUM HUM PHAT
OM PARSHE BENZ HUM HUM PHAT
OM DHARMA DHATU BENZ HUM HUM PHAT

Oferecer os cinco objetos de desejo

Todas as formas que existem por todos os infinitos reinos
Transformam-se e surgem como deusas
Com faces sorridentes e lindos corpos;
Essas Rupavajras, a ti eu as ofereço.
Pelo poder de todas as formas que existem,
Aparecendo como Rupavajras,
Que eu receba grande êxtase imutável
E conclua a concentração suprema de vacuidade e êxtase.
OM RUPA BENZ HUM HUM PHAT

Todos os sons que existem por todos os infinitos reinos
Transformam-se e surgem como deusas,
Cantando doces canções e tocando alaúde;
Essas Shaptavajras, a ti eu as ofereço.
Pelo poder de todos os sons que existem,
Aparecendo como Shaptavajras,
Que eu receba grande êxtase imutável
E conclua a concentração suprema de vacuidade e êxtase.
OM SHAPTA BENZ HUM HUM PHAT

Todos os odores que existem por todos os infinitos reinos
Transformam-se e surgem como deusas
Que preenchem todas as direções com deliciosas fragrâncias;
Essas Gändhavajras, a ti eu as ofereço.
Pelo poder de todos os odores que existem,
Aparecendo como Gändhavajras,

Que eu receba grande êxtase imutável
E conclua a concentração suprema de vacuidade e êxtase.
OM GÄNDHE BENZ HUM HUM PHAT

Todos os sabores que existem por todos os infinitos reinos
Transformam-se e surgem como deusas,
Segurando vasos adornados com joias e repletos de néctar;
Essas Rasavajras, a ti eu as ofereço.
Pelo poder de todos os sabores que existem,
Aparecendo como Rasavajras,
Que eu receba grande êxtase imutável
E conclua a concentração suprema de vacuidade e êxtase.
OM RASE BENZ HUM HUM PHAT

Todas as sensações táteis que existem por todos os infinitos reinos
Transformam-se e surgem como deusas
Que cativam a mente com um toque supremamente macio;
Essas Parshavajras, a ti eu as ofereço.
Pelo poder de todas as sensações táteis que existem,
Aparecendo como Parshavajras,
Que eu receba grande êxtase imutável
E conclua a concentração suprema de vacuidade e êxtase.
OM PARSHE BENZ HUM HUM PHAT

Oferecer para-sóis

Com mil varetas de puro e brilhante ouro,
Adornados no topo por uma preciosa joia azul,
Cravejados de joias e cordões de pérolas;
Ofereço a ti esses para-sóis.
OM VAJRA TSATAMGA PARTITZA HUM SÖHA

Oferecer estandartes e estandartes da vitória

Com cabos de joias, tanto retos quanto flexíveis,
Adornados no topo com um vajra e uma lua,
Suas três linguetas de seda são atadas com pequenos sinos
Que repicam suavemente quando agitados pela brisa.

Formando três curvas em espiral
E adornados com lindas criaturas,
Esses estandartes da vitória sobre as forças negativas,
E outros mais, todos lindos, eu os ofereço a ti.
OM VAJRA KETU PRATANGI PARTITZA HUM SÖHA

Oferecer dosséis

Ofereço vastas nuvens de dosséis
Adornando o céu, feitos de tecidos de inestimável valor,
Com orlas pregueadas de variadas sedas
E emitindo uma fragrância de sândalo.
OM VAJRA BITANA PARTITZA HUM SÖHA

Oferecer os sete objetos preciosos

Feita do excelente ouro do rio Dzambu,
Possuindo mil raios que abrangem oitocentos quilômetros,
No alto do céu, como um segundo Sol,
Viajando milhares de quilômetros em um único dia,
Ela transporta quatro exércitos, pelos caminhos do espaço,
Aos quatro continentes e aos reinos celestiais.
Por minha oferenda a ti desta preciosa roda,
Que todos os seres vivos alcancem realizações de Dharma.
OM VAJRA CHAKRA RATNA PARTITZA HUM SÖHA

De todas as oito facetas dessa joia lazulita,
Luz se irradia por mais de uma centena de quilômetros
Para clarear a noite como se fosse dia
E aliviar aqueles acometidos por febre.
Ela destrói doenças e morte prematura
E satisfaz todos os desejos que vêm à mente.
Por minha oferenda a ti desta preciosa joia,
Que todos os seres vivos satisfaçam suas esperanças espirituais.
OM VAJRA MANI RATNA PARTITZA HUM SÖHA

Essa linda Senhora, tão agradável de se ver,
Cujo corpo e hálito têm a mais doce fragrância,

Que concede supremo êxtase a todos que toca
E dissipa a sede e a fome onde quer que reine,
Uma Senhora sem os cinco tipos de falhas
E dotada com as oito características especiais,
Por minha oferenda a ti desta preciosa rainha,
Que todos os seres vivos desfrutem de grande êxtase imaculado.
OM VAJRA TRI RATNA PARTITZA HUM SÖHA

Tendo desistido do não-Dharma e de prejudicar os outros,
Com conduta perfeita e isento de disputa,
Ele conhece os desejos dos senhores da terra
E os satisfaz sem ser solicitado.
Possui perfeita experiência em todas as questões e assuntos
Relativos às ações de todos os tipos de pessoas,
Por minha oferenda a ti deste precioso ministro,
Que todos os seres vivos realizem as intenções dos
Conquistadores.
OM VAJRA PARINI YAKA RATNA PARTITZA HUM SÖHA

Qual uma grande montanha nevada, com sete membros
E a força de mil elefantes,
Ele viaja ao redor do mundo três vezes em um único dia,
Tão sensato e cônscio, ele é conduzido por um fio.
Ele caminha com cuidado, de modo a não prejudicar os outros,
E conquista as forças hostis e antagônicas.
Por minha oferenda a ti deste precioso elefante,
Que todos os seres vivos sejam conduzidos pelo veículo
supremo.
OM VAJRA GADZE RATNA PARTITZA HUM SÖHA

Perfeitamente branco, como um lírio d'água,
Com uma preciosa coroa adornada de joias e outros ornamentos,
Ele é perfeito em cor, porte e forma
E pode viajar pelo mundo três vezes em um único dia.
Com um corpo brilhante, livre de enfermidades,
Ele pode ser montado sem nunca se cansar.
Por minha oferenda a ti deste precioso supremo cavalo,

Que todos os seres vivos tenham supremos poderes miraculosos.
OM VAJRA ASHÖ RATNA PARTITZA HUM SÖHA

Com provisões de riquezas que duram para sempre,
Preciosos diamantes, lápis-lazúli e safiras,
Ouro e prata e muitas joias raras
Abundantes em todas as direções,
Ele é inofensivo, honesto e sem falsidade ou engodo
E traz alegria ao coração de todos.
Por minha oferenda a ti deste precioso administrador,
Que todos os seres vivos reúnam e mantenham um tesouro de ensinamentos.
OM VAJRA GRIHAPATI RATNA PARTITZA HUM SÖHA

Oferenda interior

Agora, você deve espargir a oferenda interior abençoada, enquanto você recita:

OM Glorioso e sagrado Guru, tu és a natureza do corpo, fala, mente, feitos e qualidades de todos os Tathagatas dos três tempos e das dez direções, tu és a fonte de todas as oitenta e quatro mil classes de ensinamentos de Dharma, tu és o principal de todas as Sanghas superiores – a ti, faço esta oferenda.
OM AH HUM

Vajradharma, Senhor da família do oceano de Conquistadores,
Vajrayogini, suprema Mãe dos Conquistadores,
Naropa, poderoso Filho dos Conquistadores,
Ofereço a vós este puro néctar extasiante de substância-compromisso.
OM AH HUM

Pamtingpa, detentor das explicações dos grandes segredos para os discípulos,
Sherab Tseg, és um tesouro de todos os segredos preciosos,
Malgyur Lotsawa, senhor do oceano do Mantra Secreto,
Ofereço a vós este puro néctar extasiante de substância-compromisso.
OM AH HUM

Grande Lama Sakya, és o poderoso Vajradhara,
Venerável Sonam Tsemo, supremo filho-vajra,
Dragpa Gyaltsen, ornamento-coroa dos detentores do vajra,
Ofereço a vós este puro néctar extasiante de substância-compromisso.
OM AH HUM

Grande Pândita Sakya, mestre erudito da Terra das Neves,
Drogon Chogyel Pagpa, ornamento-coroa de todos os seres dos três solos,
Shangton Choje, detentor da doutrina Sakya,
Ofereço a vós este puro néctar extasiante de substância-compromisso.
OM AH HUM

Nasa Dragpugpa, o poderoso realizado,
Sonam Gyaltsen, navegador dos eruditos e supremamente realizados,
Yarlungpa, senhor da linhagem sussurrada da família dos realizados,
Ofereço a vós este puro néctar extasiante de substância-compromisso.
OM AH HUM

Gyalwa Chog, refúgio e protetor de todos os migrantes, eu e os outros,
Jamyang Namka, és um grande ser,
Lodro Gyaltsen, grande ser e senhor do Dharma,
Ofereço a vós este puro néctar extasiante de substância-compromisso.
OM AH HUM

Jetsun Doringpa, és inigualável em bondade,
Tenzin Losel, praticaste de acordo com as palavras [do Guru],
Kyentse, o expositor da grande, secreta linhagem de palavras,
Ofereço a vós este puro néctar extasiante de substância-compromisso.
OM AH HUM

Labsum Gyaltsen, detentor das famílias mântricas,
Glorioso Wangchug Rabten, senhor que-tudo-permeia e senhor da centena de famílias,
Jetsun Kangyurpa, principal das famílias,
Ofereço a vós este puro néctar extasiante de substância-compromisso.
OM AH HUM

Shaluwa, senhor que-tudo-permeia e senhor do oceano de mandalas,
Kyenrabje, principal de todos os mandalas,
Morchenpa, senhor do círculo de mandalas,
Ofereço a vós este puro néctar extasiante de substância-compromisso.
OM AH HUM

Nesarpa, navegador do oceano das linhagens sussurradas,
Losel Phuntsog, senhor das linhagens sussurradas,
Tenzin Trinlay, erudito que promoveu as linhagens sussurradas,
Ofereço a vós este puro néctar extasiante de substância-compromisso.
OM AH HUM

Kangyurpa, senhor que-tudo-permeia, sustentáculo da doutrina
Ganden,
Ganden Dargyay, amigo dos migrantes em tempos degenerados,
Dharmabhadra, detentor da tradição Ganden,
Ofereço a vós este puro néctar extasiante de substância-compromisso.
OM AH HUM

Losang Chopel, senhor dos Sutras e Tantras,
Concluíste a essência dos caminhos de todos os Sutras e Tantras,
Jigme Wangpo, erudito que promoveu os Sutras e Tantras,
Ofereço a vós este puro néctar extasiante de substância-compromisso.
OM AH HUM

Dechen Nyingpo, tens as bênçãos de Naropa
Para explicar, perfeitamente de acordo com Naropa,
A essência dos excelentes caminhos maturadores e libertadores
da Naro Dakini,
Ofereço a ti este puro néctar extasiante de substância-compromisso.
OM AH HUM

Losang Yeshe, Vajradhara,
És um tesouro de instruções sobre os [caminhos] maturadores
e libertadores da Rainha-Vajra,
O supremo caminho rápido para alcançar o estado vajra,
Ofereço a ti este puro néctar extasiante de substância-compromisso.
OM AH HUM

Kelsang Gyatso, concluíste todos os excelsos estados profundos
e essenciais,
És o compassivo Refúgio e Protetor dos seres sencientes-mães,
Revelas o caminho inequívoco,
Ofereço a ti este puro néctar extasiante de substância-compromisso.
OM AH HUM

Meu bondoso Guru-raiz, Vajradharma,
És a corporificação de todos os Conquistadores,
Que concedes as bênçãos da fala de todos os Budas,
Ofereço a ti este puro néctar extasiante de substância-compromisso.
OM AH HUM

Vós, a completa assembleia de gloriosos Gurus – raiz e linhagem –
Que revelais as instruções do caminho profundo
Das iniciações maturadoras e dos Tantras imaculados,
Ofereço a vós este puro néctar extasiante de substância-compromisso.
OM AH HUM

Vajrayogini, tu és meu Yidam,
Mesmo sem te moveres da verdade dos fenômenos, que permeia
o espaço,
Tu satisfazes o bem-estar dos seres vivos por meio de diversas
emanações,
Ofereço a ti este puro néctar extasiante de substância-compromisso.
OM AH HUM

E a todas vós, Deidades do mandala relacionadas às quatro grandes
classes de Tantra, faço esta oferenda.
OM AH HUM

OM GIRANDZA GIRANDZA KUMA KUMA KHUMTI SÖHA
A ti, Glorioso Pai-e-Mãe Senhor dos Solos Sepulcrais, juntamente
com teu séquito, faço esta oferenda.
OM AH HUM

A todos os Heróis, Heroínas, Protetores do Dharma, Dharmapalas,
guardiões direcionais, guardiões regionais e nagas,
Faço esta oferenda.
OM AH HUM

A todos os guardiões locais e a todos os seres sencientes
transformados na Deidade, faço esta oferenda.
OM AH HUM

OM AMRITA SÖDANA VAJRA SÖBHAWA ÄMAKO HAM
Todos os convidados são saciados por este néctar de excelsa
sabedoria.

Oferenda secreta e oferenda da talidade

A Venerável Vajrayogini entra em união com Chakrasambara, que se transformou a partir do khatanga dela, e êxtase espontâneo e vacuidade são gerados na mente de todos os convidados.

Oferendas mentalmente criadas

NAMO Pelas bênçãos da verdade dos fenômenos, as bênçãos das mentes completamente puras de todos os Budas e Bodhisattvas, a força do Mantra Secreto e do mudra, e pelo poder de minha aspiração, concentração e prece, que todos os diferentes tipos de oferenda neste mundo, tanto as que têm dono quanto as que não têm dono, juntamente com inconcebíveis nuvens de oferendas – como as emanadas pelo Bodhisattva Samantabhadra – apareçam e multipliquem-se diante dos Gurus, da Venerável Vajrayogini e sua assembleia de Deidades, e dos Budas e Bodhisattvas.

Com o mudra, recite:

OM SARWA BI, PURA PURA, SURA SURA, AWATAYA AWATAYA HO, NAMA SAMÄNTA BUDDHA NAM, ABHIMARAYE PARANA IMAM GA GA NA KAM DHARMADHATU AKASHA SAMÄNTAMAM, SARWA TATHAGATA APARI SHUDDHALE, MANDALE MAMA PARANITE, PUNYEGYANA WALEN SARWA TATHAGATA WALENTA BÄNDHA SÖTANA BALENZAYA SÖHA

Os oito versos de louvor à Mãe

OM NAMO BHAGAWATI VAJRA VARAHI BAM HUM HUM PHAT
OM NAMO ARYA APARADZITE TRE LOKYA MATI BIYE SHÖRI
HUM HUM PHAT

OM NAMA SARWA BUTA BHAYA WAHI MAHA VAJRE HUM HUM PHAT
OM NAMO VAJRA SANI ADZITE APARADZITE WASHAM KARANITRA HUM HUM PHAT
OM NAMO BHRAMANI SHOKANI ROKANI KROTE KARALENI HUM HUM PHAT
OM NAMA DRASANI MARANI PRABHE DANI PARADZAYE HUM HUM PHAT
OM NAMO BIDZAYE DZAMBHANI TAMBHANI MOHANI HUM HUM PHAT
OM NAMO VAJRA VARAHI MAHA YOGINI KAME SHÖRI KHAGE HUM HUM PHAT

Louvor extenso

Se desejar, você pode recitar o seguinte louvor extenso:

Respeitosamente, eu me prostro aos pés dos Gloriosos Gurus,
Os Senhores do Dharma, que detêm o tesouro da grande excelsa sabedoria,
E, com uma mente de fé, ofereço este breve louvor
A Vajrayogini, a Suprema Mãe dos Conquistadores.

No centro de um sol, sobre um lótus de oito pétalas,
Com uma face, duas mãos e três olhos flamejantes e dardejantes,
Uma venerável Senhora, vermelha como um rubi -
Eu me prostro à Dakini de Completo Deleite.

Para subjugar os seres com forte apego,
Tu te deleitas na dança não dual, espontânea,
Com o Glorioso Heruka, o Senhor do mundo -
Eu me prostro à Dakini unida no grande abraço.

Tua mente de grande êxtase incontaminado
Experiencia alegria insuperável, imutável e perfeita.
Ó Senhora, eternamente permeada com o sabor do êxtase -
Eu me prostro à Dakini de grande êxtase.

A esfera do espaço, a verdade dos fenômenos completamente pura,
livre de elaboração,
Embelezada por infinitas boas qualidades,
Ó Senhora, dotada com todas as características supremas –
Eu me prostro à Dakini livre de existência inerente.

Embora sejas naturalmente livre de concepção,
Tu satisfazes, devido a tua grande compaixão por todos os seres vivos,
Todos os desejos, qual uma joia-que-concede-desejos –
Eu me prostro à Dakini cheia de compaixão.

Tendo alcançado o solo do nirvana do não-permanecer,
Livre dos extremos do samsara e da paz solitária,
Trabalhas sem interrupção para ajudar os seres vivos –
Eu me prostro à incansável Dakini.

Pelo poder da inobservável compaixão,
Tu permaneces enquanto o samsara perdurar,
Sem passar para o estado do nirvana –
Eu me prostro à incessante Dakini.

Por meditar, em quatro sessões, no profundo caminho do estágio
de geração,
Com o significado das quatro iniciações e, depois, fazendo pedidos
respeitosos,
Que eu alcance o corpo-vajra, a inseparável união dos quatro
corpos;
Por favor, concede-me as bênçãos do corpo Dakini.

Pela recitação mental e verbal durante os três tempos,
Da coleção de letras do Mantra Secreto, que começa com três OMs,
Que eu alcance uma fala inexprimível, para além de todos os
sons nos três mundos;
Por favor, concede-me as bênçãos da fala Dakini.

Por empenhar-me na meditação do caminho do canal central
Dos estágios de conclusão das duas verdades perfeitas, que
purificam as duas obstruções,

Que eu alcance a mente de êxtase imutável que espontaneamente
realiza os dois propósitos;
Por favor, concede-me as bênçãos da mente Dakini.

Assim, por força de fazer estes louvores e pedidos,
Que eu seja cuidado por ti, Ó Grande Compassiva;
E nesta vida, na morte, no bardo ou o mais breve possível,
Que eu alcance o estado da magnífica Dakini.

RECEBER AS INICIAÇÕES

Como se a visse diretamente diante de você, enfoque a Venerável Vajrayogini, que é não dual com seu Guru-raiz {do praticante}, rodeada por incontáveis Heróis e Ioguines:

Ablução

"Assim como todos os Tathagatas concederam ablução
No momento do nascimento [de Buda],
Também nós, agora, concedemos ablução
Com a água pura dos deuses.

OM SARWA TATHAGATA ABHIKEKATA SAMAYA SHRIYE HUM"

Prove um pouco do néctar do vaso.

Oferecimento do mandala de solicitação

Contemple que você está oferecendo seu corpo e seus prazeres, juntamente com suas raízes de virtude, enquanto recita:

OM VAJRA BHUMI AH HUM
Grande e poderoso solo dourado,
OM VAJRA REKHE AH HUM
Na fronteira, a cerca férrea rodeia o círculo exterior.
No centro, Monte Meru, o rei das montanhas,
Em torno do qual há quatro continentes:
A leste, Purvavideha, ao sul, Jambudipa,
A oeste, Aparagodaniya, ao norte, Uttarakuru.
Cada um tem dois subcontinentes:

Deha e Videha, Tsamara e Abatsamara,
Satha e Uttaramantrina, Kurava e Kaurava.
A montanha de joias, a árvore-que-concede-desejos,
A vaca-que-concede-desejos e a colheita não semeada.
A preciosa roda, a preciosa joia,
A preciosa rainha, o precioso ministro,
O precioso elefante, o precioso supremo cavalo,
O precioso general e o grande vaso-tesouro.
A deusa da beleza, a deusa das grinaldas,
A deusa da música, a deusa da dança,
A deusa das flores, a deusa do incenso,
A deusa da luz e a deusa do perfume.
O sol e a lua, o precioso guarda-sol,
O estandarte da vitória em cada direção.
No centro, os tesouros tanto de deuses quanto de homens,
Uma coleção de excelências que nada exclui.
Ofereço isso a ti, meu bondoso Guru-Raiz, inseparável da Venerável
Senhora,
E, peço, concede-me tuas profundas bênçãos.
Por favor, aceita com compaixão pelos seres migrantes,
E, tendo aceito, por favor, concede-nos tuas bênçãos.

Ó Tesouro de Compaixão, meu Refúgio e Protetor,
Ofereço a ti a montanha, continentes, objetos preciosos, vaso-tesouro,
sol e lua,
Os quais surgiram dos meus agregados, fontes e elementos,
Como aspectos da excelsa sabedoria de êxtase espontâneo
e vacuidade.

Quando me tornar um puro recipiente
Pelos caminhos comuns, abençoa-me, para ingressar
Na essência da prática da boa fortuna,
O supremo veículo, Vajrayana.

IDAM GURU RATNA MANDALAKAM NIRYATAYAMI

Pedido

Recite o pedido abaixo três vezes:

Detentor do Vajra, meu Guru, que és como uma joia,
Por cuja bondade posso realizar
O estado de grande êxtase num instante,
A teus pés de lótus, humildemente me prostro.
Em ti, essência de todos os Budas,
Meu Guru-raiz, eu busco refúgio.

Ó Gloriosa Vajrayogini,
Rainha Dakini Chakravatin,
Que tens cinco sabedorias e três corpos,
A ti, Salvadora de todos, eu me prostro.
Ó Gloriosa Vajrayogini,
Peço-te, por favor, concede tuas bênçãos.

Contemple que, da Vajrayogini do mandala sindhura, surge outra Vajrayogini semelhante em aspecto e inseparável de seu Guru {do praticante}. Considere que ela agora executa as ações do Guru.

Colocar a fita sobre os olhos

Coloque a fita sobre os olhos.

OM CHAKYU BANDHA WARAMANAYE HUM

Receber a guirlanda de flores

Receba a guirlanda de flores.

AH KAM BIRA HUM

Afastar obstáculos exteriores

Contemple:

Incontáveis Khandarohis iradas emanam do mandala sindhura e expulsam para uma grande distância todos os espíritos maléficos e obstrutores que tentam me impedir de receber as profundas bênçãos.
OM KHANDAROHI HUM HUM PHAT

Purificar obstáculos interiores

Agora, prove a oferenda interior.

OM AH HUM
Meu corpo e minha mente são preenchidos com êxtase, e todos os obstáculos interiores são purificados.

Responder às perguntas

"Querido, quem és tu e o que procuras?"
Sou um Afortunado em busca de grande êxtase.

"Querido, por que procuras grande êxtase?"
Para cumprir o compromisso da suprema Budeidade.

Gerar a mente de todos os iogas

Sobre uma lua em meu coração, está um vajra branco em pé.
A lua e o vajra são da natureza da bodhichitta convencional e da bodhichitta última.

A Venerável Senhora toca seu coração {do praticante}, estabilizando essas mentes e abençoando-as, enquanto você recita:

OM SARWA YOGA TSITA UPATAYAMI
OM SURA TE SAMAYA TÖN HO: SIDDHI VAJRA YATA SUKAM

Prometer guardar segredo

A Venerável Senhora toca sua coroa {do praticante} com o vajra dela:

"Estás ingressando, agora, na linhagem de todas as Ioguines. Esses sagrados segredos de todas as Ioguines não devem ser mencionados por ti aos que não ingressaram no mandala de todas as Ioguines ou aos que não têm fé."

Imagine que você segura o vajra que está na mão de Vajrayogini e que você é, então, conduzido por ela perante a Vajrayogini que reside no centro do mandala.

DZA HUM BAM HO

Recitando isso, você ingressa na [família] exterior. Agora, para ingressar na [família] interior:

Tomar os votos bodhisattva

Pense que, diante de Vajrayogini, você gera bodhichitta e toma os votos bodhisattva, recitando três vezes a prece tântrica dos sete membros:

Busco refúgio nas Três Joias
E confesso todas e cada uma das minhas ações negativas.
Regozijo-me nas virtudes de todos os seres
E prometo realizar a iluminação de um Buda.

Até que eu me torne um ser iluminado, vou buscar refúgio
Em Buda, no Dharma e na Suprema Assembleia,
E, para cumprir todas as metas, as minhas e as dos outros,
Vou gerar a mente de iluminação.

Tendo gerado a mente de suprema iluminação,
Chamarei todos os seres sencientes para serem meus convidados
E irei me empenhar nas agradáveis, supremas práticas
da iluminação.
Que eu alcance a Budeidade para beneficiar os migrantes.

Venerável Vajrayogini

Tomar os votos tântricos – os dezenove compromissos das Cinco Famílias Búdicas

Recite três vezes:

Todos os Budas e vossos Filhos
E todos os Heróis e Dakinis,
Por favor, ouvi o que agora direi.
Doravante, até que eu alcance a essência da iluminação,
Eu, cujo nome é . . . ,
Irei gerar a insuperável e sagrada mente de iluminação,
Assim como todos os Conquistadores dos três tempos
Asseguraram sua própria iluminação dessa maneira.

Doravante, manterei os votos
Que vêm de Buda [Vairochana],
As insuperáveis Três Joias –
Buda, Dharma e Sangha.
Também manterei firmemente
Os três tipos de disciplina moral:
Treinar em disciplina pura, reunir Dharmas virtuosos
E beneficiar os seres vivos.

Manterei, perfeitamente,
O vajra, o sino e o mudra
Da excelente, suprema Família Vajra,
E confiarei em meu Guia Espiritual.

Observarei os agradáveis compromissos
Da excelente Família Ratna,
Por praticar continuamente os quatro tipos de dar,
Seis vezes todos os dias.

No que diz respeito à excelente e pura Família Pema,
Surgida da grande iluminação,
Manterei cada um dos Dharmas sagrados
Do veículo exterior, do veículo secreto e dos três veículos.

No que diz respeito à excelente, suprema Família Karma,
Manterei, perfeitamente,
Cada um de todos os votos que tomei
E farei tantas oferendas quanto possível.

Vou gerar a sagrada e insuperável mente de iluminação,
E, para o benefício de todos os seres vivos,
Manterei cada um de meus votos.

Resgatarei aqueles que não foram resgatados,
Libertarei aqueles que não foram libertados,
Darei fôlego aos incapazes de respirar
E conduzirei todos os seres ao estado além da dor.

Tomar os votos incomuns do Tantra-Mãe

Recite três vezes:

Eternamente, vou me refugiar
Em Buda, Dharma e Sangha.
Eternamente, vou me refugiar
Nos três veículos espirituais,
Nas realizações do Mantra Secreto,
Nas Dakinis, Heróis, Heroínas, Deidades Que-Concedem-Iniciação
E nos grandes seres, os Bodhisattvas,
Mas, acima de todos, vou me refugiar em ti, meu Guia Espiritual.

Ó Glorioso Heruka e todos os Heróis,
E todos vós, incontáveis Bodhisattvas,
Ioguines Nangdze e assim por diante,
Por favor, ouvi o que agora direi.

Deste momento em diante,
Até que eu permaneça em não-dualidade,
Manterei perfeitamente
As vinte e duas práticas puras da não-dualidade.

Visualizar a Ioguine interior

Raios de luz se irradiam do coração de Guru Vajrayogini e purificam minhas negatividades, obstruções e suas marcas, juntamente com meu corpo impuro, contaminado. Tudo isso se torna vacuidade. Do estado de vacuidade, do EH EH surge uma fonte-fenômenos vermelha no formato de um duplo tetraedro, dentro da qual, do AH, surge um mandala de lua branco com um sombreado vermelho. No centro do mandala de lua, está uma letra BAM vermelha rodeada por OM OM OM SARWA BUDDHA DAKINIYE VAJRA WARNANIYE VAJRA BEROTZANIYE HUM HUM HUM PHAT PHAT PHAT SÖHA – um rosário de mantra vermelho em pé, disposto em sentido anti-horário. Deles, raios de luz se irradiam, fazem oferendas aos seres superiores e realizam o bem-estar dos seres sencientes. Recolhendo-se, os raios de luz se transformam em um lótus de oito pétalas de várias cores, com um mandala de sol em seu centro. Sobre ele, eu surjo na forma da Venerável Vajrayogini. Minha perna direita, esticada, pisa sobre o peito da vermelha Kalarati. Minha perna esquerda, dobrada, pisa sobre a cabeça de Bhairawa negro, vergada para trás. Tenho um corpo vermelho, que resplandece com o brilho igual ao do fogo do éon. Tenho uma face, duas mãos e três olhos, e meu olhar está voltado para a Terra Pura das Dakinis. Minha mão direita, esticada e apontando para baixo, segura uma faca curva marcada com um vajra. Minha mão esquerda segura, ao alto, uma cuia de crânio repleta de sangue, que compartilho e bebo com a boca voltada para o alto. Meu ombro esquerdo sustenta um khatanga marcado com um vajra, e do khatanga pendem um damaru, um sino e um triplo estandarte. Meus cabelos, pretos e soltos, cobrem minhas costas até a cintura. Na flor de minha juventude, meus desejáveis seios são fartos e mostro como gerar êxtase. Minha cabeça está adornada com cinco crânios humanos, e uso um colar de cinquenta crânios humanos. Nua, estou adornada com cinco mudras, e estou em pé no centro de um fogo flamejante de excelsa sabedoria.

No meu umbigo, do EH EH surge uma fonte-fenômenos vermelha no formato de um duplo tetraedro, dentro da qual, do AH, surge um mandala de lua, no centro do qual está uma letra BAM vermelha. Excetuando os ângulos da frente e de trás, os demais estão marcados por um torvelinho-rosa de alegria, a rodopiar em sentido anti-horário.

Agora, faça pedidos, por meio de recitar três vezes a seguinte prece:

Ó Precioso Guru, por favor, concede-me todas as aquisições do corpo, fala, mente, feitos e qualidades de todos os Tathagatas, assim como cada uma das aquisições mundanas e supramundanas. Por favor, estabiliza essas aquisições.

Recite o mantra tri-OM e engula o tinglo.

Do coração da Venerável Senhora a minha frente, surge uma Venerável Senhora semelhante a ela, do tamanho de apenas um polegar. Ela entra por minha boca e dança tal qual um relâmpago, desde a coroa de minha cabeça até a sola de meus pés. Por fim, ela se dissolve na letra BAM em meu umbigo. O BAM se transforma totalmente e, ali, surge um lótus de oito pétalas de várias cores, com um mandala de sol em seu centro. Sobre ele, surge a Venerável Vajrayogini. A perna direita dela, esticada, pisa sobre o peito da vermelha Kalarati. A perna esquerda, dobrada, pisa sobre a cabeça de Bhairawa negro, vergada para trás. Ela tem um corpo vermelho, que resplandece com o brilho igual ao do fogo do éon. Tem uma face, duas mãos e três olhos, e seu olhar está voltado para a Terra Pura das Dakinis. A mão direita dela, esticada e apontando para baixo, segura uma faca curva marcada com um vajra. A mão esquerda segura, ao alto, uma cuia de crânio repleta de sangue, que ela compartilha e bebe com a boca voltada para o alto. O ombro esquerdo sustenta um khatanga marcado com um vajra, e do khatanga pendem um damaru, um sino e um triplo estandarte. Os cabelos, pretos e soltos, cobrem suas costas até a cintura. Na flor da juventude, seus desejáveis seios são fartos e ela mostra como gerar êxtase. A cabeça está adornada com cinco crânios humanos, e usa um colar de cinquenta crânios humanos. Nua, adornada com cinco mudras, ela está em pé no centro de um fogo flamejante de excelsa sabedoria.

Em lugares de meu corpo, surgem mandalas de lua, sobre os quais, em meu umbigo estão OM BAM vermelhos, Vajravarahi; em meu coração, HAM YOM azuis, Yamani; em minha garganta, HRIM MOM brancos, Mohani; em minha testa, HRIM HRIM amarelos, Sachalani; em minha coroa, HUM HUM verdes, Samtrasani; e em todos os meus membros, PHAT PHAT cor-de-fumaça, essência de Chandika.

Absorver as Ioguines exteriores

Contemple:

A Venerável Senhora a minha frente dança com deleite e proclama o som do mantra. Raios de luz se irradiam do coração dela e convidam todos os Budas e Bodhisattvas das dez direções, todos sob o aspecto da Venerável Vajrayogini.

Juntamente com incontáveis Vajrayoginis semelhantes que surgem do coração da Venerável Senhora a minha frente, todas se dissolvem na coroa de minha cabeça.

Recite o mantra tri-OM e toque o damaru e o sino.

Identificar a Dakini secreta

Contemple:

Meu canal central, vermelho e da espessura de uma flecha, vai do ponto entre minhas sobrancelhas até meu lugar secreto. Na extremidade inferior está um torvelinho-branco de alegria, do tamanho de apenas um grão de cevada. Rodopiando vigorosa e impetuosamente em sentido anti-horário, ele sobe até meu coração, fazendo com que meu corpo e mente sejam, por inteiro, permeados por êxtase.

Na extremidade superior, está um torvelinho-vermelho de alegria, do tamanho de apenas um grão de cevada. Rodopiando vigorosa e impetuosamente no sentido anti-horário, ele desce até meu coração, fazendo com que todas as aparências se dissolvam em vacuidade. Em meu coração, eles se misturam inseparavelmente, e o torvelinho de alegria, agora cor-de-rosa, rodopia vigorosa e impetuosamente em sentido anti-horário. Tornando-se cada vez menor, ele se dissolve na clara-luz-vacuidade.

DHU DHURA GUHYA SAMAYA, OM BAM, HAM YOM, HRIM MOM, HRIM HRIM, HUM HUM, PHAT PHAT

Então, para estabilizar, toque duas vezes sua coroa com o vajra, formando uma cruz, e recite:

TIKTRA VAJRA

Agora, ofereça a flor:

OM PRATITZA VAJRA HO

Agora, toque sua coroa com a flor:

OM PRATI GRIHANA TÖN IMAM SATTÖ MAHABALA

"Hoje, ó Gloriosa Ioguine,
Procuraste abrir teus olhos;
E, por abri-los, obtiveste
Olhos-vajra, que a tudo podem ver."

OM VAJRA NETRA APAHARA PATRA LAM HRIH

Remova a fita dos olhos.

HE VAJRA PASHÄ

Assim, você é exortado a olhar. Contemple:

Vejo claramente, por inteiro, o mandala sustentado e sustentador da Venerável Vajrayogini.

Isto conclui o ingresso no mandala.

Pedir as quatro iniciações

Para pedir a seu Guru as bênçãos das quatro iniciações, ofereça um mandala e, depois, recite três vezes:

Ó Gloriosa Ioguine, concessora de iniciações,
Radiante Protetora de todos os seres vivos,
Uma vez que és a fonte de todas as boas qualidades,
Peço a ti, agora, que me concedas tuas bênçãos.

Em um instante, eu surjo, diante do mandala, como a Venerável Vajrayogini. Estou em pé sobre um trono de leões, lótus e sol, e piso sobre Kalarati e Bhairawa. Acima de mim estão para-sóis; a minha direita, estandartes da vitória; a minha esquerda, os demais estandartes; e por toda a minha volta estão nuvens de oferendas.

Receber a iniciação-vaso

PHAIM
Raios de luz se irradiam da letra BAM no coração de Guru Vajrayogini e convidam as Deidades Que-Concedem-Iniciação, o mandala sustentado e sustentador do Glorioso Chakrasambara.

Ó, todos vós, Tathagatas, por favor, concedei a iniciação.

Solicitados desse modo, as oito Deusas dos portais afastam os impedimentos, os Heróis recitam versos auspiciosos, as Heroínas cantam canções-vajra, e as Rupavajras e as demais fazem oferendas. O Principal decide mentalmente conceder a iniciação, e as Quatro Mães, juntamente com Varahi, segurando vasos adornados com joias e repletos com os cinco néctares, conferem a iniciação pela coroa de minha cabeça.

Agora, recite os versos auspiciosos:

Ó Glorioso Heruka com teu corpo resplandecente,
Tu estremeces os três mundos com HA HA, o som de tua risada,

E confundes todos os demônios com HUM HUM PHAT PHAT.
Por favor, concede-me agora a auspiciosidade de Chakrasambara.

Teu corpo-mantra está unido a EVAM,
Tua fala é o jogo não dual de AHLIKALI,
Tua mente foi para a essência de ANG,
Por favor, concede-me agora a auspiciosidade de Vajravarahi.

"Assim como todos os Tathagatas concederam ablução
No momento do nascimento [de Buda],
Também nós, agora, concedemos ablução
Com a água pura dos deuses.

OM SARWA TATHAGATA ABHIKEKATA SAMAYA SHRIYE HUM TSATRA BIRA TÖN ABHIKINTZA MAM, KAKASE, ULUKASE, SHONASE, SHUKARASE, YAMADHATI, YAMADUTI, YAMADANGTRINI, YAMAMATANI BENZI BHAWA ABHIKINTZA HUM HUM"

Dizendo isso, elas concedem a iniciação. Meu corpo é preenchido por inteiro, todas as máculas são purificadas, e o excesso de água remanescente em minha coroa transforma-se em Vairochana--Heruka com a Mãe, os quais adornam minha coroa.

DZA HUM BAM HO As Deidades Que-Concedem-Iniciação se dissolvem pela coroa de minha cabeça.

Para que as Deidades permaneçam firmes, estáveis, recite:

OM SUPRA TIKTRA VAJRE YE SÖHA

Transmissão do mantra

Um rosário de mantra tri-OM surge da letra BAM no coração de Guru Vajrayogini. Saindo por sua boca, ele entra em minha boca e se dissolve na letra BAM em meu coração.

Enquanto contempla isso, recite o mantra tri-OM três vezes.

Transmissão da promessa

Recite três vezes:

Ó Guru Vajrayogini, por favor, ouve o que agora direi. Eu, cujo nome é ..., doravante, até que eu alcance a essência da iluminação, irei considerar-te, Venerável Vajrayogini, como minha Deidade pessoal para que eu alcance o estado Dakini. Recitarei o mantra tri-OM ... vezes, todos os dias.

Quando estiver fazendo a autoiniciação, não é necessário receber a transmissão da promessa. É suficiente imaginar intensamente que você irá considerar e manter a Venerável Senhora como sua Deidade pessoal e, então, recitar o seguinte:

Transmissão das bênçãos

Recite três vezes, enquanto você esparge flores ou grãos:

Ó Abençoado, que eu receba tuas bênçãos.
Por favor, concede-me tuas bênçãos.

Seu Guru também diz:

Ó Abençoado, que eles recebam tuas bênçãos. Ó Abençoado, por favor, concede tuas bênçãos. Que eles recebam todas as bênçãos do corpo, fala e mente da Venerável Vajrayogini.

Imagine que você coloca flores na coroa de sua cabeça. Agora, pegue um pouco de sindhura com seu dedo anular esquerdo e toque sua testa, garganta e coração, enquanto você recita o mantra tri-OM. Essa é a transmissão das bênçãos.

Agora, imagine que a Venerável Senhora diz:

Desse modo, recebeste a iniciação-vaso no mandala sobreposto de corpo. Todas as impurezas de teu corpo foram purificadas, recebeste bênçãos especiais que te habilitam a meditar nos onze iogas do estágio de geração, e terás a boa fortuna de alcançar o Corpo-Emanação resultante.

Receber a iniciação secreta

Visualize o seguinte:

Todos os Tathagatas das dez direções entram em união com a Ioguine, e as gotas da bodhichitta deles caem na cuia de crânio. A Venerável Senhora pega essas gotas e as coloca em minha língua.

Enquanto você recita o mantra tri-OM, pegue, com seu dedo anular esquerdo, um pouco do néctar da cuia de crânio a sua frente, e o coloque em sua língua. Contemple:

Eu experiencio essas gotas fluindo por minha garganta. Elas se misturam inseparavelmente com a bodhichitta nos canais de meu corpo e tornam-se um único sabor, como se estivessem se dissolvendo nos seres-de-compromisso. Os oitenta pensamentos conceituais se dissolvem na vacuidade, e gero em meu continuum uma concentração sustentada por grande êxtase e pela clareza da vacuidade.

Agora, imagine que a Venerável Senhora diz:

Desse modo, recebeste a iniciação secreta no mandala de néctar da fala. Todas as impurezas de tua fala foram purificadas, recebeste bênçãos especiais que te habilitam a meditar no caminho do canal central do estágio de conclusão, e terás a boa fortuna de alcançar o Completo Corpo-de-Deleite resultante.

Receber a iniciação mudra-sabedoria

Contemple:

Todos os Heróis das dez direções fundem-se em um só e transformam-se no Glorioso Heruka, em pé e em união com a Venerável Vajrayogini. Com a clareza de Vajrayogini, eu recebo suas gotas em meu lugar secreto.

Pegue, com a ponta do seu dedo anular esquerdo, um pouco de sindhura do mandala sindhura e toque seu umbigo, coração, garganta e testa, enquanto você recita o mantra tri-OM.

A bodhichitta em meu lugar secreto é trazida para cima, até meu umbigo. A roda-canal em meu umbigo é totalmente preenchida com bodhichitta, e experiencio a excelsa sabedoria da alegria.

A bodhichitta é trazida para o meu coração. A roda-canal em meu coração é totalmente preenchida, e experiencio a excelsa sabedoria da suprema alegria.

A bodhichitta é trazida para a minha garganta. A roda-canal em minha garganta é totalmente preenchida, e experiencio a excelsa sabedoria livre da [aparência de] alegria.

A bodhichitta é trazida para a minha coroa. A roda-canal em minha coroa é totalmente preenchida. Neste momento, meu corpo inteiro é permeado pelos canais; todos os canais são permeados pela bodhichitta; a bodhichitta é permeada por êxtase; o êxtase é permeado por vacuidade; e experiencio a alegria espontaneamente nascida, que é a união de êxtase e vacuidade.

Agora, pense que a Venerável Senhora diz:

Desse modo, recebeste a iniciação mudra-sabedoria no mandala sindhura da mente. Todas as impurezas de tua mente foram purificadas, recebeste bênçãos especiais que te habilitam a confiar no caminho de um mensageiro, e terás a boa fortuna de alcançar o Corpo-Verdade resultante.

Receber a iniciação da palavra

A Venerável Senhora a sua frente diz:

A natureza última dos fenômenos não tem coisa;
Como o espaço, ela é sem mácula.
Com o vajra da excelsa sabedoria da vacuidade,
Medita perfeitamente na vacuidade.

Contemple o significado do que segue:

Desde o princípio, a natureza última dos fenômenos não foi e não tem sido poluída sequer pela mais ínfima coisa verdadeiramente existente. Ela é como o espaço, completamente livre de todas as elaborações de existência e não-existência, permanência e aniquilação, samsara e nirvana. Necessariamente, desde o princípio, sua entidade não foi e não tem sido poluída pelas elaborações do apreendedor e do apreendido; portanto, ela é sem máculas. Assim é o objeto vacuidade. Com o objeto-possuidor – o vajra da excelsa sabedoria não dual, na qual toda aparência dual cessou – medita perfeitamente na vacuidade e irás gerar a união de grande êxtase em teu continuum.

Permaneça em equilíbrio meditativo nesse estado, por algum tempo. Agora, imagine que a Venerável Senhora diz:

Desse modo, recebeste a iniciação da preciosa palavra no mandala da bodhichitta última. Todas as impurezas de tuas três portas foram purificadas, recebeste bênçãos especiais que te habilitam a meditar no caminho da inconceptibilidade, e terás a boa fortuna de alcançar o Corpo-Natureza resultante.

Receber o compromisso

Agora, recite três vezes:

Farei tudo
O que o Principal disse.

E então, recite três vezes o seguinte:

Ofereço-me a ti
Para, de agora em diante, ser teu servidor;
Por favor, mantenha-me como teu discípulo
E desfruta até de minhas posses.

Oferecer o mandala de agradecimento

Agora, ofereça um mandala de agradecimento para o seu Guru, agradecendo a ele a bondade que teve por conceder as quatro iniciações:

OM VAJRA BHUMI AH HUM
Grande e poderoso solo dourado,
OM VAJRA REKHE AH HUM
Na fronteira, a cerca férrea rodeia o círculo exterior.
No centro, Monte Meru, o rei das montanhas,
Em torno do qual há quatro continentes:
A leste, Purvavideha, ao sul, Jambudipa,
A oeste, Aparagodaniya, ao norte, Uttarakuru.
Cada um tem dois subcontinentes:
Deha e Videha, Tsamara e Abatsamara,
Satha e Uttaramantrina, Kurava e Kaurava.
A montanha de joias, a árvore-que-concede-desejos,
A vaca-que-concede-desejos e a colheita não semeada.
A preciosa roda, a preciosa joia,
A preciosa rainha, o precioso ministro,
O precioso elefante, o precioso supremo cavalo,
O precioso general e o grande vaso-tesouro.
A deusa da beleza, a deusa das grinaldas,
A deusa da música, a deusa da dança,
A deusa das flores, a deusa do incenso,
A deusa da luz e a deusa do perfume.
O sol e a lua, o precioso guarda-sol,
O estandarte da vitória em cada direção.
No centro, os tesouros tanto de deuses quanto de homens,
Uma coleção de excelências que nada exclui.
Ofereço isso a ti, meu bondoso Guru-Raiz, inseparável da Venerável Senhora,
E agradeço-te por conceder-me a bondade de tuas profundas bênçãos.
Por favor, aceita com compaixão pelos seres migrantes,
E tendo aceito, por favor, concede-nos tuas bênçãos.

O chão espargido com perfume e salpicado de flores,
A Grande Montanha, quatro continentes, sol e lua,
Percebidos como Terra de Buda e assim oferecidos.
Que todos os seres desfrutem dessas Terras Puras.

Em resumo, que eu nunca esteja separado de ti, Venerável Guru
Dakini,
Mas fique sempre sob teus cuidados,
E, por concluir rapidamente os solos e caminhos,
Que eu alcance o magnífico estado Dakini.

IDAM GURU RATNA MANDALAKAM NIRYATAYAMI

CONCLUSÃO

Em terceiro lugar, há as etapas de finalização desta prática. Primeiramente, as tormas.

Abençoar as tormas

OM KHANDAROHI HUM HUM PHAT
OM SÖBHAWA SHUDDHA SARWA DHARMA SÖBHAWA
SHUDDHO HAM
Tudo se torna vacuidade.

Do estado de vacuidade, do YAM vem vento; do RAM vem fogo; do AH, um tripé de três cabeças humanas. Sobre ele, do AH aparece uma ampla e vasta cuia de crânio. Dentro dela, do OM, KHAM, AM, TRAM, HUM vêm os cinco néctares; e do LAM, MAM, PAM, TAM, BAM vêm as cinco carnes, cada qual marcado por uma das letras. O vento sopra, o fogo arde e as substâncias dentro da cuia de crânio derretem e se fundem. Acima delas, do HUM surge um khatanga branco de cabeça para baixo, que cai e se derrete na cuia de crânio, fazendo com que as substâncias assumam cor de mercúrio. Acima disso, três fileiras sobrepostas de vogais e consoantes transformam-se em OM AH HUM. Deles, raios de luz atraem o néctar de excelsa sabedoria do coração de todos os Tathagatas, Heróis e Ioguines das dez direções. Quando isso é adicionado, o conteúdo aumenta e se torna vasto.
OM AH HUM (3x)

Oferecer as tormas

De um HUM na língua de cada convidado, surge um vajra tridentado, através do qual os convidados compartilham da essência da torma, sorvendo-a por canudos de luz da espessura de apenas um grão de cevada.

Oferecer a torma principal

Ofereça a torma, enquanto você recita três ou sete vezes:

OM VAJRA AH RA LI HO: DZA HUM BAM HO: VAJRA DAKINI SAMAYA TÖN TRISHAYA HO

Oferecer a torma às Dakinis mundanas

Ofereça a torma, enquanto você recita duas vezes:

OM KHA KHA, KHAHI KHAHI, SARWA YAKYA RAKYASA, BHUTA, TRETA, PISHATSA, UNATA, APAMARA, VAJRA DAKA, DAKI, NÄDAYA, IMAM BALING GRIHANTU, SAMAYA RAKYANTU, MAMA SARWA SIDDHI METRA YATZANTU, YATIPAM, YATETAM, BHUDZATA, PIWATA, DZITRATA, MATI TRAMATA, MAMA SARWA KATAYA, SÄDSUKHAM BISHUDHAYE, SAHAYEKA BHAWÄNTU, HUM HUM PHAT PHAT SÖHA

Oferendas exteriores

OM VAJRA YOGINI SAPARIWARA AHRGHAM, PADÄM, PUPE, DHUPE, ALOKE, GÄNDHE, NEWIDE, SHAPTA AH HUM

Oferenda interior

OM VAJRA YOGINI SAPARIWARA OM AH HUM

Louvor

Ó Gloriosa Vajrayogini,
Rainha Dakini Chakravatin,
Que tens cinco sabedorias e três corpos,
A ti, Salvadora de todos, eu me prostro.

Às muitas Dakinis Vajra,
Que, como Senhoras das ações mundanas,
Cortais nossas amarras aos preconceitos,
A todas vós, Senhoras, eu me prostro.

Prece para contemplar a linda face de Vajrayogini

Êxtase e vacuidade de infinitos Conquistadores que, como num drama,
Aparecem como tantas diferentes visões no samsara e no nirvana;
Dentre todas, tu és agora a bela e poderosa Senhora da Terra Dakini,
Lembro-me sinceramente de ti; por favor, cuida de mim com teu divertido abraço.

Dos Conquistadores em Akanishta, tu és a mãe espontaneamente nascida,
És as Dakinis nascidas em campo nos 24 lugares;
Tu és os mudras-ação que cobrem toda a terra,
Ó Venerável Senhora, és o supremo refúgio para mim, o iogue.

Tu que és a manifestação da vacuidade da mente, ela própria,
És o efetivo BAM, a esfera do EH, na cidade do vajra.
Na terra da ilusão, mostra-te como uma terrível canibal
E como uma sorridente, vibrante e encantadora jovem senhora.

Mas, por mais que tenha procurado, ó Nobre Senhora,
Não pude encontrar certeza alguma de que és verdadeiramente existente.
Então, a juventude da minha mente, exausta por suas elaborações,
Veio para repousar no abrigo da floresta, que está além de toda e qualquer expressão.

Que maravilhoso, por favor, surge da esfera do Dharmakaya
E cuida de mim pela verdade do que é dito
No glorioso Heruka, Rei dos Tantras –
Que aquisições vêm de recitar o supremo mantra-essência--aproximador da Rainha-Vajra.

Na isolada floresta de Odivisha,
Tu cuidaste de Vajra Ghantapa, o poderoso Siddha,
Que, com o êxtase do teu beijo e abraço, veio a desfrutar do abraço supremo.
Ó, por favor, cuida de mim da mesma maneira.

Assim como o Venerável Kusali foi diretamente levado
De uma ilha no Ganges à esfera do espaço,
E, assim como cuidaste do glorioso Naropa,
Por favor, leva-me também à cidade da alegre Dakini.

Pela força da compaixão de meus supremos Guru-raiz e Gurus-linhagem,
Pelo caminho especialmente profundo e rápido do magnífico Tantra último e secreto
E pela pura intenção superior, minha, o iogue,
Possa eu logo contemplar tua sorridente face, ó alegre Senhora Dakini.

Pedir a satisfação dos desejos

Ó Venerável Vajrayogini, por favor, conduz a mim e a todos os seres sencientes à Terra Pura das Dakinis. Por favor, concede-nos cada uma das aquisições mundanas e supramundanas.

Oferecer a torma ao Senhor dos Solos Sepulcrais

Agora, é necessário oferecer a torma ao Pai-e-Mãe Senhor dos Solos Sepulcrais [Kinkara]. Primeiramente, abençoe a torma por meio de recitar três vezes:

OM AH HUM HA HO HRIH

Raios de luz se irradiam da letra BAM em meu coração e convidam o Glorioso Pai-e-Mãe Senhor dos Solos Sepulcrais, juntamente com seus séquitos, para virem de Ogyen – o palácio das Dakinis, situado no oeste. Eles partilham de toda a essência da torma, sorvendo-as com suas línguas, que são canudos de luz-vajra.

OM GIRANDZA GIRANDZA KUMA KUMA KHUMTI SÖHA SHRI SHAMASHANA ADHIPATI MAHA PISHATZI BALIMTA KHA KHA KHAHI KHAHI (3x)

OM SHRI SHAMASHANA ADHIPATI MAHA PISHATZI AHRGHAM, PADÄM, PUPE, DHUPE, ALOKE, GÄNDHE, NEWIDE, SHAPTA AH HUM

OM GIRANDZA GIRANDZA KUMA KUMA KHUMTI SÖHA
OM AH HUM

Louvor

HUM
Louvo o Senhor dos Solos Sepulcrais –
Todos os feitos das mentes dos Conquistadores
Assumindo uma forma aterrorizante
Para domar todos os espíritos e satisfazer todos os desejos.

Pelo louvor e oferendas que faço a ti,
Por favor, cumpre teus compromissos aos quais te determinaste,
E concede-me todas as aquisições
Exatamente como solicitei.

Oferecer a torma aos Protetores do Dharma em geral

OM AH HUM HA HO HRIH (3x)

HUM
Do teu puro palácio de grande êxtase em Akanishta,
Grande poderoso que emana do coração de Vairochana,
Dorje Gur, chefe soberano de todos os Protetores da doutrina,
Ó glorioso Mahakala, por favor, vem a nós e compartilha desta oferenda e torma.

De Yongdui Tsel e do palácio de Yama
E do lugar supremo de Devikoti em Jambudipa,
Namdru Remati, principal Senhora do reino do desejo,
Ó Palden Lhamo, por favor, vem a nós e compartilha desta oferenda e torma.

Do mandala da esfera bhaga de aparência e existência,
Mãe Yingchugma, principal Senhora de todo o samsara e nirvana,
Chefe de Dakinis e demônios, feroz protetora dos mantras,
Ó Grande Mãe Ralchigma, por favor, vem a nós e compartilha desta oferenda e torma.

De Silwa Tsel e Haha Gopa,
De Singaling e da montanha nevada de Ti Se,
E de Darlungne e Kaui Dragdzong,
Ó Zhingkyong Wangpo, por favor, vem a nós e compartilha desta oferenda e torma.

Dos oito solos sepulcrais e de Risul no sul,
De Bodhgaya e do glorioso Samye,
E de Nalatse e do glorioso Sakya,
Ó Legon Pomo, por favor, vem a nós e compartilha desta oferenda e torma.

Dos solos sepulcrais de Marutse no nordeste,
Das colinas vermelhas e rochosas de Bangso na Índia
E dos lugares supremos de Darlung Dagram e assim por diante,
Ó Yakya Chamdrel, por favor, vem a nós e compartilha desta oferenda e torma.

Especialmente de Odiyana, Terra das Dakinis,
E de tua morada natural,
Completamente rodeado por Dakinis mundanas e supramundanas,
Ó Pai-e-Mãe Senhor dos Solos Sepulcrais, por favor, vem a nós e compartilha desta oferenda e torma.

Dos lugares supremos, como Tushita, Keajra e assim por diante,
Grande Protetor da doutrina do segundo Conquistador,
Dorje Shugden, Cinco Linhagens, juntamente com vossos séquitos,
Por favor, vinde a nós e compartilhai desta oferenda e torma.

Peço e faço oferendas a vós, ó Hoste de Protetores da doutrina do Conquistador,
Eu vos propicio e confio em vós, ó Grandes Protetores das palavras do Guru,
Clamo a vós e rogo, ó Hoste de Destruidores dos obstrutores dos iogues,
Por favor, vinde a nós rapidamente e compartilhai desta oferenda e torma.

Kinkara

Ofereço uma torma adornada com carne vermelha e sangue.
Ofereço bebidas alcoólicas, néctares medicinais e sangue.
Ofereço o som de grandes tambores, trombetas de fêmur e címbalos.
Ofereço grandes flâmulas de seda negra, que ondulam como nuvens.

Ofereço atrações surpreendentemente belas, semelhantes ao espaço.
Ofereço cantos fortes que são poderosos e melodiosos.
Ofereço um oceano de substâncias-compromisso exteriores, interiores e secretas.
Ofereço o jogo da excelsa sabedoria de êxtase e vacuidade inseparáveis.

Protegei a preciosa doutrina de Buda.
Aumentai o renome das Três Joias.
Levai adiante os feitos dos gloriosos Gurus,
E satisfazei quaisquer pedidos que eu vos faça.

Neste ponto, a oferenda-tsog é feita de acordo com os rituais da sadhana de autogeração (páginas 378-385)

Oferenda de agradecimento

OM KHANDAROHI HUM HUM PHAT
OM SÖBHAWA SHUDDHA SARWA DHARMA SÖBHAWA SHUDDHO HAM
Tudo se torna vacuidade.

Do estado de vacuidade, do KAM vêm vasilhas de crânio, dentro das quais, do HUM surgem substâncias de oferenda. Por sua natureza, vacuidade, cada uma delas tem o aspecto individual de uma das substâncias de oferenda, e servem como objetos de prazer dos seis sentidos para proporcionar especial êxtase incontaminado.

OM AHRGHAM AH HUM
OM PADÄM AH HUM
OM VAJRA PUPE AH HUM
OM VAJRA DHUPE AH HUM
OM VAJRA ALOKE AH HUM
OM VAJRA GÄNDHE AH HUM
OM VAJRA NEWIDE AH HUM
OM VAJRA SHAPTA AH HUM

Dorje Shugden

Oferendas exteriores

OM VAJRA YOGINI SAPARIWARA AHRGHAM, PADÄM, PUPE, DHUPE, ALOKE, GÄNDHE, NEWIDE, SHAPTA AH HUM

Oferenda interior

OM VAJRA YOGINI SAPARIWARA OM AH HUM

Os oito versos de louvor à Mãe

OM Prostro-me a Vajravarahi, a Mãe Abençoada HUM HUM PHAT
OM À Superior e poderosa Senhora do Saber, inconquistada pelos três reinos HUM HUM PHAT
OM A ti, que destróis todos os medos de espíritos maléficos com teu grande vajra HUM HUM PHAT
OM A ti, com olhos controladores, que permaneces como o assento-vajra inconquistado por outros HUM HUM PHAT
OM A ti, cuja feroz forma irada desseca Brahma HUM HUM PHAT
OM A ti, que aterrorizas e exterminas demônios, conquistando aqueles de outras direções HUM HUM PHAT
OM A ti, que conquistas todos os que nos tornam obtusos, rígidos e confusos HUM HUM PHAT
OM Curvo-me a Vajravarahi, a Grande Mãe, a consorte Dakini que satisfaz todos os desejos HUM HUM PHAT

Louvor

Ó Gloriosa Vajrayogini,
Rainha Dakini Chakravatin,
Que tens cinco sabedorias e três corpos,
A ti, Salvadora de todos, eu me prostro.

Às muitas Dakinis Vajra,
Que, como Senhoras das ações mundanas,
Cortais nossas amarras aos preconceitos,
A todas vós, Senhoras, eu me prostro.

Dedicatória breve

Por essa virtude, que eu rapidamente
Realize a verdadeira, efetiva Dakini
E, então, conduza cada ser vivo,
Sem exceção, a esse solo.

Pedir a satisfação dos desejos

Agora, com as palmas das mãos unidas, recite:

Ó Venerável Vajrayogini, por favor, conduz a mim e a todos os seres sencientes à Terra Pura das Dakinis. Por favor, concede-nos cada uma das aquisições mundanas e supramundanas. (3x)

Pedir indulgência

Agora, recite o mantra de cem letras de Heruka:

OM VAJRA HERUKA SAMAYA, MANU PALAYA, HERUKA TENO PATITA, DRIDHO ME BHAWA, SUTO KAYO ME BHAWA, SUPO KAYO ME BHAWA, ANURAKTO ME BHAWA, SARWA SIDDHI ME PRAYATZA, SARWA KARMA SUTZA ME, TZITAM SHRIYAM KURU HUM, HA HA HA HA HO BHAGAWÄN, VAJRA HERUKA MA ME MUNTSA, HERUKA BHAWA, MAHA SAMAYA SATTÖ AH HUM PHAT

Peça indulgência, recitando:

Quaisquer erros que eu tenha cometido
Por não encontrar, não entender
Ou não ter a habilidade,
Por favor, ó Protetor, sê paciente com tudo isso.

Dedicatória extensa

Agora, com uma mente estritamente focada, faça as seguintes preces tradicionais a Guru Vajrayogini, no espaço a sua frente:

Assim, pelo poder de meditar corretamente nos excelentes
caminhos maturadores e libertadores
Da poderosa Senhora da Terra Dakini, a Mãe dos Conquistadores,
Que eu esteja sempre sob o cuidado amoroso
Do perfeito Guru, a fonte de aquisições.

Na grande embarcação de liberdade e dote,
Hasteada a vela branca da contínua-lembrança da impermanência
E soprada pelo vento favorável de aceitar e abandonar ações e efeitos,
Que eu seja libertado do terrível e assustador oceano do samsara.

Por vestir a armadura da grande mente de iluminação,
Motivado por compaixão pelos seres vivos, minhas mães,
Que eu ingresse no oceano dos feitos de um Bodhisattva
E, assim, me torne um recipiente adequado para as iniciações
maturadoras.

Pela bondade do qualificado Detentor do Vajra,
Eu desfruto do néctar das iniciações do Tantra Ioga Supremo
E das bênçãos da Venerável Senhora;
Por esse modo, que eu me torne um recipiente adequado para
a meditação nos caminhos libertadores.

Por proteger, como se fossem meus próprios olhos,
Os votos e compromissos assumidos naquela ocasião,
E por praticar os iogas de dormir, de acordar e de experimentar
néctar,
Que minhas três portas se envolvam nas três alegrias.

Confiando na joia-coroa dos objetos não enganosos de refúgio,
Tomando sobre mim a responsabilidade do grande propósito
dos migrantes – minhas mães –
E limpando minhas máculas e falhas com o néctar de Vajrasattva,
Que eu seja cuidado pelos compassivos, Veneráveis Gurus.

A bela Mãe dos Conquistadores é a Ioguine exterior,
A letra BAM é a suprema Rainha-Vajra interior,

A clareza e a vacuidade da mente, ela própria, é a secreta Mãe
Dakini;
Que eu desfrute o divertimento de ver a natureza própria
de cada uma.

Que eu conclua o ioga de gerar-me como a Deidade,
O maravilhoso método para trazer os três corpos para o caminho,
As três bases a serem purificadas – a morte, o bardo e o
renascimento –
E o método supremo para amadurecer as realizações do caminho
e do resultado.

O ambiente mundano é a mansão celestial da letra EH,
E seus habitantes – os seres sencientes – são as Ioguines da letra BAM;
Pela concentração do grande êxtase da união deles,
Que qualquer aparência que surja seja uma aparência pura.

Visualizando os canais e elementos interiores como as trinta e sete
Deidades;
Absorvendo todos os fenômenos do samsara e do nirvana na
natureza dos três mensageiros;
E vestindo a armadura dos mantras –
Que eu nunca seja perturbado por obstáculos externos ou internos.

Por meio da recitação verbal e mental estritamente focada
No rosário de mantra na roda-emanação e na roda-do-Dharma,
E por meio dos dois mensageiros do estágio de conclusão que
surgem nesse momento,
Que eu gere a excelsa sabedoria de espontâneo êxtase e vacuidade.

Quando, pelas luzes fisgadoras que se irradiam da letra BAM
e do rosário de mantra,
Todos os três reinos e seus seres se converterem em luz e se
dissolverem em mim,
E quando eu também me dissolver, por etapas, na vacuidade,
Que minha mente permaneça na esfera de êxtase e vacuidade.

Quando, desse estado, eu surgir como a Deidade, marcada pela armadura,
Protegida de todos os obstáculos pelo som irado das fronteiras,
Que toda aparência surja como os três segredos da Deidade
E que eu conclua o ioga das ações diárias e suas ramificações.

Assim, pelos iogas [que enumeram] as direções e a lua,
Que eu seja, por fim, conduzido diretamente à cidade dos Detentores do Saber
Pela Senhora de alegria, cor-de-coral,
De cabelos ruivos livremente soltos e dardejantes olhos alaranjados.

Tendo praticado num local de cadáveres, com sindhura e uma haste de langali
E tendo vagado por terras afora,
Que a linda Senhora a quem o torvelinho de minha testa se transferir
Conduza-me à Terra das Dakinis.

E, se eu não for libertado nesta vida,
Que a alegre Senhora da Terra Dakini me tome, então, sob seus cuidados -
Quer no bardo quer em poucas vidas -
Devido à força de meu esforço estritamente focado em meditação, recitação, e assim por diante.

Quando, movida por poderosos ventos, minha mente - na forma da letra BAM -
Deixar meu canal central pela porta de Brahma,
Que eu alcance libertação imediata pelo caminho transcendente
De misturar-se com a mente de êxtase e vacuidade da Mãe dos Conquistadores.

Quando a Varahi interior tiver destruído a videira escandente do apreendedor e do apreendido,
E a Senhora dançante, que reside no meu supremo canal central,

Tiver emergido pela porta de Brahma para a esfera do caminho de nuvens,
Que ela se una em abraço e brinque com o Herói, Bebedor de Sangue.

Pelo ioga de unificar [os dois ventos], meditando de modo estritamente focado
Na minúscula semente dos cinco ventos no lótus do meu umbigo,
Que meu continuum mental seja saciado pelo supremo êxtase
Que vem das perfumadas gotas permeando os canais do meu corpo-mente.

Quando, pelo brincar risonho e alegre da bela Senhora
De luz tummo ardente dentro do meu canal central,
A jovem letra HAM tiver sido completamente amolecida,
Que eu alcance o solo do grande êxtase da união.

Quando o RAM negro-avermelhado, que reside no centro dos três canais no meu umbigo,
Tiver sido inflamado por meus ventos superiores e inferiores
E seu fogo purificador tiver consumido os setenta e dois mil elementos impuros,
Que o meu canal central seja completamente preenchido com gotas puras.

Quando a gota de cinco cores entre minhas sobrancelhas tiver ido para a minha coroa,
E o fluxo de líquido-lua dela originado
Tiver alcançado o estame do meu lótus secreto,
Que eu seja saciado pelas quatro alegrias do descer e ascender.

Quando, por serem tocados pelos raios de cinco luzes que se irradiam dessa gota,
Todos os fenômenos estáveis e móveis, meu corpo, e assim por diante,

Tiverem sido transformados numa massa de brilhantes e claros arco-íris,
Que eu ingresse uma vez mais na morada natural, a esfera de êxtase e vacuidade.

Quando a Ioguine da minha própria mente, a união além do intelecto,
O estado primordial de vacuidade e clareza inexprimíveis,
A natureza original - livre de surgir, cessar e permanecer -
Reconhecer sua própria entidade, que eu seja para sempre nutrido.

Quando os meus canais, ventos e gotas tiverem se dissolvido na esfera de EVAM,
E a mente, ela própria, tiver alcançado a glória do Corpo-Verdade de grande êxtase,
Que eu cuide desses migrantes, tão extensos como o espaço,
Com incomensuráveis manifestações de incontáveis Corpos-Forma.

Em resumo, que eu nunca esteja separado de ti, Venerável Guru Dakini,
Mas fique sempre sob teus cuidados,
E, por concluir rapidamente os solos e caminhos,
Que eu alcance o magnífico estado Dakini.

Pelas bênçãos dos Conquistadores e de seus maravilhosos Filhos,
Pela verdade da relação-dependente não enganosa
E pelo poder e força de minha pura intenção superior,
Que todos os pontos de minhas sinceras preces se realizem.

Pedir à Deidade que permaneça

Se você tem uma imagem (estátua ou figura), recite:

Por favor, permanece aqui, inseparável desta imagem,
Para o bem de todos os seres vivos;
Por favor, concede-nos vidas longas, saudáveis e prósperas,
E confere-nos as aquisições supremas.
OM SUPRA TIKTRA VAJRE YE SÖHA

Pedir à Deidade que retorne no futuro

Se você não tem uma imagem, então recite:

Tu, que satisfazes o bem-estar de todos os seres vivos,
E concedes aquisições conforme sejam necessárias,
Por favor, regressa à Terra dos Budas,
E retorna novamente a este local no futuro.

VAJRA MU Os seres-de-sabedoria regressam as suas moradas naturais, os seres-de-compromisso dissolvem-se em mim, e os demais convidados regressam aos seus próprios locais.

Preces auspiciosas

Que haja a auspiciosidade de velozmente receber as bênçãos
Das hostes de gloriosos, sagrados Gurus,
Vajradhara, Pândita Naropa, e assim por diante,
Os gloriosos Senhores de toda virtude e excelência.

Que haja a auspiciosidade do Corpo-Verdade Dakini,
Perfeição de sabedoria, a suprema Mãe dos Conquistadores,
Clara-luz natural, desde o princípio livre de elaboração,
A Senhora que emana e reúne todas as coisas, estáveis e móveis.

Que haja a auspiciosidade do Perfeito Corpo-de-Deleite, espontaneamente nascido,
Um corpo radiante e belo, resplandecente com a glória das marcas maiores e menores,
Uma fala que proclama o supremo veículo, com sessenta melodias,
E uma mente de êxtase e clareza não conceituais, que possui as cinco excelsas sabedorias.

Que haja a auspiciosidade do Corpo-Emanação, nascido nos locais,
Senhoras que, com diversos Corpos-Forma em numerosos locais,
Realizam, por diversos meios, as metas dos muitos a serem domados,
De acordo com os seus numerosos desejos.

Que haja a auspiciosidade da suprema Dakini, nascida de mantra,
Uma Venerável Senhora com uma cor similar à de um rubi,
Com um modo sorridente e irado, uma face e duas mãos que
seguram faca curva e cuia de crânio,
E duas pernas, nas posições dobrada e esticada.

Que haja a auspiciosidade dos teus incontáveis milhões de
emanações,
E das hostes de setenta e duas mil [Dakinis],
Eliminando todas as obstruções dos praticantes
E concedendo as aquisições tão grandemente almejadas.

Preces pela Tradição Virtuosa

Para que a tradição de Je Tsongkhapa,
O Rei do Dharma, floresça,
Que todos os obstáculos sejam pacificados
E todas as condições favoráveis sejam abundantes.

Pelas duas coleções, minhas e dos outros,
Reunidas ao longo dos três tempos,
Que a doutrina do Conquistador Losang Dragpa
Floresça para sempre.

Prece *Migtsema* de nove versos

Tsongkhapa, ornamento-coroa dos eruditos da Terra das Neves,
Tu és Buda Shakyamuni e Vajradhara, a fonte de todas as conquistas,
Avalokiteshvara, o tesouro de inobservável compaixão,
Manjushri, a suprema sabedoria imaculada,
E Vajrapani, o destruidor das hostes de maras.
Ó Venerável Guru Buda, síntese das Três Joias,
Com meu corpo, fala e mente, respeitosamente faço pedidos:
Peço, concede tuas bênçãos para amadurecer e libertar a mim
e aos outros,
E confere-nos as aquisições comuns e a suprema. (3x)

Cólofon: Esta sadhana, ou prece ritual, para obter as aquisições espirituais de Vajrayogini foi traduzida sob a compassiva orientação de Venerável Geshe Kelsang Gyatso Rinpoche. A estrofe dedicada a Venerável Geshe Kelsang Gyatso Rinpoche na *Oferenda interior* (página 439) foi escrita pelo Glorioso Protetor do Dharma, Duldzin Dorje Shugden, e incluída na sadhana a pedido dos fiéis e devotados discípulos de Geshe Kelsang. A estrofe dedicada a Dorje Shugden, em *Oferecer a torma aos Protetores do Dharma em geral* (página 467), foi escrita por Venerável Geshe Kelsang Gyatso Rinpoche e incluída na sadhana a pedido de seus fiéis e devotados discípulos.

Preliminares ao Retiro de Vajrayogini

por
Je Phabongkhapa

Venerável Vajrayogini

Preliminares ao Retiro de Vajrayogini

Buscar refúgio e gerar bodhichitta

Brevemente, comece buscando refúgio e gere a bodhichitta.

Autogeração instantânea

Em um instante, eu me torno a Venerável Vajrayogini.

Abençoar a oferenda interior

OM KHANDAROHI HUM HUM PHAT
OM SÖBHAWA SHUDDHA SARWA DHARMA SÖBHAWA
SHUDDHO HAM
Tudo se torna vacuidade.

Do estado de vacuidade, do YAM vem vento; do RAM vem fogo; do AH, um tripé de três cabeças humanas. Sobre ele, do AH aparece uma ampla e vasta cuia de crânio. Dentro dela, do OM, KHAM, AM, TRAM, HUM vêm os cinco néctares; e do LAM, MAM, PAM, TAM, BAM vêm as cinco carnes, cada qual marcado por uma das letras. O vento sopra, o fogo arde e as substâncias dentro da cuia de crânio derretem e se fundem. Acima delas, do HUM surge um khatanga branco de cabeça para baixo, que cai e se derrete na cuia de crânio, fazendo com que as substâncias assumam cor de mercúrio. Acima disso, três fileiras sobrepostas de vogais e consoantes transformam-se em OM AH HUM. Deles, raios de luz atraem o néctar de excelsa sabedoria do coração de

todos os Tathagatas, Heróis e Ioguines das dez direções. Quando isso é adicionado, o conteúdo aumenta e se torna vasto.
OM AH HUM (3x)

Gerar a água de limpeza

OM KHANDAROHI HUM HUM PHAT
OM SÖBHAWA SHUDDHA SARWA DHARMA SÖBHAWA SHUDDHO HAM
Tudo se torna vacuidade.

Do estado de vacuidade, do PAM surge um vaso branco adornado com joias e completo com todas as características essenciais, tais como um bojo grande, um gargalo longo, a borda da boca virada para baixo, e assim por diante.

OM DAB DE DAB DE MAHA DAB DE SÖHA

A água do vaso e a água do divino Ganges tornam-se inseparáveis. Sobre isso, do PAM surgem um lótus, um sol e um assento-cadáver, sobre o qual, de um PAM, surge uma faca curva marcada com um PAM. Disso, surge Khandarohi, que é vermelha, com uma face e duas mãos. Sua mão direita segura uma faca curva, e sua mão esquerda segura uma cuia de crânio. Na dobra de seu braço esquerdo, ela segura firmemente um khatanga. Está nua, com ornamentos de osso e cabelos livremente soltos. Sua cabeça está adornada com cinco crânios humanos, e usa um colar de cinquenta crânios humanos. Ela tem três olhos e está em pé, com o lado direito do seu corpo estendido.

Na coroa de Khandarohi está um OM; na garganta, um AH; e no coração, um HUM. Do HUM, no coração dela, raios de luz se irradiam e convidam, para que venham de suas moradas naturais, os seres-de-sabedoria – em aparência, semelhantes a ela – juntamente com as Deidades Que-Concedem-Iniciação.

PHAIM
DZA HUM BAM HO Eles se tornam não duais.

A iniciação é concedida pelas Deidades Que-Concedem-Iniciação, e a coroa de Khandarohi está adornada com Ratnasambhava.

Abençoar as oferendas exteriores

OM KHANDAROHI HUM HUM PHAT
OM SÖBHAWA SHUDDHA SARWA DHARMA SÖBHAWA
SHUDDHO HAM
Tudo se torna vacuidade.

Do estado de vacuidade, do KAM vêm vasilhas de crânio, dentro das quais, do HUM surgem substâncias de oferenda. Por sua natureza, vacuidade, cada uma delas tem o aspecto individual de uma das substâncias de oferenda, e servem como objetos de prazer dos seis sentidos para proporcionar especial êxtase incontaminado.

OM AHRGHAM AH HUM
OM PADÄM AH HUM
OM VAJRA PUPE AH HUM
OM VAJRA DHUPE AH HUM
OM VAJRA DIWE AH HUM
OM VAJRA GÄNDHE AH HUM
OM VAJRA NEWIDE AH HUM
OM VAJRA SHAPTA AH HUM

Isso abençoa as duas águas, flores, incenso, luzes, perfume, alimentos e música.

Oferendas exteriores

OM AHRGHAM PARTITZA SÖHA
OM PADÄM PARTITZA SÖHA
OM VAJRA PUPE AH HUM SÖHA
OM VAJRA DHUPE AH HUM SÖHA
OM VAJRA DIWE AH HUM SÖHA
OM VAJRA GÄNDHE AH HUM SÖHA
OM VAJRA NEWIDE AH HUM SÖHA
OM VAJRA SHAPTA AH HUM SÖHA

Oferenda interior

OM KHANDAROHI HUM HUM PHAT OM AH HUM

Louvor

Benzarahi, elemento fogo,
Por natureza, consciência-plena dos fenômenos,
Principal Dakini da Família Lótus,
A ti, Khandarohi, eu me prostro.

Agora, segure o fio de mantra e contemple:

O rosário de mantra, em meu coração, sai enrolando-se em torno do fio de mantra, e estimula a mente da Deidade dentro do vaso, fazendo com que raios de luz irradiem-se do coração dela. Os raios de luz invocam todas as bênçãos do corpo, fala e mente dos Budas e Bodhisattvas das dez direções, todas sob o aspecto de raios de luz e néctares. As luzes e néctares se dissolvem na Deidade no vaso, e correntes de néctar fluem do corpo dela e preenchem o vaso.

Contemplando isso, recite cem vezes:

OM KHANDAROHI HUM HUM PHAT

Recite o mantra de cem letras para purificar qualquer coisa que tenha sido adicionada ou omitida.

Oferendas exteriores

OM AHRGHAM PARTITZA SÖHA
OM PADÄM PARTITZA SÖHA
OM VAJRA PUPE AH HUM SÖHA
OM VAJRA DHUPE AH HUM SÖHA
OM VAJRA DIWE AH HUM SÖHA
OM VAJRA GÄNDHE AH HUM SÖHA
OM VAJRA NEWIDE AH HUM SÖHA
OM VAJRA SHAPTA AH HUM SÖHA

Oferenda interior

OM KHANDAROHI HUM HUM PHAT OM AH HUM

Louvor

Benzarahi, elemento fogo,
Por natureza, consciência-plena dos fenômenos,
Principal Dakini da Família Lótus,
A ti, Khandarohi, eu me prostro.

Pelo fogo do grande êxtase, a Deidade dentro do vaso se dissolve em luz e se torna um único sabor com a água do vaso, que é da natureza da bodhichitta.

Desse modo, a água de limpeza é gerada.

Oferecer a torma às Dakinis em geral

Abençoar a torma

OM KHANDAROHI HUM HUM PHAT
OM SÖBHAWA SHUDDHA SARWA DHARMA SÖBHAWA
SHUDDHO HAM
Tudo se torna vacuidade.

Do estado de vacuidade, do YAM vem vento; do RAM vem fogo; do AH, um tripé de três cabeças humanas. Sobre ele, do AH aparece uma ampla e vasta cuia de crânio. Dentro dela, do OM, KHAM, AM, TRAM, HUM vêm os cinco néctares; e do LAM, MAM, PAM, TAM, BAM vêm as cinco carnes, cada qual marcado por uma das letras. O vento sopra, o fogo arde e as substâncias dentro da cuia de crânio derretem e se fundem. Acima delas, do HUM surge um khatanga branco de cabeça para baixo, que cai e se derrete na cuia de crânio, fazendo com que as substâncias assumam cor de mercúrio. Acima disso, três fileiras sobrepostas de vogais e consoantes transformam-se em OM AH HUM. Deles, raios de luz atraem o néctar de excelsa sabedoria do coração de

todos os Tathagatas, Heróis e Ioguines das dez direções. Quando isso é adicionado, o conteúdo aumenta e se torna vasto.
OM AH HUM (3x)

Fazer o convite aos convidados da torma

Faça o mudra fulgurante e recite:

PHAIM
Raios de luz se irradiam da letra BAM no assento de lua em meu coração, e convidam os guardiões direcionais, guardiões regionais, nagas e assim por diante, que residem nos oito grandes solos sepulcrais. Eles vêm até as fronteiras nas oito direções, ingressam instantaneamente na clara-luz e surgem na forma da Venerável Vajrayogini. De um HUM branco na língua de cada convidado, surge um vajra branco tridentado, através do qual eles compartilham da essência da torma, sorvendo-a por canudos de luz da espessura de apenas um grão de cevada.

Oferecer a torma

Recite duas vezes:

OM KHA KHA, KHAHI KHAHI, SARWA YAKYA RAKYASA, BHUTA, TRETA, PISHATSA, UNATA, APAMARA, VAJRA DAKA, DAKI NÄDAYA, IMAM BALING GRIHANTU, SAMAYA RAKYANTU, MAMA SARWA SIDDHI METRA YATZANTU, YATIPAM, YATETAM, BHUDZATA, PIWATA, DZITRATA, MATI TRAMATA, MAMA SARWA KATAYA, SÄDSUKHAM BISHUDHAYE, SAHAYEKA BHAWÄNTU, HUM HUM PHAT PHAT SÖHA

Oferendas exteriores

OM AHRGHAM PARTITZA SÖHA
OM PADÄM PARTITZA SÖHA
OM VAJRA PUPE AH HUM SÖHA
OM VAJRA DHUPE AH HUM SÖHA
OM VAJRA DIWE AH HUM SÖHA

OM VAJRA GÄNDHE AH HUM SÖHA
OM VAJRA NEWIDE AH HUM SÖHA
OM VAJRA SHAPTA AH HUM SÖHA

Oferenda interior

Às bocas dos guardiões direcionais, guardiões regionais, nagas, e assim por diante, OM AH HUM

Pedidos

Vós, a completa reunião de deuses,
A completa reunião de nagas,
A completa reunião de causadores de mal,
A completa reunião de canibais,
A completa reunião de espíritos maléficos,
A completa reunião de fantasmas famintos,
A completa reunião de comedores-de-carne,
A completa reunião de fazedores-de-loucura,
A completa reunião de fazedores-de-esquecimento,
A completa reunião de dakas,
A completa reunião de espíritos femininos,
Todos vós, sem exceção,
Por favor, vinde aqui e ouvi-me.
Ó Gloriosos atendentes, velozes como o pensamento,
Que tomastes juramentos e compromissos-coração
De proteger a doutrina e beneficiar os seres vivos,
Vós que, com formas aterrorizantes e ira inesgotável,
Subjugais os malevolentes e destruís as forças das trevas,
Vós, que concedeis resultados às ações ióguicas
E tendes poderes e bênçãos inconcebíveis,
A vós, oito tipos de convidados, eu me prostro.

A todos vós, juntamente com vossas consortes, filhos e servos,
Peço, concedei-me a boa fortuna de todas as realizações.
Que eu e os demais praticantes
Tenhamos boa saúde, vida longa, poder,

Glória, fama, fortuna
E extensos prazeres.
Por favor, concedei-me as aquisições
Das ações pacificadoras, crescentes, controladoras e iradas.
Ó Guardiões, auxiliai-me sempre.
Erradicai toda morte prematura, doenças,
Danos causados por espíritos e obstruções.
Eliminai sonhos ruins,
Maus presságios e más ações.

Que haja felicidade no mundo e os anos por vir sejam bons,
Que as colheitas aumentem e o Dharma floresça.
Que toda bondade e felicidade aconteçam
E todos os desejos sejam realizados.

Dar a torma aos guardiões locais

Abençoar a torma

OM KHANDAROHI HUM HUM PHAT
OM SÖBHAWA SHUDDHA SARWA DHARMA SÖBHAWA
SHUDDHO HAM
Tudo se torna vacuidade.

Do estado de vacuidade, de um DHRUM a minha frente surge um vasto e amplo vaso adornado com joias. No interior do vaso, do OM surge uma torma, um vasto oceano de incontaminado néctar de excelsa sabedoria, brilhante e que a tudo permeia.
OM AH HUM (3x)

Oferecer a torma

Recite três vezes:

NAMA SARWA TATHAGATA AWALOKITE OM SAMBHARA
SAMBHARA HUM

Louvor

Ao Tathagata Rinchen Mang, eu me prostro.
Ao Tathagata Sug Dze Dampa, eu me prostro.
Ao Tathagata Ku Jam Le, eu me prostro.
Ao Tathagata Jigpa Tamche Dang Drelwa, eu me prostro.

Pedido

Ofereço essa torma – um oceano de néctar, que possui uma excelente coleção dos cinco objetos de desejo – a Denma, Deusa da terra, a todos os guardiões regionais nos três mil mundos, às cinco Deusas da longa vida, aos guardiões da doutrina, aos guardiões locais – os senhores dos locais por todo o território – e, especialmente, àqueles que residem neste local. Por favor, aceitai essa torma e, sem sentirem inveja ou irritação com qualquer uma das ações executadas por mim ou por qualquer dos meus benfeitores, criai boas condições convenientes a nossa mente.

Por força de minha intenção,
Por força das bênçãos dos Tathagatas,
E por força da verdade dos fenômenos,
Que qualquer propósito adequado
Que eu deseje obter
Seja alcançado sem obstrução.

Com essa recitação, estamos a solicitar aos guardiões locais que se envolvam em atividades que destroem obstáculos e que concretizam condições favoráveis para a conclusão do retiro-aproximador.

Dar e sair com a torma-que-afasta-obstáculos

Invocação das Deidades iradas

Raios de luz se irradiam da letra BAM em meu coração, e convidam toda a assembleia de Deidades iradas a virem ao espaço a minha frente.

OM MAHA KRODHA RADZA SAPARIWARA VAJRA SAMADZA

HUM
Ó Luz de excelsa percepção, flamejante como o fogo do éon,
Que consomes todo traço de ignorância e a escuridão do desejo,
Que destróis todos os medos causados pelo odioso Yama,
Ó Grande Herói, que vestes uma pele de tigre para expor tua coragem,
Tu, que esmagas todos os enganosos demônios e subjugas todos os inimigos,
Ó Irado Rei do Conhecimento, rogo a ti que venhas a este local.
Convido-te para subjugar todos aqueles que nos enganam;
Por favor, por força das minhas oferendas, vem para ajudar todos os seres vivos.

OM VAJRA MAHA KRODHA RADZA SAPARIWARA EH HÄ HI PRAVARA SÄKARAM AHRGHAM PARTITZA SÖHA

Solicitar às Deidades que permaneçam

PÄMA KA MA LA YE TÖN

Oferendas exteriores

OM VAJRA MAHA KRODHA RADZA SAPARIWARA PRAVARA SÄKARAM AHRGHAM PARTITZA SÖHA
OM VAJRA MAHA KRODHA RADZA SAPARIWARA PRAVARA SÄKARAM PADÄM PARTITZA SÖHA
OM VAJRA MAHA KRODHA RADZA SAPARIWARA PUPE PARTITZA SÖHA
OM VAJRA MAHA KRODHA RADZA SAPARIWARA DHUPE PARTITZA SÖHA
OM VAJRA MAHA KRODHA RADZA SAPARIWARA ALOKE PARTITZA SÖHA
OM VAJRA MAHA KRODHA RADZA SAPARIWARA GÄNDHE PARTITZA SÖHA
OM VAJRA MAHA KRODHA RADZA SAPARIWARA NEWIDE PARTITZA SÖHA
OM VAJRA MAHA KRODHA RADZA SAPARIWARA SHAPTA PARTITZA SÖHA

Oferenda interior

OM VAJRA MAHA KRODHA RADZA SAPARIWARA OM AH HUM

Louvor e prostração

HUM
Eu me prostro a essa assembleia que resplandece com grande ira,
Que, do estado não dual da vacuidade – a natureza dos fenômenos –
Exibe a forma de Bhairawa, de meios habilidosos,
Nunca abandonando sequer os feitos mundanos.

Embora tua excelsa sabedoria nunca se mova do estado da paz,
Tuas características corporais exibem uma atitude voraz e irada,
E tua voz ressoa com o som do estrondo de mil trovões;
Eu me prostro a ti, que subjugas todos [os demônios].

Tu exibes o jogo da excelsa percepção superior,
E seguras, em tuas mãos, diversas armas afiadas
Para extirpar e destruir o grande veneno das delusões;
Eu me prostro a ti, que estás adornado por um dossel de serpentes.

Eu me prostro a ti, que estás em pé com uma perna dobrada
e a outra estendida, à maneira de um Herói,
No meio de um vasto fogo flamejante como o final do éon,
Que queimas obstrutores e espíritos com teus temíveis olhos
Que flamejam como o Sol e a Lua.

Fulguras com um esplendor semelhante ao grande e violento
fogo do final dos tempos,
Teus aterrorizantes caninos lampejam como mil relâmpagos,
Tua voz irada ressoa como o estrondo de mil trovões;
Ó Rei das Deidades iradas, que subjugas multidões de obstrutores,
a ti eu me prostro.

HUM
Tu que proclamas o temível som do HUM
E destróis todo e qualquer obstáculo,
Ó Deidade, que concedes todas as aquisições,
Inimigo dos obstrutores, a ti eu me prostro.

Abençoar a torma

Esparja a torma-que-afasta-obstáculos com a água de limpeza do vaso-ação.

OM KHANDAROHI HUM HUM PHAT
OM SÖBHAWA SHUDDHA SARWA DHARMA SÖBHAWA SHUDDHO HAM
Tudo se torna vacuidade.

Do estado de vacuidade, do DHRUM surge um vasto e amplo vaso precioso. No interior do vaso, do OM surge uma torma-que-afasta-obstáculos, um vasto oceano de incontaminado néctar.
OM AH HUM (3x)

Convocar os espíritos obstrutores

Raios de luz se irradiam da letra BAM em meu coração e convocam as hostes de obstrutores que interferem na execução deste retiro-aproximador profundo para que recebam, como convidados, esta torma de oferenda.
AH KARA KAYA DZA

Oferecer a torma

Descreva um círculo no sentido horário com a torma, enquanto você recita três vezes:

OM SARWA BIGNÄN NAMA: SARWA TATHAGATO BAYO BISHO MUKE BHÄ: SARWA DÄ KANG UGATE PARANA IMAM GA GA NA KHANG GRIHANA DAM BALIMTAYE SÖHA

Descreva um círculo no sentido anti-horário com as velas e as tormas-dedo, enquanto você recita três vezes:

OM SUMBHANI SUMBHA HUM HUM PHAT
OM GRIHANA GRIHANA HUM HUM PHAT
OM GRIHANA PAYA GRIHANA PAYA HUM HUM PHAT
OM ANAYA HO BHAGAWÄN BYÄ RADZA HUM HUM PHAT

Ordenar aos espíritos obstrutores que saiam

Faça o mudra para expulsar espíritos e recite:

HUM
Todos vós – obstrutores, deuses mundanos, e assim por diante –
Que habitam o local do grande mandala, ouvi o que agora direi.
Vou realizar um profundo retiro-aproximador neste local,
E, por essa razão, deveis ir para outro lugar.

Se agirdes contra o que eu digo,
O vajra flamejante de excelsa sabedoria
Irá se utilizar de métodos irados para vos controlar
E todos vós, obstrutores, sereis, sem dúvida, subjugados.

NAMO Pela verdade dos gloriosos, sagrados Gurus, os Veneráveis Guru-raiz e Gurus-linhagem, pela verdade de Buda, pela verdade do Dharma, pela verdade da Sangha, de todos aqueles que são membros das Famílias Tathagata, Vajra, Ratna, Pema e Karma, os diferentes tipos de Deidades da Essência, do Mudra, do Mantra Secreto e do Mantra-Conhecimento, e, especialmente, pela verdade da Venerável Vajrayogini e seu séquito de Deidades, e na dependência do poder e do potencial das bênçãos da grande verdade, todos vós obstrutores – quem quer que possais ser –, vós que estejais tentando me impedir de executar um profundo retiro--aproximador neste local, deveis ficar satisfeitos com essa torma que vos ofereço, tão extensa quanto o espaço. Deveis abandonar todos os pensamentos nocivos de infligir danos e prejuízos, e, cada um de vós deveis, com uma mente pacífica e benéfica, com uma mente de iluminação, retornar agora aos vossos próprios locais. Se não fordes, sereis dominados pelas ardentes chamas-vajra de excelsa sabedoria irada e sereis definitiva e completamente subjugados.

OM SUMBHANI SUMBHA HUM HUM PHAT
OM GRIHANA GRIHANA HUM HUM PHAT
OM GRIHANA PAYA GRIHANA PAYA HUM HUM PHAT
OM ANAYA HO BHAGAWÄN BYÄ RADZA HUM HUM PHAT

OM KHANDAROHI HUM HUM PHAT

Enquanto você recita com vigor esses mantras, jogue sementes de mostarda branca e toque o sino e o damaru. Pegue a torma e coloque-a a uma grande distância. Depois, pense intensamente que, até o fim de seu retiro-aproximador, todos os espíritos interferentes e perturbadores foram banidos a uma grande distância.

Estabelecendo as fronteiras

Próximo a sua porta que dá para o exterior, coloque um marco de fronteira num local alto, onde ninguém irá pisar ou passar sobre ele. Essa é a fronteira além da qual você não deve ir, e dentro da qual todos aqueles que não estão incluídos dentro das fronteiras do retiro não podem entrar. Disponha oferendas e tormas diante do marco de fronteira e sente-se de frente para ele.

Abençoar as oferendas exteriores

OM KHANDAROHI HUM HUM PHAT
OM SÖBHAWA SHUDDHA SARWA DHARMA SÖBHAWA
SHUDDHO HAM
Tudo se torna vacuidade.

Do estado de vacuidade, do KAM vêm vasilhas de crânio, dentro das quais, do HUM surgem substâncias de oferenda. Por sua natureza, vacuidade, cada uma delas tem o aspecto individual de uma das substâncias de oferenda, e servem como objetos de prazer dos seis sentidos para proporcionar especial êxtase incontaminado.

OM AHRGHAM AH HUM
OM PADÄM AH HUM
OM VAJRA PUPE AH HUM
OM VAJRA DHUPE AH HUM
OM VAJRA ALOKE AH HUM
OM VAJRA GÄNDHE AH HUM
OM VAJRA NEWIDE AH HUM
OM VAJRA SHAPTA AH HUM

Abençoar a torma

OM KHANDAROHI HUM HUM PHAT
OM SÖBHAWA SHUDDHA SARWA DHARMA SÖBHAWA
SHUDDHO HAM
Tudo se torna vacuidade.

Do estado de vacuidade, do YAM vem vento; do RAM vem fogo; do AH, um tripé de três cabeças humanas. Sobre ele, do AH aparece uma ampla e vasta cuia de crânio. Dentro dela, do OM, KHAM, AM, TRAM, HUM vêm os cinco néctares; e do LAM, MAM, PAM, TAM, BAM vêm as cinco carnes, cada qual marcado por uma das letras. O vento sopra, o fogo arde e as substâncias dentro da cuia de crânio derretem e se fundem. Acima delas, do HUM surge um khatanga branco de cabeça para baixo, que cai e se derrete na cuia de crânio, fazendo com que as substâncias assumam cor de mercúrio. Acima disso, três fileiras sobrepostas de vogais e consoantes transformam-se em OM AH HUM. Deles, raios de luz atraem o néctar de excelsa sabedoria do coração de todos os Tathagatas, Heróis e Ioguines das dez direções. Quando isso é adicionado, o conteúdo aumenta e se torna vasto.
OM AH HUM (3x)

Gerar o marco de fronteira como sendo Khandarohi

Esparja o marco de fronteira com a água do vaso-ação e recite:

OM KHANDAROHI HUM HUM PHAT
OM SÖBHAWA SHUDDHA SARWA DHARMA SÖBHAWA
SHUDDHO HAM
Tudo se torna vacuidade.

Do estado de vacuidade, do PAM surgem um lótus, um sol e um assento-cadáver, sobre o qual, de um PAM, surge uma faca curva marcada com um PAM. Disso, surge Khandarohi, que é vermelha, com uma face e duas mãos. Sua mão direita segura uma faca curva, e sua mão esquerda segura uma cuia de crânio. Na dobra de seu braço esquerdo, ela segura firmemente

Khandarohi

um khatanga. Está nua, com ornamentos de osso e cabelos livremente soltos. Sua cabeça está adornada com uma coroa de cinco crânios humanos, e usa um colar de cinquenta crânios humanos. Ela tem três olhos e está em pé, com o lado direito do seu corpo estendido.

Na coroa de Khandarohi está um OM; na garganta, um AH; e no coração, um HUM. Do HUM, no coração dela, raios de luz se irradiam e convidam, para que venham de suas moradas naturais, os seres-de-sabedoria - em aparência, semelhantes a ela - juntamente com as Deidades Que-Concedem-Iniciação.

PHAIM
DZA HUM BAM HO Eles se tornam não duais.

A iniciação é concedida pelas Deidades Que-Concedem-Iniciação, e a coroa de Khandarohi está adornada com Ratnasambhava.

Oferendas exteriores

OM AHRGHAM PARTITZA SÖHA
OM PADÄM PARTITZA SÖHA
OM VAJRA PUPE AH HUM SÖHA
OM VAJRA DHUPE AH HUM SÖHA
OM VAJRA ALOKE AH HUM SÖHA
OM VAJRA GÄNDHE AH HUM SÖHA
OM VAJRA NEWIDE AH HUM SÖHA
OM VAJRA SHAPTA AH HUM SÖHA

Oferenda interior

OM KHANDAROHI HUM HUM PHAT OM AH HUM

Louvor

Benzarahi, elemento fogo,
Por natureza, consciência-plena dos fenômenos,
Principal Dakini da Família Lótus,
A ti, Khandarohi, eu me prostro.

Oferecer a torma

De um HUM na língua de Khandarohi, surge um vajra tridentado, através do qual ela compartilha da essência da torma, sorvendo-a por um canudo de luz da espessura de apenas um grão de cevada.

Ofereça a torma, enquanto você recita três vezes:

OM VAJRA AH RA LI HO: DZA HUM BAM HO: VAJRA DAKINI SAMAYA TÖN TRISHAYA HO

Oferendas exteriores

OM AHRGHAM PARTITZA SÖHA
OM PADÄM PARTITZA SÖHA
OM VAJRA PUPE AH HUM SÖHA
OM VAJRA DHUPE AH HUM SÖHA
OM VAJRA ALOKE AH HUM SÖHA
OM VAJRA GÄNDHE AH HUM SÖHA
OM VAJRA NEWIDE AH HUM SÖHA
OM VAJRA SHAPTA AH HUM SÖHA

Oferenda interior

OM KHANDAROHI HUM HUM PHAT OM AH HUM

Louvor

Benzarahi, elemento fogo,
Por natureza, consciência-plena dos fenômenos,
Principal Dakini da Família Lótus,
A ti, Khandarohi, eu me prostro.

Pedido

Espalhe flores, enquanto você recita:

Ó Khandarohi, por favor, permanece firme neste local até que eu, o praticante, tenha concluído meu retiro-aproximador. Não permita que obstáculo exterior algum entre. E, para proteger as realizações interiores, por favor, executa teus feitos sem hesitar.

Imagine que Khandarohi aceita o pedido e, até que você tenha concluído sua prática, não a dissolva em luz, mas acredite que ela permanece naquele local executando seus feitos. Para que Khandarohi permaneça firme, recite agora o mantra de cem letras e o mantra da essência da relação-dependente, e recite também preces auspiciosas.

O mantra de cem letras de Heruka

OM VAJRA HERUKA SAMAYA, MANU PALAYA, HERUKA TENO PATITA, DRIDHO ME BHAWA, SUTO KAYO ME BHAWA, SUPO KAYO ME BHAWA, ANURAKTO ME BHAWA, SARWA SIDDHI ME PRAYATZA, SARWA KARMA SUTZA ME, TZITAM SHRIYAM KURU HUM, HA HA HA HA HO BHAGAWÄN, VAJRA HERUKA MA ME MUNTSA, HERUKA BHAWA, MAHA SAMAYA SATTÖ AH HUM PHAT

O mantra da essência da relação-dependente

OM YE DHARMA HETU TRABHAWA HETUN TEKÄN
TATHAGATO HÄWADÄ TEKÄNTSAYO NIRODHA
EHWAMBHADHI MAHA SHRAMANIYE SÖHA

Meditação sobre o círculo de proteção

Agora, retorne para dentro e esparja a sala com a água de limpeza e a oferenda interior.

OM KHANDAROHI HUM HUM PHAT
OM SÖBHAWA SHUDDHA SARWA DHARMA SÖBHAWA
SHUDDHO HAM
Tudo se torna vacuidade.

Enquanto você estala o polegar e o indicador da mão esquerda, recite:

Do estado de vacuidade, no leste está o mantra de cor preta: OM SUMBHANI SUMBHA HUM HUM PHAT; no norte, está o mantra verde: OM GRIHANA GRIHANA HUM HUM PHAT; no oeste, está o mantra vermelho: OM GRIHANA PAYA GRIHANA PAYA HUM HUM PHAT; e no sul, está o mantra amarelo: OM ANAYA HO BHAGAWÄN BYÄ RADZA HUM HUM PHAT. Esses mantras irradiam raios de luz nas suas respectivas cores, formando uma massa de luz fulgurante que alcança desde o reino de Brahma, acima, até a base dourada, abaixo. Os mantras e as luzes transformam-se numa cerca-vajra quadrada de várias cores: preta no leste, verde no norte, vermelha no oeste e amarela no sul. Ela alcança desde o reino de Brahma, acima, até a base dourada, abaixo. Simultaneamente com a cerca-vajra, de um HUM surge um vajra de várias cores, com um HUM marcando seu centro. Luz se irradia do HUM e, descendo até a base dourada, transforma-se no solo, que tem a natureza de vajras de várias cores. Do HUM que está no vajra de múltiplas cores, raios de luz sobem e se transformam, fora da cerca, em uma saraivada de flechas no aspecto de vajras de cinco hastes, cobrindo todas as direções acima e ao redor. Abaixo disso, está a tenda-vajra. Abaixo da tenda e sobre a cerca, está o dossel-vajra. Juntos, eles formam uma unidade completa, sem o menor espaço entre eles. Do lado de fora, eles estão rodeados pelo fogo-vajra, que é semelhante ao fogo do final do mundo.

Abençoar o solo-vajra

OM MEDINI VAJRA BHAWA VAJRA BÄNDHA HUM

Abençoar a cerca-vajra

OM VAJRA PARKARA HUM BAM HUM

Abençoar a tenda-vajra

OM VAJRA PANTSA RAM HUM BAM HUM

Abençoar o dossel-vajra

OM VAJRA BITANA HUM KAM HUM

Abençoar as flechas-vajra

OM VAJRA SARA DZÖLA TRAM SAM TRAM

Abençoar o fogo-vajra

OM VAJRA DZÖLA ANALARKA HUM HUM HUM

Estalando os dedos como anteriormente, recite:

OM SUMBHANI SUMBHA HUM HUM PHAT
OM GRIHANA GRIHANA HUM HUM PHAT
OM GRIHANA PAYA GRIHANA PAYA HUM HUM PHAT
OM ANAYA HO BHAGAWÄN BYÄ RADZA HUM HUM PHAT

Os migrantes ficam livres de obstáculos para sempre.

Essa é a meditação sobre o círculo de proteção. Agora, você deve imaginar que aqueles que estão incluídos dentro das fronteiras estão realmente aqui, dentro do círculo de proteção. Para que você não se esqueça deles, tome nota de seus nomes e mantenha essa anotação ou, pelo menos, recorde-se deles mentalmente.

Abençoar o assento de meditação

Segurando o sino com a mão esquerda, faça o mudra do equilíbrio meditativo e, com a mão direita segurando o vajra, faça o "mudra premer a terra", tocando o assento de meditação.

Este assento de meditação e tudo abaixo da base dourada estão firmes e sólidos – a natureza do vajra.
OM AH: VAJRA AHSANA HUM SÖHA

Abençoe o assento, recitando sete vezes isso que está acima, enquanto você contempla que o assento tem a natureza de um vajra.

Proteger as direções

Eu tenho a clareza da Deidade. Inumeráveis raios de luz e hostes de Deidades iradas emanam de meu corpo e expulsam todos os obstrutores que obstruem e impedem as práticas de ouvir, contemplar e meditar.

Enquanto você contempla o significado disso, recite três vezes cada um dos quatro mantras OM SUMBHANI etc. e, depois, recite OM KHANDAROHI etc. muitas vezes, enquanto você esparge a oferenda interior sobre si próprio, na sala e nos seus implementos, começando a partir do leste e prosseguindo, descrevendo um círculo em sentido anti-horário, para as demais três direções, expulsando, mais uma vez, os obstrutores e proporcionando proteção.

Protegendo a si próprio

Em minha coroa, de um OM surge uma roda branca marcada com um OM em seu centro. Em minha garganta, de um AH surge um lótus vermelho marcado com um AH em seu centro. Em meu coração, de um HUM surge um vajra azul marcado com um HUM em seu centro.

Prove um pouco da oferenda interior com o dedo anular de sua mão esquerda e coloque uma gota em sua coroa, garganta e coração. Recite três vezes:

OM AH HUM

Contemple:

Assim, raios de luz se irradiam das três letras e atraem todas as bênçãos do corpo, fala e mente dos Budas e Bodhisattvas das dez direções, todas sob o aspecto das Deidades dos três vajras e de raios de luz. As Deidades e os raios de luz dissolvem-se em meus três lugares, e minhas três portas são abençoadas com a natureza dos três vajras.

Contemplar o significado disso irá proteger você. Neste ponto, você deve, mais uma vez, meditar sobre o círculo de proteção. Juntamente com as duas meditações anteriores, há, no total, três ocasiões em que você deve meditar sobre o círculo de proteção. Nas duas últimas, não é necessário executar a limpeza e a purificação (com OM KHANDAROHI ... e OM SÖBHAWA ...); em vez disso, é suficiente visualizá-lo claramente como antes, com forte meditação.

Após ter executado corretamente todas as partes das preliminares, você agora deve descansar um pouco, comer e beber algo e revigorar-se. Depois, ao anoitecer, você deve começar a sessão propriamente dita.

Dissolver o marco de fronteira

Quando o retiro-aproximador e a contagem estiverem concluídos adequadamente, faça uma breve sessão ao amanhecer. Logo após, disponha oferendas e tormas diante do marco de fronteira e abençoe-os – faça isso tudo como anteriormente. Depois, ofereça as tormas, as oferendas exteriores, a oferenda interior e faça o louvor (como antes). Depois disso, recite:

Ó, Dakini Yingchug Khandarohi,
Assim como executaste teus feitos perfeitamente
Para me ajudar em minhas ações virtuosas,
Por favor, retorna e auxilia-me novamente no futuro.

Recite agora três vezes o mantra de cem letras e peça indulgência.

Dissolução

OM
Tu, que satisfazes o bem-estar de todos os seres vivos,
E concedes aquisições conforme sejam necessárias,
Por favor, regressa à Terra dos Budas,
E retorna novamente a este local no futuro.

OM VAJRA MU O ser-de-sabedoria do marco de fronteira regressa a sua morada natural, e o ser-de-compromisso fica deleitado e dissolve-se em mim.

Agora, você deve fazer oferendas de agradecimento, fazer uma oferenda-tsog, executar a oferenda ardente para cumprir o compromisso, realizar o mandala e fazer oferendas, fazer a autoiniciação e, por fim, dedicar suas raízes de virtude.

Preces pela Tradição Virtuosa

Para que a tradição de Je Tsongkhapa,
O Rei do Dharma, floresça,
Que todos os obstáculos sejam pacificados
E todas as condições favoráveis sejam abundantes.

Pelas duas coleções, minhas e dos outros,
Reunidas ao longo dos três tempos,
Que a doutrina do Conquistador Losang Dragpa
Floresça para sempre.

Prece *Migtsema* de nove versos

Tsongkhapa, ornamento-coroa dos eruditos da Terra das Neves,
Tu és Buda Shakyamuni e Vajradhara, a fonte de todas as conquistas,
Avalokiteshvara, o tesouro de inobservável compaixão,
Manjushri, a suprema sabedoria imaculada,
E Vajrapani, o destruidor das hostes de maras.
Ó Venerável Guru Buda, síntese das Três Joias,
Com meu corpo, fala e mente, respeitosamente faço pedidos:
Peço, concede tuas bênçãos para amadurecer e libertar a mim
e aos outros,
E confere-nos as aquisições comuns e a suprema. (3x)

Cólofon: Esta sadhana, ou prece ritual, para obter as aquisições espirituais de Vajrayogini foi traduzida sob a compassiva orientação de Venerável Geshe Kelsang Gyatso Rinpoche.

Joia-Preliminar

PRELIMINARES CONDENSADAS DO RETIRO
DE VAJRAYOGINI

Compilada por
Venerável Geshe Kelsang Gyatso Rinpoche

Venerável Vajrayogini

Introdução

Se você deseja realizar um retiro breve de Vajrayogini, ou se você não tem os recursos ou a assistência necessários para executar as práticas preliminares mais extensas, você pode utilizar os seguintes rituais condensados como suas preliminares ao retiro.

Um dia antes (ou mais) do início de seu retiro, você deve efetuar os seguintes preparativos:

(1) Primeiramente, limpe a sala de meditação;
(2) Monte um altar com uma estátua ou uma figura de Vajrayogini e representações de seu Guru e de outras Deidades que você deseje, e disponha também uma estupa e um texto;
(3) Diante do altar, coloque um assento de meditação. Assegure-se de que ele esteja firme e confortável, com a parte de trás ligeiramente mais alta;
(4) Coloque uma pequena mesa diante do assento de meditação, e cubra-a com um tecido limpo. Sobre a mesa, disponha, de sua esquerda para a direita: sua oferenda interior, vajra, sino, damaru e mala. Coloque, à frente deles, suas sadhanas;
(5) Para que você possa determinar claramente as fronteiras físicas, verbais e mentais de seu retiro, pense sobre quais restrições você deseja impor às suas atividades físicas, verbais e mentais durante o retiro.

Na manhã do dia em que o seu retiro tiver início, você deve colocar sobre o altar:

(1) Cinco tormas em uma plataforma ligeiramente elevada. Se não puder confeccionar tormas da maneira tradicional, você pode substituí-las por pacotes de biscoitos, potes de mel ou de geleia ou, ainda, oferecer qualquer outro alimento puro. Lembre-se de que as tormas devem permanecer até o final de seu retiro; portanto, não utilize substâncias que deteriorem rapidamente.

(2) Coloque, pelo menos, duas fileiras de oferendas exteriores. Se você colocar duas fileiras, a fileira imediatamente em frente às tormas será para a geração-em-frente, e a fileira à frente desta será para a autogeração. Se possível, disponha quatro fileiras de oferendas exteriores. Se você fizer isso, a fileira imediatamente em frente às tormas será para as Deidades supramundanas; a fileira seguinte será para os Dakas e Dakinis mundanos; a fileira seguinte será para os Protetores do Dharma; e a fileira mais próxima de você será para a autogeração. Todas as fileiras devem ser dispostas começando a partir da mão esquerda da Deidade. Assim, as oferendas à autogeração devem começar a partir de nossa esquerda, e as demais oferendas devem começar a partir da esquerda das Deidades-em-frente (ou seja, nossa direita).

No primeiro dia de um retiro, é costume fazer as preliminares no meio da tarde. Após as preliminares, fazemos um breve intervalo e, depois, ao anoitecer, damos início à primeira sessão completa do retiro.

Geshe Kelsang Gyatso

1991

Joia-Preliminar

Após ter feito todas as oferendas, sente-se no assento de meditação e recite:

Buscar refúgio

Eu e todos os seres sencientes, até alcançarmos a iluminação,
Nos refugiamos em Buda, Dharma e Sangha. (3x)

Gerar bodhichitta

Pelas virtudes que coleto, praticando o dar e as outras perfeições,
Que eu me torne um Buda para o benefício de todos. (3x)

Autogeração instantânea

Em um instante, eu me torno a Venerável Vajrayogini.

Medite brevemente em orgulho divino.

Abençoar a oferenda interior

Retire a tampa do recipiente da oferenda interior e recite:

OM KHANDAROHI HUM HUM PHAT
OM SÖBHAWA SHUDDHA SARWA DHARMA SÖBHAWA
SHUDDHO HAM
Tudo se torna vacuidade.

Do estado de vacuidade, do YAM vem vento; do RAM vem fogo; do AH, um tripé de três cabeças humanas. Sobre ele, do AH aparece

uma ampla e vasta cuia de crânio. Dentro dela, do OM, KHAM, AM, TRAM, HUM vêm os cinco néctares; e do LAM, MAM, PAM, TAM, BAM vêm as cinco carnes, cada qual marcado por uma das letras. O vento sopra, o fogo arde e as substâncias dentro da cuia de crânio derretem e se fundem. Acima delas, do HUM surge um khatanga branco de cabeça para baixo, que cai e se derrete na cuia de crânio, fazendo com que as substâncias assumam cor de mercúrio. Acima disso, três fileiras sobrepostas de vogais e consoantes transformam-se em OM AH HUM. Deles, raios de luz atraem o néctar de excelsa sabedoria do coração de todos os Tathagatas, Heróis e Ioguines das dez direções. Quando isso é adicionado, o conteúdo aumenta e se torna vasto.
OM AH HUM (3x)

Com forte concentração, contemple que o néctar diante de você possui três qualidades: é um néctar-medicinal que previne todas as doenças, é um néctar-vital que destrói a morte, e é um néctar-sabedoria que erradica todas as delusões. Agora, prove o néctar e medite brevemente sobre êxtase e vacuidade.

Abençoar a sala de meditação, os implementos e a si próprio

Segurando o recipiente da oferenda interior com sua mão direita, esparja com seu dedo anular esquerdo a oferenda interior três vezes sobre a sala, seu assento, seus implementos e sobre seu próprio corpo, enquanto você recita:

OM AH HUM

Contemple que tudo está abençoado e purificado.

Impedir obstáculos

Imagine que Deusas Khandarohi vermelhas iradas emanam de seu coração e afastam, de cada uma das dez direções, todos os espíritos obstrutores e demais obstáculos. Enquanto imagina isso, toque o damaru e o sino e recite muitas vezes:

OM KHANDAROHI HUM HUM PHAT

Pense que, até a conclusão de seu retiro, todos os espíritos obstrutores e demais obstáculos foram banidos a uma grande distância.

Meditação sobre o círculo de proteção

Visualize o círculo de proteção. Abaixo, está o solo-vajra; ao redor, está a cerca-vajra; e acima, estão a tenda-vajra e o dossel-vajra. Todos são de cor azul e constituídos de vajras indestrutíveis. Fora, está uma massa de chamas de cinco cores: vermelho, branco, amarelo, verde e azul - as chamas são, todas, da natureza das cinco excelsas sabedorias. Elas giram em sentido anti-horário. Imagine isso muito fortemente e então recite:

OM SUMBHANI SUMBHA HUM HUM PHAT
OM GRIHANA GRIHANA HUM HUM PHAT
OM GRIHANA PAYA GRIHANA PAYA HUM HUM PHAT
OM ANAYA HO BHAGAWÄN VAJRA HUM HUM PHAT

Gere a firme convicção de que o círculo de proteção realmente existe e é totalmente efetivo em protegê-lo de danos e obstáculos.

Estabelecer as fronteiras do retiro

Agora, lembre-se das fronteiras de corpo, fala e mente de seu retiro e tome firmemente a resolução de não ultrapassá-las até que o retiro seja concluído. Medite nessa determinação por algum tempo.

Abençoar o assento de meditação

Segure o sino com a mão esquerda, na altura de seu umbigo. Sua mão deve estar com a palma voltada para cima, e a abertura do sino deve estar voltada para o seu umbigo. Segure o vajra com a mão direita, e coloque a palma da mão sobre seu joelho direito, de maneira que a ponta de seus dedos toquem seu assento de meditação. Contemple fortemente que seu assento de meditação é da natureza da sabedoria-vajra, indestrutível e imutável. Recite então sete vezes:

OM AH VAJRA AHSANA HUM SÖHA

Abençoar o mala

Com orgulho divino de ser Vajrayogini, mantenha sua mão direita com a palma voltada para cima, na altura do coração, e contemple que ela é da natureza do êxtase. Coloque o mala na mão direita e cubra-o com a mão esquerda, que é da natureza da vacuidade. Então, lembrando que a natureza do mala é vacuidade, recite três ou sete vezes:

OM OM OM SARWA BUDDHA DAKINIYE VAJRA WARNANIYE VAJRA BEROTZANIYE HUM HUM HUM PHAT PHAT PHAT SÖHA

Agora, sopre o mala entre suas mãos. Com forte concentração, contemple que seu mala é agora da natureza da fala-vajra, inseparável de grande êxtase e vacuidade.

Abençoar o vajra e o sino

Segure o vajra com a mão direita, na altura de seu coração, e segure o sino com a mão esquerda. Contemple que o vajra é o método, e que o sino é a sabedoria; e então, recite:

O vajra é o método, e o sino é a sabedoria. Juntos, eles são a natureza da bodhichitta última.

OM VAJRA AH HUM

Toque então o sino, enquanto você recita:

OM VAJRA GHANTA HUM

Preces dedicatórias

Por essa virtude, que eu rapidamente
Realize a verdadeira, efetiva Dakini
E, então, conduza cada ser vivo,
Sem exceção, a esse solo.

Na hora da minha morte, que os Protetores, Heróis, Heroínas e demais seres sagrados,
Portando flores, para-sóis e estandartes da vitória

E oferecendo a doce música de címbalos e assim por diante,
Conduzam-me à Terra das Dakinis.

Em resumo, que eu nunca esteja separado de ti, Venerável Guru
Dakini,
Mas fique sempre sob teus cuidados,
E, por concluir rapidamente os solos e caminhos,
Que eu alcance o magnífico estado Dakini.

Agora, faça um breve intervalo de descanso e, após o crepúsculo, comece a primeira sessão completa de seu retiro.

Preces pela Tradição Virtuosa

Para que a tradição de Je Tsongkhapa,
O Rei do Dharma, floresça,
Que todos os obstáculos sejam pacificados
E todas as condições favoráveis sejam abundantes.

Pelas duas coleções, minhas e dos outros,
Reunidas ao longo dos três tempos,
Que a doutrina do Conquistador Losang Dragpa
Floresça para sempre.

Prece Migtsema de nove versos

Tsongkhapa, ornamento-coroa dos eruditos da Terra das Neves,
Tu és Buda Shakyamuni e Vajradhara, a fonte de todas as conquistas,
Avalokiteshvara, o tesouro de inobservável compaixão,
Manjushri, a suprema sabedoria imaculada,
E Vajrapani, o destruidor das hostes de maras.
Ó Venerável Guru Buda, síntese das Três Joias,
Com meu corpo, fala e mente, respeitosamente faço pedidos:
Peço, concede tuas bênçãos para amadurecer e libertar a mim
e aos outros,
E confere-nos as aquisições comuns e a suprema. (3x)

Cólofon: Esta sadhana, ou prece ritual, para obter as aquisições espirituais de Vajrayogini foi compilada de fontes tradicionais por Venerável Geshe Kelsang Gyatso Rinpoche.

Oferenda Ardente de Vajrayogini

---

por
Je Phabongkhapa

Introdução

Em geral, no que diz respeito a como realizar uma oferenda ardente à Venerável Vajrayogini, há muitas maneiras diferentes de fazê-lo (tais como a pacificadora, a crescente, a controladora e a irada), mas essas diversas maneiras estão explicadas em outro lugar. Aqui, estamos interessados unicamente em como realizar uma oferenda ardente para cumprir o compromisso de um retiro-aproximador, de acordo com o que está dito no *Tantra Ornamento da Essência Vajra*:

> Todas as falhas de excesso ou de omissão no Mantra Secreto
> São corrigidas por uma oferenda ardente.

No local onde a oferenda ardente será realizada, faça, em primeiro lugar, um exame desse local, peça permissão para usá-lo e, então, faça a sua purificação [por meio do ritual do local, que está anexado a esta sadhana]. Depois, escolha um ponto que irá servir de centro para desenhar linhas nas direções cardeais e intermediárias (caso o desenho seja feito diretamente no chão). Se for utilizar uma base, ou placa, determine então o centro exato da base para o desenho dessas linhas. Tanto o chão quanto a base devem ser naturalmente brancos ou pintados de branco.

Pegue um pedaço de fio com 23 centímetros de comprimento {meio cúbito inglês}, prenda uma extremidade no centro e descreva uma circunferência. Depois, descreva mais duas circunferências além dessa, cada uma com um raio quatro dedos maior que a anterior. Essas circunferências irão delimitar Muren {o círculo intermediário} e Kakyer {o círculo exterior}, respectivamente.

Agora, prenda o fio no ponto onde a linha do leste intercepta a circunferência mais interior; meça a distância entre esse ponto e o centro e, então, mova o fio para a esquerda e para a direita, marcando os pontos onde ele intercepta a circunferência mais interior. Depois, faça o mesmo com o ponto oeste. Ao desenhar as linhas que conectam esses pontos, irá surgir o contorno da fonte-fenômenos. Desenhe um segundo conjunto de linhas, paralelas a essas e com a distância de um dedo entre si – esse segundo conjunto deve ser feito dentro do primeiro, isto é, o contorno da fonte-fenômenos anteriormente desenhado. Agora, nas linhas cardeais de cada uma das quatro direções, marque um ponto dois dedos além da circunferência exterior {a circunferência maior}. A partir deles, meça a distância até cada uma das quatro linhas intermediárias e junte-as para formar um quadrado. Esse será o local onde acenderemos o fogo – a partir de agora, denominado "base da lareira" ou, simplesmente, "lareira".

No coração da fonte-fenômenos, no centro da base da lareira, desenhe um vajra branco com oito dedos de comprimento ou disponha um montículo de pó vermelho. Em cada um dos quatro vértices [da fonte-fenômenos], com exceção dos ângulos da frente e de trás, desenhe um torvelinho de alegria. O interior da fonte-fenômenos é pintado de vermelho, mas seu contorno é branco. O restante da lareira e os símbolos devem ser unicamente brancos. Dentro de Kakyer {o círculo exterior}, desenhe um rosário de vajras. Dentro de Muren {o círculo intermediário}, desenhe um rosário de facas curvas ou desenhe fogo. Em cada um dos quatro cantos da base da lareira, desenhe uma meia-lua marcada com um vajra.

Quando a lareira estiver desenhada, construa uma pilha de lenha com a forma mais aproximada possível a de um círculo. A lenha a ser utilizada deve ser madeira lactescente ou outra semelhante, e deve estar limpa. Faça isso ao redor de Muren.

Agora, você deve dispor, de maneira organizada e de modo que estejam à mão, todas as substâncias rituais, sem deixar nada de fora. Essas substâncias são as que serão queimadas - desde a *madeira lactescente* até a *substância pacificadora especial*; elas são oferecidas para as Deidades mundanas e para as supramundanas. As substâncias devem ser preparadas de acordo com o sistema geral para pacificação. De acordo com as palavras dos lamas anteriores pertencentes a esta tradição, álcool e carne bovina devem ser incluídos. Além disso, deve haver: tormas, dois conjuntos de oferendas exteriores, dois conjuntos de vestes, tormas *tambula*, as quatro águas, água de limpeza, oferenda interior, uma bandeira de vento, uma pequena pilha de grama *kusha*, concha e funil, e material para acender o fogo.

Geshe Kelsang Gyatso
1991

Nota do Tradutor: Nesta sadhana, são citados dois tipos de gramínea: "couch grass" e "kusha grass", em inglês. "Couch grass" (nome científico *Elymus repens*, sinonímia *Agropyron repens*) foi traduzido como "grama-de-ponta". "Kusha grass" (nome científico *Desmostachya bipinnata*) foi parcialmente traduzido como grama *kusha*, uma vez que não foram encontrados relatos de sua ocorrência no Brasil.

Oferenda Ardente de Vajrayogini

A oferenda ardente de Vajrayogini consiste de três etapas:

1. *As preliminares;*
2. *A prática propriamente dita;*
3. *Atividades subsequentes.*

AS PRELIMINARES

Comece praticando as etapas de autogeração *até o* ioga da inconceptibilidade, *inclusive (páginas 339-363). Depois, você, Venerável Vajrayogini, irradia raios de luz branca de seu corpo.*

No local do puja do fogo, gere agora a água de limpeza em um vaso-ação – faça isso recitando cem mantras de Khandarohi.

GERAR A ÁGUA DE LIMPEZA

Gerar a água de limpeza

OM KHANDAROHI HUM HUM PHAT
OM SÖBHAWA SHUDDHA SARWA DHARMA SÖBHAWA
SHUDDHO HAM
Tudo se torna vacuidade.

Do estado de vacuidade, do PAM surge um vaso branco adornado com joias e completo com todas as características essenciais, tais como um bojo grande, um gargalo longo, a borda da boca virada para baixo, e assim por diante.

OM DAB DE DAB DE MAHA DAB DE SOHA

A água do vaso e a água do divino Ganges tornam-se inseparáveis. Sobre isso, do PAM surgem um lótus, um sol e um assento-cadáver, sobre o qual, de um PAM, surge uma faca curva marcada com um PAM. Disso, surge Khandarohi, que é vermelha, com uma face e duas mãos. Sua mão direita segura uma faca curva, e sua mão esquerda segura uma cuia de crânio. Na dobra de seu braço esquerdo, ela segura firmemente um khatanga. Está nua, com ornamentos de osso e cabelos livremente soltos. Sua cabeça está adornada com cinco crânios humanos, e usa um colar de cinquenta crânios humanos. Ela tem três olhos e está em pé, com o lado direito do seu corpo estendido.

Na coroa de Khandarohi está um OM; na garganta, um AH; e no coração, um HUM. Do HUM, no coração dela, raios de luz se irradiam e convidam, para que venham de suas moradas naturais, os seres-de-sabedoria – em aparência, semelhantes a ela – juntamente com as Deidades Que-Concedem-Iniciação.

PHAIM
DZA HUM BAM HO Eles se tornam não duais.

A iniciação é concedida pelas Deidades Que-Concedem-Iniciação, e a coroa de Khandarohi está adornada com Ratnasambhava.

Abençoar as oferendas exteriores

OM KHANDAROHI HUM HUM PHAT
OM SÖBHAWA SHUDDHA SARWA DHARMA SÖBHAWA
SHUDDHO HAM
Tudo se torna vacuidade.

Do estado de vacuidade, do KAM vêm vasilhas de crânio, dentro das quais, do HUM surgem substâncias de oferenda. Por sua natureza, vacuidade, cada uma delas tem o aspecto individual de uma das substâncias de oferenda, e servem como objetos de prazer dos seis sentidos para proporcionar especial êxtase incontaminado.

OM AHRGHAM AH HUM
OM PADÄM AH HUM
OM VAJRA PUPE AH HUM
OM VAJRA DHUPE AH HUM
OM VAJRA DIWE AH HUM
OM VAJRA GÄNDHE AH HUM
OM VAJRA NEWIDE AH HUM
OM VAJRA SHAPTA AH HUM

Isso abençoa as duas águas, flores, incenso, luzes, perfume, alimentos e música.

Oferendas exteriores

OM AHRGHAM PARTITZA SÖHA
OM PADÄM PARTITZA SÖHA
OM VAJRA PUPE AH HUM SÖHA
OM VAJRA DHUPE AH HUM SÖHA
OM VAJRA DIWE AH HUM SÖHA
OM VAJRA GÄNDHE AH HUM SÖHA
OM VAJRA NEWIDE AH HUM SÖHA
OM VAJRA SHAPTA AH HUM SÖHA

Oferenda interior

OM KHANDAROHI HUM HUM PHAT OM AH HUM

Louvor

Benzarahi, elemento fogo,
Por natureza, consciência-plena dos fenômenos,
Principal Dakini da Família Lótus,
A ti, Khandarohi, eu me prostro.

Agora, segure o fio de mantra e contemple:

O rosário de mantra, em meu coração, sai enrolando-se em torno do fio de mantra. O rosário de mantra estimula a mente da Deidade dentro do vaso, fazendo com que raios de luz irradiem--se do coração dela. Os raios de luz invocam todas as bênçãos do corpo, fala e mente dos Budas e Bodhisattvas das dez direções, todas sob o aspecto de raios de luz e néctares. As luzes e néctares se dissolvem na Deidade no vaso, e correntes de néctar fluem do corpo dela e preenchem o vaso.

Contemplando isso, recite cem vezes:

OM KHANDAROHI HUM HUM PHAT

Recite o mantra de cem letras para purificar qualquer coisa que tenha sido adicionada ou omitida.

Oferendas exteriores

OM AHRGHAM PARTITZA SÖHA
OM PADÄM PARTITZA SÖHA
OM VAJRA PUPE AH HUM SÖHA
OM VAJRA DHUPE AH HUM SÖHA
OM VAJRA DIWE AH HUM SÖHA
OM VAJRA GÄNDHE AH HUM SÖHA
OM VAJRA NEWIDE AH HUM SÖHA
OM VAJRA SHAPTA AH HUM SÖHA

Oferenda interior

OM KHANDAROHI HUM HUM PHAT OM AH HUM

Louvor

Benzarahi, elemento fogo,
Por natureza, consciência-plena dos fenômenos,
Principal Dakini da Família Lótus,
A ti, Khandarohi, eu me prostro.

Pelo fogo do grande êxtase, a Deidade dentro do vaso se dissolve em luz e se torna um único sabor com a água do vaso, que é da natureza da bodhichitta.

Desse modo, a água de limpeza é gerada. Depois disso, você deve interromper qualquer conversação.

DAR A TORMA AOS GUARDIÕES LOCAIS

Abençoar a torma

OM KHANDAROHI HUM HUM PHAT
OM SÖBHAWA SHUDDHA SARWA DHARMA SÖBHAWA
SHUDDHO HAM
Tudo se torna vacuidade.

Do estado de vacuidade, de um DHRUM a minha frente surge um vasto e amplo vaso adornado com joias. No interior do vaso, do OM surge uma torma, um vasto oceano de incontaminado néctar de excelsa sabedoria.
OM AH HUM (3x)

Oferecer a torma

NAMA SARWA TATHAGATA AWALOKITE OM SAMBHARA
SAMBHARA HUM (3x)

Louvor

Ao Tathagata Rinchen Mang, eu me prostro.
Ao Tathagata Sug Dze Dampa, eu me prostro.
Ao Tathagata Ku Jam Le, eu me prostro.
Ao Tathagata Jigpa Tamche Dang Drelwa, eu me prostro.

Pedido

Ofereço essa torma – um oceano de néctar, que possui uma excelente coleção dos cinco objetos de desejo – a Denma, Deusa da terra, a todos os guardiões regionais nos três mil mundos, às cinco Deusas da longa vida, aos guardiões da doutrina, aos guardiões locais – os senhores dos locais por todo o território – e, especialmente, àqueles que residem neste local. Por favor, aceitai essa torma e, sem sentirem inveja ou irritação com qualquer uma das ações executadas por mim ou por qualquer dos meus benfeitores, criai boas condições convenientes a nossa mente.

Por força de minha intenção,
Por força das bênçãos dos Tathagatas,
E por força da verdade dos fenômenos,
Que qualquer propósito adequado
Que eu deseje obter
Seja alcançado sem obstrução.

Isto conclui a ação de dar a torma aos guardiões locais.

Abençoar o vajra e o sino

O vajra é o método, e o sino é a sabedoria. Juntos, eles são a natureza da bodhichitta última.

Mantenha firmemente esse pensamento. Agora, com os dedos polegar e anular da mão direita, segure o vajra na altura de seu coração e recite:

OM SARWA TATHAGATA SIDDHI VAJRA SAMAYA TIKTA EKA TÖN DHARAYAMI VAJRA SATTÖ HI HI HI HI HI HUM HUM HUM PHAT SÖHA

Agora, com os dedos polegar e anular da mão esquerda, segure o sino na altura de seu quadril esquerdo enquanto você recita:

OM VAJRA GHANTA HUM

Agora contemple:

Eu deleito Vajrasattva e os demais.

Segure o vajra enquanto você recita:

HUM
É excelente manter o vajra,
A atividade de Dharma da perfeita libertação
Que liberta todos os seres vivos da confusão;
Portanto, com deleite, eu mantenho o vajra.
HUM HUM HUM HO HO HO

Segure o vajra na altura de seu quadril direito e toque o sino, de modo que o badalo se mova a partir do centro para cada uma das oito direções, enquanto você recita:

OM VAJRA DHARMA RANITA, PARANITA, SAMPARANITA, SARWA BUDDHA KHYETRA PATZALINI PENJA PARAMITA NADA SÖBHAWA BENZA SATTÖ HRIDAYA, SANTO KHANI HUM HUM HUM HO HO HO SÖHA

A partir de agora até que a oferenda ardente seja concluída, não deixe que nem o vajra nem o sino saiam de suas mãos.

Limpar a base da lareira, as oferendas e a si próprio

Agora, com a água de limpeza e a oferenda interior, esparja três vezes, em sentido anti-horário, a base da lareira, as substâncias e você mesmo, enquanto você recita o mantra:

OM KHANDAROHI HUM HUM PHAT

Abençoar as substâncias a serem oferecidas à Deidade-Fogo mundana

OM KHANDAROHI HUM HUM PHAT
OM SÖBHAWA SHUDDHA SARWA DHARMA SÖBHAWA SHUDDHO HAM
Tudo se torna vacuidade.

Do estado de vacuidade, do KAM vêm vasilhas de crânio, dentro das quais, do HUM surgem substâncias de oferenda. Por sua natureza, vacuidade, cada uma delas tem o aspecto individual de uma das substâncias de oferenda, e servem como objetos de prazer dos seis sentidos para proporcionar especial êxtase incontaminado.

OM AHRGHAM AH HUM
OM PADÄM AH HUM
OM ÄNTZAMANAM AH HUM
OM PROKYANAM AH HUM
OM VAJRA PUPE AH HUM

OM VAJRA DHUPE AH HUM
OM VAJRA ALOKE AH HUM
OM VAJRA GÄNDHE AH HUM
OM VAJRA NEWIDE AH HUM
OM VAJRA SHAPTA AH HUM

Isso gera e abençoa as quatro águas e as oferendas. Agora, mantenha ambas as mãos no mudra de purificar as substâncias: junte os dois punhos-vajra, com os dedos médios levantados e tocando-se nas pontas. Recite:

OM SÖHA
OM AH SÖHA
OM SHRI SÖHA
OM DZIM SÖHA
OM KURU KURU SÖHA

Contemple:

As substâncias são purificadas de todas as falhas de não terem qualidades puras, e tornam-se a natureza dos cinco néctares interiores.

Acender o fogo

Acenda a tocha, enquanto você recita três vezes:

OM AH HUM

e:

OM KHANDAROHI HUM HUM PHAT

Agora, purifique o fogo, espargindo-o três vezes com a água de limpeza e três vezes com a oferenda interior, enquanto você recita:

OM KHANDAROHI HUM HUM PHAT

Coloque a tocha no centro do fogo e recite:

OM DZÖ LA DZÖ LA HUM

Agora, abane o fogo com a bandeira de vento, enquanto você recita:

HUM

Despeje sete conchas de manteiga no fogo, enquanto você recita:

OM OM OM SARWA BUDDHA DAKINIYE VAJRA WARNANIYE VAJRA BEROTZANIYE HUM HUM HUM PHAT PHAT PHAT SÖHA

Preparar o assento de grama *kusha*

Segurando a grama kusha, recite sete vezes:

OM VAJRA SATTÖ AH
OM
Esta grama *kusha* é limpa e virtuosa,
A essência de tudo o que cresce na terra.
Ela agrada aos divinos Brâmanes
E traz deleite a todas as Três Joias.
Por favor, pacifica todos os meus obstáculos
E torna tudo auspicioso.

Agora, recite novamente o mantra, cinco vezes:

OM VAJRA SATTÖ AH

e, começando de sua esquerda, coloque quatro pequenos pacotes de grama kusha *da maneira tradicional em torno de Kakyer, na base da lareira. Depois, prepare um pouco de grama* kusha *de maneira que fique parecida com uma orelha de vaca e coloque-a bem no centro da lareira, com as extremidades apontando para o leste. Agora, com as palmas unidas, recite:*

Ó Abençoado Vajrasattva, por favor, pacifica todos os obstáculos e torna tudo auspicioso.

Deidade-Fogo

A PRÁTICA PROPRIAMENTE DITA

A prática propriamente dita tem três partes:

1. *Oferenda inicial à Deidade-Fogo mundana;*
2. *Oferenda à Deidade-Fogo supramundana;*
3. *Oferenda final à Deidade-Fogo mundana.*

OFERENDA INICIAL À DEIDADE-FOGO MUNDANA

Gerar o ser-de-compromisso

Para purificar a lareira, esparja água de limpeza e recite:

OM KHANDAROHI HUM HUM PHAT
OM SÖBHAWA SHUDDHA SARWA DHARMA SÖBHAWA
SHUDDHO HAM
Tudo se torna vacuidade.

Do estado de vacuidade, surge um HUM branco que se derrete e, ali, surge uma base de lareira de excelsa sabedoria. Ela é branca, seu formato é circular, e está completa com Muren e Kakyer.

Neste ponto, se houver facas curvas em Muren, recite: "Dentro de Muren, há um rosário de facas curvas".

Dentro de Kakyer, há um rosário de vajras. Dentro disso, do EH EH surge uma fonte-fenômenos vermelha, no formato de um duplo tetraedro. Em cada um dos quatro ângulos, há uma meia lua marcada com um vajra. Tudo é claro e desobstruído.

No centro da lareira, do RAM surge um triângulo de fogo ardente, no centro do qual está um lótus de várias cores e um assento de lua. Sobre isso, do RAM surge um mala marcado com um RAM. Isso se transforma completamente na Deidade-Fogo – seu corpo é vermelho, tem uma face e quatro mãos, e monta um bode castrado. Sua primeira mão direita está no mudra do supremo dar, e a segunda mão direita segura um mala. Sua primeira mão esquerda segura um tridente, e a segunda mão esquerda segura um vaso redondo, de gargalo longo, repleto de néctar. A Deidade-Fogo está adornada com um fio de Brâmane, e seus cabelos estão presos, formando um coque no topo da cabeça. Sobre seus ombros, veste uma pele de antílope, e na parte inferior de seu corpo usa uma veste de seda vermelha. Uma luz branca, radiante, emana de seu corpo. Em seu coração, há um triângulo de fogo marcado com um RAM.

Convidar o ser-de-sabedoria

Raios de luz se irradiam da letra-semente no coração do ser-de-compromisso, e manifestam-se como a Deidade irada Takkiradza, que convida a Deidade-Fogo – semelhante à visualização – para vir do sudeste, rodeada por um séquito de Rishis.

Mantenha sua mão direita no mudra do destemor e mova o polegar enquanto você recita:

OM
Ó Grande Ser, vem a este local, vem a este local, por favor,
Supremo Brâmane, divino Rishi.
Por favor, vem a este local
Para desfrutar do alimento da concha ardente.

Recite também:

OM EH HAYE HI MAHA BHUTA DEWA RIKI DINDZA SATTÖ MAGI HITÖ MAHA ÄMINPANI HITO BHAWA AGNIYE EH HAYE HE: DZA HUM BAM HO

ou isto, brevemente:

OM AGNIYE EH HAYE HI

Por favor, permanece no assento de grama *kusha* dentro de Kakyer, na base da lareira.

Afaste obstáculos espargindo água de limpeza e recitando:

OM KHANDAROHI HUM HUM PHAT

Se você desejar, ofereça as quatro águas neste ponto.

DZA HUM BAM HO
O ser-de-sabedoria torna-se não dual com o ser-de-compromisso.

Agora, ofereça água para espargir:

OM AH HRIH PRAVARA SÄKARAM PROKYANAM PARTITZA HUM SÖHA

Do mesmo modo, com os mudras respectivos, ofereça água para a boca, água para beber e água para os pés:

OM AH HRIH PRAVARA SÄKARAM ÄNTZAMANAM PARTITZA HUM SÖHA
OM AH HRIH PRAVARA SÄKARAM AHRGHAM PARTITZA HUM SÖHA
OM AH HRIH PRAVARA SÄKARAM PADÄM PARTITZA HUM SÖHA

Agora, ofereça as oferendas-aproximadoras e música, assim:

OM AGNIYE AHDIBÄ AHDIBÄ AMBISHA AMBISHA MAHA SHRIYE HAMBÄ KABÄ BAHA NAYE PUPE PARTITZA HUM SÖHA
OM AGNIYE AHDIBÄ AHDIBÄ AMBISHA AMBISHA MAHA SHRIYE HAMBÄ KABÄ BAHA NAYE DHUPE PARTITZA HUM SÖHA
OM AGNIYE AHDIBÄ AHDIBÄ AMBISHA AMBISHA MAHA SHRIYE HAMBÄ KABÄ BAHA NAYE ALOKE PARTITZA HUM SÖHA
OM AGNIYE AHDIBÄ AHDIBÄ AMBISHA AMBISHA MAHA SHRIYE HAMBÄ KABÄ BAHA NAYE GÄNDHE PARTITZA HUM SÖHA
OM AGNIYE AHDIBÄ AHDIBÄ AMBISHA AMBISHA MAHA SHRIYE HAMBÄ KABÄ BAHA NAYE NEWIDE PARTITZA HUM SÖHA
OM AGNIYE AHDIBÄ AHDIBÄ AMBISHA AMBISHA MAHA SHRIYE HAMBÄ KABÄ BAHA NAYE SHAPTA PARTITZA HUM SÖHA

e ofereça a oferenda interior:

OM AGNIYE AHDIBÄ AHDIBÄ AMBISHA AMBISHA MAHA SHRIYE HAMBÄ KABÄ BAHA NAYE OM AH HUM

Louvor

Senhor do mundo, Filho de Brahma, o poderoso Protetor,
Rei das Deidades-Fogo, iniciado por Takki,
Que consomes todas as delusões com tua sabedoria suprema,
A ti, Ó Protetor Deidade-Fogo, eu me prostro.

Se você tiver o desejo de fazer extensos louvores, continue com:

Ó Filho de Brahma, Protetor do mundo,
Rei das Deidades-Fogo, supremo Rishi,
Tu manifestas essa forma movido por compaixão,
Para proteger plenamente todos os seres vivos.

No aspecto de um Rishi realizado nos mantras-conhecimento,
Com a luz de sabedoria consumindo as delusões
E um brilho ardente como o fogo do éon,
Tu és dotado de clarividência e poderes miraculosos.

Por teus meios habilidosos, montas um veículo-emanação.
Segurando um mala, recitas mantras-conhecimento.
Seguras um vaso de néctar-essencial
E trazes alívio a todos com o néctar do Dharma.

Tu és livre de falhas e tens perfeita pureza.
Embora permaneças no mundo, passaste para além do sofrimento;
Embora tenhas alcançado a paz, tens grande compaixão;
Portanto, faço louvores e prostrações a ti.

Proclamar o compromisso

Com o mudra do compromisso da Deidade-Fogo, proclame o compromisso dela recitando três vezes:

OM VAJRA AHNALA MAHA BHUTA DZÖLA DZÖLAYA, SARWA BHÄMI KURU, SARWA DUTRAM HUM PHAT, TIRSHA DZA HUM BAM HO: SAMAYA TÖN SAMAYA HO

Fazer as oferendas

Agora, contemple:

A língua da Deidade-Fogo está no aspecto de um vajra branco marcado com uma letra RAM, e a boca do funil está marcada com uma letra HUM e raios de luz.

Oferenda inicial da manteiga derretida

Com o mudra da suprema iluminação, segure o funil repleto até a borda com manteiga e faça oferendas, enquanto você recita sete vezes:

OM AGNIYE AHDIBÄ AHDIBÄ AMBISHA AMBISHA MAHA SHRIYE HAMBÄ KABÄ BAHA NAYE SÖHA

Para todos nós discípulos, nossos benfeitores e outros, que todos os obstáculos para alcançar libertação e onisciência, todas as transgressões dos três votos, todas as não-virtudes naturais, toda inauspiciosidade, toda concentração pouco clara, toda recitação impura de mantras, e todas as falhas de excesso e omissão nos rituais [sejam purificados] SHÄNTING KURUYE SÖHA.

Neste ponto, você deve verificar se há ou não algum obstáculo ao fogo. Se houver, esparja água de limpeza e acrescente as palavras "Que Khandarohi [pacifique] todos os obstáculos SHÄNTING KURUYE SÖHA", enquanto você oferece sete conchas. Depois, esparja novamente água de limpeza e ofereça sete, três ou somente uma concha, com o mantra: OM AGNIYE AHDIBÄ AHDIBÄ AMBISHA AMBISHA MAHA SHRIYE HAMBÄ KABÄ BAHA NAYE SÖHA. Se não houver obstáculos, isso não é necessário.

Oferecer a madeira lactescente

Contemple:

A madeira lactescente torna-se néctar, a natureza da Árvore Bodhi.
OM AGNIYE AHDIBÄ AHDIBÄ AMBISHA AMBISHA MAHA SHRIYE HAMBÄ KABÄ BAHA NAYE
OM BODHI PIKYAYE
Para todos nós discípulos, nossos benfeitores e outros, que todos os obstáculos para alcançar libertação e onisciência, todas as transgressões dos três votos, todas as não-virtudes naturais, toda inauspiciosidade, toda concentração pouco clara, toda recitação impura de mantras, todas as falhas de excesso e omissão nos rituais, e especialmente todos os obstáculos ao aumento de vitalidade [sejam purificados] SHÄNTING KURUYE SÖHA.

Oferecer a manteiga derretida

OM AGNIYE AHDIBÄ AHDIBÄ AMBISHA AMBISHA MAHA SHRIYE HAMBÄ KABÄ BAHA NAYE
OM AGNIYE
Para todos nós discípulos, nossos benfeitores e outros, que todos os obstáculos para alcançar libertação e onisciência, todas as transgressões dos três votos, todas as não-virtudes naturais, toda inauspiciosidade, toda concentração pouco clara, toda recitação impura de mantras, todas as falhas de excesso e omissão nos rituais, e especialmente todos os obstáculos ao aumento de riqueza [sejam purificados] SHÄNTING KURUYE SÖHA.

Oferecer as sementes de gergelim

OM AGNIYE AHDIBÄ AHDIBÄ AMBISHA AMBISHA MAHA SHRIYE HAMBÄ KABÄ BAHA NAYE
OM SARWA PAPAM DAHANA VAJRAYE
Para todos nós discípulos, nossos benfeitores e outros, que todos os obstáculos para alcançar libertação e onisciência, todas as transgressões dos três votos, todas as não-virtudes naturais, toda inauspiciosidade, toda concentração pouco clara, toda recitação

impura de mantras, todas as falhas de excesso e omissão nos rituais, e especialmente todas as nossas negatividades [sejam purificados] SHÄNTING KURUYE SÖHA.

Oferecer a grama-de-ponta

OM AGNIYE AHDIBÄ AHDIBÄ AMBISHA AMBISHA MAHA SHRIYE HAMBÄ KABÄ BAHA NAYE
OM VAJRA AHYUKE
Para todos nós discípulos, nossos benfeitores e outros, que todos os obstáculos para alcançar libertação e onisciência, todas as transgressões dos três votos, todas as não-virtudes naturais, toda inauspiciosidade, toda concentração pouco clara, toda recitação impura de mantras, todas as falhas de excesso e omissão nos rituais, e especialmente todos os obstáculos ao aumento do tempo de vida [sejam purificados] SHÄNTING KURUYE SÖHA.

Oferecer o arroz

OM AGNIYE AHDIBÄ AHDIBÄ AMBISHA AMBISHA MAHA SHRIYE HAMBÄ KABÄ BAHA NAYE
OM VAJRA PUTRAYE
Para todos nós discípulos, nossos benfeitores e outros, que todos os obstáculos para alcançar libertação e onisciência, todas as transgressões dos três votos, todas as não-virtudes naturais, toda inauspiciosidade, toda concentração pouco clara, toda recitação impura de mantras, todas as falhas de excesso e omissão nos rituais, e especialmente todos os obstáculos ao aumento de mérito [sejam purificados] SHÄNTING KURUYE SÖHA.

Oferecer a farinha e o iogurte

OM AGNIYE AHDIBÄ AHDIBÄ AMBISHA AMBISHA MAHA
SHRIYE HAMBÄ KABÄ BAHA NAYE
OM SARWA SAMPA DE
Para todos nós discípulos, nossos benfeitores e outros, que todos os obstáculos para alcançar libertação e onisciência, todas as transgressões dos três votos, todas as não-virtudes naturais, toda inauspiciosidade, toda concentração pouco clara, toda recitação impura de mantras, todas as falhas de excesso e omissão nos rituais, e especialmente todos os obstáculos ao êxtase supremo [sejam purificados] SHÄNTING KURUYE SÖHA.

Oferecer a grama *kusha*

OM AGNIYE AHDIBÄ AHDIBÄ AMBISHA AMBISHA MAHA
SHRIYE HAMBÄ KABÄ BAHA NAYE
OM AHTRATI HATA VAJRAYE
Para todos nós discípulos, nossos benfeitores e outros, que todos os obstáculos para alcançar libertação e onisciência, todas as transgressões dos três votos, todas as não-virtudes naturais, toda inauspiciosidade, toda concentração pouco clara, toda recitação impura de mantras, todas as falhas de excesso e omissão nos rituais, e especialmente todos os obstáculos à suprema limpidez [sejam purificados] SHÄNTING KURUYE SÖHA.

Oferecer as sementes de mostarda branca

OM AGNIYE AHDIBÄ AHDIBÄ AMBISHA AMBISHA MAHA
SHRIYE HAMBÄ KABÄ BAHA NAYE
OM SARWA AHRTA SIDDHA YE
Para todos nós discípulos, nossos benfeitores e outros, que todos os obstáculos para alcançar libertação e onisciência, todas as transgressões dos três votos, todas as não-virtudes naturais, toda inauspiciosidade, toda concentração pouco clara, toda recitação impura de mantras, todas as falhas de excesso e omissão nos rituais, e especialmente todos os nossos obstáculos [sejam purificados] SHÄNTING KURUYE SÖHA.

Oferecer a cevada com casca

OM AGNIYE AHDIBÄ AHDIBÄ AMBISHA AMBISHA MAHA
SHRIYE HAMBÄ KABÄ BAHA NAYE
OM VAJRA BINZAYE
Para todos nós discípulos, nossos benfeitores e outros, que todos os obstáculos para alcançar libertação e onisciência, todas as transgressões dos três votos, todas as não-virtudes naturais, toda inauspiciosidade, toda concentração pouco clara, toda recitação impura de mantras, todas as falhas de excesso e omissão nos rituais, e especialmente todos os obstáculos à riqueza e às colheitas abundantes [sejam purificados] SHÄNTING KURUYE SÖHA.

Oferecer a cevada sem casca

OM AGNIYE AHDIBÄ AHDIBÄ AMBISHA AMBISHA MAHA
SHRIYE HAMBÄ KABÄ BAHA NAYE
OM MAHA BEGAYE
Para todos nós discípulos, nossos benfeitores e outros, que todos os obstáculos para alcançar libertação e onisciência, todas as transgressões dos três votos, todas as não-virtudes naturais, toda inauspiciosidade, toda concentração pouco clara, toda recitação impura de mantras, todas as falhas de excesso e omissão nos rituais, e especialmente todos os obstáculos aos excelentes poderes mentais rápidos [sejam purificados] SHÄNTING KURUYE SÖHA.

Oferecer as ervilhas

OM AGNIYE AHDIBÄ AHDIBÄ AMBISHA AMBISHA MAHA
SHRIYE HAMBÄ KABÄ BAHA NAYE
OM MAHA BALAYE
Para todos nós discípulos, nossos benfeitores e outros, que todos os obstáculos para alcançar libertação e onisciência, todas as transgressões dos três votos, todas as não-virtudes naturais, toda inauspiciosidade, toda concentração pouco clara, toda recitação impura de mantras, todas as falhas de excesso e omissão nos rituais, e especialmente todos os obstáculos ao incremento de vigor [sejam purificados] SHÄNTING KURUYE SÖHA.

Oferecer o trigo

OM AGNIYE AHDIBÄ AHDIBÄ AMBISHA AMBISHA MAHA SHRIYE HAMBÄ KABÄ BAHA NAYE
OM VAJRA GHAMA RI
Para todos nós discípulos, nossos benfeitores e outros, que todos os obstáculos para alcançar libertação e onisciência, todas as transgressões dos três votos, todas as não-virtudes naturais, toda inauspiciosidade, toda concentração pouco clara, toda recitação impura de mantras, todas as falhas de excesso e omissão nos rituais, e especialmente que toda e qualquer doença [sejam purificados] SHÄNTING KURUYE SÖHA.

Oferecer o álcool

OM AGNIYE AHDIBÄ AHDIBÄ AMBISHA AMBISHA MAHA SHRIYE HAMBÄ KABÄ BAHA NAYE
OM MADANA PÄNJA AMRITA AH HUM
Para todos nós discípulos, nossos benfeitores e outros, que todos os obstáculos para alcançar libertação e onisciência, todas as transgressões dos três votos, todas as não-virtudes naturais, toda inauspiciosidade, toda concentração pouco clara, toda recitação impura de mantras, todas as falhas de excesso e omissão nos rituais, e especialmente todos os obstáculos à conquista das aquisições supremas [sejam purificados] SHÄNTING KURUYE SÖHA.

Oferecer a carne bovina

OM AGNIYE AHDIBÄ AHDIBÄ AMBISHA AMBISHA MAHA SHRIYE HAMBÄ KABÄ BAHA NAYE
OM BALA PÄNJA AMRITA AH HUM
Para todos nós discípulos, nossos benfeitores e outros, que todos os obstáculos para alcançar libertação e onisciência, todas as transgressões dos três votos, todas as não-virtudes naturais, toda inauspiciosidade, toda concentração pouco clara, toda recitação impura de mantras, todas as falhas de excesso e omissão nos rituais, e especialmente todos os obstáculos à conquista das aquisições supremas [sejam purificados] SHÄNTING KURUYE SÖHA.

Os lamas anteriores pertencentes a esta tradição disseram que devemos oferecer apenas uma pequena quantidade de carne bovina.

Oferecer a substância pacificadora especial

OM AGNIYE AHDIBÄ AHDIBÄ AMBISHA AMBISHA MAHA SHRIYE HAMBÄ KABÄ BAHA NAYE
Para todos nós discípulos, nossos benfeitores e outros, que todos os obstáculos para alcançar libertação e onisciência, todas as transgressões dos três votos, todas as não-virtudes naturais, toda inauspiciosidade, toda concentração pouco clara, toda recitação impura de mantras, todas as falhas de excesso e omissão nos rituais, e especialmente todos os obstáculos à conquista das aquisições supremas [sejam purificados] SHÄNTING KURUYE SÖHA.

Agora, ofereça água para a boca e água para espargir, assim:

OM AH HRIH PRAVARA SÄKARAM ÄNTZAMANAM PARTITZA HUM SÖHA
OM AH HRIH PRAVARA SÄKARAM PROKYANAM PARTITZA HUM SÖHA

OFERENDAS À DEIDADE-FOGO SUPRAMUNDANA

Abençoar as substâncias de oferenda

OM KHANDAROHI HUM HUM PHAT
OM SÖBHAWA SHUDDHA SARWA DHARMA SÖBHAWA SHUDDHO HAM
Tudo se torna vacuidade

Do estado de vacuidade, do KAM vêm vasilhas de crânio, dentro das quais, do HUM surgem substâncias de oferenda. Por sua natureza, vacuidade, cada uma delas tem o aspecto individual de uma das substâncias de oferenda, e servem como objetos de prazer dos seis sentidos para proporcionar especial êxtase incontaminado.

OM AHRGHAM AH HUM
OM PADÄM AH HUM
OM ÄNTZAMANAM AH HUM
OM PROKYANAM AH HUM
OM VAJRA PUPE AH HUM
OM VAJRA DHUPE AH HUM
OM VAJRA DIWE AH HUM
OM VAJRA GÄNDHE AH HUM
OM VAJRA NEWIDE AH HUM
OM VAJRA SHAPTA AH HUM

OM RUWA AH HUM
OM SHAPTA AH HUM
OM GÄNDHE AH HUM
OM RASE AH HUM
OM PARSHE AH HUM

Agora, purifique as oferendas como antes:

OM SÖHA
OM AH SÖHA
OM SHRI SÖHA
OM DZIM SÖHA
OM KURU KURU SÖHA

Contemple:

As substâncias são purificadas de todas as falhas de não terem qualidades puras, e tornam-se a natureza dos cinco néctares interiores.

Gerar a Deidade-Fogo supramundana

No coração da Deidade-Fogo, está um triângulo de fogo ardente. No centro dele, do EH EH surge uma fonte-fenômenos vermelha no formato de um duplo tetraedro, dentro da qual, do AH, surge um mandala de lua branco com um sombreado vermelho. No centro disso, está uma letra BAM vermelha rodeada por OM OM OM SARWA BUDDHA DAKINIYE VAJRA WARNANIYE VAJRA BEROTZANIYE HUM HUM HUM PHAT PHAT PHAT SÖHA – um rosário de mantra vermelho em pé, disposto em sentido anti-horário. Deles, raios de luz se irradiam, fazem oferendas aos seres superiores e realizam o bem-estar dos seres sencientes. Recolhendo-se, os raios de luz se transformam em um lótus de oito pétalas de várias cores, com um mandala de sol em seu centro. Sobre ele, surge a Venerável Vajrayogini. A perna direita dela, esticada, pisa sobre o peito da vermelha Kalarati. A perna esquerda, dobrada, pisa sobre a cabeça de Bhairawa negro, vergada para trás. Ela tem um corpo vermelho, que resplandece com o brilho igual ao do fogo do éon. Tem uma face, duas mãos e três olhos, e seu olhar está voltado para a Terra Pura das Dakinis. A mão direita dela, esticada e apontando para baixo, segura uma faca curva marcada com um vajra. A mão esquerda segura, ao alto, uma cuia de crânio repleta de sangue, que ela compartilha e bebe com a boca voltada para o alto. O ombro esquerdo sustenta um khatanga marcado com um vajra, e do khatanga pendem um damaru, um sino e um triplo estandarte. Os cabelos, pretos e soltos, cobrem suas costas até a cintura. Na flor da sua juventude, seus desejáveis seios são fartos e ela mostra como gerar êxtase. A cabeça está adornada com cinco crânios humanos, e usa um colar de cinquenta crânios humanos. Nua, adornada com cinco mudras, ela está em pé no centro de um fogo flamejante de excelsa sabedoria. Uma profusão de luz branca se irradia do corpo dela.

Absorver os seres-de-sabedoria

PHAIM
Raios de luz se irradiam da letra BAM em meu coração, saem por entre minhas sobrancelhas e se espalham para as dez direções. Eles convidam todos os Tathagatas, Heróis e Ioguines das dez direções, todos sob o aspecto de Vajrayogini.

DZA HUM BAM HO
OM YOGA SHUDDHA SARWA DHARMA YOGA SHUDDHO HAM

Venerável Vajrayogini

Vestir a armadura

Em lugares do corpo dela, surgem mandalas de lua, sobre os quais, no umbigo estão OM BAM vermelhos, Vajravarahi; no coração, HAM YOM azuis, Yamani; na garganta, HRIM MOM brancos, Mohani; na testa, HRIM HRIM amarelos, Sachalani; na coroa, HUM HUM verdes, Samtrasani; e em todos os membros, PHAT PHAT cor-de-fumaça, essência de Chandika.

Conceder a iniciação e adornar a coroa

PHAIM
Raios de luz se irradiam da letra BAM em meu coração e convidam as Deidades Que-Concedem-Iniciação, o mandala sustentado e sustentador do Glorioso Chakrasambara.

Ó, todos vós, Tathagatas, por favor, concedei a iniciação.

Solicitados desse modo, as oito Deusas dos portais afastam os impedimentos, os Heróis recitam versos auspiciosos, as Heroínas cantam canções-vajra, e as Rupavajras e as demais fazem oferendas. O Principal decide mentalmente conceder a iniciação, e as Quatro Mães, juntamente com Varahi, segurando vasos adornados com joias e repletos com os cinco néctares, conferem a iniciação pela coroa da cabeça dela.

"Assim como todos os Tathagatas concederam ablução
No momento do nascimento [de Buda],
Também nós, agora, concedemos ablução
Com a água pura dos deuses.

OM SARWA TATHAGATA ABHIKEKATA SAMAYA SHRIYE HUM"

Dizendo isso, elas concedem a iniciação. O corpo dela é preenchido por inteiro, todas as máculas são purificadas, e o excesso de água remanescente na coroa transforma-se em Vairochana-Heruka com a Mãe, os quais adornam sua coroa.

Fazer o convite aos convidados das oferendas

Com o mudra, recite:

PHAIM
Raios de luz se irradiam da letra BAM em meu coração e convidam a Venerável Vajrayogini, rodeada pela assembleia de Gurus, Yidams, Budas, Bodhisattvas, Heróis, Dakinis, Protetores do Dharma e Protetores mundanos, para virem de Akanishta ao espaço a minha frente.

Fazer oferendas

Deusas oferecedoras emanam de meu coração e fazem as oferendas.

Oferecer as quatro águas

OM AH HRIH PRAVARA SÄKARAM AHRGHAM PARTITZA HUM SÖHA
OM AH HRIH PRAVARA SÄKARAM PADÄM PARTITZA HUM SÖHA
OM AH HRIH PRAVARA SÄKARAM ÄNTZAMANAM PARTITZA HUM SÖHA
OM AH HRIH PRAVARA SÄKARAM PROKYANAM PARTITZA HUM SÖHA

Oferendas exteriores

OM SARWA TATHAGATA SARWA BIRA YOGENI SAPARIWARA PUPE PUNJA MEGHA SAMUDRA PARANA SAMAYE AH HUM
OM SARWA TATHAGATA SARWA BIRA YOGENI SAPARIWARA DHUPE PUNJA MEGHA SAMUDRA PARANA SAMAYE AH HUM
OM SARWA TATHAGATA SARWA BIRA YOGENI SAPARIWARA DIWE PUNJA MEGHA SAMUDRA PARANA SAMAYE AH HUM

OM SARWA TATHAGATA SARWA BIRA YOGENI SAPARIWARA GÄNDHE PUNJA MEGHA SAMUDRA PARANA SAMAYE AH HUM
OM SARWA TATHAGATA SARWA BIRA YOGENI SAPARIWARA NEWIDE PUNJA MEGHA SAMUDRA PARANA SAMAYE AH HUM
OM SARWA TATHAGATA SARWA BIRA YOGENI SAPARIWARA SHAPTA PUNJA MEGHA SAMUDRA PARANA SAMAYE AH HUM

Oferecer as dezesseis deusas-conhecimento

OM VAJRA WINI HUM HUM PHAT
OM VAJRA WAMSHE HUM HUM PHAT
OM VAJRA MITAMGI HUM HUM PHAT
OM VAJRA MURANDZE HUM HUM PHAT

OM VAJRA HASÄ HUM HUM PHAT
OM VAJRA LASÄ HUM HUM PHAT
OM VAJRA GIRTI HUM HUM PHAT
OM VAJRA NIRTÄ HUM HUM PHAT

OM VAJRA PUPE HUM HUM PHAT
OM VAJRA DHUPE HUM HUM PHAT
OM VAJRA DIWE HUM HUM PHAT
OM VAJRA GÄNDHE HUM HUM PHAT

OM RUPA BENZ HUM HUM PHAT
OM RASA BENZ HUM HUM PHAT
OM PARSHE BENZ HUM HUM PHAT
OM DHARMA DHATU BENZ HUM HUM PHAT

Oferenda interior

OM OM OM SARWA BUDDHA DAKINIYE VAJRA WARNANIYE VAJRA BEROTZANIYE HUM HUM HUM PHAT PHAT PHAT SÖHA OM AH HUM

Os oito versos de louvor à Mãe

OM Prostro-me a Vajravarahi, a Mãe Abençoada HUM HUM PHAT
OM À Superior e poderosa Senhora do Saber, inconquistada pelos três reinos HUM HUM PHAT
OM A ti, que destróis todos os medos de espíritos maléficos com teu grande vajra HUM HUM PHAT
OM A ti, com olhos controladores, que permaneces como o assento-vajra inconquistado por outros HUM HUM PHAT
OM A ti, cuja feroz forma irada desseca Brahma HUM HUM PHAT
OM A ti, que aterrorizas e exterminas demônios, conquistando aqueles de outras direções HUM HUM PHAT
OM A ti, que conquistas todos os que nos tornam obtusos, rígidos e confusos HUM HUM PHAT
OM Curvo-me a Vajravarahi, a Grande Mãe, a consorte Dakini que satisfaz todos os desejos HUM HUM PHAT

Louvor

Ó Gloriosa Vajrayogini,
Rainha Dakini Chakravatin,
Que tens cinco sabedorias e três corpos,
A ti, Salvadora de todos, eu me prostro.

Às muitas Dakinis Vajra,
Que, como Senhoras das ações mundanas,
Cortais nossas amarras aos preconceitos,
A todas vós, Senhoras, eu me prostro.

Se tiver o desejo de fazer extensas oferendas, você pode executar o extenso conjunto de oferendas, oferendas interiores e louvores, da maneira como está apresentado na seção da geração-em-frente nos rituais de autoiniciação da sadhana Festa de Grande Êxtase – *desde* oferecer as quatro águas *até o* louvor extenso, *inclusive (pág. 427-443 deste livro).*

Oferecer as substâncias ardentes

Agora, contemple:

A língua da Deidade está no aspecto de um vajra branco, marcado com uma letra HUM.

Oferenda inicial da manteiga derretida

Ofereça três ou sete conchas [de manteiga], enquanto você recita sete vezes o mantra e os pedidos adicionais:

OM OM OM SARWA BUDDHA DAKINIYE VAJRA WARNANIYE VAJRA BEROTZANIYE HUM HUM HUM PHAT PHAT PHAT SÖHA

Para todos nós discípulos, nossos benfeitores e outros, que todos os obstáculos para alcançar libertação e onisciência, todas as transgressões dos três votos, todas as não-virtudes naturais, toda inauspiciosidade, toda concentração pouco clara, toda recitação impura de mantras, e todas as falhas de excesso e omissão nos rituais [sejam purificados] SHÄNTING KURUYE SÖHA.

Oferecer a madeira lactescente

Contemple:

A madeira lactescente torna-se néctar, a natureza da Árvore Bodhi.

OM OM OM SARWA BUDDHA DAKINIYE VAJRA WARNANIYE VAJRA BEROTZANIYE HUM HUM HUM PHAT PHAT PHAT SÖHA

OM BODHI PIKYAYE

Para todos nós discípulos, nossos benfeitores e outros, que todos os obstáculos para alcançar libertação e onisciência, todas as transgressões dos três votos, todas as não-virtudes naturais, toda inauspiciosidade, toda concentração pouco clara, toda recitação impura de mantras, todas as falhas de excesso e omissão nos rituais, e especialmente todos os obstáculos ao aumento de vitalidade [sejam purificados] SHÄNTING KURUYE SÖHA.

Ofereça um número adequado.

Oferecer a manteiga derretida

OM OM OM SARWA BUDDHA DAKINIYE VAJRA WARNANIYE VAJRA BEROTZANIYE HUM HUM HUM PHAT PHAT PHAT SÖHA
OM AGNIYE
Para todos nós discípulos, nossos benfeitores e outros, que todos os obstáculos para alcançar libertação e onisciência, todas as transgressões dos três votos, todas as não-virtudes naturais, toda inauspiciosidade, toda concentração pouco clara, toda recitação impura de mantras, todas as falhas de excesso e omissão nos rituais, e especialmente todos os obstáculos ao aumento de riqueza [sejam purificados] SHÄNTING KURUYE SÖHA.

Oferecer as sementes de gergelim

OM OM OM SARWA BUDDHA DAKINIYE VAJRA WARNANIYE VAJRA BEROTZANIYE HUM HUM HUM PHAT PHAT PHAT SÖHA
OM SARWA PAPAM DAHANA VAJRAYE
Para todos nós discípulos, nossos benfeitores e outros, que todos os obstáculos para alcançar libertação e onisciência, todas as transgressões dos três votos, todas as não-virtudes naturais, toda inauspiciosidade, toda concentração pouco clara, toda recitação impura de mantras, todas as falhas de excesso e omissão nos rituais, e especialmente todas as nossas negatividades [sejam purificados] SHÄNTING KURUYE SÖHA.

Oferecer a grama-de-ponta

OM OM OM SARWA BUDDHA DAKINIYE VAJRA WARNANIYE VAJRA BEROTZANIYE HUM HUM HUM PHAT PHAT PHAT SÖHA
OM VAJRA AHYUKE
Para todos nós discípulos, nossos benfeitores e outros, que todos os obstáculos para alcançar libertação e onisciência, todas as transgressões dos três votos, todas as não-virtudes naturais, toda

inauspiciosidade, toda concentração pouco clara, toda recitação impura de mantras, todas as falhas de excesso e omissão nos rituais, e especialmente todos os obstáculos ao aumento do tempo de vida [sejam purificados] SHÄNTING KURUYE SÖHA.

Oferecer o arroz

OM OM OM SARWA BUDDHA DAKINIYE VAJRA WARNANIYE VAJRA BEROTZANIYE HUM HUM HUM PHAT PHAT PHAT SÖHA
OM VAJRA PUTRAYE
Para todos nós discípulos, nossos benfeitores e outros, que todos os obstáculos para alcançar libertação e onisciência, todas as transgressões dos três votos, todas as não-virtudes naturais, toda inauspiciosidade, toda concentração pouco clara, toda recitação impura de mantras, todas as falhas de excesso e omissão nos rituais, e especialmente todos os obstáculos ao aumento de mérito [sejam purificados] SHÄNTING KURUYE SÖHA.

Oferecer a farinha e o iogurte

OM OM OM SARWA BUDDHA DAKINIYE VAJRA WARNANIYE VAJRA BEROTZANIYE HUM HUM HUM PHAT PHAT PHAT SÖHA
OM SARWA SAMPA DE
Para todos nós discípulos, nossos benfeitores e outros, que todos os obstáculos para alcançar libertação e onisciência, todas as transgressões dos três votos, todas as não-virtudes naturais, toda inauspiciosidade, toda concentração pouco clara, toda recitação impura de mantras, todas as falhas de excesso e omissão nos rituais, e especialmente todos os obstáculos ao êxtase supremo [sejam purificados] SHÄNTING KURUYE SÖHA.

Oferecer a grama *kusha*

OM OM OM SARWA BUDDHA DAKINIYE VAJRA WARNANIYE VAJRA BEROTZANIYE HUM HUM HUM PHAT PHAT PHAT SÖHA
OM AHTRATI HATA VAJRAYE
Para todos nós discípulos, nossos benfeitores e outros, que todos os obstáculos para alcançar libertação e onisciência, todas as transgressões dos três votos, todas as não-virtudes naturais, toda inauspiciosidade, toda concentração pouco clara, toda recitação impura de mantras, todas as falhas de excesso e omissão nos rituais, e especialmente todos os obstáculos à suprema limpidez [sejam purificados] SHÄNTING KURUYE SÖHA.

Oferecer as sementes de mostarda branca

OM OM OM SARWA BUDDHA DAKINIYE VAJRA WARNANIYE VAJRA BEROTZANIYE HUM HUM HUM PHAT PHAT PHAT SÖHA
OM SARWA AHRTA SIDDHA YE
Para todos nós discípulos, nossos benfeitores e outros, que todos os obstáculos para alcançar libertação e onisciência, todas as transgressões dos três votos, todas as não-virtudes naturais, toda inauspiciosidade, toda concentração pouco clara, toda recitação impura de mantras, todas as falhas de excesso e omissão nos rituais, e especialmente todos os nossos obstáculos [sejam purificados] SHÄNTING KURUYE SÖHA.

Oferecer a cevada com casca

OM OM OM SARWA BUDDHA DAKINIYE VAJRA WARNANIYE VAJRA BEROTZANIYE HUM HUM HUM PHAT PHAT PHAT SÖHA
OM VAJRA BINZAYE
Para todos nós discípulos, nossos benfeitores e outros, que todos os obstáculos para alcançar libertação e onisciência, todas as transgressões dos três votos, todas as não-virtudes naturais, toda

inauspiciosidade, toda concentração pouco clara, toda recitação impura de mantras, todas as falhas de excesso e omissão nos rituais, e especialmente todos os obstáculos à riqueza e às colheitas abundantes [sejam purificados] SHÄNTING KURUYE SÖHA.

Oferecer a cevada sem casca

OM OM OM SARWA BUDDHA DAKINIYE VAJRA WARNANIYE VAJRA BEROTZANIYE HUM HUM HUM PHAT PHAT PHAT SÖHA
OM MAHA BEGAYE
Para todos nós discípulos, nossos benfeitores e outros, que todos os obstáculos para alcançar libertação e onisciência, todas as transgressões dos três vòtos, todas as não-virtudes naturais, toda inauspiciosidade, toda concentração pouco clara, toda recitação impura de mantras, todas as falhas de excesso e omissão nos rituais, e especialmente todos os obstáculos aos excelentes poderes mentais rápidos [sejam purificados] SHÄNTING KURUYE SÖHA.

Oferecer as ervilhas

OM OM OM SARWA BUDDHA DAKINIYE VAJRA WARNANIYE VAJRA BEROTZANIYE HUM HUM HUM PHAT PHAT PHAT SÖHA
OM MAHA BALAYE
Para todos nós discípulos, nossos benfeitores e outros, que todos os obstáculos para alcançar libertação e onisciência, todas as transgressões dos três votos, todas as não-virtudes naturais, toda inauspiciosidade, toda concentração pouco clara, toda recitação impura de mantras, todas as falhas de excesso e omissão nos rituais, e especialmente todos os obstáculos ao incremento de vigor [sejam purificados] SHÄNTING KURUYE SÖHA.

Oferecer o trigo

OM OM OM SARWA BUDDHA DAKINIYE VAJRA WARNANIYE VAJRA BEROTZANIYE HUM HUM HUM PHAT PHAT PHAT SÖHA
OM VAJRA GHAMA RI
Para todos nós discípulos, nossos benfeitores e outros, que todos os obstáculos para alcançar libertação e onisciência, todas as transgressões dos três votos, todas as não-virtudes naturais, toda inauspiciosidade, toda concentração pouco clara, toda recitação impura de mantras, todas as falhas de excesso e omissão nos rituais, e especialmente que toda e qualquer doença [sejam purificados] SHÄNTING KURUYE SÖHA.

Oferecer o álcool

OM OM OM SARWA BUDDHA DAKINIYE VAJRA WARNANIYE VAJRA BEROTZANIYE HUM HUM HUM PHAT PHAT PHAT SÖHA
OM MADANA PÄNJA AMRITA AH HUM
Para todos nós discípulos, nossos benfeitores e outros, que todos os obstáculos para alcançar libertação e onisciência, todas as transgressões dos três votos, todas as não-virtudes naturais, toda inauspiciosidade, toda concentração pouco clara, toda recitação impura de mantras, todas as falhas de excesso e omissão nos rituais, e especialmente todos os obstáculos à conquista das aquisições supremas [sejam purificados] SHÄNTING KURUYE SÖHA.

Oferecer a carne bovina

OM OM OM SARWA BUDDHA DAKINIYE VAJRA WARNANIYE VAJRA BEROTZANIYE HUM HUM HUM PHAT PHAT PHAT SÖHA
OM BALA PÄNJA AMRITA AH HUM
Para todos nós discípulos, nossos benfeitores e outros, que todos os obstáculos para alcançar libertação e onisciência, todas as transgressões dos três votos, todas as não-virtudes naturais, toda inauspiciosidade, toda concentração pouco clara, toda recitação

impura de mantras, todas as falhas de excesso e omissão nos rituais, e especialmente todos os obstáculos à conquista das aquisições supremas [sejam purificados] SHÄNTING KURUYE SÖHA.

Ofereça apenas uma pequena quantidade de carne bovina.

Oferecer a substância pacificadora especial

OM OM OM SARWA BUDDHA DAKINIYE VAJRA WARNANIYE VAJRA BEROTZANIYE HUM HUM HUM PHAT PHAT PHAT SÖHA

Para todos nós discípulos, nossos benfeitores e outros, que todos os obstáculos para alcançar libertação e onisciência, todas as transgressões dos três votos, todas as não-virtudes naturais, toda inauspiciosidade, toda concentração pouco clara, toda recitação impura de mantras, todas as falhas de excesso e omissão nos rituais, e especialmente todos os obstáculos à conquista das aquisições supremas [sejam purificados] SHÄNTING KURUYE SÖHA.

Quando se trata de fazer muitos oferecimentos de cada substância, você deve recitar, se possível, todos os três (o mantra da Deidade, o mantra da substância e os pedidos adicionais) para cada oferecimento de cada substância ardente. Se isso não for possível, você deve então recitar todos os três (o mantra da Deidade, o mantra da substância e os pedidos adicionais) junto com o primeiro oferecimento; para os oferecimentos subsequentes, recite apenas o mantra da Deidade e os pedidos – faça isso com cada substância. Caso essa alternativa não seja possível, recite-os, então, no sétimo oferecimento {de cada substância}. Se nada disso for possível, você deve recitar, então, todos os três (o mantra da Deidade, o mantra da substância e os pedidos) para o primeiro e o último oferecimentos [de cada substância] e, para o restante, você deve recitar o mantra da Deidade para cada oferecimento. Uma vez que não há um mantra separado para a substância pacificadora especial, ela deve ser oferecida com o mantra da Deidade.

A madeira lactescente e a manteiga derretida são as principais oferendas. Por essa razão, a cada vez que uma delas é oferecida, isso é contado como uma oferenda ardente. Aqui, na ocasião de cumprir o compromisso, é recomendável oferecer muitas sementes de gergelim. Os lamas anteriores pertencentes a esta tradição explicaram que devemos oferecer um décimo do número [de mantras] que tenhamos recitado. Por exemplo, em um retiro-aproximador de cem mil [mantras], devemos fazer dez mil oferecimentos de sementes de gergelim. Isso é conhecido como uma oferenda ardente de dez por cento. É muito recomendável, se estiver ao nosso alcance, fazer isso, mas não é estritamente necessário contar exatamente dez por cento para as sementes de gergelim. Razões mais detalhadas estão explicadas em outro lugar.

Ablução

Agora, contemple:

Budas emanam-se do coração das Deidades, segurando, ao alto, vasos brancos repletos de néctar branco. Eu, ou aqueles para os quais [a oferenda] é feita, estamos sentados sobre mandalas de lua. Recebemos ablução, por meio da qual todas as nossas doenças, espíritos, negatividades, obstruções, e assim por diante são purificados; e nossos corpos tornam-se tão claros quanto cristal.

Ofereça, com o mantra tri-OM, três ou sete conchas de manteiga. Depois, ofereça água para beber, recitando:

OM OM OM SARWA BUDDHA DAKINIYE VAJRA WARNANIYE VAJRA BEROTZANIYE HUM HUM HUM PHAT PHAT PHAT SÖHA

Agora, ofereça água para espargir e água para a boca:

OM AH HRIH PRAVARA SÄKARAM PROKYANAM PARTITZA HUM SÖHA
OM AH HRIH PRAVARA SÄKARAM ÄNTZAMANAM PARTITZA HUM SÖHA

Oferecer as vestes

OM VAJRA WASA SÄ SÖHA

Oferecer a torma *tambula*

OM VAJRA TAMBULAYE SÖHA

Oferendas exteriores

OM SARWA TATHAGATA SARWA BIRA YOGINI SAPARIWARA PUPE PUNJA MEGHA SAMUDRA PARANA SAMAYA SHRIYE HUM
OM SARWA TATHAGATA SARWA BIRA YOGINI SAPARIWARA DHUPE PUNJA MEGHA SAMUDRA PARANA SAMAYA SHRIYE HUM
OM SARWA TATHAGATA SARWA BIRA YOGINI SAPARIWARA DIWE PUNJA MEGHA SAMUDRA PARANA SAMAYA SHRIYE HUM
OM SARWA TATHAGATA SARWA BIRA YOGINI SAPARIWARA GÄNDHE PUNJA MEGHA SAMUDRA PARANA SAMAYA SHRIYE HUM
OM SARWA TATHAGATA SARWA BIRA YOGINI SAPARIWARA NEWIDE PUNJA MEGHA SAMUDRA PARANA SAMAYA SHRIYE HUM
OM SARWA TATHAGATA SARWA BIRA YOGINI SAPARIWARA SHAPTA PUNJA MEGHA SAMUDRA PARANA SAMAYA SHRIYE HUM

Oferecer as dezesseis deusas-conhecimento

OM VAJRA WINI HUM HUM PHAT
OM VAJRA WAMSHE HUM HUM PHAT
OM VAJRA MITAMGI HUM HUM PHAT
OM VAJRA MURANDZE HUM HUM PHAT

OM VAJRA HASÄ HUM HUM PHAT
OM VAJRA LASÄ HUM HUM PHAT
OM VAJRA GIRTI HUM HUM PHAT
OM VAJRA NIRTÄ HUM HUM PHAT

OM VAJRA PUPE HUM HUM PHAT
OM VAJRA DHUPE HUM HUM PHAT
OM VAJRA DIWE HUM HUM PHAT
OM VAJRA GÄNDHE HUM HUM PHAT

OM RUPA BENZ HUM HUM PHAT
OM RASA BENZ HUM HUM PHAT
OM PARSHE BENZ HUM HUM PHAT
OM DHARMA DHATU BENZ HUM HUM PHAT

Oferenda interior

OM OM OM SARWA BUDDHA DAKINIYE VAJRA WARNANIYE
VAJRA BEROTZANIYE HUM HUM HUM PHAT PHAT PHAT
SÖHA OM AH HUM

Os oito versos de louvor à Mãe

OM NAMO BHAGAWATI VAJRA VARAHI BAM HUM HUM PHAT
OM NAMO ARYA APARADZITE TRE LOKYA MATI BIYE SHÖRI
HUM HUM PHAT
OM NAMA SARWA BUTA BHAYA WAHI MAHA VAJRE HUM
HUM PHAT
OM NAMO VAJRA SANI ADZITE APARADZITE WASHAM
KARANITRA HUM HUM PHAT
OM NAMO BHRAMANI SHOKANI ROKANI KROTE KARALENI
HUM HUM PHAT
OM NAMA DRASANI MARANI PRABHE DANI PARADZAYE
HUM HUM PHAT
OM NAMO BIDZAYE DZAMBHANI TAMBHANI MOHANI HUM
HUM PHAT
OM NAMO VAJRA VARAHI MAHA YOGINI KAME SHÖRI KHAGE
HUM HUM PHAT

Abençoar as tormas

OM KHANDAROHI HUM HUM PHAT
OM SÖBHAWA SHUDDHA SARWA DHARMA SÖBHAWA
SHUDDHO HAM
Tudo se torna vacuidade.

Do estado de vacuidade, do YAM vem vento; do RAM vem fogo; do AH, um tripé de três cabeças humanas. Sobre ele, do AH aparece uma ampla e vasta cuia de crânio. Dentro dela, do OM, KHAM, AM, TRAM, HUM vêm os cinco néctares; e do LAM, MAM, PAM, TAM, BAM vêm as cinco carnes, cada qual marcado por uma das letras. O vento sopra, o fogo arde e as substâncias dentro da cuia de crânio derretem e se fundem. Acima delas, do HUM surge um khatanga branco de cabeça para baixo, que cai e se derrete na cuia de crânio, fazendo com que as substâncias assumam cor de mercúrio. Acima disso, três fileiras sobrepostas de vogais e consoantes transformam-se em OM AH HUM. Deles, raios de luz atraem o néctar de excelsa sabedoria do coração de todos os Tathagatas, Heróis e Ioguines das dez direções. Quando isso é adicionado, o conteúdo aumenta e se torna vasto.
OM AH HUM (3x)

Oferecer a torma principal

Ofereça a torma, enquanto você recita três ou sete vezes:

OM VAJRA AH RA LI HO: DZA HUM BAM HO: VAJRA DAKINI SAMAYA TÖN TRISHAYA HO

Oferecer a torma às Dakinis mundanas

Ofereça a torma, enquanto você recita duas vezes:

OM KHA KHA, KHAHI KHAHI, SARWA YAKYA RAKYASA, BHUTA, TRETA, PISHATA, UNATA, APAMARA, VAJRA DAKA, DAKI NÄDAYA, IMAM BALING GRIHANTU, SAMAYA RAKYANTU, MAMA SARWA SIDDHI METRA YATZANTU, YATIPAM, YATETAM, BHUDZATA, PIWATA, DZITRATA, MATI TRAMATA, MAMA SARWA KATAYA, SÄDSUKHAM BISHUDHAYE, SAHAYEKA BHAWÄNTU, HUM HUM PHAT PHAT SÖHA

Oferendas exteriores

OM VAJRA YOGINI SAPARIWARA AHRGHAM, PADÄM, PUPE, DHUPE, ALOKE, GÄNDHE, NEWIDE, SHAPTA AH HUM

Oferenda interior

OM VAJRA YOGINI SAPARIWARA OM AH HUM

Louvor

Ó Gloriosa Vajrayogini,
Rainha Dakini Chakravatin,
Que tens cinco sabedorias e três corpos,
A ti, Salvadora de todos, eu me prostro.

Às muitas Dakinis Vajra,
Que, como Senhoras das ações mundanas,
Cortais nossas amarras aos preconceitos,
A todas vós, Senhoras, eu me prostro.

Prostração

OM PARNA MAMI SARWA TATHAGATÄN

Agora, ofereça água para beber:

OM AH HRIH PRAVARA SÄKARAM AHRGHAM PARTITZA
HUM SÖHA

Pedir indulgência

O que quer que tenha sido feito por confusão,
Inclusive a mais ínfima ação falha,
Ó Protetor, porque tu és o refúgio de todos os seres,
É próprio de ti ser paciente com tudo isso.

Quaisquer erros que eu tenha cometido
Por não encontrar, não entender
Ou não ter a habilidade,
Por favor, ó Protetor, sê paciente com tudo isso.

Prece para contemplar a linda face de Vajrayogini

Êxtase e vacuidade de infinitos Conquistadores que, como
num drama,
Aparecem como tantas diferentes visões no samsara e no nirvana;
Dentre todas, tu és agora a bela e poderosa Senhora da Terra Dakini,
Lembro-me sinceramente de ti; por favor, cuida de mim com teu
divertido abraço.

Dos Conquistadores em Akanishta, tu és a mãe espontaneamente
nascida,
És as Dakinis nascidas em campo nos 24 lugares;
Tu és os mudras-ação que cobrem toda a terra,
Ó Venerável Senhora, és o supremo refúgio para mim, o iogue.

Tu que és a manifestação da vacuidade da mente, ela própria,
És o efetivo BAM, a esfera do EH, na cidade do vajra.
Na terra da ilusão, mostra-te como uma terrível canibal
E como uma sorridente, vibrante e encantadora jovem senhora.

Mas, por mais que tenha procurado, ó Nobre Senhora,
Não pude encontrar certeza alguma de que és verdadeiramente
existente.
Então, a juventude da minha mente, exausta por suas elaborações,
Veio para repousar no abrigo da floresta, que está além de toda
e qualquer expressão.

Que maravilhoso, por favor, surge da esfera do Dharmakaya
E cuida de mim pela verdade do que é dito
No glorioso Heruka, Rei dos Tantras –
Que aquisições vêm de recitar o supremo mantra-essência-
-aproximador da Rainha-Vajra.

Na isolada floresta de Odivisha,
Tu cuidaste de Vajra Ghantapa, o poderoso Siddha,
Que, com o êxtase do teu beijo e abraço, veio a desfrutar do abraço
supremo.
Ó, por favor, cuida de mim da mesma maneira.

Assim como o Venerável Kusali foi diretamente levado
De uma ilha no Ganges à esfera do espaço,
E, assim como cuidaste do glorioso Naropa,
Por favor, leva-me também à cidade da alegre Dakini.

Pela força da compaixão de meus supremos Guru-raiz e Gurus-linhagem,
Pelo caminho especialmente profundo e rápido do magnífico Tantra último e secreto
E pela pura intenção superior, minha, o iogue,
Possa eu logo contemplar tua sorridente face, ó alegre Senhora Dakini.

Pedir a satisfação dos desejos

Ó Abençoada, Venerável Vajrayogini, para todos nós discípulos, nossos benfeitores e outros, por favor, pacifica totalmente todas as nossas circunstâncias adversas e condições desfavoráveis, nossas negatividades, obstruções, doenças, espíritos, obstáculos e assim por diante, acumulados no samsara durante infinitas vidas, desde tempos sem início. Por favor, aumenta cada vez mais nosso tempo de vida, mérito, glória, riqueza, boas qualidades de escritura e de realização, e assim por diante. Principalmente, por favor, abençoa-nos, para que cada uma das etapas dos caminhos comum e incomum sejam geradas em nosso continuum mental, e que possamos rapidamente alcançar o estado da Venerável Vajrayogini.

Agora, recite sete vezes:

OM VAJRA SATTÖ AH

e então, recite:

OM VAJRA HERUKA SAMAYA, MANU PALAYA, HERUKA TENO PATITA, DRIDHO ME BHAWA, SUTO KAYO ME BHAWA, SUPO KAYO ME BHAWA, ANURAKTO ME BHAWA, SARWA SIDDHI ME PRAYATZA, SARWA KARMA SUTZA ME, TZITAM SHRIYAM KURU HUM, HA HA HA HA HO BHAGAWÄN, VAJRA HERUKA MA ME MUNTSA, HERUKA BHAWA, MAHA SAMAYA SATTÖ AH HUM PHAT

Partida de Vajrayogini

OM
Tu, que satisfazes o bem-estar de todos os seres vivos,
E concedes aquisições conforme sejam necessárias,
Por favor, regressa à Terra dos Budas,
E retorna novamente a este local no futuro.

Contemple:

OM VAJRA MU Os seres-de-sabedoria regressam as suas moradas naturais, e os seres-de-compromisso dissolvem-se em mim.

OFERENDA FINAL À DEIDADE-FOGO MUNDANA

Agora, faça oferendas à Deidade-Fogo mundana na lareira:

OM AGNIYE AHDIBÄ AHDIBÄ AMBISHA AMBISHA MAHA SHRIYE HAMBÄ KABÄ BAHA NAYA PUPE PARTITZA HUM SÖHA
OM AGNIYE AHDIBÄ AHDIBÄ AMBISHA AMBISHA MAHA SHRIYE HAMBÄ KABÄ BAHA NAYA DHUPE PARTITZA HUM SÖHA
OM AGNIYE AHDIBÄ AHDIBÄ AMBISHA AMBISHA MAHA SHRIYE HAMBÄ KABÄ BAHA NAYA ALOKE PARTITZA HUM SÖHA
OM AGNIYE AHDIBÄ AHDIBÄ AMBISHA AMBISHA MAHA SHRIYE HAMBÄ KABÄ BAHA NAYA GÄNDHE PARTITZA HUM SÖHA
OM AGNIYE AHDIBÄ AHDIBÄ AMBISHA AMBISHA MAHA SHRIYE HAMBÄ KABÄ BAHA NAYA NEWIDE PARTITZA HUM SÖHA
OM AGNIYE AHDIBÄ AHDIBÄ AMBISHA AMBISHA MAHA SHRIYE HAMBÄ KABÄ BAHA NAYA SHAPTA PARTITZA HUM SÖHA

e a oferenda interior:

OM AGNIYE AHDIBÄ AHDIBÄ AMBISHA AMBISHA MAHA SHRIYE HAMBÄ KABÄ BAHA NAYA OM AH HUM

Agora, ofereça água para espargir e água para a boca, assim:

OM AH HRIH PRAVARA SÄKARAM PROKYANAM PARTITZA HUM
OM AH HRIH PRAVARA SÄKARAM ÄNTZAMANAM PARTITZA HUM

Oferecer a torma *tambula*

OM VAJRA TAMBULAYE SÖHA

Oferecer as vestes

OM VAJRA WASA SÄ SÖHA

Oferecer as substâncias ardentes

Agora, ofereça as substâncias ardentes remanescentes à Deidade--Fogo mundana:

Oferecer a madeira lactescente

Contemple:

A madeira lactescente torna-se néctar, a natureza da Árvore Bodhi.
OM AGNIYE AHDIBÄ AHDIBÄ AMBISHA AMBISHA MAHA SHRIYE HAMBÄ KABÄ BAHA NAYE
OM BODHI PIKYAYE
Para todos nós discípulos, nossos benfeitores e outros, que todos os obstáculos para alcançar libertação e onisciência, todas as transgressões dos três votos, todas as não-virtudes naturais, toda inauspiciosidade, toda concentração pouco clara, toda recitação impura de mantras, todas as falhas de excesso e omissão nos rituais, e especialmente todos os obstáculos ao aumento de vitalidade [sejam purificados] SHÄNTING KURUYE SÖHA.

Oferecer a manteiga derretida

OM AGNIYE AHDIBÄ AHDIBÄ AMBISHA AMBISHA MAHA
SHRIYE HAMBÄ KABÄ BAHA NAYE
OM AGNIYE
Para todos nós discípulos, nossos benfeitores e outros, que todos os obstáculos para alcançar libertação e onisciência, todas as transgressões dos três votos, todas as não-virtudes naturais, toda inauspiciosidade, toda concentração pouco clara, toda recitação impura de mantras, todas as falhas de excesso e omissão nos rituais, e especialmente todos os obstáculos ao aumento de riqueza [sejam purificados] SHÄNTING KURUYE SÖHA.

Oferecer as sementes de gergelim

OM AGNIYE AHDIBÄ AHDIBÄ AMBISHA AMBISHA MAHA
SHRIYE HAMBÄ KABÄ BAHA NAYE
OM SARWA PAPAM DAHANA VAJRAYE
Para todos nós discípulos, nossos benfeitores e outros, que todos os obstáculos para alcançar libertação e onisciência, todas as transgressões dos três votos, todas as não-virtudes naturais, toda inauspiciosidade, toda concentração pouco clara, toda recitação impura de mantras, todas as falhas de excesso e omissão nos rituais, e especialmente todas as nossas negatividades [sejam purificados] SHÄNTING KURUYE SÖHA.

Oferecer a grama-de-ponta

OM AGNIYE AHDIBÄ AHDIBÄ AMBISHA AMBISHA MAHA
SHRIYE HAMBÄ KABÄ BAHA NAYE
OM VAJRA AHYUKE
Para todos nós discípulos, nossos benfeitores e outros, que todos os obstáculos para alcançar libertação e onisciência, todas as transgressões dos três votos, todas as não-virtudes naturais, toda inauspiciosidade, toda concentração pouco clara, toda recitação impura de mantras, todas as falhas de excesso e omissão nos rituais, e especialmente todos os obstáculos ao aumento do tempo de vida [sejam purificados] SHÄNTING KURUYE SÖHA.

Oferecer o arroz

OM AGNIYE AHDIBÄ AHDIBÄ AMBISHA AMBISHA MAHA
SHRIYE HAMBÄ KABÄ BAHA NAYE
OM VAJRA PUTRAYE
Para todos nós discípulos, nossos benfeitores e outros, que todos os obstáculos para alcançar libertação e onisciência, todas as transgressões dos três votos, todas as não-virtudes naturais, toda inauspiciosidade, toda concentração pouco clara, toda recitação impura de mantras, todas as falhas de excesso e omissão nos rituais, e especialmente todos os obstáculos ao aumento de mérito [sejam purificados] SHÄNTING KURUYE SÖHA.

Oferecer a farinha e o iogurte

OM AGNIYE AHDIBÄ AHDIBÄ AMBISHA AMBISHA MAHA
SHRIYE HAMBÄ KABÄ BAHA NAYE
OM SARWA SAMPA DE
Para todos nós discípulos, nossos benfeitores e outros, que todos os obstáculos para alcançar libertação e onisciência, todas as transgressões dos três votos, todas as não-virtudes naturais, toda inauspiciosidade, toda concentração pouco clara, toda recitação impura de mantras, todas as falhas de excesso e omissão nos rituais, e especialmente todos os obstáculos ao êxtase supremo [sejam purificados] SHÄNTING KURUYE SÖHA.

Oferecer a grama *kusha*

OM AGNIYE AHDIBÄ AHDIBÄ AMBISHA AMBISHA MAHA
SHRIYE HAMBÄ KABÄ BAHA NAYE
OM AHTRATI HATA VAJRAYE
Para todos nós discípulos, nossos benfeitores e outros, que todos os obstáculos para alcançar libertação e onisciência, todas as transgressões dos três votos, todas as não-virtudes naturais, toda inauspiciosidade, toda concentração pouco clara, toda recitação impura de mantras, todas as falhas de excesso e omissão nos rituais, e especialmente todos os obstáculos à suprema limpidez [sejam purificados] SHÄNTING KURUYE SÖHA.

Oferecer as sementes de mostarda branca

OM AGNIYE AHDIBÄ AHDIBÄ AMBISHA AMBISHA MAHA
SHRIYE HAMBÄ KABÄ BAHA NAYE
OM SARWA AHRTA SIDDHA YE
Para todos nós discípulos, nossos benfeitores e outros, que todos os obstáculos para alcançar libertação e onisciência, todas as transgressões dos três votos, todas as não-virtudes naturais, toda inauspiciosidade, toda concentração pouco clara, toda recitação impura de mantras, todas as falhas de excesso e omissão nos rituais, e especialmente todos os nossos obstáculos [sejam purificados] SHÄNTING KURUYE SÖHA.

Oferecer a cevada com casca

OM AGNIYE AHDIBÄ AHDIBÄ AMBISHA AMBISHA MAHA
SHRIYE HAMBÄ KABÄ BAHA NAYE
OM VAJRA BINZAYE
Para todos nós discípulos, nossos benfeitores e outros, que todos os obstáculos para alcançar libertação e onisciência, todas as transgressões dos três votos, todas as não-virtudes naturais, toda inauspiciosidade, toda concentração pouco clara, toda recitação impura de mantras, todas as falhas de excesso e omissão nos rituais, e especialmente todos os obstáculos à riqueza e às colheitas abundantes [sejam purificados] SHÄNTING KURUYE SÖHA.

Oferecer a cevada sem casca

OM AGNIYE AHDIBÄ AHDIBÄ AMBISHA AMBISHA MAHA
SHRIYE HAMBÄ KABÄ BAHA NAYE
OM MAHA BEGAYE
Para todos nós discípulos, nossos benfeitores e outros, que todos os obstáculos para alcançar libertação e onisciência, todas as transgressões dos três votos, todas as não-virtudes naturais, toda inauspiciosidade, toda concentração pouco clara, toda recitação impura de mantras, todas as falhas de excesso e omissão nos rituais, e especialmente todos os obstáculos aos excelentes poderes mentais rápidos [sejam purificados] SHÄNTING KURUYE SÖHA.

Oferecer as ervilhas

OM AGNIYE AHDIBÄ AHDIBÄ AMBISHA AMBISHA MAHA SHRIYE HAMBÄ KABÄ BAHA NAYE
OM MAHA BALAYE
Para todos nós discípulos, nossos benfeitores e outros, que todos os obstáculos para alcançar libertação e onisciência, todas as transgressões dos três votos, todas as não-virtudes naturais, toda inauspiciosidade, toda concentração pouco clara, toda recitação impura de mantras, todas as falhas de excesso e omissão nos rituais, e especialmente todos os obstáculos ao incremento de vigor [sejam purificados] SHÄNTING KURUYE SÖHA.

Oferecer o trigo

OM AGNIYE AHDIBÄ AHDIBÄ AMBISHA AMBISHA MAHA SHRIYE HAMBÄ KABÄ BAHA NAYE
OM VAJRA GHAMA RI
Para todos nós discípulos, nossos benfeitores e outros, que todos os obstáculos para alcançar libertação e onisciência, todas as transgressões dos três votos, todas as não-virtudes naturais, toda inauspiciosidade, toda concentração pouco clara, toda recitação impura de mantras, todas as falhas de excesso e omissão nos rituais, e especialmente que toda e qualquer doença [sejam purificados] SHÄNTING KURUYE SÖHA.

Oferecer o álcool

OM AGNIYE AHDIBÄ AHDIBÄ AMBISHA AMBISHA MAHA SHRIYE HAMBÄ KABÄ BAHA NAYE
OM MADANA PÄNJA AMRITA AH HUM
Para todos nós discípulos, nossos benfeitores e outros, que todos os obstáculos para alcançar libertação e onisciência, todas as transgressões dos três votos, todas as não-virtudes naturais, toda inauspiciosidade, toda concentração pouco clara, toda recitação impura de mantras, todas as falhas de excesso e omissão nos rituais, e especialmente todos os obstáculos à conquista das aquisições supremas [sejam purificados] SHÄNTING KURUYE SÖHA.

Oferecer a carne bovina

OM AGNIYE AHDIBÄ AHDIBÄ AMBISHA AMBISHA MAHA SHRIYE HAMBÄ KABÄ BAHA NAYE
OM BALA PÄNJA AMRITA AH HUM
Para todos nós discípulos, nossos benfeitores e outros, que todos os obstáculos para alcançar libertação e onisciência, todas as transgressões dos três votos, todas as não-virtudes naturais, toda inauspiciosidade, toda concentração pouco clara, toda recitação impura de mantras, todas as falhas de excesso e omissão nos rituais, e especialmente todos os obstáculos à conquista das aquisições supremas [sejam purificados] SHÄNTING KURUYE SÖHA.

Oferecer a substância pacificadora especial

OM AGNIYE AHDIBÄ AHDIBÄ AMBISHA AMBISHA MAHA SHRIYE HAMBÄ KABÄ BAHA NAYE
Para todos nós discípulos, nossos benfeitores e outros, que todos os obstáculos para alcançar libertação e onisciência, todas as transgressões dos três votos, todas as não-virtudes naturais, toda inauspiciosidade, toda concentração pouco clara, toda recitação impura de mantras, todas as falhas de excesso e omissão nos rituais, e especialmente todos os obstáculos à conquista das aquisições supremas [sejam purificados] SHÄNTING KURUYE SÖHA.

Louvor

Senhor do mundo, Filho de Brahma, o poderoso Protetor,
Rei das Deidades-Fogo, iniciado por Takki,
Que consomes todas as delusões com tua sabedoria suprema,
A ti, Ó Protetor Deidade-Fogo, eu me prostro.

Se você tiver o desejo de fazer extensos louvores, continue com:

Ó Filho de Brahma, Protetor do mundo,
Rei das Deidades-Fogo, supremo Rishi,
Tu manifestas essa forma movido por compaixão,
Para proteger plenamente todos os seres vivos.

No aspecto de um Rishi realizado nos mantras-conhecimento,
Com a luz de sabedoria consumindo as delusões
E um brilho ardente como o fogo do éon,
Tu és dotado de clarividência e poderes miraculosos.

Por teus meios habilidosos, montas um veículo-emanação.
Segurando um mala, recitas mantras-conhecimento.
Seguras um vaso de néctar-essencial
E trazes alívio a todos com o néctar do Dharma.

Tu és livre de falhas e tens perfeita pureza.
Embora permaneças no mundo, passaste para além do sofrimento;
Embora tenhas alcançado a paz, tens grande compaixão;
Portanto, faço louvores e prostrações a ti.

Agora, ofereça água para a boca e água para espargir, assim:

OM AH HRIH PRAVARA SÄKARAM ÄNTZAMANAM PARTITZA HUM SÖHA
OM AH HRIH PRAVARA SÄKARAM PROKYANAM PARTITZA HUM SÖHA

Oferendas exteriores

OM AGNIYE AHDIBÄ AHDIBÄ AMBISHA AMBISHA MAHA SHRIYE HAMBÄ KABÄ BAHA NAYE PUPE PARTITZA HUM SÖHA
OM AGNIYE AHDIBÄ AHDIBÄ AMBISHA AMBISHA MAHA SHRIYE HAMBÄ KABÄ BAHA NAYE DHUPE PARTITZA HUM SÖHA
OM AGNIYE AHDIBÄ AHDIBÄ AMBISHA AMBISHA MAHA SHRIYE HAMBÄ KABÄ BAHA NAYE ALOKE PARTITZA HUM SÖHA
OM AGNIYE AHDIBÄ AHDIBÄ AMBISHA AMBISHA MAHA SHRIYE HAMBÄ KABÄ BAHA NAYE GÄNDHE PARTITZA HUM SÖHA
OM AGNIYE AHDIBÄ AHDIBÄ AMBISHA AMBISHA MAHA SHRIYE HAMBÄ KABÄ BAHA NAYE NEWIDE PARTITZA HUM SÖHA

OM AGNIYE AHDIBÄ AHDIBÄ AMBISHA AMBISHA MAHA SHRIYE HAMBÄ KABÄ BAHA NAYE SHAPTA PARTITZA HUM SÖHA

Abençoar a torma

OM KHANDAROHI HUM HUM PHAT
OM SÖBHAWA SHUDDHA SARWA DHARMA SÖBHAWA SHUDDHO HAM
Tudo se torna vacuidade.

Do estado de vacuidade, do YAM vem vento; do RAM vem fogo; do AH, um tripé de três cabeças humanas. Sobre ele, do AH aparece uma ampla e vasta cuia de crânio. Dentro dela, do OM, KHAM, AM, TRAM, HUM vêm os cinco néctares; e do LAM, MAM, PAM, TAM, BAM vêm as cinco carnes, cada qual marcado por uma das letras. O vento sopra, o fogo arde e as substâncias dentro da cuia de crânio derretem e se fundem. Acima delas, do HUM surge um khatanga branco de cabeça para baixo, que cai e se derrete na cuia de crânio, fazendo com que as substâncias assumam cor de mercúrio. Acima disso, três fileiras sobrepostas de vogais e consoantes transformam-se em OM AH HUM. Deles, raios de luz atraem o néctar de excelsa sabedoria do coração de todos os Tathagatas, Heróis e Ioguines das dez direções. Quando isso é adicionado, o conteúdo aumenta e se torna vasto.
OM AH HUM (3x)

Oferecer a torma

Ofereça a torma, recitando três vezes:

OM AGNIYE AHDIBÄ AHDIBÄ AMBISHA AMBISHA MAHA SHRIYE HAMBÄ KABÄ BAHA NAYA AHKAROMUKAM SARWA DHARMANÄN ADENUWATEN NADÖ DA OM AH HUM PHAT SÖHA

Oferendas exteriores

OM AGNIYE AHDIBÄ AHDIBÄ AMBISHA AMBISHA MAHA SHRIYE HAMBÄ KABÄ BAHA NAYE PUPE PARTITZA HUM SÖHA
OM AGNIYE AHDIBÄ AHDIBÄ AMBISHA AMBISHA MAHA SHRIYE HAMBÄ KABÄ BAHA NAYE DHUPE PARTITZA HUM SÖHA
OM AGNIYE AHDIBÄ AHDIBÄ AMBISHA AMBISHA MAHA SHRIYE HAMBÄ KABÄ BAHA NAYE ALOKE PARTITZA HUM SÖHA
OM AGNIYE AHDIBÄ AHDIBÄ AMBISHA AMBISHA MAHA SHRIYE HAMBÄ KABÄ BAHA NAYE GÄNDHE PARTITZA HUM SÖHA
OM AGNIYE AHDIBÄ AHDIBÄ AMBISHA AMBISHA MAHA SHRIYE HAMBÄ KABÄ BAHA NAYE NEWIDE PARTITZA HUM SÖHA
OM AGNIYE AHDIBÄ AHDIBÄ AMBISHA AMBISHA MAHA SHRIYE HAMBÄ KABÄ BAHA NAYE SHAPTA PARTITZA HUM SÖHA

Pedir assistência

Ó Deidade, que consomes o que é queimado no fogo,
Rei dos Rishis e Senhor dos espíritos,
Juntamente com as hostes de Deidades-Fogo do sudeste,
A vós eu faço oferendas, louvores e prostrações.
Por favor, desfrutai desta torma que vos ofereço.

Que eu e os demais praticantes
Tenhamos boa saúde, vida longa, poder,
Glória, fama, fortuna
E extensos prazeres.
Por favor, concedei-me as aquisições
Das ações pacificadoras, crescentes, controladoras e iradas.
Vós, que estais comprometidos por juramento, por favor, protegei-me,
E ajudai-me a realizar todas as aquisições.

Erradicai toda morte prematura, doenças,
Danos causados por espíritos e obstruções.
Eliminai sonhos ruins,
Maus presságios e más ações.

Que haja felicidade no mundo e os anos por vir sejam bons,
Que as colheitas aumentem e o Dharma floresça.
Que toda bondade e felicidade aconteçam
E todos os desejos sejam realizados.

Agora, ofereça água para beber:

OM AH HRIH PRAVARA SÄKARAM AHRGHAM PARTITZA
HUM SÖHA

Pedir indulgência

O que quer que tenha sido feito por confusão,
Inclusive a mais ínfima ação falha,
Ó Protetor, porque tu és o refúgio de todos os seres,
É próprio de ti ser paciente com tudo isso.
OM VAJRA SATTÖ AH

Partida da Deidade-Fogo mundana

Ó, Devorador de oferendas ardentes,
Tu, que realizas os propósitos - o teu próprio e os dos outros -,
Por favor, parte e retorna no momento apropriado
Para ajudar-me a alcançar todas as aquisições.

Contemple:

OM MU
O ser-de-sabedoria, Deidade-Fogo, regressa a sua morada natural,
e o ser-de-compromisso assume o aspecto de um fogo ardente.

Vestir a armadura

Em lugares de meu corpo, surgem mandalas de lua, sobre os
quais, em meu umbigo estão OM BAM vermelhos, Vajravarahi;

em meu coração, HAM YOM azuis, Yamani; em minha garganta, HRIM MOM brancos, Mohani; em minha testa, HRIM HRIM amarelos, Sachalani; em minha coroa, HUM HUM verdes, Samtrasani; e em todos os meus membros, PHAT PHAT cor-de-fumaça, essência de Chandika.

Para proteger as direções principais e as direções intermediárias, recite 2 vezes:

OM SUMBHANI SUMBHA HUM HUM PHAT
OM GRIHANA GRIHANA HUM HUM PHAT
OM GRIHANA PAYA GRIHANA PAYA HUM HUM PHAT
OM ANAYA HO BHAGAWÄN VAJRA HUM HUM PHAT

Preces auspiciosas

Que haja a auspiciosidade de velozmente receber as bênçãos
Das hostes de gloriosos, sagrados Gurus,
Vajradhara, Pândita Naropa, e assim por diante,
Os gloriosos Senhores de toda virtude e excelência.

Que haja a auspiciosidade do Corpo-Verdade Dakini,
Perfeição de sabedoria, a suprema Mãe dos Conquistadores,
Clara-luz natural, desde o princípio livre de elaboração,
A Senhora que emana e reúne todas as coisas, estáveis e móveis.

Que haja a auspiciosidade do Perfeito Corpo-de-Deleite,
espontaneamente nascido,
Um corpo radiante e belo, resplandecente com a glória das marcas
maiores e menores,
Uma fala que proclama o supremo veículo, com sessenta melodias,
E uma mente de êxtase e clareza não conceituais, que possui
as cinco excelsas sabedorias.

Que haja a auspiciosidade do Corpo-Emanação, nascido nos locais,
Senhoras que, com diversos Corpos-Forma em numerosos locais,
Realizam, por diversos meios, as metas dos muitos a serem domados,
De acordo com os seus numerosos desejos.

Que haja a auspiciosidade da suprema Dakini, nascida de mantra,
Uma Venerável Senhora com uma cor similar à de um rubi,
Com um modo sorridente e irado, uma face e duas mãos que
seguram faca curva e cuia de crânio,
E duas pernas, nas posições dobrada e esticada.

Que haja a auspiciosidade dos teus incontáveis milhões de
emanações,
E das hostes de setenta e duas mil [Dakinis],
Eliminando todas as obstruções dos praticantes
E concedendo as aquisições tão grandemente almejadas.

Preces pela Tradição Virtuosa

Para que a tradição de Je Tsongkhapa,
O Rei do Dharma, floresça,
Que todos os obstáculos sejam pacificados
E todas as condições favoráveis sejam abundantes.

Pelas duas coleções, minhas e dos outros,
Reunidas ao longo dos três tempos,
Que a doutrina do Conquistador Losang Dragpa
Floresça para sempre.

Prece *Migtsema* de nove versos

Tsongkhapa, ornamento-coroa dos eruditos da Terra das Neves,
Tu és Buda Shakyamuni e Vajradhara, a fonte de todas as conquistas,
Avalokiteshvara, o tesouro de inobservável compaixão,
Manjushri, a suprema sabedoria imaculada,
E Vajrapani, o destruidor das hostes de maras.
Ó Venerável Guru Buda, síntese das Três Joias,
Com meu corpo, fala e mente, respeitosamente faço pedidos:
Peço, concede tuas bênçãos para amadurecer e libertar a mim
e aos outros,
E confere-nos as aquisições comuns e a suprema. (3x)

RITUAL PARA PURIFICAR E ABENÇOAR O LOCAL

Se uma oferenda ardente já tiver sido realizada no local da lareira, ou se for realizada acima do nível do chão, não há necessidade de executar o ritual do local. Contudo, se não for este o caso, e se o local nunca foi abençoado com este ritual, o seguinte "ritual do local" deve ser executado ali.

No local onde a lareira será feita, coloque uma torma para os guardiões locais, assim como oferendas exteriores e oferenda interior. Aqueles que irão fazer [a oferenda] devem reunir-se e, se já tiverem feito a autogeração naquele dia, devem prosseguir com o ritual. Se não, eles devem começar com o seguinte:

Em um instante, eu me torno a Venerável Vajrayogini.

Agora, abençoe a oferenda interior, as oferendas exteriores e a torma. Prossiga com:

Raios de luz se irradiam de meu coração e convidam os guardiões locais e seus séquitos.

Oferendas exteriores

OM KYETRA PALA SAPARIWARA AHRGHAM PARTITZA HUM SÖHA
OM KYETRA PALA SAPARIWARA PADÄM PARTITZA HUM SÖHA
OM KYETRA PALA SAPARIWARA PUPE PARTITZA HUM SÖHA
OM KYETRA PALA SAPARIWARA DHUPE PARTITZA HUM SÖHA
OM KYETRA PALA SAPARIWARA ALOKE PARTITZA HUM SÖHA
OM KYETRA PALA SAPARIWARA GÄNDHE PARTITZA HUM SÖHA
OM KYETRA PALA SAPARIWARA NEWIDE PARTITZA HUM SÖHA
OM KYETRA PALA SAPARIWARA SHAPTA PARTITZA HUM SÖHA

Oferenda interior

OM KYETRA PALA SAPARIWARA OM AH HUM

Oferecer a torma

AHKAROMUKAM SARWA DHARMANÄN ADENUWATEN
NADÖ DA OM AH HUM PHAT SÖHA (3x)

Pedido

Recite três vezes:

Todos vós que habitais neste local,
Deuses, nagas, causadores-de-mal, canibais e outros,
Peço a vós, concedei-me permissão
Para fazer uso deste local.

Tendo solicitado desse modo:

Tendo sido solicitados, eles alegremente partem para seus próprios locais.

Agora, para purificar o solo, esparja – com as sementes de mostarda branca, água e cinzas de um fogão a lenha – o local onde será construída a lareira, enquanto você recita OM KHANDAROHI HUM HUM PHAT (tudo isso – desde espargir o local até a recitação do mantra – é feito com orgulho divino). Com esse mantra, distribua pelo solo as cinco substâncias bovinas, começando a partir do leste e, depois, esparja água perfumada e água de limpeza. Depois, sente-se em postura vajra e, com o mudra de tocar o solo, recite:

OM BHUKE O solo se torna vacuidade.

HUM LAM HUM O solo se torna da natureza de átomos.

OM MEDINI BENZI BHAWA VAJRA BHÄNDHA HUM
O solo se torna completamente firme, da natureza do vajra.

OM HANA HANA VAJRA KRODHA HUM PHAT
O Vajra Irado destrói todos os obstáculos.

Recitar isso e, simultaneamente, tocar o solo com sua mão, faz com que o local seja abençoado. Agora, para a suprema purificação, contemple:

Todos os fenômenos, o solo e assim por diante são um único sabor com a vacuidade.

Cólofon: Esta sadhana, ou prece ritual, para obter as aquisições espirituais de Vajrayogini foi traduzida sob a compassiva orientação de Venerável Geshe Kelsang Gyatso Rinpoche.

Oferenda Ardente de Vajradaka

UMA PRÁTICA PARA PURIFICAR ERROS
E NEGATIVIDADES

por
Ngulchu Dharmabhadra

Vajradaka

Oferenda Ardente de Vajradaka

Buscar refúgio

Eu e todos os seres sencientes, até alcançarmos a iluminação,
Nos refugiamos em Buda, Dharma e Sangha. (3x)

Gerar bodhichitta

Pelas virtudes que coleto, praticando o dar e as outras perfeições,
Que eu me torne um Buda para o benefício de todos. (3x)

Gerar a bodhichitta especial

E, especialmente, para o benefício de todos os seres sencientes-mães, preciso alcançar o estado da completa Budeidade tão rapidamente quanto possível. Portanto, vou me empenhar na prática da oferenda ardente de Vajradaka.

Visualizar o ser-de-compromisso

OM VAJRA AMRITA KUNDALI HANA HANA HUM PHAT
OM SÖBHAWA SHUDDHA SARWA DHARMA SÖBHAWA
SHUDDHO HAM
O fogo se torna vacuidade.

Do estado de vacuidade, surge um fogo de excelsa sabedoria, ardente e impetuoso. No centro dele, a partir de um HUM e de um vajra, surge Vajradaka irado, de cor azul-escuro. Ele tem uma face e duas mãos; as mãos estão unidas, formando o mudra de um Hungdze, e seguram um vajra e um sino. Com sua boca inteiramente aberta, ele rosna em direção ao espaço, mostrando seus quatro caninos pontiagudos. Sua cabeça está adornada com cinco crânios secos, e usa um longo colar de cinquenta crânios úmidos. Ele veste uma pele de tigre na parte inferior de seu corpo, e está completo com todas as características de uma manifestação irada. Vajradaka senta-se com suas pernas formando um círculo, à maneira de um Herói destruindo negatividades e obstruções. Em sua coroa, está um OM branco; em sua garganta, um AH vermelho; e em seu coração, um HUM azul.

Convidar e absorver os seres-de-sabedoria

Do HUM no coração de Vajradaka, raios de luz se irradiam e convidam, para que venham de suas moradas naturais, os seres-de-sabedoria – todos sob o mesmo aspecto dele – juntamente com as Deidades Que-Concedem-Iniciação.

DZA HUM BAM HO
Eles se tornam não-duais.

Conceder a iniciação

As Deidades Que-Concedem-Iniciação conferem a iniciação, e a coroa dele está adornada com Akshobya.

Oferendas

OM VAJRADAKA SAPARIWARA AHRGHAM PARTITZA HUM SÖHA
OM VAJRADAKA SAPARIWARA PADÄM PARTITZA HUM SÖHA
OM VAJRADAKA SAPARIWARA PUPE PARTITZA HUM SÖHA
OM VAJRADAKA SAPARIWARA DHUPE PARTITZA HUM SÖHA
OM VAJRADAKA SAPARIWARA ALOKE PARTITZA HUM SÖHA
OM VAJRADAKA SAPARIWARA GÄNDHE PARTITZA HUM SÖHA
OM VAJRADAKA SAPARIWARA NEWIDE PARTITZA HUM SÖHA
OM VAJRADAKA SAPARIWARA SHAPTA PARTITZA HUM SÖHA

Prostração

Ó Vajra Akshobya, magnífica excelsa sabedoria,
Grande Habilidoso da esfera-vajra,
Supremo entre os três vajras e os três mandalas,
A ti, Vajradaka, eu me prostro.

Visualização para fazer a oferenda ardente

Eu permaneço em minha forma comum. Em meu coração, está uma letra PAM preta, a semente da negatividade. Em meu umbigo surge, de um RAM, um mandala vermelho de fogo. Na sola de meus pés surge, de um YAM, um mandala azul de vento.

Raios de luz se irradiam da letra PAM e absorvem, sob o aspecto de raios de luz preta, todas as negatividades e obstruções de minhas três portas. Todas as minhas negatividades e obstruções se dissolvem na letra PAM.

Abaixo, o vento sopra e entra pela sola de meus pés. O fogo, em meu umbigo, arde e raios de luz do fogo expulsam o PAM pelas minhas narinas. Minhas negatividades assumem o aspecto de um escorpião, que se dissolve nas sementes de gergelim. Eu ofereço estas sementes à boca de Vajradaka.

OM VAJRA DAKA KHA KHA KHAHI KHAHI SARWA PAPAM DAHANA BHAKMI KURU SÖHA

Que todas as negatividades, obstruções e compromissos degenerados que tenho acumulado durante todas as minhas vidas no samsara, desde tempos sem início, [sejam purificados] SHÄNTING KURUYE SÖHA

Ofereça as sementes de gergelim a Vajradaka, enquanto você recita o mantra e a breve prece de pedido. Continue desse modo até que todas as sementes de gergelim tenham sido oferecidas.

Oferenda de agradecimento

OM VAJRADAKA SAPARIWARA AHRGHAM, PADÄM, PUPE, DHUPE, ALOKE, GÄNDHE, NEWIDE, SHAPTA PARTITZA HUM SÖHA

Prostração

Por meramente nos recordarmos de tua forma azul-escura de um canibal irado,
Em meio a uma massa ardente de fogo de excelsa sabedoria,
Tu destróis todos os maras, negatividades e obstruções;
A ti, Vajradaka, eu me prostro.

Pedir indulgência

Quaisquer erros que eu tenha cometido
Por não encontrar, não entender
Ou não ter a habilidade,
Por favor, ó Protetor, sê paciente com tudo isso.

Dissolução

Os seres-de-sabedoria retornam as suas moradas naturais, e o ser-de-compromisso transforma-se no aspecto de um fogo flamejante.

Dedicatória

Por essa virtude, que eu nunca esteja separado, durante todas as minhas vidas,
Do Guru Mahayana, que revela o caminho inequívoco,
E, por sempre permanecer sob seu cuidado,
Que eu beba continuamente do néctar de sua fala.

Devido a isso, que eu e os outros realizemos as práticas
De renúncia, bodhichitta e visão correta,
As seis perfeições e os dois estágios,
E que, rapidamente, alcancemos o estado dotado com os dez poderes.

Pelas bênçãos do Guru e das Três Joias, que são não-enganosos,
E pelo poder da natureza imutável dos fenômenos e da relação--dependente, não-enganosa,
Que tudo seja auspicioso para que minhas excelentes preces se realizem,
De modo que eu rapidamente alcance a Budeidade onisciente.

Preces pela Tradição Virtuosa

Para que a tradição de Je Tsongkhapa,
O Rei do Dharma, floresça,
Que todos os obstáculos sejam pacificados
E todas as condições favoráveis sejam abundantes.

Pelas duas coleções, minhas e dos outros,
Reunidas ao longo dos três tempos,
Que a doutrina do Conquistador Losang Dragpa
Floresça para sempre.

Prece *Migtsema* de nove versos

Tsongkhapa, ornamento-coroa dos eruditos da Terra das Neves,
Tu és Buda Shakyamuni e Vajradhara, a fonte de todas as conquistas,
Avalokiteshvara, o tesouro de inobservável compaixão,
Manjushri, a suprema sabedoria imaculada,
E Vajrapani, o destruidor das hostes de maras.
Ó Venerável Guru Buda, síntese das Três Joias,
Com meu corpo, fala e mente, respeitosamente faço pedidos:
Peço, concede tuas bênçãos para amadurecer e libertar a mim e aos outros,
E confere-nos as aquisições comuns e a suprema. (3x)

Cólofon: Esta sadhana, ou prece ritual, para obter as aquisições espirituais de Vajradaka foi traduzida sob a compassiva orientação de Venerável Geshe Kelsang Gyatso Rinpoche.

Sadhana de Samayavajra

---

por
Je Phabongkhapa

Samayavajra

Sadhana de Samayavajra

Buscar refúgio

Eu e todos os seres sencientes, até alcançarmos a iluminação,
Nos refugiamos em Buda, Dharma e Sangha. (3x)

Gerar bodhichitta

Pelas virtudes que coleto, praticando o dar e as outras perfeições,
Que eu me torne um Buda para o benefício de todos. (3x)

Visualizar o ser-de-compromisso

Eu tenho a clareza da Deidade. Sobre um lótus de várias cores e um mandala de lua em meu coração, surge, a partir do HA, uma espada, com seu cabo marcado por um HA. Ela se transforma por completo em Samayavajra, que tem o corpo verde e três faces – uma face é verde, outra é preta e a outra é branca. Ele tem seis mãos. As duas primeiras mãos abraçam sua consorte, que é semelhante em aparência. As outras duas mãos direitas seguram um vajra e uma espada, e as outras duas mãos esquerdas seguram um sino e um lótus. Ambos, o Pai e a Mãe, estão adornados com vários ornamentos de joias. Na coroa deles, está um OM; na garganta, um AH; e no coração, um HUM.

Convidar e absorver os seres-de-sabedoria

Do HUM no coração, raios luz se irradiam e convidam os seres-de--sabedoria, iguais em aspecto, para virem de suas moradas naturais.

DZA HUM BAM HO
Eles se tornam não duais.

Conceder iniciação

Uma vez mais, raios de luz se irradiam do HUM no coração e convidam as Cinco Famílias juntamente com seus séquitos.

OM PÄNZA KULA SAPARIWARA AHRGHAM, PADÄM, PUPE, DHUPE, ALOKE, GÄNDHE, NEWIDE, SHAPTA PARTITZA HUM SÖHA

Ó, todos vós, Tathagatas, por favor, concedei-lhe a iniciação.

Solicitados desse modo, eles concedem a iniciação pela coroa de minha cabeça, com vasos repletos com néctar de excelsa sabedoria.

'OM SARWA TATHAGATA ABHIKEKATA SAMAYA SHRIYE HUM'

O corpo de Samayavajra é preenchido por inteiro, e ele experiencia grande êxtase. Todas as máculas são purificadas. O excesso de água na coroa transforma-se totalmente, e a coroa do Pai é adornada com Akshobya e a da Mãe com Amoghasiddhi.

Recitação do mantra

Sobre uma lua, no coração de Samayavajra, está um vajra de várias cores. No centro do vajra está um HA verde, do qual flui um delicado e aprazível fluxo de néctar. Isso é rodeado por OM AH PANGYA DHIKA HA HUM. Um fluxo de néctar flui pelas extremidades do vajra multicolorido, preenchendo gradualmente meu corpo por inteiro. Experiencio êxtase incontaminado, e todas as máculas de meus compromissos degenerados saem pelos poros de minha pele sob a forma de um líquido preto.

Enquanto você contempla isso, recite o mantra quantas vezes desejar.

OM AH PANGYA DHIKA HA HUM

Prece de confissão e determinação

Por desconhecimento e confusão,
Transgredi e quebrei meus compromissos.
Ó Guru Protetor, por favor, protege-me.
Principal Detentor do Vajra,
Em ti, cuja natureza é grande compaixão,
Senhor de todos os seres, eu busco refúgio.

Samayavajra responde: "Querido, todas as tuas negatividades, obstruções e compromissos degenerados foram limpos e purificados."

Absorção

Depois de assim falar, Samayavajra dissolve-se em mim, e minhas três portas tornam-se inseparáveis do corpo, fala e mente de Samayavajra.

Dedicatória

Por essa virtude, que eu purifique
Todas as impurezas e impedimentos
Que obstruem meu progresso nos caminhos espirituais,
E que eu alcance a Budeidade para o benefício de todos.

Preces pela Tradição Virtuosa

Para que a tradição de Je Tsongkhapa,
O Rei do Dharma, floresça,
Que todos os obstáculos sejam pacificados
E todas as condições favoráveis sejam abundantes.

Pelas duas coleções, minhas e dos outros,
Reunidas ao longo dos três tempos,
Que a doutrina do Conquistador Losang Dragpa
Floresça para sempre.

Prece *Migtsema* de nove versos

Tsongkhapa, ornamento-coroa dos eruditos da Terra das Neves,
Tu és Buda Shakyamuni e Vajradhara, a fonte de todas as conquistas,
Avalokiteshvara, o tesouro de inobservável compaixão,
Manjushri, a suprema sabedoria imaculada,
E Vajrapani, o destruidor das hostes de maras.
Ó Venerável Guru Buda, síntese das Três Joias,
Com meu corpo, fala e mente, respeitosamente faço pedidos:
Peço, concede tuas bênçãos para amadurecer e libertar a mim
e aos outros,
E confere-nos as aquisições comuns e a suprema. (3x)

Cólofon: Esta sadhana, ou prece ritual, para obter as aquisições espirituais de Samayavajra foi traduzida sob a compassiva orientação de Venerável Geshe Kelsang Gyatso Rinpoche.

O Tantra-Raiz de Heruka e Vajrayogini

CAPÍTULOS 1º & 51º
DO TANTRA-RAIZ CONDENSADO DE HERUKA

traduzido por
Venerável Geshe Kelsang Gyatso Rinpoche

Buda Shakyamuni

Introdução

Os *Tantras-Raiz de Heruka* pertencem ao Tantra Ioga Supremo do Budismo Vajrayana. Buda ensinou os *Tantras-Raiz de Heruka* extenso, mediano e condensado. O *Tantra-Raiz Condensado de Heruka*, que possui 51 capítulos, foi traduzido do sânscrito para o tibetano.

Os comentários ao *Tantra-Raiz Condensado de Heruka*, proferidos por Buda Shakyamuni, e muitos outros comentários escritos por mestres budistas indianos (como os Mahasiddhas Naropa e Lawapa) também foram traduzidos. Comentários posteriores foram escritos por eruditos tântricos tibetanos, fundamentados no comentário de Je Tsongkhapa ao *Tantra-Raiz Condensado de Heruka*, intitulado *Clara Iluminação de Todos os Significados Ocultos*.

Eu traduzi o primeiro e o último capítulos do *Tantra-Raiz Condensado de Heruka* do tibetano para o inglês. Como Je Tsongkhapa disse, cada palavra do Tantra-Raiz tem muitos significados diferentes. Eu não traduzi as palavras, mas seu significado oculto. Meu propósito ao fazer isso é beneficiar as pessoas deste mundo moderno.

Geshe Kelsang Gyatso

2003

Heruka de Doze Braços

O Tantra-Raiz de Heruka e Vajrayogini

Proferido pelo Abençoado, Buda Shakyamuni, a pedido de Vajrapani.

Assim, irei explicar o grande e magnífico segredo –
As instruções das etapas do caminho de Heruka –
O insuperável de todos os insuperáveis,
Que satisfaz o desejo por todas as aquisições.

Gera a Terra Pura de Heruka com a mansão celestial
E a ti mesmo como o glorioso Buda Heruka em abraço com Vajravarahi,
Com um séquito de trinta e seis Dakinis e vinte e quatro Heróis;
Reúne sempre, no supremo segredo do grande êxtase,
A natureza de tudo.
Assim, Heruka – imputado a esse grande êxtase
Que é inseparável da vacuidade de tudo –,
É o Abençoado, Heruka definitivo,
A síntese de todos os Dakas e Dakinis.
E Heruka, que aparece com um corpo azul,
Quatro faces e doze braços,
É Heruka interpretativo, ensinado para compromisso.
O supremo segredo do grande êxtase
Surge pelo derretimento das gotas dentro do canal central;

Assim, é difícil encontrar no mundo
Uma pessoa que experiencie um êxtase como este.
Quando examinado, não há corpo:
Deves conhecer todas as coisas do mesmo modo.
Os compromissos, meditações, recitações
E demais rituais serão explicados.

Os praticantes devem, sempre, fazer oferendas,
Sejam elas copiosas ou sumárias,
À assembleia de Deidades do mandala de Heruka,
Especialmente no décimo e vigésimo quinto dias de cada mês.
Com a motivação da mente compassiva da bodhichitta
E a sabedoria que realiza a vacuidade de todos os fenômenos,
O praticante pode confiar nos três mensageiros (ou mensageiras):
Um que seja emanação, um que possua realizações,
Ou um que esteja mantendo puramente os compromissos.
O êxtase surgido do derretimento de tuas próprias gotas
Deve ser oferecido a Heruka, que reside em teu coração.
Porque Heruka está sempre no coração do praticante,
Inseparável dele (ou dela),
Qualquer um que veja, ouça, toque ou lembre de um praticante
como este
Irá receber, com absoluta certeza, as bênçãos de Heruka.
Os praticantes têm o grande poder de curar a si mesmos
E de acumular mérito e sabedoria;
Eles podem alcançar rapidamente aquisições
Por meio de meditação e recitação dos mantras.
Como prática básica, deves sempre manter os compromissos;
Quebrá-los irá destruir as bênçãos
Que recebeste quando a iniciação foi concedida
E, assim, não realizarás aquisição alguma.
O êxtase surgido por derreter as gotas dentro do canal central,
Misturado totalmente com a vacuidade de tudo,
É o segredo supremo do grande êxtase
Que dá surgimento a todas as cinco aquisições:

Aquisições pacificadoras, crescentes e controladoras,
Aquisições por meio de ações iradas,
E a aquisição suprema da iluminação.

Por penetrar o ponto da ponta inferior de teu canal central,
Quando estiver unido à ponta inferior do canal central do mudra,
O vento-sabedoria irá entrar em teu canal central;
Por obter profunda experiência com essa meditação,
Alcançarás o segredo supremo do grande êxtase.
Poderás também confiar nos quatro mudras e praticá-los –
Compromisso, ação, fenômenos e grande;
As quatro diferentes maneiras de abraço devem ser conhecidas.
O êxtase experienciado por praticante tão puro
É inigualável e supremo a qualquer êxtase experienciado por
deuses ou humanos.
O lugar onde irás meditar sobre o grande segredo
Pode ser uma montanha, floresta, cemitério, vilarejo ou cidade.
Tendo encontrado um lugar adequado, sem nenhum obstáculo,
Deves continuamente empenhar-te para realizar
O mandala sustentador e sustentado de Heruka.

Isto conclui o Capítulo Um: *Síntese do Tantra-Raiz de Heruka.*

As demais instruções, que são difíceis de encontrar,
E que estão ocultas nas escrituras –
A maneira de realizar os mandalas de Heruka –
Serão, também, brevemente explicadas.

Para começar, deves meditar no significado de Shri Heruka,
A união de grande êxtase e vacuidade.
Depois, medita nas imaginações corretas que acreditam que:
O local é a própria Terra Pura de Heruka,
Aparecendo sob o aspecto do mandala sustentador,
Do círculo de proteção e da mansão celestial;
Teu corpo é o segredo supremo do grande êxtase,
Aparecendo sob a forma do corpo azul de Heruka,
Adornado com os cinco ornamentos,
E em abraço com a consorte-sabedoria Vajravarahi;
Tua fala é da natureza do mantra de AHLIKALI,
A fonte de todos os mantras;
Tu recebes as bênçãos e a iniciação;
Teu corpo está adornado com a proteção interior:
O círculo de proteção dos mantras-armadura;
As Deidades das Cinco Rodas aparecem na mansão celestial;
Os migrantes dos seis reinos são purificados
Pela emanação de raios de luz-sabedoria;
Oferendas exteriores, interiores e do mantra de oito versos são feitas;
Treina em clara aparência e em orgulho divino
Para além da aparência e concepções comuns –
Assim, expliquei os quatorze pontos essenciais.
Aqueles que sinceramente se empenharem nessa prática
Irão purificar todas as negatividades rapidamente,
Sempre tomando renascimentos elevados, de boa fortuna,
E irão alcançar o estado do Buda Conquistador.

Assim como o fogo destrói rapidamente os objetos,
As recitações e meditações de Heruka e de Vajrayogini
Destroem o sofrimento rapidamente.

Quando tais praticantes experienciarem a morte,
Diversas emanações irão para eles aparecer
Com oferendas – como flores e linda música –
E os conduzirão à Terra Pura de Keajra.
Para tais praticantes, a morte é apenas um mero nome –
Eles são, simplesmente, transferidos da prisão do samsara
Para a Terra Pura de Buda Heruka.
A boa fortuna da prática do Tantra de Heruka
Será extremamente difícil de encontrar no futuro –
Assim, não deves desperdiçar a oportunidade que tens agora.
Os doze braços de Heruka indicam que o praticante será liberto
Dos doze elos dependente-relacionados do samsara;
Pisar sobre Bhairawa e Kalarati demonstra vitória sobre os maras –
Assim, deves empenhar-te em praticar essas instruções.
Gera a ti mesmo como o principal do mandala,
Rodeado pelos Heróis e Heroínas das Cinco Rodas,
Todos eles deleitados com o supremo segredo do grande êxtase.
Ao final da sessão, o sustentador e o sustentado
Dissolvem-se, todos, em grande êxtase e vacuidade –
Medita nessa união de êxtase e vacuidade.
A partir disso, surge como a Deidade-ação Heruka
Que se envolve nas práticas subsequentes.

O Abençoado aparece sob muitos diferentes aspectos
Para beneficiar todos os seres vivos, que têm diferentes desejos
e anseios.
Dentre os diversos métodos que o Abençoado demonstrou
Para satisfazer os diversos desejos e anseios dos seres vivos,
As instruções de Sutra e as quatro classes de Tantra são supremos –
Os Tantras Ação, Performance, Ioga e Ioga Supremo.
Nunca deves abandonar o Tantra Ioga Supremo,
Mas compreender que ele tem um significado inconcebível
E que é a verdadeira essência do Budadharma.
Para os que não compreendem a verdadeira natureza das coisas,
a vacuidade,

É difícil compreender o profundo significado do Tantra Ioga Supremo.
No entanto, as emanações de Buda Vajradhara permeiam todos os lugares
E a linhagem búdica de todos os seres vivos está sempre com eles;
Assim, por fim todos os seres vivos, sem exceção,
Irão conquistar o supremo estado da iluminação, a Budeidade.

Isto conclui o Capítulo Cinquenta e Um: *A Conclusão do Tantra-Raiz de Heruka.*

O mantra condensado de Heruka, Vajrayogini, das trinta e seis Dakinis e dos vinte e quatro Heróis

OM HUM BAM, RIM RIM LIM LIM, KAM KHAM GAM GHAM, NGAM TSAM TSHAM DZAM, DZHAM NYAM TrAM THrAM, DrAM DHrAM NAM TAM, THAM DAM DHAM NAM, PAM PHAM BAM BHAM, YAM RAM LAM WAM, SHAM KAM SAM HAM, HUM HUM PHAT

Para o benefício de todos os seres vivos,
Que eu me torne Heruka;
E, então, conduza cada ser vivo
Ao estado supremo de Heruka.

Cólofon: Este texto foi traduzido por Venerável Geshe Kelsang Gyatso Rinpoche, 2003.

Apêndice III
Diagramas e Ilustrações

CONTEÚDO

Gestos Manuais

AHRGHAM

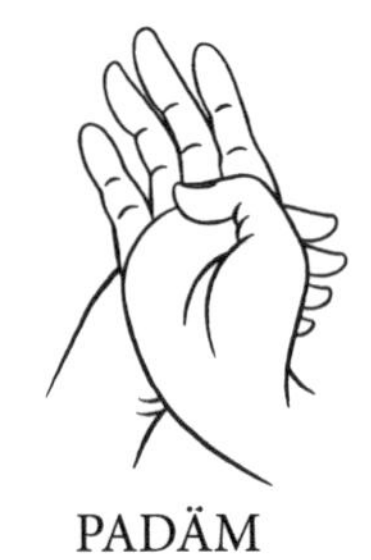

PADÄM

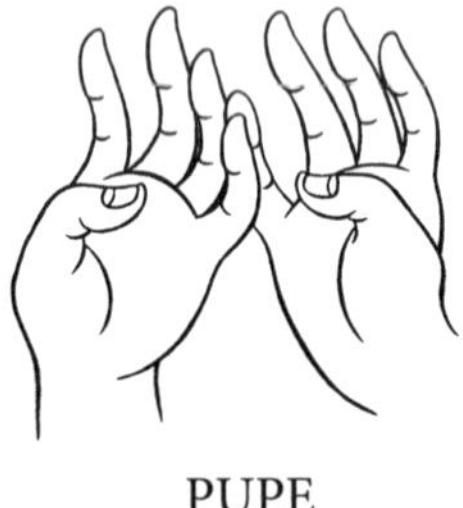

PUPE

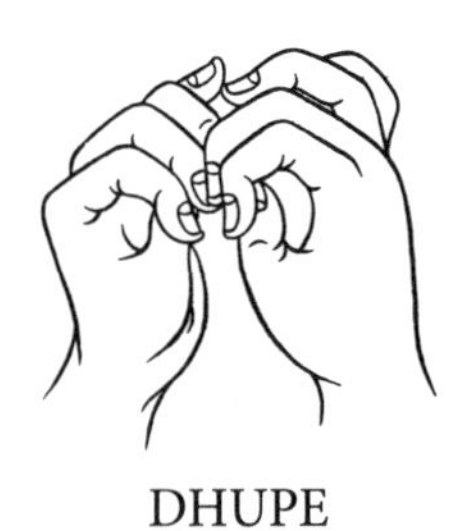

DHUPE

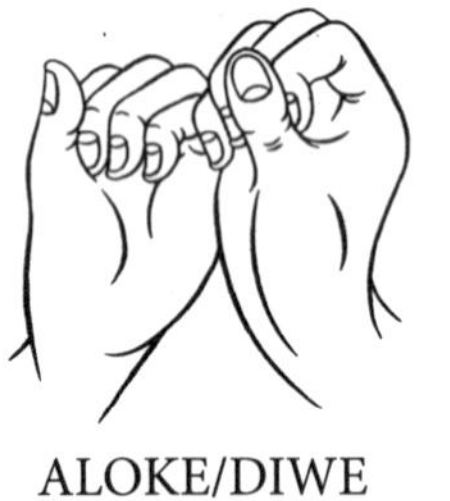

ALOKE/DIWE

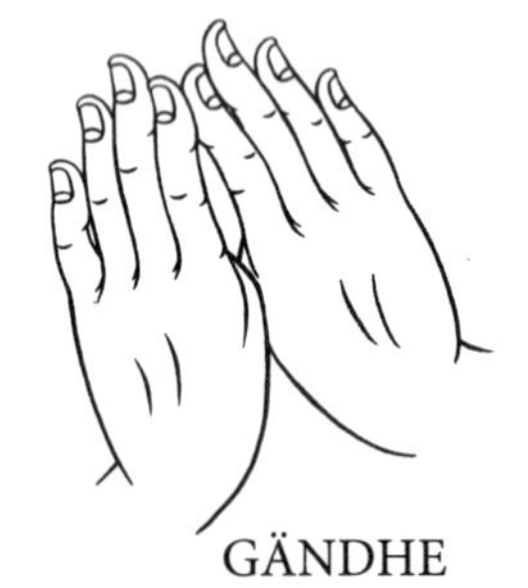

GÄNDHE

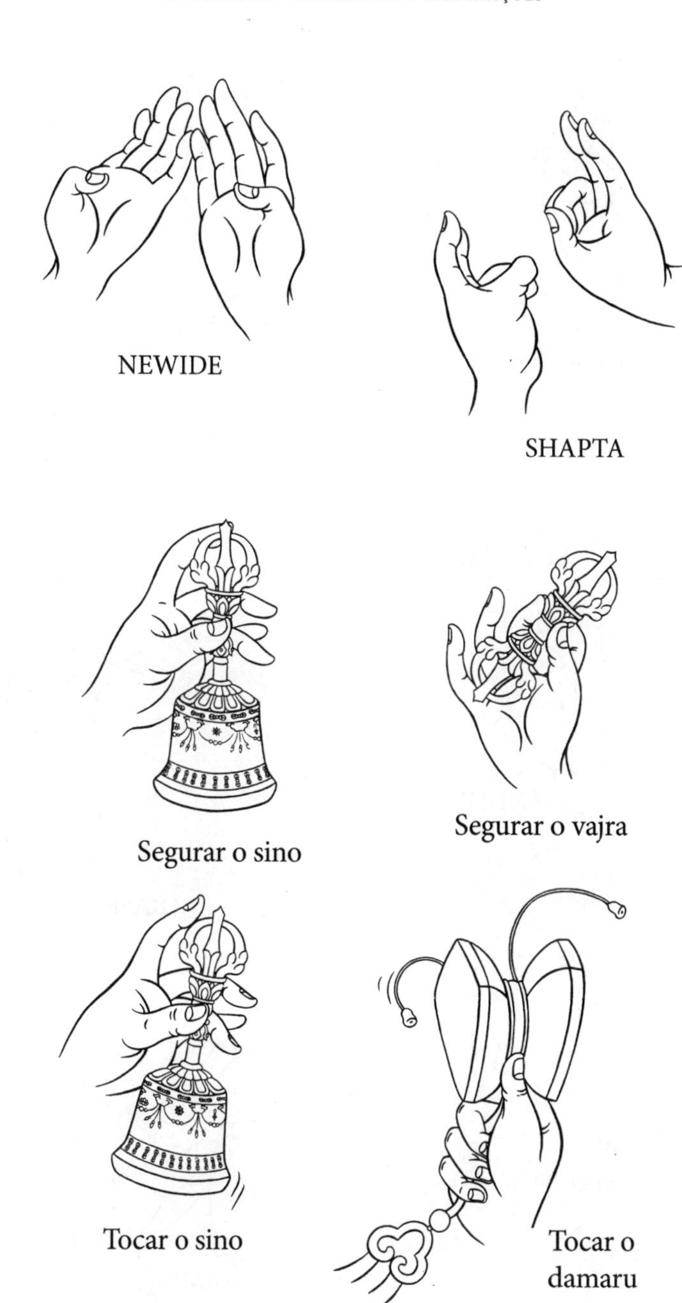
NEWIDE
SHAPTA
Segurar o sino
Segurar o vajra
Tocar o sino
Tocar o damaru

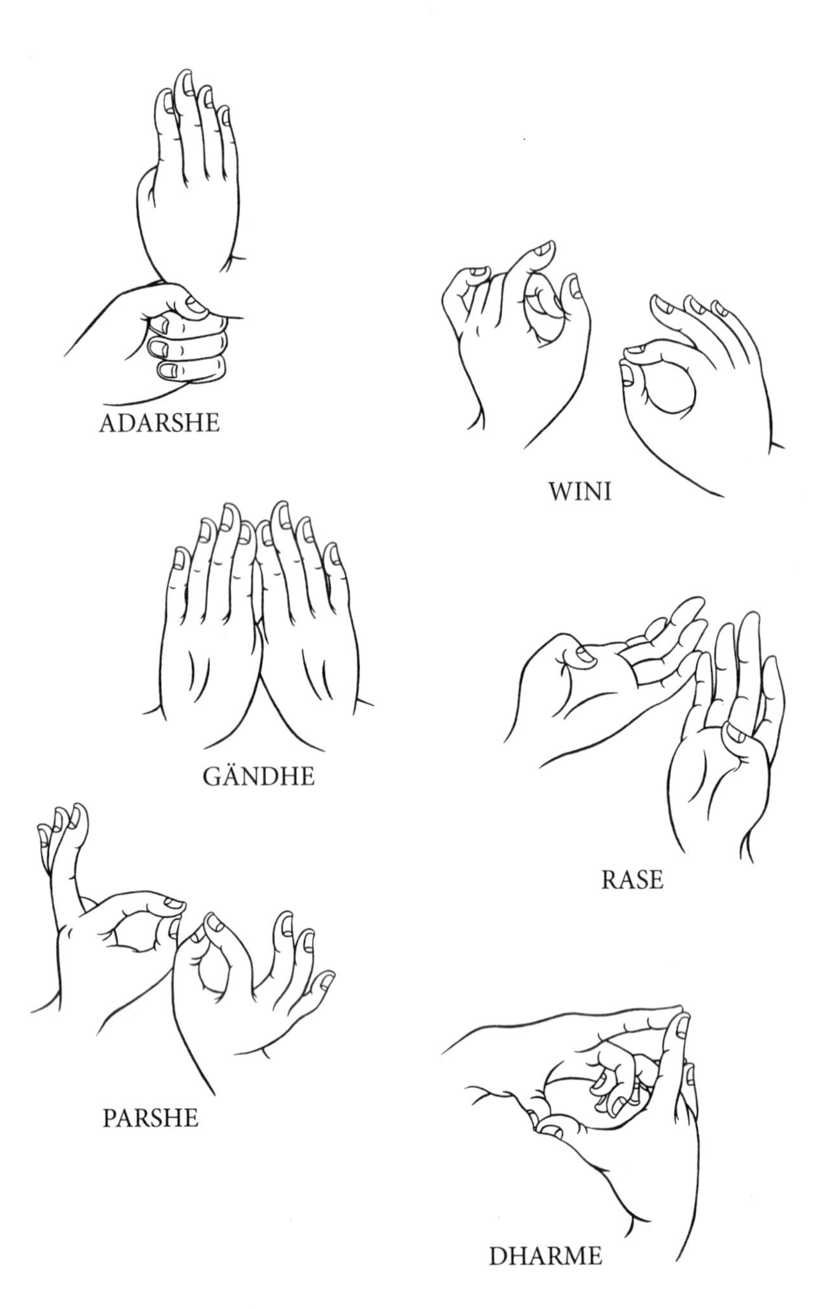
ADARSHE
WINI
GÄNDHE
RASE
PARSHE
DHARME

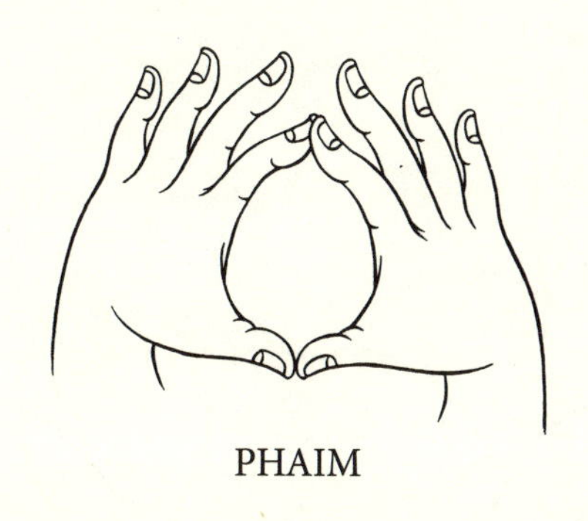
PHAIM

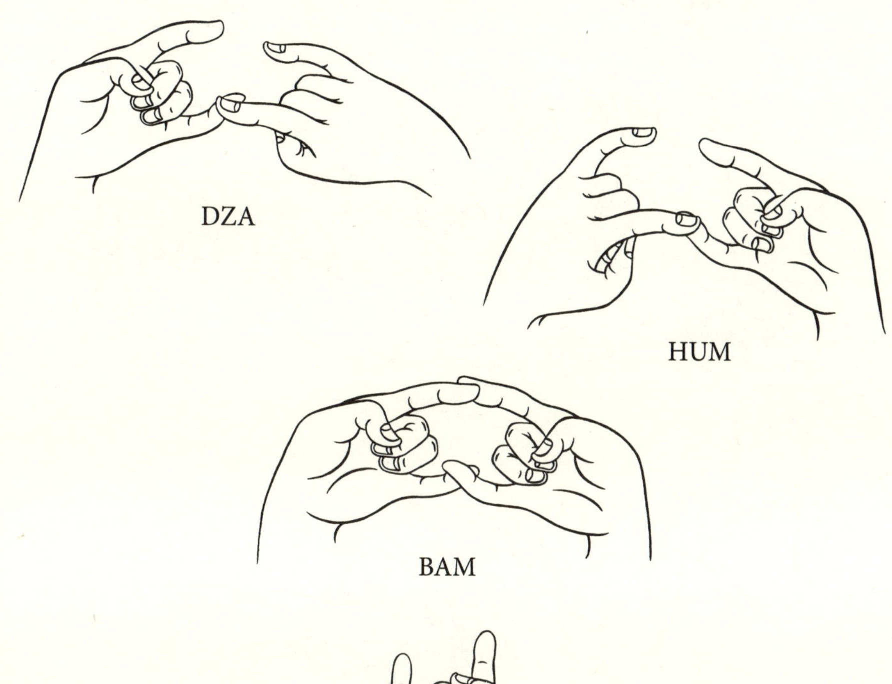
DZA
HUM
BAM

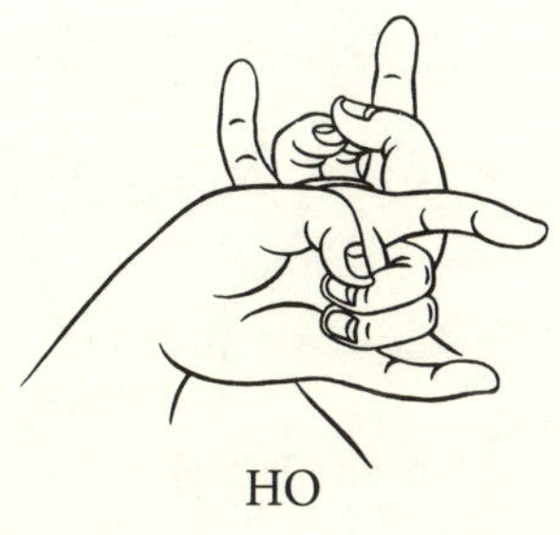
HO

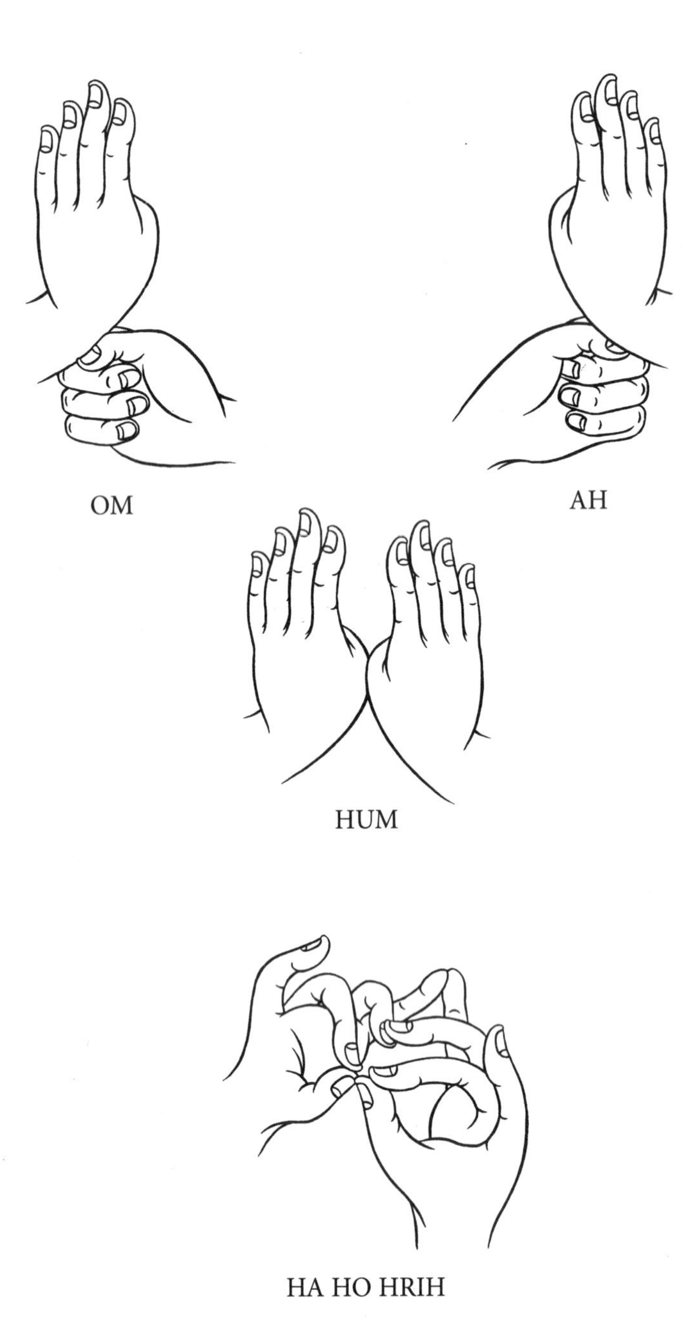
OM
AH
HUM
HA HO HRIH

Letras-Sementes e Objetos Rituais

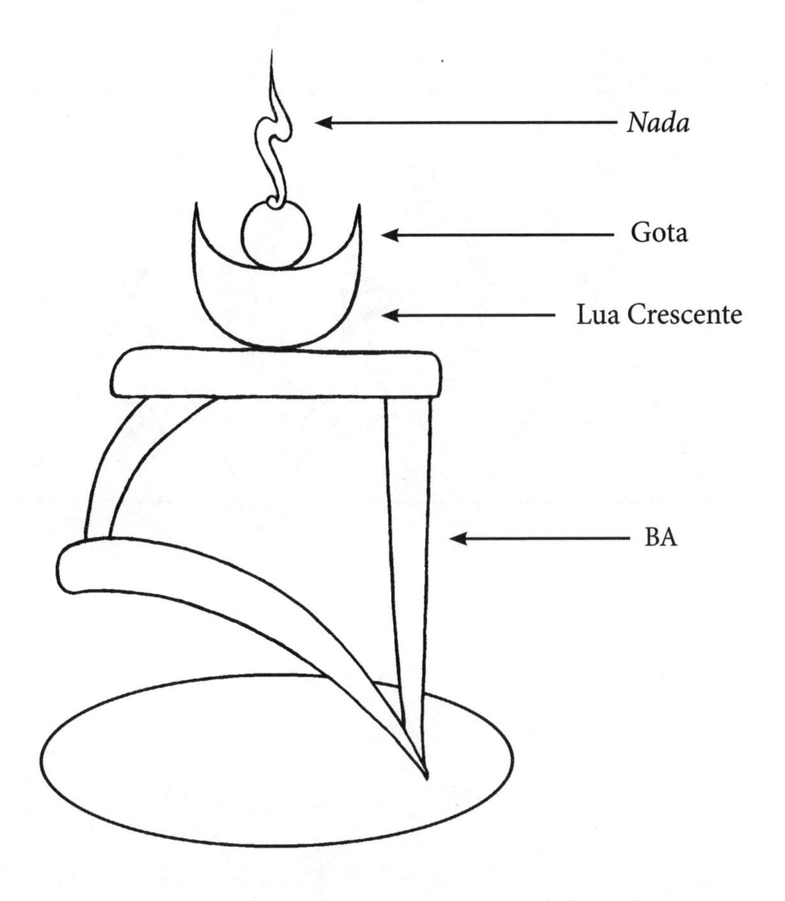

Letra BAM

A letra BAM e o rosário de mantra sobre um disco de lua dentro da fonte-fenômenos

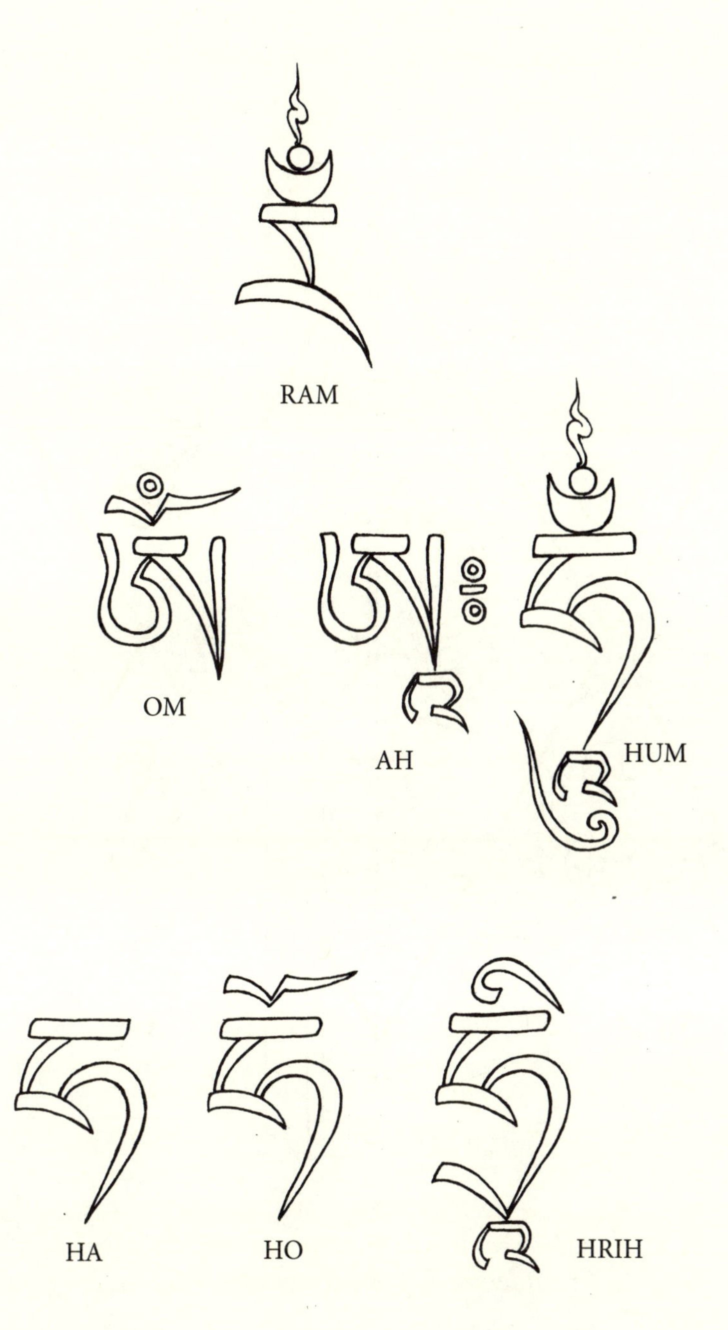
RAM
OM
AH
HUM
HA
HO
HRIH

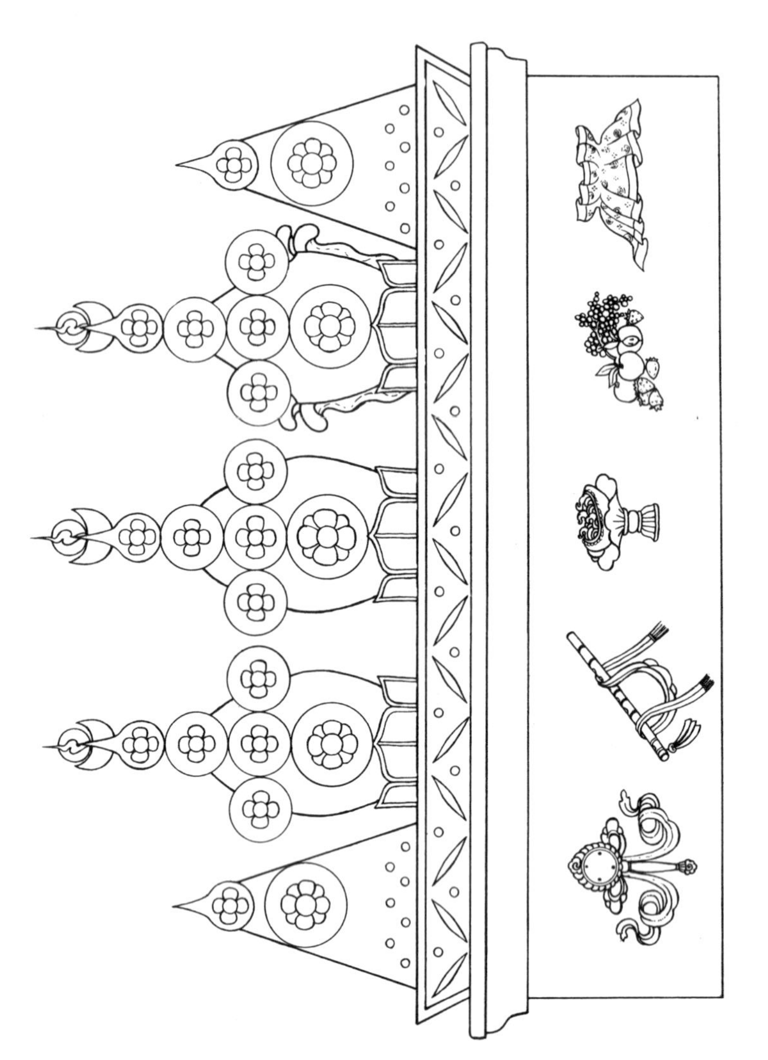

Tormas

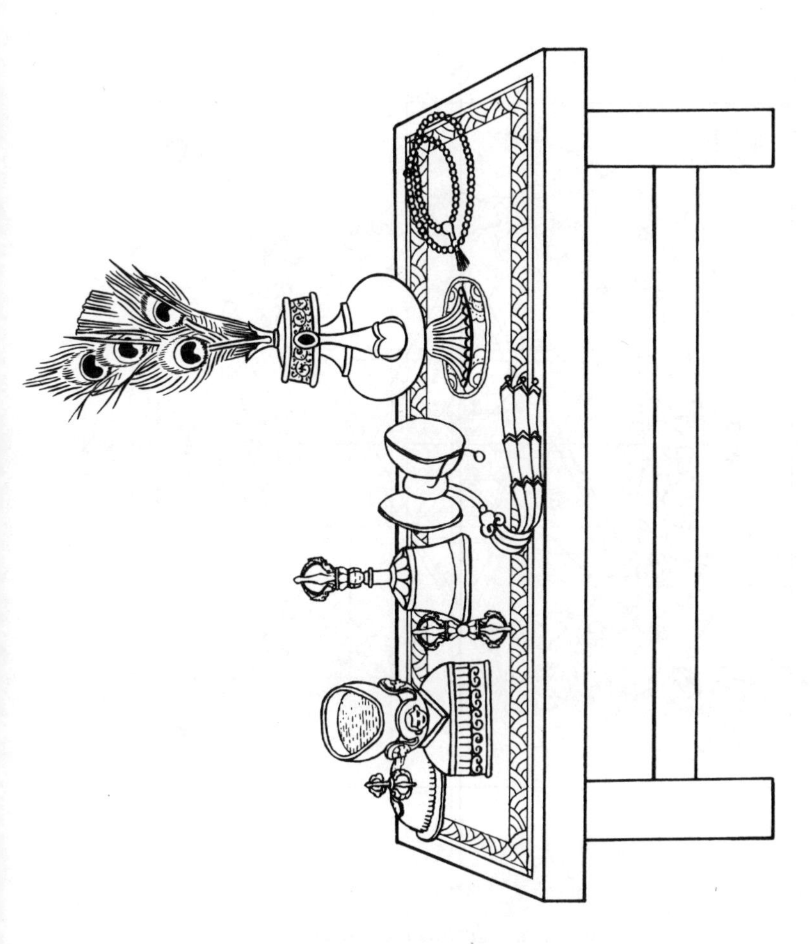

Oferenda interior na cuia de crânio, vajra, sino, damaru, vaso-ação, mala

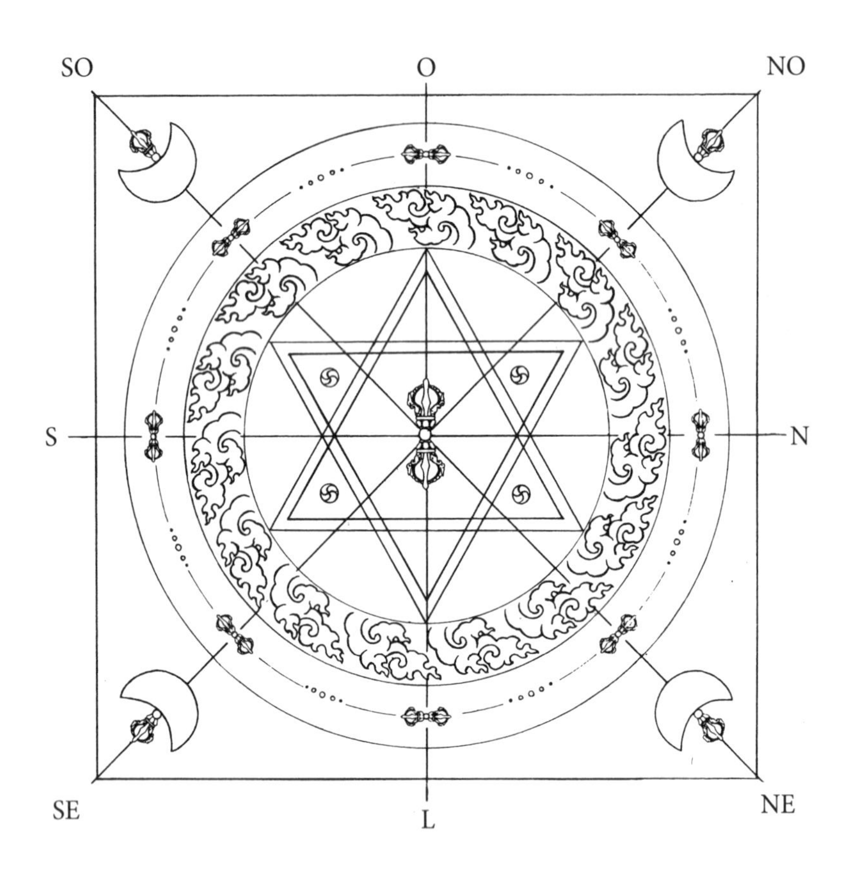

Mandala do puja do fogo

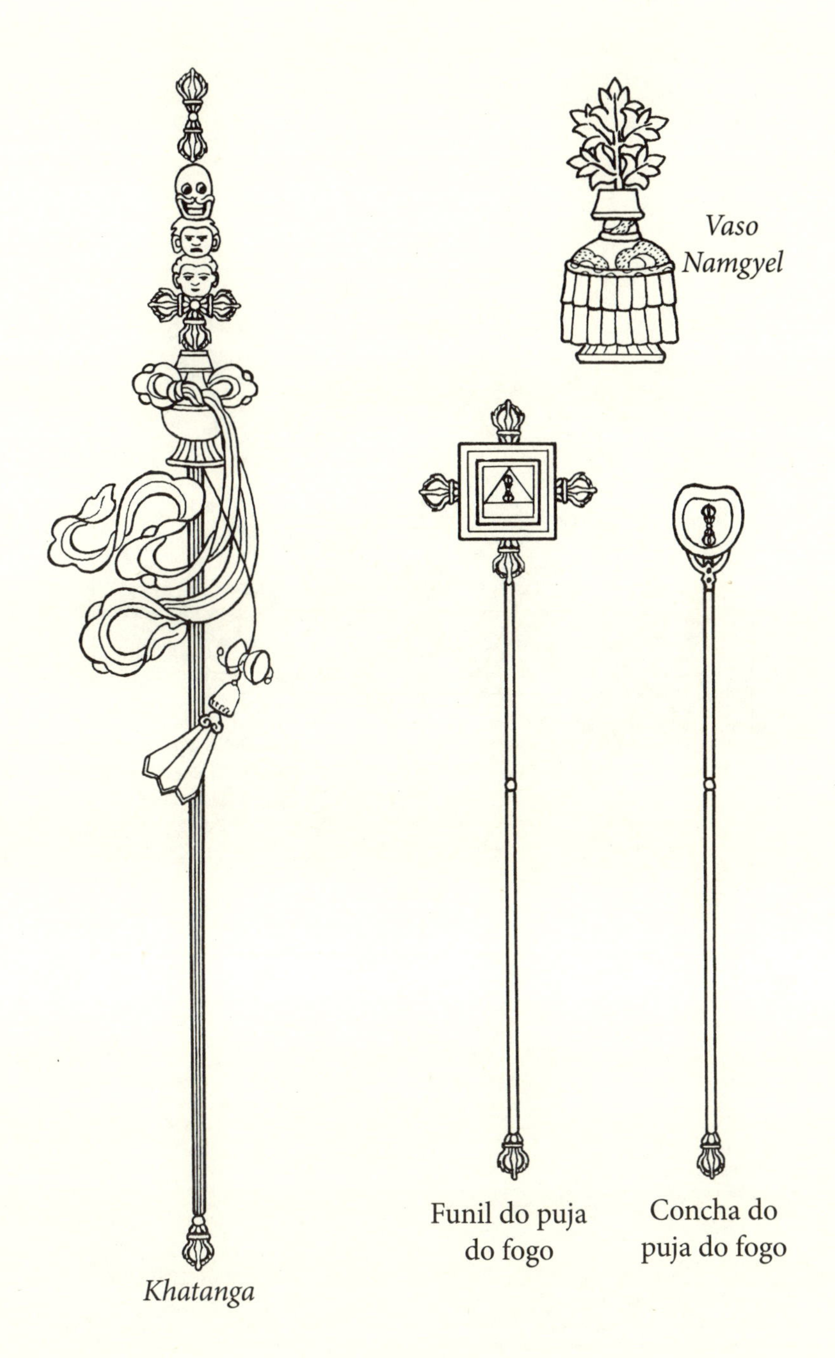
Vaso Namgyel
Khatanga
Funil do puja do fogo
Concha do puja do fogo

Glossário

Agarramento ao em-si Mente conceitual que sustenta qualquer fenômeno como sendo inerentemente existente. A mente de agarramento ao em-si dá surgimento a todas as demais delusões, como a raiva e o apego. É a causa-raiz de todo sofrimento e insatisfação. Consultar *Novo Coração de Sabedoria*, *Transforme sua Vida* e *Oceano de Néctar*.

Agregado Em geral, todas as coisas funcionais são agregados porque são uma agregação de suas partes. Em particular, uma pessoa do reino do desejo ou do reino da forma tem cinco agregados: os agregados forma, sensação, discriminação, fatores de composição e consciência. Um ser do reino da sem-forma carece de agregado forma, mas possui os demais quatro agregados. O agregado forma de uma pessoa é o seu corpo. Os quatro agregados restantes são aspectos de sua mente. Ver também agregado(s) contaminado(s). Consultar *Novo Coração de Sabedoria*.

Agregado(s) contaminado(s) Qualquer um dos agregados forma, sensação, discriminação, fatores de composição e consciência de um ser samsárico. Ver também agregado. Consultar *Novo Coração de Sabedoria* e *Caminho Alegre da Boa Fortuna*.

Akanishta Terra Pura onde Bodhisattvas alcançam a iluminação. Consultar *Clara-Luz de Êxtase* e *Solos e Caminhos Tântricos*.

Akshobya A manifestação do agregado consciência de todos os Budas. Akshobya tem um corpo azul.

Amitabha A manifestação do agregado discriminação de todos os Budas. Amitabha tem um corpo vermelho.

Amoghasiddhi A manifestação do agregado fatores de composição de todos os Budas. Amoghasiddhi tem um corpo verde.

Apego Fator mental deludido que observa um objeto contaminado, considera-o como causa de felicidade e deseja-o. Consultar *Caminho Alegre da Boa Fortuna* e *Como Entender a Mente.*

Arya Ver ser superior.

***Atisha* (982–1054)** Famoso erudito budista indiano e mestre de meditação. Ele foi abade do grande monastério budista de Vikramashila durante o período em que o Budismo Mahayana florescia na Índia. Foi convidado, posteriormente, a ir ao Tibete com o objetivo de reintroduzir o puro Budismo naquele país. Ele é o autor do primeiro texto sobre as etapas do caminho, *Luz para o Caminho.* Sua tradição ficou conhecida posteriormente como "a Tradição Kadampa". Consultar *Budismo Moderno* e *Caminho Alegre da Boa Fortuna.*

Autoapreço Atitude mental que faz com que alguém se considere precioso ou importante. O autoapreço é identificado como o objeto principal a ser abandonado pelos Bodhisattvas. Consultar *Budismo Moderno, Oito Passos para a Felicidade, Compaixão Universal* e *Contemplações Significativas.*

Base de imputação, base de designação Todos os fenômenos são imputados, ou designados, sobre suas partes. Por essa razão, qualquer uma das partes individuais ou a coleção completa das partes de qualquer fenômeno é a sua base de imputação, ou base de designação. Um fenômeno é imputado pela mente na dependência da base de imputação do fenômeno que aparece à mente. Consultar *Budismo Moderno, Novo Coração de Sabedoria* e *Oceano de Néctar.*

Bênção Transformação da nossa mente de um estado negativo para um estado positivo, de um estado infeliz para um estado feliz, de um estado de fraqueza para um estado de vigor, pela inspiração de seres sagrados, como nosso Guia Espiritual, Budas e Bodhisattvas.

Benzarahi Buda feminino que é a manifestação do elemento fogo de todos os Budas. Benzarahi é a consorte de Buda Amitabha.

Bodhichitta Palavra sânscrita para "mente de iluminação". "*Bodhi*" significa "iluminação", e "*chitta*" significa "mente". Existem dois tipos de bodhichitta: bodhichitta convencional e bodhichitta última. Em linhas gerais, o termo "bodhichitta" refere-se à bodhichitta convencional, que é uma mente primária motivada por grande compaixão que busca, espontaneamente, a iluminação para beneficiar todos os seres vivos. Há dois tipos de bodhichitta convencional: a bodhichitta aspirativa e a bodhichitta de compromisso. A bodhichitta última é uma sabedoria motivada pela bodhichitta convencional e que realiza diretamente a vacuidade, a natureza última dos fenômenos. Ver também bodhichitta aspirativa e bodhichitta de compromisso. Consultar *Caminho Alegre da Boa Fortuna*, *Budismo Moderno* e *Contemplações Significativas*.

Bodhichitta aspirativa A bodhichitta que é o mero desejo de alcançar a iluminação para o benefício de todos os seres vivos. Ver também bodhichitta.

Bodhichitta de compromisso Após termos tomado o voto bodhisattva, nossa bodhichitta aspirativa transforma-se na bodhichitta de compromisso, uma mente que realmente está comprometida com as práticas que conduzem à iluminação. Ver também bodhichitta.

Bodhichitta última Sabedoria motivada pela bodhichitta convencional e que realiza a vacuidade diretamente. Consultar *Budismo Moderno*, *Novo Coração de Sabedoria*, *Compaixão Universal* e *Grande Tesouro de Mérito*.

Bodhisattva Uma pessoa que gerou a bodhichitta espontânea, mas que ainda não se tornou um Buda. A partir do momento que um praticante gera a bodhichitta não artificial, ou espontânea, ele (ou ela) torna-se um Bodhisattva e ingressa no primeiro Caminho Mahayana, o Caminho da Acumulação. Um Bodhisattva comum é um Bodhisattva que não realizou a vacuidade diretamente, e um Bodhisattva superior é um Bodhisattva que obteve uma realização direta da vacuidade. Consultar *Caminho Alegre da Boa Fortuna* e *Contemplações Significativas*.

Buda Shakyamuni O Buda que é o fundador da religião budista. Consultar *Budismo Moderno*.

Caminho Mahayana Uma realização clara no continuum mental de um Bodhisattva ou de um Buda. Existem Cinco Caminhos Mahayana: o Caminho Mahayana da Acumulação, o Caminho Mahayana da Preparação, o Caminho Mahayana da Visão, o Caminho Mahayana da Meditação e o Caminho Mahayana do Não-Mais-Aprender. Os quatro primeiros caminhos estão, necessariamente, no continuum de um Bodhisattva, e o último está, necessariamente, no continuum de um Buda. Consultar *Caminho Alegre da Boa Fortuna* e *Solos e Caminhos Tântricos*.

Canais Corredores interiores sutis do corpo através dos quais fluem gotas sutis, movidas pelos ventos interiores. Consultar *Budismo Moderno*, *Mahamudra-Tantra* e *Clara-Luz de Êxtase*.

Cinco elementos "*Jung wa*" em tibetano. Terra, água, fogo, vento e espaço. Pode-se dizer que toda matéria é constituída de uma combinação desses elementos. Há cinco elementos interiores (que estão associados com o continuum de uma pessoa) e cinco elementos exteriores (que não estão associados com o continuum de uma pessoa).

Cinco sabedorias oniscientes As cinco excelsas sabedorias de um Buda: excelsa sabedoria semelhante-a-um-espelho, excelsa sabedoria da igualdade, excelsa sabedoria da análise individual, excelsa sabedoria de realizar atividades e excelsa sabedoria do Dharmadhatu. Ver também Famílias Búdicas.

Clara-luz-exemplo Uma mente de clara-luz que realiza a vacuidade por meio de uma imagem genérica. Consultar *Clara-Luz de Êxtase* e *Solos e Caminhos Tântricos.*

Contínua-lembrança Fator mental que atua para não esquecer o objeto compreendido pela mente primária. Consultar *Clara-Luz de Êxtase, Contemplações Significativas* e *Como Entender a Mente.*

Corpo-Deidade Corpo-divino. Quando um praticante obtém um corpo-ilusório, ele (ou ela) alcança o corpo-divino propriamente dito, efetivo (ou seja, o corpo-Deidade), mas não o corpo *da* Deidade. O corpo *da* Deidade é, necessariamente, o corpo de um ser iluminado tântrico. Consultar *Solos e Caminhos Tântricos.*

Corpo-ilusório O corpo-divino sutil que é desenvolvido, principalmente, a partir da gota indestrutível. Quando um praticante do Tantra Ioga Supremo sai da meditação sobre a mente-isolada da clara-luz-exemplo última, ele (ou ela) obtém um corpo que não é o mesmo que seu corpo físico comum. Esse novo corpo é o corpo-ilusório. Ele tem a mesma aparência que o corpo da Deidade pessoal do estágio de geração, exceto que sua cor é branca. Ele pode ser percebido unicamente por aqueles que já alcançaram o corpo-ilusório. Consultar *Solos e Caminhos Tântricos, Mahamudra--Tantra* e *Clara-Luz de Êxtase.*

Corpo-vajra Geralmente, o termo refere-se aos canais, gotas e ventos interiores. Mais especificamente, ao corpo-ilusório puro. O corpo de um Buda é conhecido como "o corpo-vajra resultante". Consultar *Clara-Luz de Êxtase, Solos e Caminhos Tântricos* e *Grande Tesouro de Mérito.*

Delusão Fator mental que surge de atenção imprópria e que atua tornando a mente perturbada e descontrolada. Existem três delusões principais: ignorância, apego desejoso e ódio. Delas surgem todas as demais delusões, como inveja, orgulho e dúvida deludida. Consultar *Caminho Alegre da Boa Fortuna* e *Como Entender a Mente.*

Demônio Ver mara.

Deus, Deuses "Deva" em sânscrito. Seres do reino dos deuses, o mais elevado dos seis reinos do samsara. Existem muitos tipos diferentes de deuses. Alguns são deuses do reino do desejo, ao passo que outros são deuses do reino da forma ou do reino da sem-forma. Consultar *Caminho Alegre da Boa Fortuna.*

Dez direções As quatro direções cardeais, as quatro direções intermediárias e as direções para cima e para baixo.

Dorje Shugden Protetor do Dharma que é uma emanação do Buda da Sabedoria Manjushri. Consultar *Joia-Coração.*

Dorjechang Trijang Rinpoche (1901–1981) Um lama tibetano especial que viveu no século XX e que foi uma emanação de Buda Shakyamuni, Heruka, Atisha, Amitabha e Je Tsongkhapa. Também conhecido como "Kyabje Trijang Rinpoche" e "Lama Losang Yeshe Trijang Rinpoche".

Estupa Representação simbólica da mente de Buda.

Etapas do caminho "*Lamrim*" em tibetano. Um ordenamento especial de todos os ensinamentos de Buda, fácil de compreender e de ser colocado em prática. O Lamrim revela todas as etapas do caminho à iluminação. Consultar *Caminho Alegre da Boa Fortuna, Budismo Moderno* e *Novo Manual de Meditação.*

Êxtase incontaminado A realização de êxtase associado com a sabedoria que realiza diretamente a vacuidade. Consultar *Solos e Caminhos Tântricos* e *Grande Tesouro de Mérito.*

Famílias Búdicas Existem Cinco Famílias Búdicas principais: as famílias Vairochana, Ratnasambhava, Amitabha, Amoghasiddhi e Akshobya. As Cinco Famílias são os cinco agregados purificados (forma, sensação, discriminação, fatores de composição e consciência, respectivamente) e as cinco excelsas sabedorias (excelsa sabedoria semelhante-a-um-espelho, excelsa sabedoria da igualdade, excelsa sabedoria da análise individual, excelsa sabedoria de realizar atividades e excelsa sabedoria do Dharmadhatu, respectivamente). Consultar *Grande Tesouro de Mérito*.

Fé Fator mental que atua principalmente para eliminar a antifé. Consultar *Budismo Moderno*, *Caminho Alegre da Boa Fortuna* e *Como Entender a Mente*.

Geshe Título concedido pelos monastérios kadampa para eruditos budistas realizados.

Gota indestrutível A gota mais sutil, localizada no coração. Ela é formada a partir da essência das gotas branca e vermelha recebidas de nossos pais na concepção. A gota indestrutível encerra a mente muito sutil e seu vento montado. Essas duas gotas, a vermelha e a branca, não se separam até o momento da morte, quando, então, abrem-se, permitindo que a mente muito sutil e seu vento montado partam para a próxima vida. Consultar *Budismo Moderno*, *Mahamudra-Tantra*, *Clara-Luz de Êxtase* e *Solos e Caminhos Tântricos*.

Gotas Há dois tipos de gotas no corpo. Elas são a essência do sangue e do esperma. Quando as gotas derretem e fluem pelos canais interiores, elas causam o surgimento de uma experiência de êxtase. Consultar *Budismo Moderno*, *Mahamudra-Tantra* e *Clara-Luz de Êxtase*.

Grande êxtase espontâneo Êxtase especial que é produzido pelo derretimento das gotas dentro do canal central. Esse êxtase é alcançado por obtermos controle sobre os ventos interiores. Consultar *Clara-Luz de Êxtase* e *Solos e Caminhos Tântricos*.

Guhyasamaja Uma Deidade do Tantra Ioga Supremo. Consultar *Grande Tesouro de Mérito*.

Guia Espiritual Vajrayana Guia Espiritual tântrico plenamente qualificado. Consultar *Grande Tesouro de Mérito*.

Guru Palavra sânscrita para "Guia Espiritual".

Gurus-linhagem Continuum, ou série, de Guias Espirituais por meio dos quais uma instrução específica tem sido transmitida.

Heróis e Heroínas Heróis são Deidades tântricas masculinas, que corporificam o método. Heroínas são Deidades tântricas femininas, que corporificam a sabedoria.

Hinayana Palavra sânscrita para "Pequeno Veículo". A meta hinayana é meramente a conquista, para si próprio, da libertação do sofrimento, obtida pelo completo abandono das delusões. Consultar *Caminho Alegre da Boa Fortuna.*

Ioga Termo utilizado para várias práticas espirituais que requerem a manutenção de uma visão especial, como as práticas de Guru-Ioga e os iogas de dormir, de acordar e de experimentar néctar. "Ioga" refere-se também a "união", como a união do tranquilo-permanecer com a visão superior. Consultar *Novo Guia à Terra Dakini.*

Iogue/Ioguine Palavras sânscritas normalmente utilizadas para se referir a um meditador masculino ou feminino que alcançou a união do tranquilo-permanecer com a visão superior.

Irmãos-vajra/Irmãs-vajra Praticantes que receberam qualquer iniciação do Tantra Ioga Supremo de um mesmo Mestre-Vajra, seja numa mesma cerimônia ou em momentos diferentes.

Ishvara Um deus que habita a "Terra em que se Controlam Emanações", o estado mais elevado de existência dentro do reino do desejo. Ishvara possui poderes miraculosos contaminados e limitados, que fazem dele o ser mais poderoso dentre os seres do reino do desejo. Se confiarmos em Ishvara, poderemos receber algum benefício temporário nesta vida, como a melhora ou aumento de nossa saúde ou o crescimento de nossa riqueza ou posses, mas Ishvara irado é inimigo de todos aqueles que buscam libertação, e ele interfere em seu progresso espiritual. É dito que, por essa razão, Ishvara é um tipo de mara Devaputra. Ver também mara.

Je Phabongkhapa **(1878-1941)** Grande lama tibetano que foi uma emanação de Heruka. Ele também é conhecido como "Dorjechang Phabongkha Trinlay Gyatso" e como "Dechen Nyingpo Phabongkha Dorjechang". Je Phabongkhapa, ou Phabongkha Rinpoche, foi o detentor de muitas linhagens de Sutra e do Mantra Secreto. Ele foi o Guru-raiz de Dorjechang Trijang Rinpoche.

Je Tsongkhapa **(1357-1419)** Uma emanação do Buda da Sabedoria Manjushri. Sua aparição no século XIV como um monge e detentor da linhagem da visão pura e de feitos puros, no Tibete, foi profetizada por Buda. Je Tsongkhapa difundiu um Budadharma muito puro por todo o Tibete, mostrando como combinar as práticas de Sutra e de Tantra e como praticar o puro Dharma durante tempos degenerados. Sua tradição ficou conhecida posteriormente como "Gelug", ou "Tradição Ganden". Consultar *Joia-Coração* e *Grande Tesouro de Mérito.*

Kangyur A coleção de todos os Sutras e Tantras que foram traduzidos do sânscrito para o tibetano. Ver também Tengyur.

Khedrubje **(1385-1438)** Um dos principais discípulos de Je Tsongkhapa. Após o falecimento de Je Tsongkhapa, Khedrubje trabalhou muito para promover a tradição iniciada por seu mestre. Consultar *Grande Tesouro de Mérito.*

Lama Losang Tubwang Dorjechang Uma manifestação especial de Je Tsongkhapa revelada diretamente ao grande iogue Dharmavajra. Nessa manifestação, Je Tsongkhapa aparece como um monge plenamente ordenado, usando um chapéu de pândita de abas longas. No coração de Je Tsongkhapa, está Buda Shakyamuni, e no coração de Buda Shakyamuni encontra-se Conquistador Vajradhara. Na prática da *Oferenda ao Guia Espiritual*, visualizamos nosso Guia Espiritual nesse aspecto. O termo "Lama" indica que ele é o nosso Guia Espiritual, "Losang" indica que ele é Je Tsongkhapa (cujo nome de ordenação era Losang Dragpa), "Tubwang" indica que ele é Buda Shakyamuni, e "Dorjechang" indica que ele é Vajradhara. Em tibetano, esse aspecto de nosso Guia Espiritual é também conhecido como "*je sempa sum tseg*", que significa: "Je Tsongkhapa, a Unificação de Três Seres Sagrados". Isso indica que, em realidade, nosso Guia Espiritual é a mesma natureza que Je Tsongkhapa, Buda Shakyamuni e Conquistador Vajradhara. Consultar *Grande Tesouro de Mérito*.

Libertação Estar totalmente liberto do samsara e de suas causas, as delusões. Consultar *Caminho Alegre da Boa Fortuna*.

Linhagem Continuum (*line*, em inglês) de instruções transmitido de Guia Espiritual para discípulo, em que cada Guia Espiritual da linhagem obteve uma experiência pessoal da instrução antes de passá-la para os outros.

Linhagem búdica A mente raiz de um ser senciente e sua natureza última. *Linhagem búdica*, *natureza búdica* e *semente búdica* são sinônimos. Todos os seres sencientes têm a linhagem búdica e, portanto, possuem o potencial para alcançar a Budeidade. Consultar *Mahamudra-Tantra*.

Lochana Buda feminino que é a manifestação do elemento terra de todos os Budas. Lochana é a consorte de Buda Vairochana.

Mahakaruna Termo sânscrito para "grande compaixão". Esse termo também é um epíteto para Buda Avalokiteshvara.

Mahasiddha Termo sânscrito que significa "grandemente realizado". O termo Mahasiddha é utilizado para se referir a iogues ou ioguines com elevadas aquisições.

Mahayana Palavra sânscrita para "Grande Veículo", o caminho espiritual à grande iluminação. Consultar *Caminho Alegre da Boa Fortuna*, *Compaixão Universal* e *Contemplações Significativas*.

Mamaki Buda feminino que é a manifestação do elemento água de todos os Budas. Mamaki é a consorte de Buda Ratnasambhava.

Mara Termo sânscrito para "demônio". Refere-se a qualquer coisa que obstrua a conquista da libertação ou da iluminação. Existem quatro tipos principais de mara: o mara das delusões, o mara dos agregados contaminados, o mara da morte descontrolada e os maras Devaputra. Dentre os quatro tipos de mara, apenas os maras Devaputra são seres sencientes. O principal mara Devaputra é Ishvara irado, o mais elevado dos deuses do reino do desejo e que habita a "Terra em que se Controlam Emanações". Um Buda é denominado "Conquistador" porque ele (ou ela) conquistou todos os quatro tipos de mara. Consultar *Novo Coração de Sabedoria.*

Marca Existem dois tipos de marca: marcas das ações e marcas das delusões. Cada ação que fazemos deixa uma marca na consciência mental, e essas marcas são potencialidades cármicas para experienciar determinados efeitos no futuro. As marcas deixadas pelas delusões permanecem mesmo depois das próprias delusões terem sido removidas, do mesmo modo que o cheiro de alho permanece num recipiente depois do alho ter sido removido. As marcas das delusões são obstruções à onisciência e são totalmente abandonadas apenas pelos Budas.

Meditação Meditação é uma mente que se concentra em um objeto virtuoso, e é também uma ação mental que é a causa principal de paz mental. Ver também meditação analítica e meditação posicionada. Consultar *Caminho Alegre da Boa Fortuna* e *Novo Manual de Meditação.*

Meditação analítica Processo mental de investigar um objeto virtuoso, isto é, analisar sua natureza, atuação (ou função), características e outros aspectos. Consultar *Caminho Alegre da Boa Fortuna* e *Novo Manual de Meditação.*

Meditação posicionada Concentração estritamente focada em um objeto virtuoso. Consultar *Caminho Alegre da Boa Fortuna* e *Novo Manual de Meditação.*

Mérito Boa fortuna criada por ações virtuosas. O mérito é um poder potencial para aumentar nossas boas qualidades e produzir felicidade.

Método Qualquer caminho espiritual que atua para amadurecer nossa linhagem búdica. Treinar em renúncia, compaixão e bodhichitta são exemplos de práticas do método.

Mudra Em geral, a palavra sânscrita "*mudra*" significa "selo", como em "Mahamudra", que significa "grande selo". Mais especificamente, o termo "mudra" é utilizado para se referir tanto a um(a) consorte (como um "mudra-ação" ou "mudra-sabedoria") quanto aos gestos manuais utilizados em rituais tântricos. Consultar *Clara-Luz de Êxtase*, *Mahamudra-Tantra* e *Grande Tesouro de Mérito.*

Naga Ser não humano que, normalmente, não é visível aos humanos. Os nagas costumam viver nos oceanos, mas, algumas vezes, habitam em terra firme, em regiões rochosas e em árvores. Eles são muito poderosos – alguns são benevolentes, ao passo que outros são malévolos.

Nagarjuna Grande erudito budista indiano e mestre de meditação que reviveu o Mahayana no primeiro século por trazer à luz os ensinamentos dos *Sutras Perfeição de Sabedoria*. Consultar *Oceano de Néctar* e *Novo Coração de Sabedoria.*

Natureza última Todos os fenômenos têm duas naturezas – a natureza convencional e a natureza última. No caso de uma mesa, por exemplo, a mesa ela própria e seu formato, cor e assim por diante são, todos, a natureza convencional da mesa. A natureza última da mesa é a ausência de existência inerente da mesa. A natureza convencional de um fenômeno é uma verdade convencional, e sua natureza última é uma verdade última. Consultar *Budismo Moderno*, *Novo Coração de Sabedoria* e *Oceano de Néctar.*

Nirvana Termo sânscrito que significa "estado além da dor". Refere-se à libertação completa do samsara e de sua causa: as delusões.

Nove permanências mentais Nove níveis de concentração que conduzem ao tranquilo-permanecer: posicionamento da mente; contínuo-posicionamento; reposicionamento; estreito-

-posicionamento; controle; pacificação; completa pacificação; estritamente focado; posicionamento em equilíbrio. Consultar *Contemplações Significativas* e *Caminho Alegre da Boa Fortuna.*

Oferenda ao Guia Espiritual "*Lama Chopa*" em tibetano. Um Guru-Ioga especial de Je Tsongkhapa, no qual nosso Guia Espiritual é visualizado no aspecto de Lama Losang Tubwang Dorjechang. A instrução para essa prática foi revelada por Buda Manjushri na *Escritura Emanação Kadam* e escrita pelo primeiro Panchen Lama. *Oferenda ao Guia Espiritual* é uma prática preliminar essencial para o Mahamudra Vajrayana. Ver também Lama Losang Tubwang Dorjechang. Consultar *Grande Tesouro de Mérito.*

Orgulho Fator mental deludido que, por considerar e exagerar nossas próprias boas qualidades ou posses, faz-nos sentir arrogantes. Consultar *Caminho Alegre da Boa Fortuna* e *Como Entender a Mente.*

Paz solitária Um nirvana hinayana.

Perfeição de sabedoria Qualquer sabedoria mantida pela motivação de bodhichitta. Consultar *Novo Coração de Sabedoria* e *Oceano de Néctar.*

Pessoa Um *eu* imputado, ou designado, na dependência de qualquer um dos cinco agregados. Consultar *Como Entender a Mente.*

Protetor(es) do Dharma Manifestação de Budas ou Bodhisattvas. A principal função de um Protetor do Dharma é eliminar obstáculos e reunir todas as condições necessárias para os puros praticantes de Dharma. É também denominado "Dharmapala" em sânscrito. Consultar *Joia-Coração.*

Quatro Nobres Verdades Verdadeiros sofrimentos, verdadeiras origens, verdadeiras cessações e verdadeiros caminhos. Elas são denominadas "nobres" pois são objetos supremos de meditação. Por meditarmos nesses quatro objetos, podemos realizar a verdade última diretamente e, assim, nos tornarmos um Ser superior, ou nobre. Algumas vezes, as Quatro Nobres Verdades são referidas como "as Quatros Verdades dos Superiores". Consultar *Como Solucionar Nossos Problemas Humanos*, *Budismo Moderno* e *Caminho Alegre da Boa Fortuna*.

Ratnasambhava A manifestação do agregado sensação de todos os Budas. Ratnasambhava tem um corpo amarelo.

Reino do desejo Os ambientes dos seres humanos, animais, espíritos famintos, seres-do-inferno e, também, dos deuses que desfrutam os cinco objetos de desejo.

Reino da forma O ambiente dos deuses que possuem forma e que são superiores aos deuses do reino do desejo. O reino da forma é assim denominado porque os deuses que habitam esse reino têm formas sutis. Consultar *Oceano de Néctar*.

Reino da sem-forma O ambiente dos deuses que não possuem forma. Consultar *Oceano de Néctar*.

Roda-Canal "*Chakra*" em sânscrito. O chakra é um centro focal de onde canais secundários ramificam-se a partir do canal central. Meditar nesses pontos pode fazer com que os ventos interiores entrem no canal central. Consultar *Budismo Moderno*, *Mahamudra-Tantra* e *Clara-Luz de Êxtase*.

Sabedoria Mente inteligente virtuosa que faz sua mente primária compreender ou realizar seu objeto por inteiro. A sabedoria é um caminho espiritual que atua, ou funciona, para libertar nossa mente das delusões ou das marcas das delusões. Um exemplo de sabedoria é a visão correta da vacuidade. Consultar *Novo Coração de Sabedoria*, *Como Entender a Mente* e *Oceano de Néctar*.

Sadhana Prece ritual que é um método especial para obtermos realizações, normalmente associada a uma Deidade tântrica.

Samsara Também conhecido como "existência cíclica". O samsara pode ser compreendido de duas maneiras: como renascimento ininterrupto, sem liberdade ou controle, ou como os agregados de um ser que tomou tal renascimento. O samsara é caracterizado por sofrimento e insatisfação. Existem seis reinos no samsara. Os reinos do samsara, listados em ordem ascendente de acordo com o tipo de carma que causa o renascimento neles, são: o reino dos seres-do-inferno, o reino dos espíritos famintos, o reino dos animais, o reino dos seres humanos, o reino dos semideuses e o reino dos deuses. Os três primeiros reinos são reinos inferiores, ou migrações infelizes; e os demais três reinos são reinos superiores, ou migrações felizes. Embora o reino dos deuses seja o mais elevado reino no samsara, devido ao carma que causou o renascimento nele, é dito que o reino humano é o reino mais afortunado, pois possibilita as melhores condições para se alcançar a libertação e a iluminação. Consultar *Novo Coração de Sabedoria* e *Caminho Alegre da Boa Fortuna.*

Sangha De acordo com a tradição do Vinaya, Sangha é qualquer comunidade de, no mínimo, quatro monges ou monjas plenamente ordenados. Em geral, pessoas ordenadas ou leigos que tomaram os votos bodhisattva ou os votos tântricos também podem ser chamados de Sangha.

Seis perfeições As perfeições de dar, disciplina moral, paciência, esforço, estabilização mental e sabedoria. Elas são chamadas de "perfeições" porque são motivadas pela bodhichitta. Consultar *Caminho Alegre da Boa Fortuna, Contemplações Significativas* e *O Voto Bodhisattva.*

Senhor da Morte Embora o mara, ou demônio, da morte descontrolada não seja um ser senciente, ele é personificado como o Senhor da Morte, ou "Yama". No diagrama da Roda da Vida, o Senhor da Morte é representado agarrando a roda entre suas garras e dentes. Consultar *Caminho Alegre da Boa Fortuna.*

Ser-de-compromisso Um Buda visualizado ou nós mesmos visualizados como um Buda. Um ser-de-compromisso é assim denominado porque, em geral, é um compromisso de todos os budistas visualizar ou lembrar-se de Buda e, em particular, é um compromisso de todos os que receberam uma iniciação do Tantra Ioga Supremo gerar a si mesmos como uma Deidade.

Ser comum Qualquer pessoa que não realizou diretamente a vacuidade.

Ser senciente Qualquer ser que tenha a mente contaminada pelas delusões ou pelas marcas das delusões. Os termos "ser vivo" e "ser senciente" são termos utilizados para fazer a distinção entre os seres cujas mentes estão contaminadas pelas duas obstruções (ou por uma delas) e os Budas, cujas mentes são completamente livres dessas duas obstruções.

Ser superior "Arya" em sânscrito. Ser que possui uma realização direta da vacuidade. Existem Hinayanas superiores e Mahayanas superiores.

***Shantideva* (687-763)** Grande erudito budista indiano e mestre de meditação. Escreveu *Guia do Estilo de Vida do Bodhisattva*. Consultar *Contemplações Significativas* e *Guia do Estilo de Vida do Bodhisattva*.

Sindhura Pó vermelho de qualquer um dos 24 lugares auspiciosos de Heruka.

Sukhavati A Terra Pura de Buda Amitabha.

Sutra Ensinamentos de Buda abertos para a prática de todos, sem necessidade de uma iniciação. Os ensinamentos de Sutra incluem os ensinamentos de Buda das Três Giradas da Roda do Dharma.

Tempos sem início De acordo com a visão budista sobre o mundo, não há um início para a mente e, portanto, não há um início para o tempo. Por essa razão, todos os seres vivos tiveram incontáveis renascimentos.

Tengyur A coleção dos comentários aos ensinamentos de Buda, traduzidos do sânscrito para o tibetano. Ver também Kangyur.

Tradição Kadampa A pura tradição do Budismo Kadampa estabelecido por Atisha. Os seguidores dessa tradição, até a época de Je Tsongkhapa, são conhecidos como "Antigos Kadampas", e os seguidores após a época de Je Tsongkhapa são conhecidos como "Novos Kadampas". Consultar *Budismo Moderno* e *Caminho Alegre da Boa Fortuna.*

Tranquilo-permanecer Concentração que possui o êxtase especial da maleabilidade física e mental, obtida na dependência da conclusão das nove permanências mentais. Consultar *Clara-Luz de Êxtase, Caminho Alegre da Boa Fortuna* e *Contemplações Significativas.*

União-do-Não-Mais-Aprender A união do corpo-ilusório puro com a clara-luz-significativa que abandonou as obstruções à onisciência. "União-do-Não-Mais-Aprender" e "Budeidade" são sinônimos. Consultar *Clara-Luz de Êxtase, Solos e Caminhos Tântricos* e *Grande Tesouro de Mérito.*

União-que-precisa-aprender A união do corpo-ilusório puro com a clara-luz-significativa que ainda não abandonou as obstruções à onisciência. Consultar *Clara-Luz de Êxtase, Solos e Caminhos Tântricos* e *Grande Tesouro de Mérito.*

Vacuidade Ausência de existência inerente, a natureza última de todos os fenômenos. Consultar *Budismo Moderno, Novo Coração de Sabedoria* e *Oceano de Néctar.*

Vairochana A manifestação do agregado forma de todos os Budas. Vairochana tem um corpo branco.

Vajra Em geral, a palavra sânscrita "*vajra*" significa "indestrutível como o diamante e poderoso como o raio". No contexto do Mantra Secreto, pode significar a indivisibilidade de método e sabedoria, a sabedoria onisciente ou o grande êxtase espontâneo. Consultar *Solos e Caminhos Tântricos.*

Vajradhara O fundador do Vajrayana, ou Tantra. Vajradhara aparece diretamente apenas para Bodhisattvas altamente realizados, para os quais dá ensinamentos tântricos. Para beneficiar seres vivos com menos mérito, Vajradhara manifestou-se na forma mais visível de Buda Shakyamuni. Vajradhara também disse que, em tempos degenerados, apareceria sob uma forma comum, como a de um Guia Espiritual. Consultar *Grande Tesouro de Mérito*.

Verdade convencional Qualquer outro fenômeno que não a vacuidade. Verdades convencionais são verdadeiras com respeito às mentes dos seres comuns, mas, em realidade, as verdades convencionais são falsas. Consultar *Novo Coração de Sabedoria*, *Budismo Moderno*, *Contemplações Significativas* e *Oceano de Néctar*.

Vigilância Fator mental que é um tipo de sabedoria que examina nossas atividades de corpo, fala e mente e que identifica se falhas estão se desenvolvendo ou não. Consultar *Como Entender a Mente*.

Vinte e quatro lugares sagrados Vinte e quatro lugares especiais neste mundo, onde os mandalas de Heruka e Vajrayogini ainda permanecem. São eles: Puliramalaya, Dzalandhara, Odiyana, Arbuta, Godawari, Rameshori, Dewikoti, Malawa, Kamarupa, Ote, Trishakune, Kosala, Kalinga, Lampaka, Kanchra, Himalaya, Pretapuri, Grihadewata, Shauraktra, Suwanadvipa, Nagara, Sindhura, Maru, e Kuluta.

Voto Determinação virtuosa de abandonar falhas específicas, que é gerada juntamente com um ritual tradicional. Os três conjuntos de votos são: os votos Pratimoksha de libertação individual, os votos Bodhisattva e os votos do Mantra Secreto. Consultar *O Voto Bodhisattva* e *Solos e Caminhos Tântricos*.

Yamantaka Deidade do Tantra Ioga Supremo e que é uma manifestação irada de Manjushri.

Bibliografia

Venerável Geshe Kelsang Gyatso Rinpoche é um mestre de meditação e erudito altamente respeitado da tradição do Budismo Mahayana fundada por Je Tsongkhapa. Desde sua chegada ao Ocidente, em 1977, Venerável Geshe Kelsang Gyatso Rinpoche tem trabalhado incansavelmente para estabelecer o puro Budadharma no mundo inteiro. Durante esse tempo, deu extensos ensinamentos sobre as principais escrituras mahayana. Esses ensinamentos proporcionam uma exposição completa das práticas essenciais de Sutra e de Tantra do Budismo Mahayana.

Consulte o *website* da Tharpa Brasil para conferir os títulos disponíveis em língua portuguesa.

Livros

Budismo Moderno. O caminho da compaixão e sabedoria. (3ª edição, 2015)

Caminho Alegre da Boa Fortuna. O completo caminho budista à iluminação. (4ª edição, 2010)

Clara-Luz de Êxtase. Um manual de meditação tântrica.

Como Solucionar Nossos Problemas Humanos. As Quatro Nobres Verdades. (4ª edição, 2012)

Compaixão Universal. Soluções inspiradoras para tempos difíceis. (3ª edição, 2007)

Contemplações Significativas. Como se tornar um amigo do mundo. (2009)

Como Entender a Mente. A natureza e o poder da mente. (edição revista pelo autor, 2014. Edição anterior, com o título *Entender a Mente*, 2002)

Essência do Vajrayana. A prática do Tantra Ioga Supremo do mandala de corpo de Heruka.

Grande Tesouro de Mérito. Como confiar num Guia Espiritual. (2013)

Guia do Estilo de Vida do Bodhisattva. Como desfrutar uma vida de grande significado e altruísmo. Uma tradução da famosa obra-prima em versos de Shantideva. (2ª edição, 2009)

Introdução ao Budismo. Uma explicação do estilo de vida budista. (6ª edição, 2012)

As Instruções Orais do Mahamudra. A verdadeira essência dos ensinamentos de Sutra e Tantra de Buda (2015)

Joia-Coração. As práticas essenciais do Budismo Kadampa. (2004)

Mahamudra-Tantra. O supremo néctar da Joia-Coração. (2ª edição, 2014)

Novo Coração de Sabedoria. Uma explicação do Sutra Coração. (edição revista pelo autor, 2013. Edição anterior, com o título *Coração de Sabedoria*, 2005)

Novo Guia à Terra Dakini. A prática do Tantra Ioga Supremo de Buda Vajrayogini. (edição revista pelo autor, 2015. Edição anterior, com o título *Guia à Terra Dakini*, 2001)

Novo Manual de Meditação. Meditações para tornar nossa vida feliz e significativa. (2ª edição, 2009)

Oceano de Néctar. A verdadeira natureza de todas as coisas.

Oito Passos para a Felicidade. O caminho budista da bondade amorosa. (edição revista pelo autor, 2013. Edição anterior, com mesmo título, 2007)

Solos e Caminhos Tântricos. Como ingressar, progredir e concluir o Caminho Vajrayana.

Transforme sua Vida. Uma jornada de êxtase. (2ª edição, 2014)

Viver Significativamente, Morrer com Alegria. A prática profunda da transferência de consciência. (2007)

O Voto Bodhisattva. Um guia prático para ajudar os outros. (2ª edição, 2005)

Sadhanas

Venerável Geshe Kelsang Gyatso Rinpoche também supervisionou a tradução de uma coleção essencial de sadhanas, ou livretos de orações. Consulte o *website* da Tharpa Brasil para conferir os títulos disponíveis em língua portuguesa.

Caminho de Compaixão para quem Morreu. Sadhana de Powa para o benefício dos que morreram.
Caminho de Êxtase. A sadhana condensada de autogeração de Vajrayogini
Caminho Rápido ao Grande Êxtase. A sadhana extensa de autogeração de Vajrayogini.
Caminho à Terra Pura. Sadhana para o treino em Powa – a transferência de consciência.
Cerimônia de Powa. Transferência de consciência de quem morreu.
Cerimônia de Refúgio Mahayana e Cerimônia do Voto Bodhisattva.
A Confissão Bodhisattva das Quedas Morais. A prática de purificação do Sutra Mahayana dos Três Montes Superiores.
Dakini Ioga. A sadhana mediana de autogeração de Vajrayogini.
Essência da Boa Fortuna. Preces das seis práticas preparatórias para a meditação sobre as Etapas do Caminho à iluminação.
Essência do Vajrayana. Sadhana de autogeração do mandala de corpo de Heruka, de acordo com o sistema de Mahasiddha Ghantapa.
Essência do Vajrayana Condensado. Sadhana de autogeração do mandala de corpo de Heruka.
O Estilo de Vida Kadampa. As práticas essenciais do Lamrim Kadam.
Festa de Grande Êxtase. Sadhana de autoiniciação de Vajrayogini.
Gota de Néctar Essencial. Uma prática especial de jejum e de purificação em associação com Avalokiteshvara de Onze Faces.

Grande Libertação do Pai. Preces preliminares para a meditação no Mahamudra em associação com a prática de Heruka.

Grande Libertação da Mãe. Preces preliminares para a meditação no Mahamudra em associação com a prática de Vajrayogini.

A Grande Mãe. Um método para superar impedimentos e obstáculos pela recitação do *Sutra Essência da Sabedoria* (o *Sutra Coração*).

O Ioga de Avalokiteshvara de Mil Braços. Sadhana de autogeração.

O Ioga de Buda Amitayus. Um método especial para aumentar tempo de vida, sabedoria e mérito.

O Ioga de Buda Heruka. A sadhana essencial de autogeração do mandala de corpo de Heruka & Ioga Condensado em Seis Sessões.

O Ioga de Buda Maitreya. Sadhana de autogeração.

O Ioga de Buda Vajrapani. Sadhana de autogeração.

O Ioga da Grande Mãe Prajnaparamita. Sadhana de autogeração.

O Ioga do Herói Vajra. Uma breve prática de autogeração do mandala de corpo de Heruka.

O Ioga Incomum da Inconceptibilidade. A instrução especial sobre como alcançar a Terra Pura de Keajra com este corpo humano.

O Ioga da Mãe Iluminada Arya Tara. Sadhana de autogeração.

O Ioga de Tara Branca, Buda de Longa Vida.

Joia-Coração. O Guru-Ioga de Je Tsongkhapa associado à sadhana condensada de seu Protetor do Dharma.

Joia-que-Satisfaz-os-Desejos. O Guru-Ioga de Je Tsongkhapa associado à sadhana de seu Protetor do Dharma.

Libertação da Dor. Preces e pedidos às 21 Taras.

Manual para a Prática Diária dos Votos Bodhisattva e Tântricos.

Meditação e Recitação de Vajrasattva Solitário.

Melodioso Tambor Vitorioso em Todas as Direções. O ritual extenso de cumprimento e de renovação de compromissos com o Protetor do Dharma, o grande rei Dorje Shugden, juntamente com Mahakala, Kalarupa, Kalindewi e outros Protetores do Dharma.

Oferenda ao Guia Espiritual (Lama Chöpa). Uma maneira especial de confiar no Guia Espiritual.

Paraíso de Keajra. O comentário essencial à prática do *Ioga Incomum da Inconceptibilidade*.

Prece do Buda da Medicina. Um método para beneficiar os outros.

Preces para Meditação. Preces preparatórias breves para meditação.

Preces pela Paz Mundial.

Preces Sinceras. Preces para o rito funeral em cremações ou enterros.

Sadhana de Avalokiteshvara. Preces e pedidos ao Buda da Compaixão.

Sadhana do Buda da Medicina. Um método para obter as aquisições do Buda da Medicina.

O Tantra-Raiz de Heruka e Vajrayogini. Capítulos Um e Cinquenta e Um do Tantra-Raiz Condensado de Heruka.

O Texto-Raiz: As Oito Estrofes do Treino da Mente.

Tesouro de Sabedoria. A sadhana do Venerável Manjushri.

União do Não-Mais-Aprender. Sadhana de autoiniciação do mandala de corpo de Heruka.

Vida Pura. A prática de tomar e manter os Oito Preceitos Mahayana.

Os Votos e Compromissos do Budismo Kadampa.

Os livros e sadhanas de Venerável Geshe Kelsang Gyatso Rinpoche podem ser adquiridos nos Centros Budistas Kadampa e Centros de Meditação Kadampa e suas filiais. Você também pode adquiri-los diretamente pelo *site* da Editora Tharpa Brasil.

Editora Tharpa Brasil
Rua Artur de Azevedo 1360
Pinheiros
05404-003 - São Paulo, SP
Fone: 11 3476-2330
Web: www.tharpa.com.br
E-mail: contato.br@tharpa.com

Programas de Estudo do Budismo Kadampa

O Budismo Kadampa é uma escola do Budismo Mahayana fundada pelo grande mestre budista indiano Atisha (982-1054). Seus seguidores são conhecidos como "Kadampas": "Ka" significa "palavra" e refere-se aos ensinamentos de Buda, e "dam" refere-se às instruções especiais de Lamrim ensinadas por Atisha, conhecidas como "as Etapas do Caminho à iluminação". Integrando o conhecimento dos ensinamentos de Buda com a prática de Lamrim, e incorporando isso em suas vidas diárias, os budistas kadampas são incentivados a usar os ensinamentos de Buda como métodos práticos para transformar atividades diárias em caminho à iluminação. Os grandes professores kadampas são famosos não apenas por serem grandes eruditos, mas também por serem praticantes espirituais de imensa pureza e sinceridade.

A linhagem desses ensinamentos, tanto sua transmissão oral como suas bênçãos, foi passada de mestre a discípulo e se espalhou por grande parte da Ásia e, agora, por diversos países do mundo ocidental. Os ensinamentos de Buda, conhecidos como "Dharma", são comparados a uma roda que gira, passando de um país a outro segundo as condições e tendências cármicas de seus habitantes. As formas externas de se apresentar o Budismo podem mudar de acordo com as diferentes culturas e sociedades, mas sua autenticidade essencial é assegurada pela continuidade de uma linhagem ininterrupta de praticantes realizados.

O Budismo Kadampa foi introduzido no Ocidente em 1977 pelo renomado mestre budista Venerável Geshe Kelsang Gyatso Rinpoche. Desde então, ele vem trabalhando incansavelmente para expandir o Budismo Kadampa por todo o mundo, dando extensos ensinamentos, escrevendo textos profundos sobre o Budismo Kadampa e fundando a Nova Tradição Kadampa-União Budista Kadampa Internacional (NKT–IKBU), que hoje congrega mais de mil Centros Budistas e grupos kadampa em todo o mundo. Esses centros oferecem programas de estudo sobre a psicologia e a filosofia budistas, instruções para meditar e retiros para todos os níveis de praticantes. A programação enfatiza a importância de incorporarmos os ensinamentos de Buda na vida diária, de modo que possamos solucionar nossos problemas humanos e propagar paz e felicidade duradouras neste mundo.

O Budismo Kadampa da NKT–IKBU é uma tradição budista totalmente independente e sem filiações políticas. É uma associação de centros budistas e de praticantes que se inspiram no exemplo e nos ensinamentos dos mestres kadampas do passado, conforme a apresentação feita por Venerável Geshe Kelsang Gyatso Rinpoche.

Existem três razões pelas quais precisamos estudar e praticar os ensinamentos de Buda: para desenvolver nossa sabedoria, cultivar um bom coração e manter a paz mental. Se não nos empenharmos em desenvolver nossa sabedoria, sempre permaneceremos ignorantes da verdade última – a verdadeira natureza da realidade. Embora almejemos felicidade, nossa ignorância nos faz cometer ações não virtuosas, a principal causa do nosso sofrimento. Se não cultivarmos um bom coração, nossa motivação egoísta destruirá a harmonia e tudo o que há de bom nos nossos relacionamentos com os outros. Não teremos paz nem chance de obter felicidade pura. Sem paz interior, a paz exterior é impossível. Se não mantivermos um estado mental apaziguado, não conseguiremos ser felizes, mesmo que estejamos desfrutando de condições ideais. Por outro lado, quando nossa mente está em paz, somos felizes ainda que as condições exteriores sejam ruins. Portanto, o desenvolvimento dessas qualidades é da maior importância para nossa felicidade diária.

Venerável Geshe Kelsang Gyatso Rinpoche, ou "Geshe-la", como é carinhosamente chamado por seus discípulos, organizou três programas espirituais especiais para o estudo sistemático e a prática do Budismo Kadampa. Esses programas são especialmente adequados para a vida moderna – o Programa Geral (PG), o Programa Fundamental (PF) e o Programa de Formação de Professores (PFP).

PROGRAMA GERAL

O Programa Geral (PG) oferece uma introdução básica aos ensinamentos, à meditação e à prática budistas, e é ideal para iniciantes. Também inclui alguns ensinamentos e práticas mais avançadas de Sutra e de Tantra.

PROGRAMA FUNDAMENTAL

O Programa Fundamental (PF) oferece uma oportunidade de aprofundar nossa compreensão e experiência do Budismo por meio do estudo sistemático de seis textos:

1. *Caminho Alegre da Boa Fortuna* – um comentário às instruções de Lamrim, as Etapas do Caminho à iluminação, de Atisha.
2. *Compaixão Universal* – um comentário ao *Treino da Mente em Sete Pontos*, do Bodhisattva Chekhawa.
3. *Oito Passos para a Felicidade* – um comentário às *Oito Estrofes do Treino da Mente*, do Bodhisattva Langri Tangpa.
4. *Novo Coração de Sabedoria* – um comentário ao *Sutra Coração.*
5. *Contemplações Significativas* – um comentário ao *Guia do Estilo de Vida do Bodhisattva*, escrito pelo Venerável Shantideva.

6. *Como Entender a Mente* – uma explicação detalhada da mente, com base nos trabalhos dos eruditos budistas Dharmakirti e Dignaga.

Os benefícios de estudar e praticar esses textos são:

(1) *Caminho Alegre da Boa Fortuna* – obtemos a habilidade de colocar em prática todos os ensinamentos de Buda: de Sutra e de Tantra. Podemos facilmente fazer progressos e concluir as etapas do caminho à felicidade suprema da iluminação. Do ponto de vista prático, o Lamrim é o corpo principal dos ensinamentos de Buda, e todos os demais ensinamentos são como seus membros.

(2) e (3) *Compaixão Universal* e *Oito Passos para a Felicidade* – obtemos a habilidade de incorporar os ensinamentos de Buda em nossa vida diária e de solucionar todos os nossos problemas humanos.

(4) *Novo Coração de Sabedoria* – obtemos a realização da natureza última da realidade. Por meio dessa realização, podemos eliminar a ignorância do agarramento ao em-si, que é a raiz de todos os nossos sofrimentos.

(5) *Contemplações Significativas* – transformamos nossas atividades diárias no estilo de vida de um Bodhisattva, tornando significativo cada momento de nossa vida humana.

(6) *Como Entender a Mente* – compreendemos a relação entre nossa mente e seus objetos exteriores. Se entendermos que os objetos dependem da mente subjetiva, poderemos mudar a maneira como esses objetos nos aparecem, por meio de mudar nossa própria mente. Aos poucos, vamos adquirir a habilidade de controlar nossa mente e de solucionar todos os nossos problemas.

PROGRAMA DE FORMAÇÃO DE PROFESSORES

O Programa de Formação de Professores (PFP) foi concebido para as pessoas que desejam treinar para se tornarem autênticos professores de Dharma. Além de concluir o estudo de quatorze textos de Sutra e de Tantra (e que incluem os seis textos acima citados), o estudante deve observar alguns compromissos que dizem respeito ao seu comportamento e estilo de vida e concluir um determinado número de retiros de meditação.

Um Programa Especial de Formação de Professores é também mantido pelo KMC London, e pode ser feito presencialmente ou por correspondência. Esse programa especial de estudo e meditação consiste de seis cursos desenvolvidos ao longo de três anos, fundamentados nos seguintes livros de Venerável Geshe Kelsang Gyatso Rinpoche: *Como Entender a Mente*; *Budismo Moderno*; *Novo Coração de Sabedoria*; *Solos e Caminhos Tântricos*; *Guia do Estilo de Vida do Bodhisattva*, de Shantideva, e seu comentário – *Contemplações Significativas*); e *Oceano de Néctar*.

Todos os Centros Budistas Kadampa são abertos ao público. Anualmente, celebramos festivais nos EUA e Europa, incluindo dois festivais na Inglaterra, nos quais pessoas do mundo inteiro reúnem-se para receber ensinamentos e iniciações especiais e desfrutar de férias espirituais. Por favor, sinta-se à vontade para nos visitar a qualquer momento!

Para mais informações sobre o Budismo Kadampa
e para conhecer o Centro Budista mais próximo de você,
por favor, entre em contato com:

Centro de Meditação
Kadampa Brasil
www.budismokadampa.org.br

Centro de Meditação
Kadampa Mahabodhi
www.meditadoresurbanos.org.br

Escritórios da Editora Tharpa no Mundo

Atualmente, os livros da Editora Tharpa são publicados em inglês (americano e britânico), chinês, francês, alemão, italiano, japonês, português e espanhol. Os livros na maioria desses idiomas estão disponíveis em qualquer um dos escritórios da Editora Tharpa listados abaixo.

Inglaterra
Tharpa Publications UK
Conishead Priory
ULVERSTON
Cumbria, LA12 9QQ, UK
Tel: +44 (0)1229-588599
Fax: +44 (0)1229-483919
Web: www.tharpa.com/uk/
E-mail: info.uk@tharpa.com

Estados Unidos
Tharpa Publications USA
47 Sweeney Road
GLEN SPEY NY 12737
USA
Tel: +1 845-856-5102
Toll-free: 888-741-3475
Fax: +1 845-856-2110
Web: www.tharpa.com/us/
E-mail: info.us@tharpa.com

África do Sul
c/o Mahasiddha Kadampa Buddhist Centre
2 Hollings Road, Malvern
DURBAN
4093 REP. OF SOUTH AFRICA
Tel : +27 31 464 0984
Web: www.tharpa.com/za/
E-mail: info.za@tharpa.com

Alemanha
Tharpa Verlag (Zweigstelle Berlin)
Sommerswalde 8
16727 Oberkrämer OT Schwante
GERMANY
Tel: +49 (0)33055 222135
Fax : +49 (0) 33055 222139
Web: www.tharpa.com/de/
E-mail: info.de@tharpa.com

Austrália
Tharpa Publications Australia
25 McCarthy Road
PO Box 63
MONBULK
VIC 3793
AUSTRALIA
Tel: +61 (3) 9752-0377
Web: www.tharpa.com/au/
E-mail: info.au@tharpa.com

Brasil
Editora Tharpa Brasil
Rua Artur de Azevedo 1360
Pinheiros
05404-003 - São Paulo, SP
BRASIL
Tel: +55 (11) 3476-2330
Web: www.tharpa.com.br
E-mail: contato.br@tharpa.com

Canadá
Tharpa Publications Canada
631 Crawford Street
TORONTO ON
M6G 3K1, CANADA
Tel: +1 (416) 762-8710
Toll-free: 866-523-2672
Fax: +1 (416) 762-2267
Web: www.tharpa.com/ca/
E-mail: info.ca@tharpa.com

Espanha
Editorial Tharpa España
Camino Fuente del Perro s/n
29120 ALHAURÍN EL GRANDE
(Málaga)
ESPAÑA
Tel.: +34 952 596808
Fax: +34 952 490175
Web: www.tharpa.com/es/
E-mail: info.es@tharpa.com

França
Editions Tharpa
Château de Segrais
72220 SAINT-MARS-D'OU-
TILLÉ
FRANCE
Tél : +33 (0)2 43 87 71 02
Fax : +33 (0)2 76 01 34 10
Web: www.tharpa.com/fr/
E-mail: info.fr@tharpa.com

Hong Kong
Tharpa Asia
2nd Floor, 21 Tai Wong St. East,
Wanchai,
HONG KONG
Tel: +852 25205137
Fax: +852 25072208
Web: www.tharpa.com/hk-cht/
E-mail: info.hk@tharpa.com

Japão
Tharpa Japan
Dai 5 Nakamura Kosan Biru #501,
Shinmachi 1-29-16, Nishi-ku,
OSAKA, 550-0013
JAPAN
Tel/Fax : +81 6-6532-7632
Web: www.tharpa.com/jp/
E-mail: info.jp@tharpa.com

México
Enrique Rébsamen No 406,
Col. Narvate, entre Xola y
Diagonal de San Antonio,
C.P. 03020,
MÉXICO D.F., MÉXICO
Tel: +01 (55) 56 39 61 86
Tel/Fax: +01 (55) 56 39 61 80
Web: www.tharpa.com/mx/
Email: tharpa@kadampa.org/mx

Suiça

Tharpa Verlag
Mirabellenstrasse 1
CH-8048 ZURICH
Schweiz
Tel: +41 44 401 02 20
Fax: +41 44 461 36 88
Web: www.tharpa.com/ch/
E-mail: info.ch@tharpa.com

Índice Remissivo

a letra "g" indica entrada para o glossário

A

D

E

N

O

P

Q

R

S

T

U

V

W

X

Y